El triunfo de las promesas rotas

El fin de la Guerra Fría y el auge del neoliberalismo

Fritz Bartel

Traducción y prólogo de Carlos Corrochano

Título original: *The Triumph of Broken Promises. The End of the Cold War and Rise of Neoliberalism*

Primera edición, abril de 2024

Colección Ensayo

Diseño de colección: Alejandro Cerezo

Diseño de cubierta: Ana Nuño

Maquetación: Elena Iglesias Serna

Impreso en España por Kadmos

www.lenguadetrapo.com

www.circulobellasartes.com

ISBN: 978-84-8381-299-0

Depósito Legal: M-11120-2024

El triunfo de las promesas rotas

El fin de la Guerra Fría y el auge del neoliberalismo

Fritz Bartel

Traducción y prólogo de Carlos Corrochano

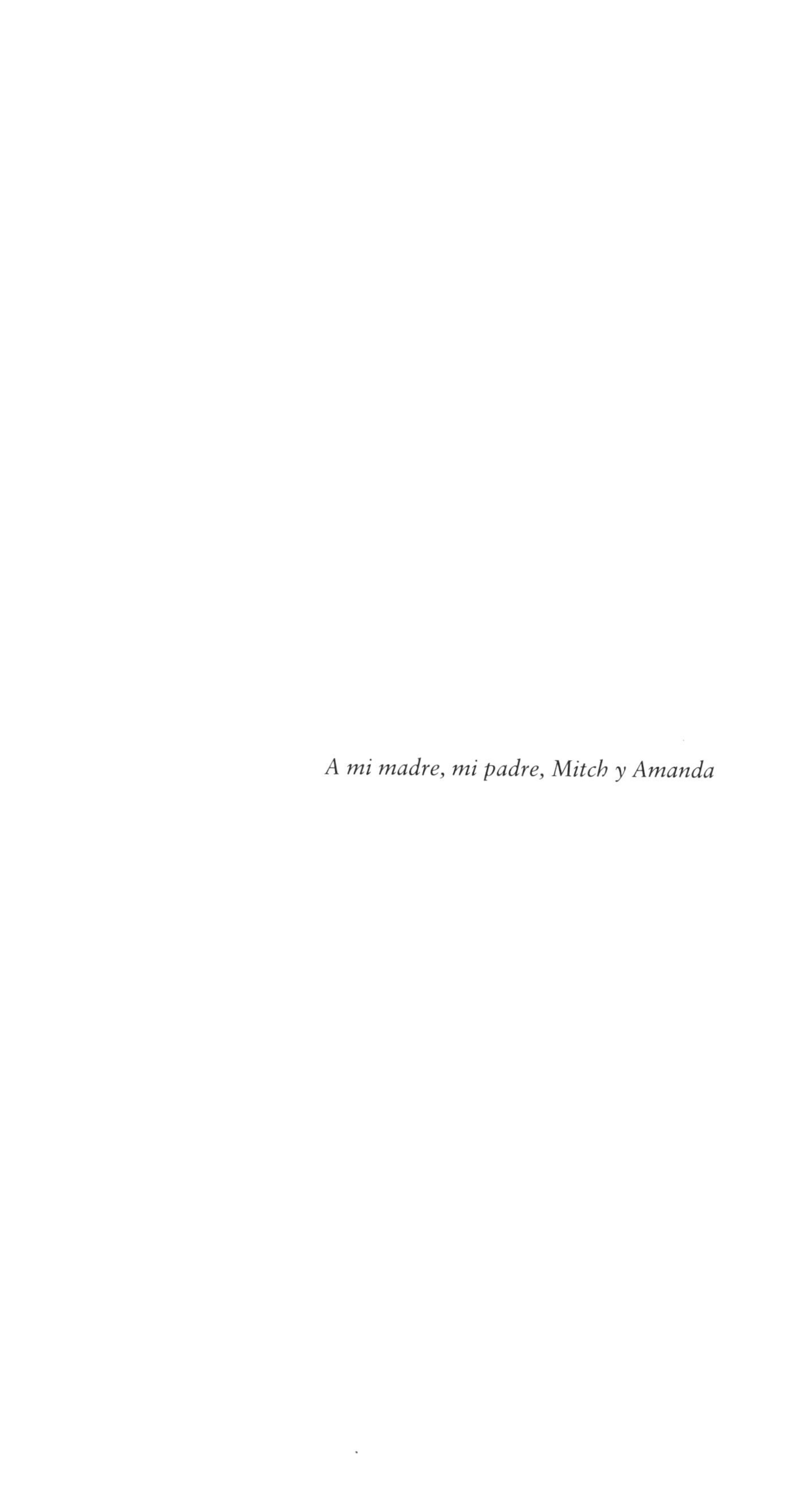

A mi madre, mi padre, Mitch y Amanda

Índice

Los claroscuros de la promesa neoliberal

Carlos Corrochano

«El designio de ser felices que nos impone el principio de placer es irrealizable (...) no por ello se debe —ni se puede— abandonar los esfuerzos por acercarse de cualquier modo a su realización».

Sigmund Freud, *El malestar en la cultura*

«Pero ¿cómo prometer nada si ponemos el futuro en peligro? Esta es la pregunta del sentido común: sin futuro no hay promesas. Podemos darle la vuelta: ¿qué futuro podemos tener si no nos atrevemos a prometernos nada? Las cárceles de lo posible son el escenario reiterado de la servidumbre y de la rendición».

Marina Garcés, *El tiempo de la promesa*

«Pues ningún amanecer, incluso en las altas montañas, es pomposo, triunfal, majestuoso, sino que apunta débil y tímido, como con la esperanza de que lo que vaya a suceder sea bueno, y es precisamente en esa sencillez de la potente luz donde radica su emocionante grandiosidad».

Theodor W. Adorno, *Minima moralia*

«Más que una persuasión ideológica, la justicia social —la modulación de los poderes del capitalismo, del colonialismo, de la raza, del género y otros— es todo lo que hay entre el sostenimiento de la promesa (siempre incumplida) de la democracia y el abandono total de esa promesa».

Wendy Brown, *En las ruinas del neoliberalismo*

1

Allá por 2007, poco antes de la quiebra de Lehman Brothers y el estallido de la gran crisis financiera, Alan Greenspan condensó a la perfección la omnipotencia de un neoliberalismo que se percibía como intocable, invencible: «Tenemos la enorme suerte de que, gracias a la globalización, las decisiones políticas en Estados Unidos hayan sido reemplazadas en gran medida por las fuerzas del mercado global». Según el presidente de la Reserva Federal de Estados Unidos, «poco importa quién vaya a ser el próximo presidente», pues «el mundo se rige por las fuerzas del mercado». La asertividad de Greenspan se debe, en parte, a uno de los rasgos que han caracterizado el fenómeno del neoliberalismo hasta el día de hoy: su supuesta irreversibilidad. Tony Blair, quizá el más perfecto producto del envite neoliberal, condensó con su habitual elocuencia este carácter supuestamente inalterable: «Escucho a la gente decir que tenemos que debatir más sobre la globalización. Sí, claro, podríamos también debatir sobre si el otoño debería seguir al verano». El neoliberalismo triunfó como ideología en la medida en que su ubicuidad se confundió con el discurrir normal de las cosas: se hizo naturaleza. Hoy, como veremos a lo largo de estas páginas, la situación es muy diferente. El neoliberalismo ya no es una fuerza incontrovertible, de hegemonía incontestable, pero permanece como uno de los conceptos políticos más disputados y debatidos, cuyo significado e implicaciones fluctúan con la volatilidad que le es propia. El neoliberalismo entró en crisis antes incluso de poder enunciar una definición sistematizada. En una coyuntura política en la que muchos claman que se halla intelectualmente moribundo, comprender su alcance y contenido es esencial para desplazarlo políticamente. Con todo, las dificultades de aprehender la *verdadera esencia* del neoliberalismo no son nuevas. Que este concepto carece de coordenadas fijas es ya un lugar común; que, por otra parte, se trata de un término que utilizan más sus críticos que sus adalides, es una redundancia más que asumida. En palabras de Wendy Brown, «el neoliberalismo —las ideas, las instituciones, las políticas, la racionalidad política— junto con su vástago, la financiarización, parecen haber moldeado la historia reciente del mundo tan profundamente como cualquier fenómeno identificable en el mismo periodo, aunque los académicos continúen debatiendo precisamente qué son ambos»[1]. De hecho, algunos autores, como el geógrafo crítico Jamie Peck, hacen referencia a la condición necesariamente incompleta del carácter neoliberal, que entorpece —y casi que imposibilita— cualquier intento de aportar una definición omnicomprensiva. «Encontrar el neoliberalismo», afirma Peck, «no consiste en ubicar un centro esencial a partir del cual fluye todo lo demás, sino en seguir esos flujos, los reflujos y las corrientes subterráneas que atraviesan y distancian momentos ideacionales, ideológicos e institucionales a lo largo del tiempo y entre lugares»[2]. Algunos autores han llegado a hablar del «neoliberalismo zombi» para explicar cómo este ha podido persistir a pesar de sus no pocas declaraciones de muerte; *The Strange Non-Death of Neoliberalism*, que diría Colin Crouch. Otros, incluso, van mucho más allá, afirmando que «a efectos prácticos, la teoría neoliberal no existe»[3]. Pero quizá esa naturaleza plástica y esquiva explique, precisamente, el éxito del mantra neoliberal: la negación de su existencia, su invisibilización, es la garantía de su poder[4]. El neoliberalismo convierte en un valor su propia irregularidad, su maleabilidad y vocación de reconfiguración, su variabilidad espacial y temporal. Y es que, a grandes rasgos, es como el agua para los peces de «Esto es agua», el discurso, ya un clásico, de David Foster Wallace: «Están dos peces nadando uno

1 Wendy Brown, *En las ruinas del neoliberalismo*, Madrid, Traficantes de Sueños, 2021.

2 Jamie Peck, *Constructions of Neoliberal Reason*, Oxford, Oxford University Press, 2010.

3 Rajesh Venugopal, «Neoliberalism as a Concept», *Economy and Society*, vol. 44, n.º 2, 2015, p. 181.

4 George Monbiot, «Neoliberalism: The ideology at the Root of All Our Problems», *The Guardian*, consultado el 15 de abril de 2016, disponible en theguardian.com/books/2016/apr/15/neoliberalism-ideology-problem-george-monbiot.

junto al otro cuando se topan con un pez más viejo nadando en sentido contrario, quien los saluda y dice, "Buenos días, muchachos. ¿Cómo está el agua?" Los dos peces siguen nadando hasta que después de un tiempo uno voltea hacia el otro y pregunta "¿Qué demonios es el agua?"».

Dar una respuesta unívoca a una pregunta lógica —qué es el neoliberalismo— se complica, además, por la multiplicidad de orígenes semánticos —un texto de Ludwig von Mises, fechado en 1927, en el que establece la distinción entre el liberalismo clásico y el (neo)liberalismo; o un discurso de Alexander Rüstow, padre del ordoliberalismo alemán, de 1932—, momentos fundantes —la Viena posterior a la Primera Guerra Mundial, patria de Friedrich Hayek y Ludwig von Mises; el Coloquio Walter Lippman de 1938, celebrado en París, o la Sociedad Mont Pèlerin, fundada en 1947 en Ginebra— y de corrientes —la archiconocida Escuela de Chicago, hogar del también reconocidísimo Milton Friedman; la Escuela de Friburgo, sede del pensamiento ordoliberal; la menos conocida Escuela de Colonia o la Escuela de Ginebra, categoría propuesta por Quinn Slobodian, preocupada especialmente por la construcción de una arquitectura global favorable a los intereses del capital—. En todos estos casos, el uso de este nuevo palabro respondía a una misma vocación: desarrollar una «alternativa práctica» al «predominio del Estado y la planificación marxista o keynesiana [que estaba] arrasando en todo el mundo», como rezaba un acta de las primeras reuniones de la Sociedad Mont Pèlerin.

A partir de ahí, son tres los principales paradigmas de teorización que, desde la teoría y la economía política, pueden aprehender las complejidades de este concepto: los enfoques neomarxista, foucaultiano y «situado». El primero de ellos concibe el neoliberalismo como un paquete de medidas de privatización de la propiedad pública y los servicios públicos; una afrenta coordinada, siempre en el interés del capital, para desregularlo, reducir el ámbito social del Estado y orientar todos sus esfuerzos a la obtención de inversión extranjera. Para los neomarxistas, el epítome del neoliberalismo sería la experiencia pinochetista: con el sur global como el lugar de testeo, el envite neoliberal, de un marcado carácter antidemocrático, consistió en un ajuste económico estructural que, por su machacona violencia y su duración en el poder, terminó por moldear la mentalidad del pueblo chileno. Dentro de la variedad de lecturas neomarxistas, la más completa e interesante es la postulada por Quinn Slobodian en *Globalistas: el fin de los imperios y el nacimiento del neoliberalismo*. En ella, el historiador canadiense lo concibe como una relación determinada entre el Estado y el mercado, en el que el primero se moviliza para asegurar la primacía de la propiedad privada, actuando como su garante y protector. El neoliberalismo no es, pues, un mero fundamentalismo del mercado, tampoco una doctrina estrictamente economicista: es un proyecto «centrado en diseñar instituciones que, en vez de liberar los mercados, los aprisionaran, que vacunaran al capitalismo contra la amenaza de la democracia, que crearan una infraestructura que contuviese el comportamiento humano —que a menudo es irracional— y reordenaran el mundo tras el fin del imperialismo como un espacio de Estados rivales en el que las fronteras juegan un papel necesario»[5].

El segundo enfoque, que comúnmente reconoce la influencia de la obra de Michel Foucault, se centra en la dimensión subjetiva de la ofensiva neoliberal. En sus clases del Collège de France, entre 1978 y 1979, el neoliberalismo se muestra como una «reprogramación del liberalismo», un modo distintivo de producción de sujetos, una racionalidad política de nuevo cuño que va mucho más allá del ataque coordinado del capital contra el trabajo que postula la interpretación neomarxista. No es tanto, pues, la reconfiguración del capitalismo como sistema económico, sino la transformación radical de los valores que gobiernan el nuevo mundo, la alteración de los principios orientadores que vinculan al sujeto, la sociedad y el Estado, la diseminación de la forma-empresa y el *homo economicus* a cada dominio de lo humano,

5 Quinn Slobodian, *Globalistas: el fin de los imperios y el nacimiento del neoliberalismo*, Madrid, Capitán Swing, 2021.

la entronización del autogobierno autosuficiente, el colapso de la creencia en una existencia común. En ese sentido, de nuevo con Wendy Brown, «más que solo saturar el significado y el contenido de la democracia con valores del mercado, el neoliberalismo ataca los principios, las prácticas, las culturas, los sujetos y las instituciones de la democracia entendida como el gobierno del pueblo»[6]. La perspectiva foucaultiana es, pues, la asunción de que la razón neoliberal es indiscutiblemente ubicua, que ocupa cada rincón de nuestra existencia.

En tercer y último lugar, el enfoque «situado» constituye una amalgama de investigaciones de corte sociocultural que abarcan los estudios de género, de raza crítica, científicos y tecnológicos, un largo etcétera de disciplinas muy diversas y dispares. Este enfoque pone un mayor peso en los contextos locales y las expresiones concretas del paradigma neoliberal, en sus concreciones en el sur global y las periferias del sistema-mundo. Enfatiza todas sus resistencias: las luchas antineoliberales y sus consiguientes horizontes posneoliberales, también. El enfoque situado, más cercano al ámbito de la antropología, representa así un esfuerzo por cruzar las transformaciones neoliberales con la raza, el género, la clase y la sexualidad. La antropóloga Elizabeth Povinelli captura la esencia de este tercer paradigma teórico:

> A lo que se refiere (el neoliberalismo) no es a un acontecimiento sino a un conjunto de luchas sociales desiguales dentro de la diáspora liberal (...). Conceptualizar el neoliberalismo como una serie de luchas a través de un terreno social desigual nos permite ver cómo los espacios heterogéneos proporcionan las condiciones para nuevas formas de socialidad y para nuevos tipos de mercados (...). Lo que sí parece claro es que el neoliberalismo no es una cosa, sino un concepto pragmático —una herramienta— en un campo de maniobras múltiples entre quienes lo

6 Wendy Brown, *El pueblo sin atributos. La secreta revolución del neoliberalismo*, Barcelona, Malpaso, 2017.

apoyan y se benefician de él, y, no obstante, donde cada acción cambia, aunque sea ligeramente, el propio campo de maniobras[7].

Este ejercicio tipológico, un intento de mapear las diferentes expresiones del neoliberalismo, es necesario para afrontar el *tour de force* que tienes entre manos. Hablo, sí, del libro de Fritz Bartel, *El triunfo de las promesas rotas*.

2

Y es que a Bartel no parecen interesarle estas cartografías. En ese sentido, su narrativa desborda todos los debates descritos con anterioridad. Para él, el neoliberalismo es una «ideología política que pretende incrementar el flujo libre de bienes y capital entre Estados, aumentar la desigualdad entre esos mismos Estados, y limitar el papel del Estado en la provisión de seguridad económica y social para su ciudadanía». En *El triunfo de las promesas rotas*, las tesis neoliberales, a diferencia del socialismo de Estado soviético, se nos muestran como el marco ideológico más pertinente para justificar la ruptura de promesas, un «arsenal de herramientas políticas e ideológicas» que permitió a liderazgos muy diversos afrontar con éxito los múltiples desafíos que poblaron el ocaso de la Guerra Fría.

El interés y la novedad de este ensayo tiene que ver con otros muchos aspectos. Como se lamenta Gary Gerstle en *Auge y caída del orden neoliberal*, «pocos estudios sobre el neoliberalismo abordan la desintegración de la Unión Soviética entre 1989 y 1991 o el derrumbe del comunismo como antagonista principal del capitalismo», a pesar de las inmensas consecuencias de esta caída. Bartel sí lo hace. Vaya si lo hace. Con demasiada frecuencia se han pasado por alto los efectos de la amenaza comunista,

7 Elizabeth Povinelli, *Economies of Abandonment: Social Belonging and Endurance in Late Liberalism*, Durham, Carolina del Norte, Duke University Press, 2001.

cuyo desmoronamiento expuso a una gran parte del mundo —principalmente Rusia y la Europa del Este— a la penetración de las lógicas capitalistas más descarnadas. Asimismo, otro efecto nada desdeñable de la caída del imperio soviético es la supresión del compromiso de clase entre las élites capitalistas y las mayorías populares que hasta ese momento se había considerado imperativo en Europa y Estados Unidos y que había estructurado, en buena medida, los estados de bienestar de posguerra.

Bartel logra disipar este vacío bibliográfico. Historiador de formación y profesor de relaciones internacionales en The Bush School of Government and Public Service, perteneciente a la histórica Texas A&M University, Bartel obtuvo su doctorado en la prestigiosa Cornell University y se especializó en la historia de la Guerra Fría y la política exterior estadounidense. Este detalle es significativo: si bien los historiadores llegaron relativamente tarde al neoliberalismo como objeto de estudio, hoy pueden ser considerados como la vanguardia intelectual en el análisis de las transformaciones neoliberales.

Sin lugar a dudas, el libro de Bartel ha sido uno de los ensayos históricos más comentados y difundidos de los dos últimos años en el mundo anglosajón —un libro, además, motivado por el descubrimiento, por parte del autor, de un dato sorprendente: que la deuda del bloque del Este con Occidente ascendía hasta los 210.000 millones de dólares estadounidenses hasta poco antes de su disolución—. El éxito del ensayo es, creo, síntoma de al menos dos cosas. En primer lugar, del interés que vuelve a suscitar la economía política en una época, la nuestra, en la que sus principios vuelven a constituir objetos de disputa. En segundo lugar, del retorno de la mirada geopolítica, muy presente en la narración del libro, que aun así evita caer en los vicios habituales de esta disciplina: la toma estructural de partido por el *statu quo*; una visión del mundo dicotómica y reduccionista; una naturaleza política conservadora, alérgica al desorden y cruzada por los desvaríos del «interés nacional» y el orden westfaliano. *El triunfo de las promesas rotas* constituye un elegantísimo trabajo de análisis histórico sobre el fin de la Guerra Fría y el auge del neoliberalismo, efectuado desde un pensamiento crítico sin ínfulas, sin intención de ofrecer al lector conclusiones prefabricadas. La principal habilidad de Bartel reside en desentrañar los intríngulis de los procesos históricos, desde anodinos informes de instituciones soviéticas hasta grandes cumbres internacionales. Eso sí: la capacidad descriptiva del autor es inversamente proporcional a su voluntad de postular alternativas. Por todo ello, no ha de buscarse una prescripción política en este texto, pues no existe en Bartel la vocación de «formular recetas de cocina para el bodegón del porvenir», como escribió Marx en un prefacio de *El capital*. Para eso, ya tenemos este estudio introductorio.

El relato de Bartel difiere, además, de la amplia mayoría de abordajes de la Guerra Fría, que suelen estar mediados por un «estilo paranoico». Siguiendo esta línea, un relato paranoico sería aquel que presenta cualquier conflicto como una batalla entre el bien y el mal absolutos, que inhabilita cualquier cesión o concesión a un «otro» percibido como un enemigo al que aniquilar. El estilo paranoico, propio de las narrativas *mainstream* de la Guerra Fría, la concibe como «el nacimiento y la muerte de mundos enteros, órdenes políticos enteros, sistemas completos de valores»[8]. Bartel evita caer en esta tentación y ofrece en su lugar una narración elegante y comedida, rebosante de datos, anécdotas, informes y encuentros. En realidad, la minuciosidad del autor ahonda en una lectura subyacente del libro: la transición del orden intervencionista de mediados de siglo XX al orden neoliberal no se produjo como resultado de una simple lucha entre teorías económicas opuestas, entre Estados poderosos y débiles, clases dominantes y subordinadas. Aunque tales confrontaciones tuvieron su importancia, esta transición es, enmarcada en su momento histórico, un proceso más sutil y paciente, inadvertido y gradual.

8 Richard Hofstadter, «The Paranoid Style in American Politics», *Harper's Magazine*, noviembre de 1964, disponible en harpers.org/archive/1964/11/the-paranoid-style-in-american-politics/

La tesis principal del libro es la siguiente: el fin de la Guerra Fría puede entenderse como la transición de una política de hacer promesas, característica de las primeras décadas de posguerra, a una política de romperlas. Y es que este conflicto geopolítico y económico —y, en una perspectiva más amplia, el mundo edificado tras la posguerra— puede concebirse como una competición de hacer y mantener promesas, de expandir el contrato social. El famoso *kitchen debate* de 1959 entre Richard Nixon, entonces vicepresidente de Estados Unidos, y el líder soviético Nikita Jruschov, es quizá el ejemplo más ilustrativo de esta carrera. El célebre encuentro tuvo lugar durante la Exhibición Nacional Estadounidense en el Parque Sokólniki de Moscú. Allí, frente a una miríada de periodistas y curiosos, Nixon presentó una maqueta de casa prefabricada, supuestamente accesible para el estadounidense promedio, equipada con modernos electrodomésticos y comodidades cotidianas, mientras se pavoneaba, también, de la abundancia que caracterizaba a las baldas de los supermercados de su país. Jruschov, por supuesto, no quiso ser menos, y entró de lleno en el juego planteado por el vicepresidente estadounidense, deshaciéndose en alabanzas a los logros industriales soviéticos. Mejores cocinas, mejores lavadoras, mejores coches: lo que ambos líderes hacían, lo que sustentaba su legitimidad en el poder, era prometer niveles de vida más altos, ser capaces de llevar los beneficios de la modernidad industrial, propios de la recuperación posterior a la Segunda Guerra Mundial, a las mayorías sociales de sus países. Como afirma Bartel, todos los Gobiernos, tanto occidentales como pertenecientes a la órbita soviética, «fueron capaces de prometer —al menos a sus hombres blancos— una vida mejor, y también de cumplir esa promesa casi a la misma velocidad con la que esos mismos hombres podían imaginar lo que significaba una vida mejor». A pesar de las enormes diferencias que mediaban entre el «capitalismo democrático» y el «socialismo de Estado», tal y como los caracteriza el autor, ambos regímenes fueron relativamente exitosos en la consecución de seguridad laboral, económica y social para grandes fragmentos de sus pueblos.

Lo que vino después del *kitchen debate* es conocido por todos: *El triunfo de las promesas rotas* se revela como una crónica apasionante de la descomposición de los Treinta Gloriosos, del robusto crecimiento económico que caracterizó a la posguerra. Esta tendencia se agravó tras el súbito incremento de los costos del petróleo tras la guerra árabe-israelí de 1973, el principal punto de inflexión señalado por Bartel, el año fundacional de una época que dura, quizá, hasta nuestros días. En ese momento, la construcción de la Organización de Países Exportadores de Petróleo (OPEP) señaló el fin de los tiempos de energía a bajo costo, con subidas de hasta el 300 % de los precios del petróleo, y marcó el inicio de una era caracterizada por la inflación, recesiones económicas y escasez de productos. Este escenario forzó a las economías industriales, grandes consumidoras de energía sostenidas por compromisos de crecimiento continuo, tanto en el Este como en Occidente, a buscar una transición hacia modelos socioeconómicos alternativos. Fue en ese momento, precisamente, en el que se reabre la pregunta sobre qué promesas romper —o, mejor dicho, a *quiénes* romperlas—. Esta tesis no es en ningún caso nueva; como el propio Bartel recoge, ya fue plasmada, a mediados de los años setenta, en un informe del Comité Central del SED de la RDA:

> En 1973 ocurre una enorme explosión de precios a nivel mundial. Debido a esto, la obtención de petróleo y otros materiales básicos para la RDA se volvió mucho más cara. En vez de realizar los ajustes económicos necesarios ante esta nueva realidad, la RDA retrasó su destino gracias a los préstamos del mundo capitalista. Si hubiese que resumir nuestra situación actual en una frase, habría que decir que al menos desde 1973 nos hemos engañado a nosotros mismos y hemos vivido objetivamente por encima de nuestras posibilidades. Las deudas se pagaban con otras deudas. Si queremos salir de esta situación tenemos que trabajar duro, consumir menos de lo que producimos durante al menos quince años.

De esta manera, nuestro autor sugiere que la crisis energética de los setenta transformó de manera crucial dos ámbitos en concreto: el mercado del petróleo y el mercado financiero. La acumulación de capital en los mercados *offshore*, también conocidos como «euromercados», poco regulados y alimentados por los ingresos petroleros de Oriente Medio, demostró la magnitud de esta transformación. Estos mercados, que vieron su tamaño expandirse de menos de doscientos mil millones de dólares en 1973 a más de novecientos mil millones en 1984, ofrecían mayores rendimientos en comparación con los sistemas financieros domésticos, más regulados. Para atraer y retener este capital, era necesario demostrar a los inversores que podrían obtener retornos regulares, lo que implicaba la capacidad de los países deudores de exportar capital de manera constante. Esto llevó a la imposición de la austeridad, lo que Bartel denomina «disciplinamiento económico», o a políticas de ajuste económico. La austeridad opera, en realidad, como un realineamiento de las prioridades de la economía política y los principios que la sostienen: el aumento de salarios, la inversión pública y la consecución del pleno empleo pasan a un segundo plano, mientras que la generación de retornos fijos se recoloca como el principal objetivo del capital.

No hay en *El triunfo de las promesas rotas* una reflexión sobre los orígenes históricos y fundamentos conceptuales de la austeridad, como si esta fuera una anomalía atemporal y no el desarrollo lógico de una doctrina económica con fundamentos intelectuales de larga data, pero merece la pena hacer este ejercicio. Como expone Mark Blyth en *Austerity: The History of a Dangerous Idea*, la lógica austericida proviene, en primera instancia, de las concepciones negativas de la deuda gubernamental que albergaron economistas clásicos como John Locke, David Hume o Adam Smith, y logra mantenerse en el tiempo asociada a corrientes ideológicas como el ordoliberalismo alemán, completamente ausente en el relato de Bartel. En otra exploración de los orígenes históricos de la austeridad —*The Capital Order: How Economists Invented Austerity and Paved the Way to Fascism*—, Clara Mattei fija en los años inmediatamente posteriores a la Primera Guerra Mundial, antes incluso de la Gran Depresión, el germen de esta idea. Mattei sostiene, tomando el Reino Unido liberal y la Italia fascista como casos de estudio, que la dinámica austericida respondió al temor de las élites a la posible pérdida de hegemonía capitalista en un momento de convulsión antisistema. Al obligar a las clases populares a depender del mercado laboral privado para su supervivencia, la austeridad garantizó el mantenimiento y la continuidad de su relación de dependencia salarial. Además, como afirma la autora de *The Capital Order*, el esfuerzo bélico de inicios del siglo XX puso en cuestión la inalterabilidad de los principios que habían caracterizado al capitalismo: de este modo, durante los años de guerra, los Estados interrumpieron su supuesta posición neutral respecto al mercado, estableciendo precios y salarios para alcanzar sus fines, desmantelando así las nociones anteriores sobre la inviolabilidad de los mercados. Los ecos de estas transformaciones resuenan todavía hoy.

Con independencia de los orígenes de la austeridad, la Guerra Fría fue una competición muy disputada, en la que la crisis económica de 1973 afectó casi por igual a ambos bloques, dada su vulnerabilidad compartida ante los precios del petróleo. De hecho, el historiador estadounidense llega a afirmar que el bloque del Este logró manejar mejor, al menos en un inicio, los desafíos y transformaciones económicas de los setenta. Gracias a décadas de inversión sostenida en el ámbito petrolífero, la Unión Soviética pudo proveer a sus aliados con combustible a precios subsidiados, al mismo tiempo que obtenía divisas de sus ventas en el mercado internacional. Así, los países de la órbita comunista resultaban enormemente atractivos para los banqueros occidentales, precisamente porque el coste de imponer el «disciplinamiento económico» era mucho menor para los Gobiernos de corte autoritario que para las democracias formales, pues no tendrían que enfrentarse a procesos democráticos de legitimación en un contexto generalizado de penuria económica. En ese sentido, Alexei Kosygin, primer ministro soviético, llegó a afirmar en 1976 que la posición de la URSS era «mil veces mejor» que la de Occidente. Los acontecimientos inmediatamente posteriores impugnaron la vehemencia de Kosygin: a largo plazo, los países occidentales y sus democracias incompletas demostraron ser mucho más eficaces a la hora de implementar políticas de ajuste económico.

¿Cómo y por qué el bloque occidental logró sobrevivir en esta complicada transición a una nueva coyuntura? Su ventaja radicaba en el acceso preferencial a los mercados de capitales, la eficacia de la democracia liberal para *legitimar* decisiones y el auge del discurso y prácticas neoliberales, que lograron transformar en una virtud política la necesidad de ajustes y recortes económicos. La combinación de estos factores les permitió no solo sobrevivir, sino también fortalecerse frente a sus adversarios socialistas, cuya relación con los mercados de capitales era enormemente complicada. Además, sus sistemas políticos no disponían de mecanismos efectivos para legitimar decisiones impopulares ante su población. A diferencia de Occidente, no podían apelar a nuevas ideologías y discursos como el neoliberalismo para «despolitizar» ciertas decisiones y presentarlas como la única opción viable. En el corazón del *socialismo realmente existente* residía la idea de que la economía era el resultado directo de las elecciones de sus líderes, lo que dificultaba la evasión de responsabilidades en un entorno económico global cambiante. De forma extraordinariamente paradójica, el liderazgo socialista aprendió por la vía de los hechos que la democracia era la mejor herramienta para dispensar austeridad. En esa línea, como señala Xan López, «la paradoja del final de la Guerra Fría es que el momento de aparente cénit de poder popular en el Este es también el momento de superación histórica de ese mismo poder destituyente: los ciudadanos de los países socialistas derrocan a sus dirigentes para ser inmediatamente disciplinados por fuerzas que escapan completamente a su control»[9].

9 Xan López, «El triunfo de las promesas rotas», *Amalgama*, 25 de diciembre de 2022, disponible en amalgama.ghost.io/el-triunfo-de-las-promesas-rotas/

Entre otras cosas, la narración de Bartel muestra que el final de la Guerra Fría y el surgimiento del fenómeno neoliberal no pueden ser vistos como fenómenos aislados, eventos que coinciden por casualidad en un mismo lapso temporal, sino como manifestaciones del mismo proceso histórico. Son, en realidad, las dos caras de una misma moneda. El neoliberalismo se convirtió en el instrumento con el que el mundo occidental logró superar al socialismo en un contexto que resultaba enormemente desfavorable para ambos. Asimismo, en *El triunfo de las promesas rotas* están presentes dos de las principales formas de desviación de la política identificadas por Jacques Rancière. De manera pasiva, en la historia que cuenta Bartel está muy presente la «parapolítica»: la tendencia a despolitizar los problemas sociales, como el intento del neoliberalismo de eliminar el aspecto conflictivo de la política y buscar soluciones dentro de un marco supuestamente racional único. De hecho, a través de sus páginas podemos llegar a concebir la Guerra Fría como un proceso gradual de *parapolitización*. Pero, de forma pasiva e involuntaria, hay también en el libro ciertas dosis de «metapolítica», lo que Rancière concibe como el reconocimiento de que en el seno de una comunidad existen conflictos irresolubles, pero que, en última instancia, estos conflictos son ajenos a la esfera política. Lejos de presentarse como contingentes, en muchos momentos del ensayo los acontecimientos históricos se nos presentan como puro mecanicismo, resultados necesarios de la construcción de un mercado financiero y petrolífero global. Existe, así, una fugaz tentación determinista en la historia de Bartel, como si muchas de las decisiones tomadas por Gorbachov, Reagan o Thatcher fueran, de algún modo, inevitables; como si la agencia política de cada actor quedase opacada, en la mayoría de ocasiones, por las inercias históricas, por un terreno político global visto como una «lucha de potencias monstruosas»[10] en el que apenas hay lugar para la improvisación. Como si el autor olvidase, en definitiva, que la historia es una mera sucesión de coyunturas, que no encontraremos en su seno leyes que la rijan.

10 Mario Tronti, *La política contra la historia*, Madrid, Traficantes de Sueños, 2016.

Pero el camino del neoliberalismo hacia el éxito no fue sencillo, a pesar de lo que pueda parecer. Ningún recorrido hacia la hegemonía lo es. En el caso de Reino Unido, por ejemplo, una amplia mayoría de políticos *tories* discrepaban de las primeras propuestas de Thatcher, una figura aislada en su propia formación. Estos dirigentes creían que el poder sindical poseía sólidos anclajes, también que cualquier intento de erosión tendría un coste electoral demasiado alto. En realidad, la fragmentación del Partido Conservador no nos debería sorprender. Como apunta Aled Davies, la transición al orden neoliberal en el Reino Unido no estuvo propiamente dirigida por una fuerza neoliberal coherente y cohesionada, sino más bien por una coalición antisocialdemócrata compuesta por empresas, bancos, funcionarios de clase media, jubilados, aseguradoras y especuladores de todo tipo[11]. Pero un año después de que John Hoskyns, asesor de la Dama de Hierro, publicase en 1977 el informe *Stepping Stones*, la verdadera piedra angular del neoliberalismo británico, estalló el «invierno del descontento», la sucesión de huelgas en las que se exigían incrementos salariales más elevados para el sector público, y cuya visceralidad dañó enormemente la opinión que la población tenía de los sindicatos. La convulsa situación política derivó en unas elecciones anticipadas en las que vencería por primera vez Thatcher. Incluso en ese momento, la ambición y los resultados en los dos primeros años en el poder de la Dama de Hierro dejaron mucho que desear. Precisamente ahí, en un momento de duda y cuestionamiento, el devenir histórico volvería a echarle un cable, con la invasión de las Islas Malvinas por parte de la Junta Militar Argentina en abril de 1982. El ejército británico arrasó en apenas diez semanas, y la popularidad de Thatcher alcanzó niveles estratosféricos, permitiéndole, ahora sí, implementar su programa de reforma hasta las últimas consecuencias. El resto es historia.

11 Aled Davies, *The City of London and Social Democracy: The Political Economy of Finance in Britain, 1959-1979*, Oxford, Oxford University Press, 2017.

Al otro lado del Atlántico, el auge del neoliberalismo, tal y como lo relata Bartel, sigue un recorrido paralelo pero diferenciado. Así, la transformación hacia políticas neoliberales en Estados Unidos se inició durante la presidencia de Jimmy Carter, en un periodo marcado por la estanflación, una combinación de alto desempleo, alta inflación y estancamiento económico. En este contexto, Carter nombró a Paul Volcker, un hombre poco conocido por aquel entonces, como presidente de la Reserva Federal. Volcker, uno de los personajes más relevantes de *El triunfo de las promesas rotas*, llevó a la práctica una estrategia radical, una auténtica terapia de *shock*, elevando drásticamente las tasas de interés bajo el pretexto del «monetarismo» —a pesar de considerar personalmente este paradigma como una simplificación excesiva y una teoría deficiente—, que terminaría mostrándose como una herramienta útil y eficaz para despolitizar aquellas decisiones económicas que podían resultar impopulares. La verdadera oportunidad para Volcker llegaría con la victoria decisiva de Ronald Reagan en las elecciones de 1980, que le permitió abordar de manera más agresiva incluso el problema de la inflación. Al igual que en el Reino Unido, las iniciales políticas neoliberales casi resultan en la destitución de sus primeros defensores, ya que las agresivas tasas de interés y las reformas económicas provocaron un aumento en el déficit y el desempleo. Pero un giro fortuito de eventos, incluyendo el fin del sistema de Bretton Woods en 1971 y un aumento en los precios de bienes esenciales, generó un exceso de liquidez a nivel global. Este escenario convirtió a Estados Unidos en un destino atractivo para inversores internacionales, gracias a una moneda fuerte y políticas favorables al capital, permitiendo al país lograr un equilibrio entre aumentar la prosperidad doméstica —de manera desigual, por supuesto—, mantener un alto gasto militar y extender su influencia global.

Mientras tanto, la Unión Soviética no permanecía ajena a estas dinámicas. Mijaíl Gorbachov es, por supuesto, una figura histórica central en el relato de Bartel, quien de hecho fija el fin de la Guerra Fría en la unificación alemana y la retirada del ejército soviético del territorio de la RDA. El derrumbe de Alemania Oriental obligaba a la URSS a cubrir los costos de su presencia militar no ya con los económicos marcos de Alemania Oriental, sino con los de Alemania Occidental, considerablemente más costosos, lo que derivó en una situación insostenible en términos financieros para Moscú. Gorbachov consintió en retirarse y permitir que una Alemania reunificada siguiera siendo miembro de la OTAN, siempre que Bonn absorbiera los costos financieros de este proceso. Merece la pena completar este momento histórico clave con el libro de Vladislav Zubok, *Collapse: The Fall of the Soviet Union*, cuya exploración de la disolución soviética se amolda a las razones esbozadas por Bartel. *Collapse* apunta hacia la estancación económica como el principal motivo de la caída de la URSS, cuya responsabilidad recae directamente sobre los hombros de Gorbachov. Según Zubok, en una línea muy similar a la de Bartel, las reformas de la perestroika adolecieron de un doble exceso, en apariencia contradictorio: por un lado, su desarrollo fue excesivamente lento, que no logró modernizar la economía soviética a tiempo; por el otro, fueron excesivamente radicales, incapaces de «entender el presente tal y como es», como diría Stuart Hall. Así, el propio autor de *Collapse* llega a afirmar que «la idea mesiánica de Gorbachov sobre una sociedad socialista humana se alejaba cada vez más de las realidades del poder soviético y su economía» —una idea que contrasta, además, con la de personajes como Boris Yeltsin, que sí supieron anticiparse a los cambios venideros y posicionarse para su beneficio político y personal—. Asimismo, la política de apertura del líder soviético —la glásnost— permitió a sus ciudadanos percibir el mundo de una manera diferente, pero también hizo demasiado visibles y palpables muchas de las deficiencias, tanto pasadas como dolorosamente presentes, de la URSS. Esto generó una impaciencia entre los ciudadanos soviéticos por alcanzar la promesa largamente sostenida de un mejor nivel de vida, promesa que, finalmente, no se concretó.

En este repaso geopolítico por los lugares claves en *El triunfo de las promesas rotas* también es necesario abordar el papel jugado por las dos Alemanias en el fin de la Guerra Fría y la construcción del mantra neoliberal. Para ello, el libro de Julian Germann, *Unwitting Architect: German Primacy and the Origins of Neoliberalism*, constituye un complemento ideal al relato esbozado por Bartel. Su tesis es sencilla: la República Federal Alemana jugó un papel mucho más relevante en la crisis global del capitalismo de los setenta de lo que cabría pensar. Las decisiones tomadas por el liderazgo de Alemania Occidental aceleraron, sin quererlo, el final del modelo keynesiano. Aunque el Gobierno de Helmut Schmidt predicaba lo contrario, sus políticas allanaron el camino de la austeridad en el resto de Europa y los Estados Unidos. De hecho, según Germann, la reputación de Alemania como paradigma neoliberal en el seno de la Unión Europea, especialmente en la era Merkel, responde, precisamente, a esta coyuntura histórica. En ese sentido, aunque Germann se aleja de las lecturas anglocéntricas —como la de Bartel, en cierta medida— que reducen el auge neoliberal al combo formado por Reagan y Thatcher, su narración muestra que el auge del neoliberalismo fueron, en realidad, auges, en plural, la concatenación, en paralelo y perpendicular, de muchos empujes, orígenes e ideas.

No hay que olvidar una omisión geopolítica —geoeconómica, más bien— en *El triunfo de las promesas rotas* que, llevada al presente, resulta incluso más flagrante: la República Popular China. El propio Bartel se hace cargo de su ausencia, aduciendo, en las páginas iniciales, que la transformación llevada a cabo por Deng Xiaoping a partir de 1978 no tenía que ver con el disciplinamiento económico y la desindustrialización que sí caracterizaron ese mismo periodo histórico en los bloques occidental y soviético. Hay dos vías particularmente útiles para cubrir esta omisión. Una es *Adam Smith en Pekín*, el testamento teórico de Giovanni Arrighi, una lectura necesariamente complementaria a la de Bartel. En este libro, publicado en 2007, Arrighi argumenta que, a diferencia del modelo occidental de industrialización y expansión imperial, China emerge en el escenario mundial a través de un camino menos militarista y más centrado en la cooperación económica y el desarrollo interno. El discípulo de Immanuel Wallerstein va más allá, y afirma que el modelo chino, caracterizado por la inversión pública y el férreo control estatal sobre sectores clave de la economía, representa una alternativa viable al capitalismo neoliberal predominante en Occidente. Otra lectura que permite cubrir —¡y con creces!— la ausencia deliberada de la República Popular China en el ensayo de Bartel es *How China Escaped Shock Therapy: The Market Reform Debate*, de la economista Isabella M. Weber, que ofrece un recorrido fascinante sobre las bases teóricas e intelectuales del espectacular crecimiento chino. En ese sentido, la autora aclara que, al menos desde la muerte de Mao, el liderazgo chino, que contaba por aquel entonces con varias sensibilidades y grupúsculos, nunca debatió sobre la necesidad o no de la reforma interna. La reforma era absolutamente necesaria. El tema, claro, era *cómo* llevarla a cabo. A este respecto, como apunta Weber, existía «un paralelismo entre la idealización de la economía planificada en el marxismo soviético, donde se imaginaba que toda la economía nacional funcionaría como una fábrica centralmente planificada, y la idealización de una economía de mercado que subyace al enfoque de terapia de shock»[12]. Así, la total liberalización de mercado simplemente revertía el esquema de planificación integral de la época maoísta, sin cuestionar su premisa subyacente más profunda: la convicción de que la economía podría perfeccionarse de manera racional, como un todo unificado. Lo que distinguía al enfoque dual de los nuevos reformistas chinos era su renuncia explícita a la mera abstracción teórica y su apuesta por un tacticismo más pragmático, consciente de las alternativas realmente disponibles, dispuesto a evaluar y actuar sobre situaciones individuales. Una de las principales lecciones de *How China Escaped Shock Therapy* es algo que comparte con *El triunfo de las promesas rotas*: su hincapié en las particularidades y recovecos de la transición neoliberal, en cómo esta se llevó a cabo,

12 Isabella M. Weber, *How China Escaped Shock Therapy: The Market Reform Debate*, Nueva York, Routledge, 2021.

qué dilemas enfrentó, qué contradicciones surfeó. De hecho, tal y como afirma Nicholas Mulder, «la diversidad de caminos, métodos y objetivos de la reforma neoliberal en los ochenta es lo que explica por qué su proliferación global no condujo a un verdadero fin de la historia»[13]. Si no entendemos la heterogeneidad que caracterizó el dominio neoliberal desde sus orígenes, no comprenderemos su persistencia hoy.

Por último, Bartel apenas aborda un factor imprescindible en el avance del neoliberalismo: su integración por parte de los partidos de centroizquierda, la claudicación de la socialdemocracia. Un texto que suplementa y enlaza con el relato de *El triunfo de las promesas rotas* es *Leftism reinvented: Western Parties from Socialism to Neoliberalism*, de Stephanie L. Mudge. La tesis de la socióloga estadounidense es doble: por un lado, que las formaciones de corte progresista sufrieron dos «reinvenciones» a lo largo del siglo XX —del marxismo al keynesianismo, primero; de este último al neoliberalismo, después—; y que dichas reinvenciones fueron esenciales en la consolidación de ambos paradigmas. En tal sentido, el nuevo laborismo o la tercera vía fueron los auténticos garantes del éxito de una nueva «ética neoliberal». A los famosos textos de Anthony Giddens sobre la necesidad de un centro radical, un camino intermedio entre la socialdemocracia y el neoliberalismo, se unieron los de Ulrich Beck, que deslizó de la escasez al riesgo el desafío existencial de la modernidad tardía: la principal responsabilidad de la acción política ya no era redistribuir, sino minimizar el peligro de la transformación tecnológica, la competencia económica global o el cambio climático. De esta forma, el asentamiento de estos discursos puede ser visto como el verdadero triunfo del neoliberalismo, el momento preciso de consolidación de una «nueva hegemonía» que no puede explicarse solo a través de Thatcher y Reagan, que no puede concebirse sin Blair o Clinton[14].

13 Nicholas Mulder, «The Neoliberal Transition in Intellectual and Economic History», *Journal of the History of Ideas*, vol. 84, n.º 3, julio de 2023, pp. 559-583.

14 Colin Crouch, «The Terms of the Neo-Liberal Consensus», *Political Quarterly*, vol. 68, n.º 4, 1997, pp. 352-360.

De alguna manera, todos los relatos en torno al fin de la Guerra Fría —y la consiguiente disolución de la Unión Soviética—, con sus diferentes matices y divergencias, evocan aquello que escribía Belén Gopegui en su novela *Existiríamos el mar*, sobre el peso cotidiano de la precariedad: «Qué poco aciertan a menudo los propósitos. El grado de desacierto parece estar ligado a su tamaño tanto como a su duración. Entre lo que quisimos hacer y lo que finalmente hicimos qué barrancos, qué averías, qué tremenda distancia, qué insensateces». Que se lo digan, sobre todo, a Mijaíl Gorbachov.

3

¿Cuál es el papel, hoy, de la promesa? ¿Qué lugar ocupa en la política contemporánea, más de tres décadas después del fin de la Guerra Fría? Entre la jerga económica y geopolítica, opacada, quizá, por la retahíla interminable de informes, datos y anécdotas, *El triunfo de las promesas rotas* ofrece una reflexión de calado sobre el papel de las promesas en los procesos sociales, políticos y geoeconómicos. Así, según la historia de Bartel, la Guerra Fría, concebida en un inicio como una carrera por cumplir promesas, se convierte, a partir de los años setenta, en una competición por deshacer lo prometido. En el mundo construido con los cimientos del Muro de Berlín, «vivimos entre promesas que no hacemos, y cuando no se cumplen, como no sabemos de dónde vienen, no sabemos a quién reclamar»[15], como afirma Marina Garcés. Rehaciendo la famosa hipótesis de Jean-François Lyotard, formulada en 1977, sobre el fin de los «grandes relatos», resulta tentador afirmar que habitamos, hoy, el tiempo del «fin de la promesa». Y no es casualidad: el avance global de las fuerzas reaccionarias, la aceleración de la emergencia climática, el impacto de la pandemia del coronavirus, las agresiones contra los pueblos palestino y ucraniano y un largo etcétera de expresiones aceleradas del

15 Marina Garcés, *El tiempo de la promesa*, Barcelona, Anagrama, 2023.

interregno construyen una forma de estar en el mundo cruzada por la disrupción continua y constante. Y ¿qué promesa cabe hacer sobre arenas movedizas?

La historia de la promesa es tan antigua como el propio arte de la política. Y es que la promesa —el juramento, en palabras de Giorgio Agamben[16]— tiene que ver, directamente, con la naturaleza del ser humano como hablante: es a través del acto de prometer que uno se hace consciente de la brecha que existe entre aquello que dice y aquello que es, entre aquello que dispone y aquello que, a su vez, disponen los demás. La promesa posee una base teológica fácilmente localizable en el Antiguo Testamento y ha sido enarbolada, desde el principio de los tiempos, por muy diversos actores: «Dios prometió la salvación, el Estado constituyó el cuerpo político bajo promesa de protección y el capitalismo movilizó las aspiraciones individuales desde una promesa ilimitada de crecimiento y de acumulación»[17]. Hoy, Dios no salva, el Estado no protege y el capitalismo no puede crecer más. En realidad, de nuevo con Garcés, «las promesas incumplidas son la fuente de buena parte de las patologías de nuestro tiempo»[18].

Ninguna de esas promesas se ha cumplido, pero siguen, carcomidas y moribundas, dando sentido a nuestro tiempo. De hecho, la lógica que subyace al capitalismo es equiparable a la mismísima ontología de la promesa, «siempre renovada, aunque sea sistemáticamente incumplida»[19]. Y es que el propio capitalismo encuentra su fundamento en una promesa —torticera, sí, pero promesa al fin y al cabo—: la del crecimiento sin límites. Las promesas, como repite Bartel, se pueden romper de forma sistemática; podemos vivir en una coyuntura de promesas rotas e incumplidas, sí, pero nunca podremos dejar de prometer. En ese sentido, el neoliberalismo no constituye el acta de defunción de la promesa: es su deformación y

16 Giorgio Agamben, *El sacramento del lenguaje: arqueología del juramento*, Buenos Aires, Adriana Hidalgo, 2011.

17 Marina Garcés, *El tiempo de la promesa*.

18 *Ibid.*

19 *Ibid.*

su vaciamiento, su uso hiperbólico y fraudulento, el adormecimiento de cualquier compromiso real. Por un lado, el acto de prometer opera como el reverso de la atomización intrínseca a la subjetivación neoliberal. En *El amanecer de todo*, David Graeber y David Wengrow sitúan en la promesa el principal diferencial de la esclavitud: el esclavo, según ambos autores, «no puede hacer promesas ni forjar conexiones durables con otros seres humanos». La promesa es, así, sinónimo de vínculo. Por el otro, la deformación de la promesa deriva en lo que Luc Bolstanski y Ève Chiapello acuñaron como «espíritu del capitalismo», que descansa en tres juramentos fundantes: la acumulación de riqueza, la capacidad de proporcionar servicios y soluciones eficientes, y el aumento de libertades políticas que las sociedades capitalistas ofrecen —a pesar, por supuesto, de sus deficiencias y desigualdades inherentes—. Estas tres promesas carecen de sustancia propia, pues su percepción depende, en última instancia, de poder ser comparadas con las de otros sistemas, que han de resultar siempre peores, siempre menos libres, ricos y eficaces. El fin de la Guerra Fría terminó con la posibilidad de la comparación, obligando al «espíritu del capitalismo», a la misma promesa, a transitar de la persuasión a la coacción.

Pero ¿de qué manera el paso a mejor vida de la bipolaridad geopolítica que caracterizó a la segunda mitad del siglo XX nos legó un mundo sin horizontes de posibilidad? ¿En qué medida el fin del «mundo soñado socialista» que relata Bartel constituye el reverso necesario del fin del «mundo soñado occidental»? Susan Buck-Morss aborda este fenómeno en *Mundo soñado y catástrofe: la desaparición de la utopía de masas en el Este y el Oeste*, en el que equipara el capitalismo democrático y al socialismo de Estado por su creencia compartida en el futuro prometido por la modernidad. Precisamente por eso, la disolución de la URSS y el fin de la utopía soviética no podía sino suponer un certificado de defunción del propio futuro como aspiración y concepto, también en Occidente. La contracción del porvenir fue un proceso hegemónico a ambos lados del telón de acero. Eso sí: siguiendo a Buck-Morss, «estos efectos catastróficos necesitan ser evaluados en nombre de la esperanza democrática y utópica a la que el sueño dio expresión y no como rechazo del mismo»[20]. En *La seta del fin del mundo*, Anna Tsing lo esboza de la siguiente manera:

> La dirección del futuro era bien conocida. Pero ¿lo es ahora? Por un lado, ningún lugar en el mundo ha quedado al margen de esa economía política global construida a partir del aparato de desarrollo de la posguerra; por otro, a pesar de que las promesas de desarrollo siguen atrayéndonos, parece que hemos perdido los medios para lograrlo. Se suponía que la modernización inundaría el mundo —tanto comunista como capitalista— de puestos de trabajo, y no de cualesquiera puestos de trabajo, sino de un «empleo estándar» con salarios y prestaciones regulares. Tales puestos de trabajo son hoy bastante raros, y la mayoría de la gente depende de medios de subsistencia mucho más irregulares. La ironía de nuestra época, pues, es que todo el mundo depende del capitalismo, pero casi nadie tiene eso que solíamos llamar un «trabajo estable»[21].

Con todo, la comparación no solo se mueve en el eje sincrónico: comparamos, también, en referencia al futuro, a nuestros anhelos y expectativas. En este terreno, me temo, las cosas no van mucho mejor. Habitamos una coyuntura cruzada por la cancelación de todo futuro posible; en la que hemos perdido, de manera simple y llana, la promesa de futuro enunciada originalmente por la modernidad, donde el porvenir, en las escasísimas ocasiones en las que se nos muestra nítido, aparece teñido de catástrofe. El nuestro es un tiempo caracterizado por el presentismo, el estrechamiento temporal, la imposibilidad de todo «horizonte predictivo», como lo denominó Álvaro García Linera. El fin de la promesa y la muerte de cualquier futuro posible son, así, fenómenos

20 Susan Buck-Morss, *Mundo soñado y catástrofe: La desaparición de la utopía de masas en el Este y el Oeste*, Madrid, Antonio Machado Libros, 2004.

21 Anna Lowenhaupt Tsing, *La seta del fin del mundo: Sobre la posibilidad de vida en las ruinas capitalistas*, Madrid, Capitán Swing, 2021.

interrelacionados. Escribe Mark Fisher que «la imposibilidad de imaginar un futuro seguro hace que sea muy difícil asumir compromisos a largo plazo»[22]. En realidad, este «realismo capitalista» —la asunción, siguiendo el principio de realidad freudiano, de que no hay «más allá» de lo cotidiano—, es precisamente el resultado de la historia narrada por Bartel, condensada a la perfección, una vez más, por el propio Fisher: «el fracaso del futuro asedia al capitalismo: tras 1989, la victoria del capitalismo no ha consistido en reclamar con confianza el futuro, sino en negar que el futuro sea posible. Lo único que podemos esperar, se nos ha hecho creer, es más de lo mismo, pero en pantallas de mayor resolución y con conexiones más rápidas»[23].

La crisis ecológica es, por supuesto, un elemento fundamental en la cancelación del futuro. Es, además, una variable que *El triunfo de las promesas rotas* apenas tiene en cuenta. El nuestro es, en ese marco, un «devenir incierto, plagado de puntos de inflexión», que dista mucho de parecerse «al futuro radiante prometido por el progreso de los ideólogos de los últimos dos siglos, ya sean liberales, socialdemócratas o marxistas»[24]. Durante los siglos XVIII y XIX, cuando Gran Bretaña colonizó Australia, utilizó una normativa jurídica que ahora se conoce como *terra nullius* [tierra de nadie] para legitimar su dominio y considerar a las comunidades indígenas como inexistentes o carentes de cualquier derecho sobre sus territorios. En la actualidad, nuestra sociedad adopta una postura similar denominada *tempus nullius*, percibiendo el futuro como un «tiempo de nadie», un espacio sin dueño y, por lo tanto, deshabitado[25]. Nuestro tiempo histórico es el de la excepcionalidad, como afirma Emilio Santiago: «hoy está políticamente en juego, como siempre, la línea que para muchos separa la vida

22 Mark Fisher, *Los fantasmas de mi vida*, Buenos Aires, Madrid, Caja Negra, 2018.

23 Mark Fisher, *K-Punk 3*, Buenos Aires, Madrid, Caja Negra, 2021.

24 Christophe Bonneuil y Jean-Baptiste Fressoz, *The Shock of the Anthropocene*, Londres, Nueva York, Verso, 2016.

25 Roman Krznaric, *El buen antepasado. Cómo pensar a largo plazo en un mundo cortoplacista*, Madrid, Capitán Swing, 2022.

y la muerte. Sin embargo, lo que nunca ha estado políticamente en juego, pero hoy sí, es lo que Barry Commoner llamó "la cuestión de la supervivencia". Lo que nunca ha estado políticamente en juego, pero hoy sí, es el futuro, en su acepción más desnuda de tiempo por venir»[26]. En la coyuntura que habitamos hemos perdido lo que Ortega llamaba la «futurición»: la pulsión humana de enmarcar todas nuestras acciones en un futuro que todavía no está, que todavía no es. Ahí, en ese preciso instante, entra en juego una pulsión de futuro que reorganiza el presente: la promesa. Esta, en el marco de su propia reconfiguración neoliberal, ha intentado ser sustituida, desde espacios y por sujetos muy diversos y diferentes entre sí, por el proyecto, la predicción y la convicción. En primer lugar, existe, como resulta evidente, una diferencia radical entre el lenguaje del proyecto y el de la promesa: la promesa rezuma fragilidad, es un ejercicio colectivo, asume la ignorancia como una parte indispensable del todo; el proyecto, en cambio, constituye el más perfecto producto del individualismo contemporáneo. El proyecto forma parte de la metafísica de lo inacabado, idiosincrasia de nuestra década, sabedora de que todo acto es acto en potencia. Esta transición, la de la promesa al proyecto, puede ser vista como el principio rector de la «corrosión del carácter» de la que hablaba Richard Sennett.

En segundo lugar, la predicción se revela como la mayor tentación de un mundo desgarrado por la incertidumbre. Hoy, de nuevo en palabras de Marina Garcés, «tener poder (...) no consiste en poder prometer, sino en poder predecir»[27]. El éxito de la IA se debe precisamente a su capacidad para alumbrar futuros posibles, acercar el porvenir al presente, derivar lo que está por llegar de lo que ya fue a través de algoritmos y patrones probabilísticos que no cuestionan el presente ni el pasado[28]. La irrupción de la pandemia del coronavirus no hizo sino ahondar en la percepción

26 Emilio Santiago, *Contra el mito del colapso ecológico*, Barcelona, Arpa, 2023.

27 Marina Garcés, *El tiempo de la promesa.*

28 Helga Nowotny, *La fe en la inteligencia artificial*, Barcelona, Galaxia Gutenberg, 2022.

de esta necesidad: predecir salva vidas, predecir es la única forma de mantener una ínfima sensación de control en un mundo que lo ha perdido por completo. En ese sentido, la promesa y la predicción, ambas formas de orientarnos hacia el futuro, no podían ser más diferentes: la primera es la expresión de una voluntad; la segunda, de un cálculo ficticiamente neutral.

En tercer y último lugar está la convicción, el sustituto de la promesa que seduce con demasiada frecuencia a las izquierdas. En *La política fuera de la historia*, Wendy Brown relata cómo Bill Clinton pasó de aparecer como un presidente «experto en política», un auténtico animal político, a un «hombre de fuertes convicciones». Esto, según la autora estadounidense, daba buena cuenta de su propia impotencia: «si un presidente no podía hacer gran cosa, podía al menos pronunciarse sobre las grandes desgracias». En este sentido, los mensajes altisonantes operan en ausencia de una capacidad real de acción, como manifestación explícita y rimbombante de una pérdida. En el caso del expresidente estadounidense, era muy evidente, puesto que «las convicciones venían a llenar un hueco: el espacio de acción y posibilidad eliminado por el avance republicano en el Congreso». La convicción, en palabras de Brown, constituye un «potente instrumento de sumisión discursiva»[29]: en inglés, estar *under conviction* posee una evidente connotación negativa. No se trata, pues, de focalizarnos en aquello en lo que creemos; se trata, muy al contrario, de preguntarse cuáles son nuestros objetivos y el mejor camino para alcanzarlos. Así, la rabia y el resentimiento, el enroque izquierdista y la exhibición desvergonzada de la impotencia son, en realidad, patologías de la promesa incumplida. La convicción representa, en definitiva, una negación del futuro por la puerta de atrás, una suerte de sensacionalismo ideológico que es «pan táctico para hoy y hambre estratégica para mañana»[30].

Las izquierdas han perdido demasiado tiempo regodeándose en el sufrimiento y el agravio, desconfiando de cualquier anhelo o

29 Wendy Brown, *La política fuera de la historia*, Madrid, Enclave de Libros, 2014.

30 Emilio Santiago, *Contra el mito del colapso ecológico*.

aspiración que haya sido rozada, aunque sea mínimamente, por la ola neoliberal. Un texto paradigmático en este sentido es *La promesa de la felicidad*, de Sara Ahmed, que postula una crítica del «imperativo cultural» de la vida buena, una reivindicación de la infelicidad como motor de transformación y expresión de una forma diferente de concebir la libertad. Si bien Ahmed acierta en su crítica de los efectos *despolitizadores* del pensamiento positivo y la autoayuda, en la línea de Barbara Ehrenreich y otras autoras, bajo su propuesta subyace un abandono imperdonable, una renuncia letal: la del poder de la promesa. Y es que los grandes éxitos de la extrema derecha actual, de las fuerzas reaccionarias contemporáneas, son, en realidad, articulaciones claras y explícitas de una promesa: el Brexit, de un Reino Unido realmente soberano, libre de inmigrantes; el trumpismo, de hacer grande a Estados Unidos, de nuevo.

En este contexto de encrucijada estratégica, recuperar la «política de hacer promesas», adaptarla a nuestra coyuntura, es, de algún modo, volver a situar a las izquierdas en la disputa por el deseo. Recuperar la promesa como forma de incidir en la realidad es salir del repliegue identitario y victimista, colocar a un neoliberalismo en horas bajas ante sus propias contradicciones. Al contrario de lo que podría deducirse de la narrativa de Bartel, la «política de romper promesas» y el neoliberalismo no son sucedáneos: el envite neoliberal se mostró como la transformación —y degradación, especialmente— de la propia promesa, la postulación, siempre y en todo caso, de una promesa diferente. La forma más eficaz de combatir el neoliberalismo es —y recordemos, con John Dewey, que «las ideas se miden en sus efectos»— enfrentarlo a su incapacidad para cumplir sus propias promesas, exhibir todas sus incongruencias, mostrar la distancia entre aquello que afirma y aquello que termina entregando. Lejos de caricaturizar al adversario o ridiculizar a aquellos *todavía* no persuadidos, lejos de generar culpa y agravio, las izquierdas deben trazar un camino, construirlo y facilitarlo, entre las lógicas que subyacen a la subjetivación neoliberal —el deseo de espontaneidad, autonomía o libertad— y los ideales republicanos y emancipatorios.

Volver a la promesa es apostar por la certeza y la protección para disipar el desorden y la inestabilidad, auténticos espíritus de época. Esta transición hacia una nueva «política de hacer promesas», una muy diferente a la puesta en práctica por el «capitalismo democrático» y el «socialismo de Estado» durante la segunda mitad del siglo pasado, es, en definitiva, el ingrediente necesario de cualquier política emancipatoria en un tiempo como el nuestro. Y es que la función de la promesa, como escribió Hannah Arendt, es la de «desafiar la incertidumbre»[31].

4

El mundo de hoy es el de la policrisis, en la que «el accidente no interrumpe, sino que organiza el sentido de la temporalidad»[32]. Según Garcés, una «triple ce» define nuestra coyuntura histórica: crisis, colapso y catástrofe. Estos tres términos se emplean, además, de manera paradójica: la crisis define la nueva normalidad; el colapso se revela como la lógica operativa del sistema; y la catástrofe, lejos de remitirnos a un futuro lejano, es el rasgo constitutivo de nuestro presentismo. En este contexto tan complicado, más de treinta años después del fin de la Guerra Fría, ¿qué lecciones podemos extraer de *El fin de las promesas rotas*, si es que podemos extraer alguna? Es evidente que muchas cosas han cambiado desde la caída del Muro de Berlín, en esta nueva «era de hielo política» construida a pesar de ese colapso, pero ¿cuáles?

En primer lugar, la «parálisis política bipolar» —en palabras de Bartel—, que había caracterizado el terreno de las relaciones internacionales durante décadas, ha dado lugar a algo diferente, frenético y en ocasiones esquizoide. El binarismo geopolítico que definía el estado de cosas global ha dejado paso a lo que podríamos calificar de «hiper(geo)política». Este término deriva de

31 Hannah Arendt, *La promesa de la política*, Barcelona, Austral, 2008.

32 Marina Garcés, *El tiempo de la promesa*.

lo que Anton Jäger ha conceptualizado como «hiperpolítica»: la forma que toma el conflicto político en nuestros días, en ausencia de toda política de masas, caracterizado por su énfasis en las dimensiones individuales, un moralismo incesante y, sobre todo, su incapacidad para hacer política desde las «condiciones inmediatamente dadas, presentes y heredadas», como escribió Marx en *El 18 Brumario*. Llevado al terreno internacional, la «hiper(-geo)política» vendría a caracterizar las formas y los modos de la política exterior contemporánea, sobre todo para las izquierdas: a medio camino entre el nihilismo y el repliegue identitario, más ocupada del «quiénes somos» que de preguntarse «qué hay que hacer, dado un cierto tipo de esperanza y objetivos»[33].

En segundo lugar, y en relación con esto último, el auge del neoliberalismo que relata Bartel ha dado lugar, tras cinco décadas de hegemonía, a una coyuntura de cuestionamiento generalizado de las hipótesis neoliberales —o, en el mejor de los casos, de dominación sin hegemonía—. Hoy, gracias, principalmente, a la gestión expansiva de la pandemia a ambos lados del Atlántico, muy diferente a la de la crisis financiera de 2008, es ya un lugar común afirmar que las tesis neoliberales se encuentran en un momento de crisis hegemónica. Vivimos lo que Antonio Gramsci calificó en sus *Quaderni del carcere* como un «interregno», un momento en el que «la crisis consiste precisamente en el hecho de que lo viejo muere y lo nuevo no puede nacer»[34]; una coyuntura en la que «se verifican los fenómenos morbosos más variados»[35]. Esta lectura encuentra muy variadas explicaciones, como la teoría de las «olas K», de Nikolai Kondratiev, sobre la persistencia de patrones ondulatorios de hegemonía económica que duran entre cuatro y cinco décadas. A grandes rasgos, podemos asumir que los ciclos políticos se asemejan a los económicos, que existen períodos históricos de alrededor de medio siglo, asociados a un cierto

33 Wendy Brown, *La política fuera de la historia*, Madrid, Enclave de libros, 2014.

34 Antonio Gramsci, *Cuadernos de la cárcel*, Madrid, Akal, 2023.

35 *Ibid.*

consenso ideológico, que se han sucedido en la historia moderna a partir de la Revolución Francesa. Así, a modo de ejemplo, a la era liberal de finales del siglo XIX y principios del XX le siguió la época socialdemócrata de la posguerra, para más tarde ser reemplazada por el dominio neoliberal. Pero, ¿y ahora?

Hoy, según diversos intelectuales, el neoliberalismo habría sido sustituido por el neoestatismo o neointervencionismo, un marco caracterizado por los planes de inversión pública masiva, el gasto deficitario, los amplios programas de vacunación y la planificación climática. En palabras de Paolo Gerbaudo: «si, hasta hace poco, el discurso político giraba en torno a la pregunta *qué hará el mercado* y los políticos se presentaban como gestores nacionales de las inevitables tendencias económicas, el dilema actual es *qué debe hacer el Estado*»[36]. El autor de *Controlar y proteger* argumenta que la pandemia ha logrado transformar el campo de batalla y el horizonte político de nuestro tiempo: la pregunta fundamental, ahora, sería la de «qué tipo de sociedad debe reconstruirse a partir de los escombros del neoliberalismo». Con todo, el neoestatismo, insiste Gerbaudo, puede tener rasgos progresistas o regresivos; puede ser, de hecho, «algo incluso peor»[37]. Como afirma Graham Gallagher, «la democracia liberal, entrelazada con la producción capitalista, floreció por un instante, necesitada de una serie de condiciones para hacerlo, y esas condiciones, ahora, han quedado atrás»[38]. Lo que nos espera a la vuelta de la esquina sería, en sus propias palabras, un mundo *bolsonarizado*, una eco-distopía reaccionaria que hará buenos todos los vicios y deformaciones de la democracia liberal. Y es que, ya lo sabemos, hay que tener mucho cuidado con lo que uno desea.

36 Paolo Gerbaudo, «Tras la pandemia, el neoestatismo sustituye al neoliberalismo», *El Grand Continent*, 21 de julio de 2021; se puede consultar en https://legrandcontinent.eu/es/2021/07/21/tras-la-pandemia-el-neoestatismo-sustituye-al-neoliberalismo/

37 James Meadway, «Neoliberalism is Dead — and Something Even Worse is Taking Its Place», *Novara Media*, 2021.

38 Graham Gallagher, «Flores en el desierto: no he venido a alabar el viejo mundo, sino a enterrarlo», *El Cuaderno*, octubre de 2022.

Con todo, esta melodía no es nueva. La hemos escuchado en muchas otras ocasiones. Es lo que Karl Polanyi denominó, en un ensayo homónimo que vio la luz en 1944, la «gran transformación»: el surgimiento de respuestas contrarias al proyecto liberal —con el prefijo «neo», en nuestro caso—, el florecimiento de resistencias al envite del libre mercado. El científico social austriaco llama a estas tendencias «contramovimientos», respuestas de la sociedad que ve amenazada su supervivencia, reacciones de las mayorías dirigidas a recuperar la soberanía política arrebatada por el mercado. Estas respuestas pueden tomar dos sentidos radicalmente diferentes: democratizador o autoritario, plebeyo o elitista. Esta es, en realidad, la disyuntiva a la que nos enfrentamos hoy.

En realidad, la mejor forma de entender y comprobar las oportunidades y los riesgos que habitan en esta situación es retrotraerse a marzo de 2020, en plena irrupción del covid-19. Durante esos días, cruzados por el miedo y la incertidumbre, se debatió y aprobó el acuerdo de reconstrucción europeo, los conocidos como «Fondos Next Generation». En las diferentes interpretaciones de ese acuerdo, en la hermenéutica de sus posibilidades y limitaciones, se encuentran, todavía hoy, más de cuatro años después, las esencias del principal debate de nuestro tiempo. Así, frente a las lecturas teológicas sobre la historia de la Unión Europea, frente a la idea althusseriana de que la historia es un proceso sin sujeto, fueron dos las principales lecturas del acuerdo alcanzado por los Estados miembros. Al menos en el amplio espectro progresista, estaban, de un lado, los federalistas eufóricos, aquellos que comúnmente se llenan la boca con los «Estados Unidos de Europa» y otras hipérboles, que celebraron acríticamente el contenido y excepcionalidad de los fondos. Para una parte importante de la socialdemocracia, el acuerdo de reconstrucción constituía un punto de inflexión histórico en el que no cabían pasos atrás. La Unión Europea había cambiado para siempre. Este grupo practicaba, en realidad, lo que Perry Anderson acuñó como *pensée ouate* [pensamiento algodón]: la predisposición, política e intelectual, de envolver en paños y asumir acríticamente todo aquello proveniente de Bruselas.

Del otro lado se hallaba una buena parte de la izquierda europea, caracterizada, en palabras de Pablo Bustinduy, por un nuevo «escepticismo lampedusiano». El acuerdo de reconstrucción buscaba cambiarlo todo para que, precisamente, todo siguiera igual. Para intelectuales orgánicos como Susan Watkins, este acuerdo no era «una ruptura de las políticas neoliberales, sino una extensión de su alcance»[39]. De hecho, según la analista estadounidense, «el final de la era neoliberal está más lejos que nunca en Europa»[40]. Esto se parece, en realidad, a lo que Daniela Gabor denomina el «consenso de Wall Street»: las fuerzas del mercado sobreviven, sí, pero bajo la agencia de los Estados, que han de intervenir para financiar la transición ecológica o eliminar riesgos para el capital. En resumen: los Fondos Next Generation vendrían a ser, pues, el mismo lobo neoliberal de siempre, que se presenta ahora con piel de cordero para salvar su propio pellejo.

Así, frente al optimismo cegador y la política de suma negativa —la política que, según Isaiah Berlin, se limita a escoger entre lo malo y lo peor— es posible reivindicar una vía intermedia, un camino pegado al suelo y productivo en términos políticos. Resulta evidente, al menos con un poco de distancia histórica, que el acuerdo de reconstrucción no supuso ninguna ruptura estructural e irreversible con el consenso neoliberal —¿cuántos eventos políticos de las últimas décadas contienen ambos rasgos: estructural e irreversible?—, pero sería políticamente estúpido creer que dicho acuerdo no supuso ninguna brecha en el consenso de Maastricht; que no hizo enfrentar a las élites que se creían dueñas de la gobernanza europea a múltiples contradicciones; que no suponía, en definitiva, una victoria política a reivindicar y profundizar. El acuerdo era importante, no tanto por su contenido o por sus cifras, ni siquiera por su posible eficacia, sino porque demostraba que hay otra forma de hacer las cosas, que hay capacidad

39 Susan Watkins, «Cambios de paradigma», *New Left Review*, n.º 128, mayo-junio de 2021, pp. 7-28, disponible en https://newleftreview.es/issues/128/articles/paradigm-shifts-translation.pdf

40 *Ibid.*

política de regular el mercado, por invertir los principios que habían regido la economía política en el ámbito europeo durante décadas, por ampliar los márgenes de lo posible en Europa y abrir, quizá, una ventana de oportunidad como la que pudo existir en la década de los setenta[41]. Esta vía intermedia condensa, creo, los rasgos actitudinales que han de regir la postura de las izquierdas ante esta muerte no consumada del neoliberalismo.

En primer lugar, hay que tomarse muy en serio discursos como el de Jake Sullivan, el Consejero para la Seguridad Nacional de Joe Biden, en abril del 2023 ante la afamada Institución Brookings. En un ejercicio de prospectiva, el alto funcionario estadounidense identificaba los cuatro principales desafíos que enfrentaba su país, todos ellos resultados de la larga noche neoliberal: el vaciado de la base industrial estadounidense, las nuevas formas de competición geopolítica, la amenaza de la crisis climática, y el impacto que la desigualdad causa en la convivencia democrática. Sullivan proponía una doctrina económica que podríamos calificar, sin miedo a exagerar, de «posneoliberal»: recuperar una política industrial moderna, establecer un tipo impositivo mínimo del 15 % para las empresas multinacionales, avanzar hacia un nuevo paradigma de comercio internacional que tenga en cuenta los derechos sociales y la justicia climática, y un largo etcétera de medidas que, aunque modestas, habrían sido impensables pocos años atrás. Lo que el representante de la Administración Biden estaba definiendo eran, simple y llanamente, las bases de una «socialdemocracia de guerra», similar al neoestatismo del que hablaba Gerbaudo. Esto es: una oportunidad histórica —con enormes limitaciones y riesgos, por supuesto— para dejar atrás el arquetipo neoliberal y avanzar hacia algo sencillamente mejor. En un contexto así, la disyuntiva para las izquierdas es más sencilla de lo que parece: afrontar el desafío de intervenir para incidir en la construcción de este nuevo paradigma, redireccionarlo hacia fines de mayor *decencia*, siendo

41 Aurélie Dianara Andry, *Social Europe, the Road not Taken. The Left and European Integration in the Long 1970s*, Oxford, Oxford University Press, 2022.

perfectamente conscientes de los riesgos, por un lado, y las fuerzas realmente disponibles, por el otro; o rechazar de partida una opción que no se amolda por completo a figuraciones preestablecidas e ideales, ahondando en el «cinismo paradójicamente ingenuo», en palabras de Xan López, que «huye por acto reflejo de cualquier cosa que pueda interpretarse como un giro progresista de la realidad»[42]. El pesimismo como mecanismo de defensa y profecía autocumplida: un clásico de las izquierdas. «Somos apocalípticos únicamente para equivocarnos»[43], que decía Bruno Latour.

En segundo lugar, es esencial tener muy en cuenta que, por supuesto, la «muerte intelectual del neoliberalismo» y la necesidad subsiguiente de darle la última estocada en el terreno político es una construcción discursiva, un ejercicio performativo para insuflar, desde indicios de realidad evidentes, un halo de esperanza a unas izquierdas necesitadas de una nueva narrativa que desborde el repliegue y escape de la caduca comodidad del resistencialismo. Con todo, los riesgos de esta operación son evidentes:

> Y cuando las fuerzas sociales y políticas no lograron transformar ese «acontecimiento» histórico en un nuevo orden, una vieja pregunta marxista resurgió bajo una nueva forma, de manera que «¿por qué no se produjo la revolución?» se convirtió en «¿por qué no murió el neoliberalismo?». La tarea consistía entonces en explicar por qué un acontecimiento esperado nunca se materializó. Sin embargo, bajo estas preguntas se encuentra el supuesto cuasi teológico de que, una vez revelados como falsos o anticuados por los acontecimientos históricos, los regímenes hegemónicos están abocados a la crisis y, por tanto, serán sustituidos por paradigmas de pensamiento y práctica totalmente nuevos[44].

42 Xan López, «Socialdemocracia de guerra», *Amalgama*, 31 de octubre de 2022. amalgama.ghost.io/socialdemocracia-de-guerra/

43 Bruno Latour, *Cara a cara con el planeta*, Madrid, Siglo XXI, 2019.

44 William Callison y Zachary Manfredi, *Neoliberalismo mutante*, Madrid, Lengua de Trapo, 2023.

Y es que, además, decretar el carácter terminal o no de la crisis del neoliberalismo no es un ejercicio sencillo. La razón, como apuntan William Callison y Zachary Manfredi, es el carácter «mutante» de esta palabra[45]. Definidos en términos estrictamente biológicos, los mutantes son el resultado de transformaciones en el código genético de los organismos; son continuadores y, al mismo tiempo, puntos de inflexión en la trayectoria de su especie. El neoliberalismo es el mutante por excelencia de nuestra época. Desde esta perspectiva, y a modo de ejemplo, la victoria de Donald Trump en 2016 no vino a sepultar el neoliberalismo, sino que dio alas a una de sus mutaciones: las fuerzas reaccionarias de extrema derecha, el Frankenstein autoritario de nuestro tiempo. La metáfora mutante, que rechaza el binarismo simplón, obstinado en reducir el devenir de lo político a la ruptura total o la consolidación irreversible, nos permite ajustar mejor el diagnóstico al principio de realidad: quizá el neoliberalismo no haya muerto, pero tenemos ante nosotros una excelente oportunidad de aprovechar su debilidad para empujar en una dirección alternativa. Como afirma Wendy Brown: «solo la izquierda mantiene la creencia de que todos pueden vivir bien, vivir libres, vivir juntos: un sueño cuyo abandono se expresa en el dominio de la razón neoliberal, abandono que a su vez es la razón por la cual esta forma de razón se pudo arraigar tan fácilmente»[46]. No desaprovechemos ninguna oportunidad.

A este respecto, si bien el libro de Bartel narra a la perfección la destreza interpretativa y la capacidad de los adalides del neoliberalismo para intervenir en cada disputa política, por pequeña que pareciera, apenas dice nada sobre el trabajo utópico por el que los intelectuales neoliberales llevaban apostando mucho tiempo, desde al menos los años cuarenta. El utopismo neoliberal —y su éxito, claro— ofrece, también, valiosísimas lecciones para las izquierdas en este interregno. Y es que Friedrich Hayek lo tenía

45 *Ibid.*

46 Wendy Brown, *El pueblo sin atributos*.

muy claro: frente a lo que él mismo acuñó como «falsa arrogancia» —la creencia naif de que la voluntad política o el cálculo racional bastan para transformar el estado de cosas, demasiado habitual entre las izquierdas—, el neoliberalismo debía recuperar la pulsión utópica, como expuso de manera clara y cristalina en *Los intelectuales y el socialismo*, un texto de 1949.

> Lo que nos falta es una utopía liberal, un programa que no parezca ni una mera defensa de las cosas como son, ni una especie diluida de Socialismo, sino un verdadero radicalismo liberal que no perdone a las susceptibilidades de los poderosos —incluido los sindicatos—, que no sea muy severamente práctica, y que no se limite a lo que aparece hoy en día como políticamente posible[47].

Hayek escribió esto en el momento culmen del paradigma keynesiano, en plena construcción de los estados de bienestar de posguerra, un contexto en el que las ideas neoliberales eran marginales. Así, en una coyuntura en la que el repliegue maximalista o el pragmatismo sin horizonte podían resultar opciones tentadoras, Hayek comprendió, en su lugar, la necesidad y urgencia de la labor utópica. Tenía razón. Tres décadas más tarde, como relata *El fin de las promesas rotas*, Margaret Thatcher y Ronald Reagan lograron imponer un nuevo sentido común de época. En un prefacio de *Capitalism and Freedom*, escrito en 1982, Milton Friedman resumía a la perfección el planteamiento estratégico seguido por la plétora neoliberal: «solo una crisis —real o percibida— da lugar a un cambio verdadero. Cuando esa crisis ocurre, las acciones que se emprenden dependen de las ideas que están en el ambiente. Pienso que esta es nuestra función básica: desarrollar alternativas a las políticas existentes, mantener esas alternativas vivas y disponibles hasta que lo políticamente imposible se vuelva políticamente inevitable»[48].

47 Friedrich Hayek, «The Intellectuals and Socialism», *University of Chicago Law Review*, 1949, accesible en chicagounbound.uchicago.edu, chicagounbound.uchicago.edu/uclrev/vol16/iss3/7.

48 Milton Friedman, *Capitalism and Freedom*, Chicago, University of Chicago Press, 1982.

Estas alternativas, en todo caso, no constituían programas unívocos y omniabarcantes. Tampoco lo fue, en su momento, el paradigma keynesiano. En ese sentido, el keynesianismo, más que crear, constituyó la expresión del consenso político-económico que llevó, *a posteriori*, su nombre. No fue el precursor de ese orden, ya que sus orígenes se encuentran, de hecho, en la experimentación sostenida entre la Primera Guerra Mundial y la Gran Depresión: desde la socialdemocracia sueca hasta las reformas de Takahashi en Japón, muchos de los experimentos intervencionistas más audaces de la década de 1930 tuvieron poco que ver con los textos de Keynes[49]. Como sostiene Amy C. Offner en *Sorting Out the Mixed Economy: The Rise and Fall of Welfare and Developmental States in the Americas*, el apogeo de las tesis keynesianas, más evidente entre los años cuarenta y los setenta, fue tan incoherente y diverso como el mosaico de reflejos neoliberales que oscurece nuestro mundo hoy. Y es que el mundo de las ideas y prácticas económicas no es un todo uniforme, sino una maraña de corrientes dominantes y subordinadas, tendencias, algunas en auge, otras soterradas. En una línea muy similar a la de Offner, *El triunfo de las promesas rotas* muestra, sin pretenderlo, que los neoliberales nunca tuvieron una idea coherente y orgánica sobre el futuro, un horizonte político concreto al que aspirar. Fueron inmensamente más hábiles en su lectura de coyuntura, en entender lo que Thea Riofrancos llama el «estado de ánimo» —un olfato emocional, un sentido de la autoubicación más afectivo que lógico, una predisposición a dejarse imbuir por las posibilidades del cambio—, en su apuesta por dejar atrás absurdos debates maximalistas, en entender que un cúmulo de reformas, por modestas que sean, pueden constituir una «reforma no reformista» si se materializan en el momento adecuado. Los neoliberales fueron también enormemente hábiles en movilizar a través de la práctica utópica, por más que no siempre tuvieran una imagen concreta y monolítica

49 Nicholas Mulder, «The Neoliberal Transition in Intellectual and Economic History», *Journal of the History of Ideas*, vol. 84, n.º 3, julio de 2023, pp. 559-583.

de futuro que ofrecer. Esta tensión entre la ambición y el pragmatismo, el utopismo y la intervención consciente sobre la realidad concreta, es la que explica el triunfo del neoliberalismo. Como escribe el filósofo brasileño Rodrigo Nunes, en un artículo que repasa las variaciones históricas del leninismo:

> La ambición sin pragmatismo resulta vacía; el pragmatismo sin ambición, por su parte, carece de toda visión estratégica. Lo esencial es enfrentar cada situación con la máxima ambición posible que sea compatible con el máximo pragmatismo necesario. Tu concepción de «ganar» puede diferir completamente de la de Lenin; sin embargo, con independencia de tu visión y de las cartas que tengas en un momento dado, si realmente crees en tus propias ideas, debes jugar para ganar. Esto no implica hacer simplemente lo que deseas, ni tampoco conformarte con una versión mediocre de lo que sea funcional; significa *pensar estratégicamente*. Es decir, considerar el contexto más amplio de una ecología compleja de luchas y agentes para encontrar lo más transformador posible en esa situación concreta: qué puede explotar mejor los potenciales políticos revelados por la coyuntura para transformar sus restricciones actuales al máximo, qué te llevará lo más lejos posible de lo que *es ahora* y lo más cerca de donde quieres que esté. A veces, un pequeño esfuerzo dirigido puede producir efectos a gran escala; otras veces, puede parecer simplemente una ardua tarea. De cualquier manera, como hemos visto, actuar de esta manera puede ser el único significado exacto que podemos dar a la idea de «ser radical»[50].

En definitiva, el libro de Fritz Bartel es la exhibición del leninismo de la plétora neoliberal, la narración de un éxito que, por desgracia, no es el nuestro. Un éxito que explica, además, gran parte de los fracasos de nuestro mundo. Precisamente por eso, hoy,

50 Rodrigo Nunes, «It Takes Organizers to Make a Revolution», *Viewpoint Magazine*, 9 de noviembre de 2017; se puede consultar en https://viewpointmag.com/2017/11/09/takes-organizers-make-revolution/

muchos años y varias décadas después del fin de la Guerra Fría, inmersos en el interregno, en pleno claroscuro de la promesa neoliberal, hemos de ver *El triunfo de las promesas rotas*, en realidad, como la crónica de una esperanza, de que la política «implica una perforación lenta pero firme a través de duros tablones», en palabras de Max Weber, la demostración de que se puede cambiar aquello que parece inmutable —aunque fueran otros los que lo hicieron; aunque fueran otros sus objetivos y motivaciones—, un relato del que haríamos bien en aprender, sí, ya que

> se trata de aprender la esperanza. Su labor no ceja, está enamorada del triunfo, no del fracaso. La esperanza, situada sobre el miedo, no es pasiva como este, ni, menos aún, está encerrada en un anonadamiento. El afecto de la esperanza sale de sí, da amplitud a los hombres en lugar de angostarlos, nunca puede saber bastante de lo que les da intención hacia el interior y de lo que puede aliarse con ellos hacia el exterior[51].

51 Ernst Bloch, *El principio esperanza [1]*, Madrid, Trotta, 2007.

Introducción. Hacer y romper promesas

En 1989, con la llegada de las Navidades, aquellos que habían vivido durante mucho tiempo bajo el yugo del comunismo tenían numerosos motivos de celebración. De una manera rápida y sorprendente, colapsaron los Gobiernos autoritarios que habían gobernado en la mitad este del continente desde poco después de la Segunda Guerra Mundial. Los ciudadanos que habían resistido frente a las numerosas injusticias de los regímenes comunistas empezaban a ocupar los espacios de poder en Varsovia, Budapest y Praga. Durante la noche del 9 de noviembre, el Muro de Berlín cayó, y con él desapareció uno de los mayores símbolos de la represión de una Europa dividida y de una Alemania Oriental cautiva. Asimismo, la ciudadanía de la RDA, separada durante cuatro décadas de sus vecinos, más ricos y libres, comenzaron a usar un nuevo eslogan, un *leitmotiv* compartido —*Wir sind ein Volk* [Somos un solo pueblo]—, y la reunificación alemana se proyectaba como una posibilidad real por primera vez desde la posguerra. En Moscú, el lanzamiento de la glásnost y la perestroika efectuado por el secretario general soviético, Mijaíl Gorbachov, había transformado la sociedad soviética, liberado Europa del Este de las cadenas del comunismo, y permitido que todos los europeos pudieran imaginar un futuro en el que una «casa común europea» fuera una realidad en lugar de dos bloques antagonistas. En Washington, el antiguo presidente Ronald Reagan había trabajado con Gorbachov para lograr un mundo libre de armas nucleares, y su sucesor, George H. W. Bush, pronto hablaría de un «nuevo orden mundial» que iba a garantizar paz y prosperidad permanente a un mundo agotado pero esperanzado. Visto en su conjunto, la evidencia del progreso político resultaba tan clara y apabullante que algunos observadores habían empezado a hablar de 1989 como del *annus mirabilis*, el año de los milagros. Tras décadas de represión inquebrantable, se podía palpar un ambiente de esperanza y renovación.

Nada de esto le importaba a Lázslo Kézdi. El final de la Guerra Fría podía haber supuesto un gran desarrollo en el macroesquema de la historia, pero apenas tenía repercusiones para Kézdi, un pensionista húngaro que vivía en Budapest y veía cómo toda su seguridad económica desaparecía ante sus ojos. Cada día que pasaba, el Gobierno húngaro empeoraba sustancialmente la vida de su ciudadanía, y Kézdi lo podía ver y sentir. Los funcionarios gubernamentales habían anunciado que los pensionistas recibirían un bonus navideño para aliviar su situación económica, pero esta transferencia monetaria palideció en comparación con el aumento del coste de la vida. A mediados de diciembre, Kézdi ya no podía más y escribió una carta a uno de los periódicos más importantes de Hungría, con el objetivo de mostrar su insatisfacción con los grandes popes financieros del país. «¡Lászlo Békesi, ministro de Economía! —comenzó—. Me dirijo a ti con la siguiente petición: junto al bonus navideño, envíame también, por favor, una soga larga y recia. Creo que no necesito dar más explicaciones»[1].

Kézdi contó que había ganado su pensión gracias a cuarenta y dos años de trabajo duro. Esa pensión le había permitido llevar una vida cómoda, aunque poco dada a los lujos, durante el régimen comunista. Pero ahora las cosas estaban cambiando. Recientemente, el Gobierno había empezado a subir los precios de todo. Gas, electricidad, hipotecas, comida, transporte público, e incluso las medicinas eran más caras cada día que pasaba. Las subidas de precios dejaron a Kézdi en una situación completamente desesperada, incapaz, como plasmó en su carta, de «permitirse una vida decente». Estas perspectivas pírricas le llevaron a pensar en poner fin a su propia vida y a hacer una petición especial: «¡Honorable Sr. Békesi», concluyó, «para aliviar la carga en el

1 El artículo lo publicó el diario *Magyar Nemzet* el 15 de diciembre de 1989 con el título «En el correo de hoy». La traducción en inglés se puede consultar en *Joint Publications Research Service*, Eastern Europe (JPRS-EER), JPRS-EER-90-005, pp. 28-29.

presupuesto nacional, me reitero en mi petición: por favor, hazme llegar un bonus extra, una soga. Muchas gracias, Lászlo Kézdi»[2].

No fue casualidad que esta misiva tan mordaz se enviara en tiempos de cambios políticos profundos. El disciplinamiento económico —entendido como políticas que causan un daño intencionado a la economía doméstica— fue la causa del enfado, casi sarcástico, de Kézdi, y constituyó una potente fuerza política en las dos últimas décadas de la Guerra Fría[3]. Nueve años antes, en el país más poderoso sobre la faz de la tierra, el presidente de la Reserva Federal, Paul Volcker, había sufrido una reacción similar. Mientras su política monetaria restrictiva dejaba a millones de estadounidenses en el paro y derivaba en la mayor depresión económica de la posguerra, los trabajadores de la construcción expresaban su enfado enviándole material de casas que ya no podrían construir. Los comerciales del sector automovilístico le enviaban ataúdes llenos de las llaves de coches que no lograban vender y los ganaderos bloqueaban la entrada de la Reserva con sus tractores para protestar por el aumento de los precios[4]. Esta resistencia tan elocuente y contundente llevó a Volcker a concluir que los legisladores siempre evitan causar un impacto económico en la gente porque ahí es «cuando más evidente se hace el rechazo político y social»[5].

2 *Ibid.*, p. 29.

3 Aunque a lo largo de este libro me refiero a la «Guerra Fría» y «el final de la Guerra Fría» en sentido amplio y con fines narrativos, estoy limitando mi análisis a la Guerra Fría en lo que ahora se denomina el Norte Global, antes denominado Primer y Segundo Mundos o Bloques oriental y occidental. En aras a la narrativa, a lo largo del texto también utilizo términos como «capitalismo democrático» y «socialismo de Estado», «naciones industrializadas de Occidente» y «países socialistas de Estado del Este», «Bloque occidental» y «Bloque oriental», y «Estados del bienestar occidentales» y «Estados socialistas de Estado». Lo hago reconociendo que había una gran variación dentro de «Occidente» y «Oriente» y que cualquier término como «Estado del bienestar», «capitalista democrático» o «socialista de Estado» presupone ciertas características sobre los Estados-nación presentes dentro de cada bloque en grados muy variables en cada Estado. Este libro, sin embargo, se centra principalmente en comparar la experiencia de los dos bloques, es decir, el Norte global, en la economía mundial de los años setenta y ochenta, por lo que habrá que utilizar términos que signifiquen lo que unió o distinguió a ambos.

4 Kenneth Rogoff, *The Curse of Cash*, Princeton, Nueva Jersey, Princeton University Press, 2016, p. 119.

5 Paul Volcker y Toyoo Gyohten, *Changing Fortunes: The World's Money and the Threat to American Leadership*, Nueva York, Times Books, 1992, p. 166.

A pesar de los numerosos esfuerzos por evitarlo, los líderes de ambos lados del telón de acero fueron golpeados por el rechazo al disciplinamiento económico en muchísimas ocasiones durante los setenta y ochenta. Este libro es una historia de por qué se dieron esos momentos de disciplinamiento y cómo causaron dos de las principales transformaciones globales del siglo pasado: el fin pacífico de la Guerra Fría y el auge del capitalismo neoliberal. Numerosos autores han ofrecido lecturas muy afinadas sobre estas transformaciones, pero no han terminado de entenderlas como elementos interconectados en una historia común —más concretamente, la historia de la economía global de la última parte del siglo veinte—. Así, los historiadores del neoliberalismo —que definiría como una ideología política que pretende incrementar el flujo libre de bienes y capital entre Estados, aumentar la desigualdad entre ellos y limitar el papel estatal en la dotación de seguridad económica y social para su ciudadanía— han prestado mucha atención a su historia intelectual, pero no tanta a cómo su auge convergió con la Guerra Fría[6]. En ese sentido, las investigaciones sobre el final de la Guerra Fría han dado lugar a tres décadas de lecturas de enorme interés, pero han otorgado poca importancia,

6 Dentro de la voluminosa literatura sobre el neoliberalismo, algunas de las obras más importantes son: David Harvey, *A Brief History of Neoliberalism*, Oxford y Nueva York, Oxford University Press, 2005; Quinn Slobodian, *The Globalists: The End of Empire and the Birth of Neoliberalism,* Cambridge, Massachusetts, Harvard University Press, 2018; Philip Mirowski y Dieter Plehwe (eds.), *The Road from Mont Pèlerin: The Making of the Neoliberal Thought Collective*, Cambridge, Massachusetts, Harvard University Press, 2009; Johanna Bockman, *Markets in the Name of Socialism: The Left-Wing Origins of Neoliberalism*, Stanford, California, Stanford University Press, 2011; Daniel Rodgers, *Age of Fracture*, Cambridge, Massachusetts, Harvard University Press, 2011; Angus Burgin, *The Great Persuasion: Reinventing Free Markets since the Depression,* Cambridge, Massachusetts, Harvard University Press, 2012; Daniel Stedman Jones, *Masters of the Universe: Hayek, Friedman, and the Birth of Neoliberalism,* Princeton, Nueva Jersey, Princeton University Press, 2012; Wendy Brown, *Undoing the Demos: Neoliberalism's Stealth Revolution*, Cambridge, Massachusetts, Harvard University Press, 2015; Wolfgang Streeck, *Buying Time: The Delayed Crisis of Democratic Capitalism*, Londres, Verso, 2017; Leo Panitch y Sam Gindin, *The Making of Global Capitalism: The Political Economy of American Empire*, Londres, Verso, 2012; Julian Germann, *Unwitting Architect: German Primacy and the Origins of Neoliberalism*, Stanford, California, Stanford University Press, 2021; y Thomas Piketty, *Capital in the Twenty-First Century*, Cambridge, Massachusetts, The Belknap Press of Harvard University Press, 2014.

por lo general, al papel jugado por la economía mundial en el decaimiento de la propia Guerra Fría[7].

Este libro busca recuperar y ahondar en ese papel, centrándose en tres fuerzas y dinámicas que han dominado la economía política global en el final del siglo veinte: la energía, las finanzas y el disciplinamiento económico[8]. Estas tres fuerzas adquirieron un mayor peso al comienzo de la crisis del petróleo de 1973, que constituye, también, el inicio de nuestra historia, y la influencia que tuvieran unas sobre otras en las dos décadas siguientes

7 Dos notables excepciones son Charles Maier y Stephen Kotkin. Este libro está en deuda con sus numerosos llamamientos a lo largo de las tres últimas décadas para analizar el capitalismo y el comunismo desde una perspectiva comparada. Entre otros muchos ejemplos, véase Charles S. Maier, «The Collapse of Communism: Approaches for a Future History», *History Workshop*, n.º 31, primavera de 1991, pp. 34-59, y Stephen Kotkin, «The Kiss of Debt», en *The Shock of the Global: The 1970s in Perspective*, Niall Ferguson (ed.), Cambridge, Massachusetts, Harvard University Press, 2010, pp. 80-96. Véanse también Odd Arne Westad, *The Cold War: A World History*, Nueva York, Basic Books, 2017, y Giovanni Arrighi, «The World Economy and the Cold War, 1970-1990», en *The Cambridge History of the Cold War*, vol. 3, Odd Arne Westad y Melvyn Lefler (eds.), Cambridge, Cambridge University Press, 2010, pp. 23-44. Otros autores también han investigado hábilmente la historia económica de los Estados socialistas de Europa del Este. Véase Angela Romano y Federico Romero (eds.), *European Socialist Regimes' Fateful Engagement with the West: National Strategies in the Long 1970s*, Nueva York, Routledge, 2021; Randall Stone, *Satellites and Commissars: Strategy and Conflict in the Politics of Soviet-Bloc Trade*, Princeton, Princeton University Press, 1996; Ivan Berend, *From the Soviet Bloc to the European Union: The Social and Economic Transformation of Central and Eastern Europe since 1973*, Cambridge, Cambridge University Press, 2009; Kazimierz Poznanski, *Poland's Protracted Transition: Institutional Change and Economic Growth*, Cambridge, Cambridge University Press, 1996; André Steiner, *The Plans That Failed: An Economic History of the GDR*, Nueva York, Berghahn Books, 2010; Jonathan Zatlin, *The Currency of Socialism: Money and Political Culture in East Germany*, Cambridge, Cambridge University Press, 2007; y Attila Mong, *Kádár Hitele*, Budapest, Libri Kiadó, 2012.

8 Entre los estudios más importantes sobre la historia mundial de la energía y las finanzas a finales del siglo XX figuran Eric Helleiner, *States and the Reemergence of Global Finance: From Bretton Woods to the 1990s*, Ithaca, Nueva York, Cornell University Press, 1994; Daniel Yergin, *The Prize: The Epic Quest for Oil, Money, and Power*, Nueva York, Free Press, 2003; David Spiro, *The Hidden Hand of American Hegemony: Petrodollar Recycling and International Markets*, Ithaca, Nueva York, Cornell University Press, 1999; Rawi Abdelal, *Capital Rules: The Construction of Global Finance*, Cambridge, Massachusetts, Harvard University Press, 2007; Daniel Sargent, *A Superpower Transformed*, Oxford, Oxford University Press, 2014; y Giuliano Garavini, *The Rise and Fall of OPEC in the Twentieth Century*, Oxford, Oxford University Press, 2019.

contribuyeron, sin lugar a duda, al fin de la Guerra Fría y al auge del capitalismo neoliberal.

Las historias de la energía, las finanzas y el disciplinamiento económico nos proveen de herramientas de análisis muy potentes para estudiar y entender estas transformaciones, ya que su emergencia y difusión en los setenta y ochenta cambiaron de forma evidente el terreno político, económico e ideológico en el que tuvo lugar la Guerra Fría. Cuando el conflicto comenzó, en la década de los cuarenta, todos los Gobiernos, tanto del capitalismo democrático como del socialismo de Estado, procuraron extender los contratos sociales que regían sus sociedades, para así ganarse las cabezas y los corazones de sus pueblos. Procuraron, en otras palabras, ser capaces de prometer a su gente una vida mejor y cumplir con dichas promesas. Después de que la terrible experiencia económica vivida durante la Gran Depresión diera lugar al fascismo y a una guerra mundial, el hecho de que la principal responsabilidad de los Gobiernos fuera ofrecer seguridad económica y social a sus ciudadanos se convirtió en una premisa fundamental. El capitalismo democrático y el socialismo de Estado no lograban ponerse de acuerdo en cuál era la combinación adecuada de seguridad y prosperidad —incapaces de equipararse con la prosperidad occidental, los Gobiernos comunistas prometieron a sus ciudadanos una mayor seguridad económica—, pero su diferencia fue de grado, no de contenido. Así, ya fueran comunistas o capitalistas, todos los Gobiernos en estas dos primeras décadas y media de Guerra Fría se comprometieron con la extensión del contrato social.

He acuñado este terreno político compartido de la primera mitad de la Guerra Fría como «la política de hacer promesas». Los Estados capitalistas y comunistas competían entre sí para ofrecer a su gente dos versiones diferentes de la modernidad industrial, dos versiones diferentes de promesas gubernamentales. Para guardarse las espaldas, los Gobiernos no hicieron las mismas promesas a todos por igual; la política de hacer promesas reforzaba, por supuesto, las jerarquías raciales, étnicas y de género preexistentes. Aun así, los estados del bienestar surgieron en todo Occidente para redistribuir las ganancias del mercado y para que los Gobiernos empoderaran a los sindicatos para permitir que la clase trabajadora también pudiera disfrutar de los beneficios del capitalismo industrial[9]. En el Este, el líder soviético Nikita Kruschev utilizó la década de crecimiento económico y desarrollo científico en la Unión Soviética durante los cincuenta para declarar que su país alcanzaría el comunismo —el estadio final del avance económico y social para las tesis marxistas-leninistas— en los años ochenta. En ese mientras tanto, el Partido Comunista modernizaría el país a través de la industrialización planificada, y ofrecería a su ciudadanía seguridad laboral, vivienda, movilidad social, alimentación adecuada, educación de calidad, sanidad, vacaciones más largas y una jornada laboral reducida[10]. Estos elementos constituían la base de toda legitimidad política en la posguerra, y los dos bloques de la Guerra Fría sustentaban su supuesta superioridad en la habilidad de sus Gobiernos para garantizar una buena vida a sus ciudadanos.

La crisis económica de los años setenta golpeó los cimientos materiales de esta competición y volvió prácticamente insostenible la política de hacer promesas. El surgimiento de la energía y las finanzas como fuerzas rectoras de la economía global transformaron la Guerra Fría de una competición para expandir los contratos sociales a una competición para restringirlos y disciplinarlos. Los mercados financieros y energéticos trasladaron una enorme presión a los Gobiernos de ambos lados del telón de acero para ajustar sus economías domésticas e integrar así las exigencias del mercado mundial. Estos ajustes tomaron diferentes formas: desindustrialización, la carrera por aumentar la eficiencia energética,

9 Para un análisis de este fenómeno, incluidos sus límites en Estados Unidos, véase Samuel Moyn, *Not Enough: Human Rights in an Unequal World*, Cambridge, Massachusetts, Harvard University Press, 2018. Véase también, Melvyn Leffler, «Victory: The "State", The "West" and the Cold War», en *Safeguarding Democratic Capitalism: U.S. Foreign Policy and National Security, 1920-2015*, Princeton, Nueva Jersey, Princeton University Press, 2017, pp. 221-242.

10 Véase Kristy Ironside, *A Full-Value Ruble: The Promise of Prosperity in the Postwar Soviet Union*, Cambridge, Massachusetts, Harvard University Press, 2021, y William Taubman, *Khrushchev: The Man and His Era*, Nueva York, Norton, 2003, cap. 18.

la competición con los países recientemente industrializados del Sudeste Asiático y el giro desde lo que los economistas llaman crecimiento económico *extensivo* —la producción de un mayor número de bienes aumentando los insumos de capital, tierra y trabajo— a un crecimiento económico *intensivo* —la producción de un mayor número de bienes a través de una gestión más eficiente de esos insumos—. A pesar de su morfología variada, todos estos ajustes apuntaban en una misma dirección: políticas de disciplinamiento económico.

Esto supuso que el principal desafío de los Gobiernos capitalistas y comunistas durante los setenta y ochenta fuera diametralmente opuesto al que había prevalecido desde 1945. En lugar de apostar por la mejora de la vida de la gente, los Gobiernos, tanto del Este como del Oeste, fueron forzados, en muchas ocasiones, a rebajar la prosperidad y seguridad económica de sus sociedades. En vez de hacer promesas, se vieron obligados a romperlas. Al igual que las presiones económicas a las que intentaban dar respuesta, estas promesas rotas tomaron diferentes formas: cerrando empresas poco rentables, despidiendo a la fuerza de trabajo menos productiva, imponiendo políticas de austeridad monetaria y fiscal, liberalizando los flujos comerciales y de capital, y favoreciendo, de manera más genérica, el interés del capital sobre el trabajo. A pesar de esta variedad, romper promesas fue siempre un gesto político extremadamente difícil de implementar. Ningún Gobierno, ya fuera capitalista o comunista, se podía regodear o enorgullecer de aplicar estos ajustes. Tras 1973, en cambio, esta nueva «política de promesas rotas» se convirtió en el terreno en el que el capitalismo democrático y el socialismo de Estado midieron fuerzas, y lo que estaba en juego era la existencia misma del imaginario de cada bloque. Los Gobiernos que implementaran con éxito el disciplinamiento económico sobrevivirían; los que no, colapsarían.

Por ello, este libro sostiene que la Guerra Fría comenzó como una competición de hacer promesas, pero terminó como una disputa por ver quién las rompía. El capitalismo democrático se erigió vencedor porque se mostró capaz de romper dichas promesas e imponer el disciplinamiento económico. El comunismo colapsó, precisamente, porque no pudo hacerlo. El neoliberalismo avanzó en paralelo al fin de la Guerra Fría debido a que su retórica pro mercado y antiestatista proveyó a los Gobiernos de un marco ideológico que habilitaba la ruptura de promesas. La democracia electoral y la ideología neoliberal dieron a los Estados occidentales las herramientas políticas e ideológicas para afrontar el desafío de romper promesas. Sin esas mismas herramientas, los Estados comunistas del bloque del Este se vieron obligados, en los años ochenta, a democratizar sus sistemas políticos y reformar sus esquemas ideológicos como medio para poder imponer el disciplinamiento económico. Así pues, el final de la Guerra Fría fue el triunfo de las promesas rotas porque fue el reto de imponer el disciplinamiento económico el que finalmente puso fin al conflicto y dio alas a la nueva economía neoliberal en los últimos años del siglo veinte.

* * * *

Antes de continuar, quizá convenga definir mejor a lo que me refiero cuando hablo del fin de la Guerra Fría. ¿Qué fue y qué se necesita para explicarlo[11]? He llegado a la conclusión de que el fin de la Guerra Fría involucró cuatro procesos diferentes que

11 Entre las obras importantes que abordan el final de la Guerra Fría en su conjunto, se encuentran Hal Brands, *Making the Unipolar Moment: US Foreign Policy and the Rise of the Post-Cold War Order,* Ithaca, Nueva York, Cornell University Press, 2016; Robert Service, *The End of the Cold War, 1985-1991*, Nueva York, Public Affairs, 2015; y Jeffrey Engel, *When the World Seemed New: George H. W. Bush and the End of the Cold War,* Nueva York, Houghton Miffiin Harcourt, 2017. La llamada «Escuela de la Victoria de Reagan» puede encontrarse en Peter Schweizer, *Victory: The Reagan Administration's Secret Strategy That Hastened the Collapse of the Soviet Union,* Nueva York, Atlantic Monthly Press, 1994. Entre los más importantes trabajos sobre el final de la Guerra Fría se encuentran Thomas Blanton, Svetlana Savranskaya y Vladislav Zubok (eds.), *Masterpieces of History: The Peaceful End of the Cold War in Europe*, 1989, Nueva York, Central European University Press, 2010; Silvio Pons y Federico Romero (eds.), *Reinterpreting the End of the Cold War: Issues, Interpretations, Periodizations,* Nueva York, Frank Cass, 2005; y Wolfgang Mueller, Michael Gehler y Arnold Suppan (eds.), *The Revolutions of 1989: A Handbook*, Viena, OAW, 2015.

se desarrollaron al final de los ochenta[12]: el final de la carrera de armas nucleares y convencionales entre la Unión Soviética y Estados Unidos[13], el final de la competición ideológica global entre el capitalismo democrático y el socialismo de Estado[14], el derrumbamiento pacífico de los Estados comunistas en Europa del Este (con la única excepción de Rumanía) y la Unión Soviética[15] y

12 Algunos podrían inclinarse por incluir un quinto proceso: la desintegración de la Unión Soviética, en el final de la Guerra Fría. Pero mientras que el colapso de la URSS como Estado comunista, entre 1985 y 1990, fue parte integrante del final de la Guerra Fría, la desintegración de la Unión Soviética en 1991 no lo fue. Como conflicto geopolítico, la Guerra Fría había comenzado por la contienda soviético-estadounidense para determinar el destino de la Alemania de posguerra. Así, terminó el 3 de octubre de 1990, cuando se disolvió la República Democrática Alemana y surgió la nueva Alemania reunificada en términos plenamente occidentales.

13 Entre otras muchas obras, véase Melvyn Leffier, *For the Soul of Mankind: The United States, the Soviet Union, and the Cold War*, Nueva York, Hill and Wang, 2007; Simon Miles, *Engaging the Evil Empire: Washington, Moscow, and the Beginning of the End of the Cold War*, Ithaca, Cornell University Press, 2020; James Graham Wilson, *The Triumph of Improvisation: Gorbachev's Adaptability, Reagan's Engagement, and the End of the Cold War*, Ithaca, Cornell University Press, 2014; Raymond Garthoff, *The Great Transition: American-Soviet Relations and the End of the Cold War*, Washington D. C., Brookings, 1994; Frances FitzGerald, *Way Out There in the Blue: Reagan, Star Wars, and the End of the Cold War*, Nueva York, Simon & Schuster, 2000; y Matthew Evangelista, *Unarmed Forces: The Transnational Movement to End the Cold War*, Ithaca, Cornell University Press, 2002.

14 Robert English, *Russia and the Idea of the West: Gorbachev, Intellectuals and the End of the Cold War*, Nueva York, Columbia University Press, 2000 y «Power, Ideas, and New Evidence on the Cold War's End: A Reply to Brooks and Wohlforth», *International Security*, vol. 26, n.º 4, primavera 2002; y Evangelista, *Unarmed Forces*. Gran parte de los trabajos más importantes sobre el final de la competición ideológica han sido realizados por investigadores que han tomado como tema a Mijaíl Gorbachov o los derechos humanos. Sobre Gorvachov, véase William Taubman, *Gorbachev: His Life and Times*, Nueva York, Norton, 2017; Andrei Grachev, *Gorbachev's Gamble: Soviet Foreign Policy and the End of the Cold War,* Cambridge, Cambridge University Press, 2008; y Archie Brown, *Seven Years that Changed the World: Perestroika in Perspective,* Nueva York, Oxford University Press, 2007. Sobre el tema de los derechos humanos, véase Sarah Snyder, *Human Rights Activism and the End of the Cold War: A Transnational History of the Helsinki Network*, Cambridge, Cambridge University Press, 2011.

15 El relato clásico de las revoluciones de 1989 es el de Timothy Garton Ash, *Magic Lantern: The Revolution of '89 Witnessed in Warsaw, Budapest, Berlin, and Prague,* Nueva York, Random House, 1990. Un relato del todo revisionista es el de Stephen Kotkin y Jan Gross, *Uncivil Society: 1989 and the Implosion of the Communist Establishment*, Nueva York, Modern Library, 2009. Véase también Mark Kramer, «The Demise of the Soviet Bloc», *Journal of Modern History* vol. 83, n.º 4, diciembre de 2011, pp. 788-854. Otras monografías que explican el cambio en

la reunificación de Alemania[16]. Hay dos elementos destacables en estos procesos. El primero es que todos ellos supusieron cambios intra y entre los Estados. El segundo, que involucraron cambios en las estructuras materiales e ideacionales; esto es, dicho de forma más sencilla: poder e identidad. Cada uno de los procesos que derivó en el fin de la Guerra Fría tuvo lugar en un *continuum* entre estas cuatro dinámicas. El final de la carrera nuclear es un ejemplo particularmente ilustrativo. Dependió, de forma evidente, de las gestiones diplomáticas entre superpotencias y la política doméstica de cada país. Y también del estatus cambiante de dichas superpotencias en la arena internacional y de cómo el liderazgo soviético

---

Europa del Este en 1989 son las de Jacque Lévesque, *The Enigma of 1989: The USSR and the Liberation of Eastern Europe*, Berkeley, University of California Press, 1997, y Padraic Kenney, *Carnival of Revolution: Central Europe 1989*, Princeton, Princeton University Press, 2002. Entre las monografías académicas recientes sobre el colapso de diversos Estados comunistas se encuentran Gregory Domber, *Empowering Revolution: America, Poland, and the End of the Cold War*, Chapel Hill, University of North Carolina Press, 2014; Andrzej Paczkowski, *Revolution and Counterrevolution in Poland, 1980-1989*, Rochester, Nueva York, University of Rochester Press, 2015; Lazlo Borhi, *Dealing with Dictators: The United States, Hungary, and East Central Europe, 1942-1989*, Bloomington, Indiana, Indiana University Press, 2016; Mary Sarotte, *Collapse: The Accidental Opening of the Berlin Wall*, Nueva York, Basic Books, 2014; y Hans-Hermann Hertle, *Der Fall der Mauer: Die unbeabsichtigte Selbstauflösung des SED-Staates*, Opladen, VS Verlag für Sozialwissenschaften, 1996. Sobre el colapso del Estado soviético, véase R. G. Pihoia y A. K. Sokolov, *Istoriia sovremennoi Rossii: krizis kommunisticheskoi vlasti v SSSR i rozhdenie novoi Rossii. Konets 1970-kh - 1991 gg*, Moscú, Rosspen, 2008; Stephen Kotkin, *Armageddon Averted: The Soviet Collapse 1970-2000*, Oxford, Oxford University Press, 2008; Christopher Miller, *The Struggle to Save the Soviet Economy: Mikhail Gorbachev and the Collapse of the USSR*, Chapel Hill, University of North Carolina Press, 2016; y Yegor Gaidar, *The Collapse of an Empire: Lessons for Modern Russia*, Washington D. C., Brookings Institution Press, 2007.

16 Aunque reconoce la importante diferencia histórica entre denominar este proceso «unificación» y «reunificación», este libro utiliza los términos indistintamente en aras de la narración. Entre las obras que se han ocupado de la historia de la reunificación alemana figuran Kristina Spohr, *Post Wall, Post Square: How Bush, Gorbachev, Kohl and Deng Shaped the World after 1989*, New Haven, Connecticut, Yale University Press, 2020; Philip Zelikow y Condoleezza Rice, *To Build a Better World: Choices to End the Cold War and Create a Global Commonwealth*, Nueva York, Twelve, 2019 y *Germany Unified and Europe Transformed: A Study in Statecraft*, Cambridge, Massachusetts, Harvard University Press, 1995; Mary Sarotte, *1989: The Struggle to Create Postwar Europe*, Princeton, Nueva Jersey, Princeton University Press, 2014; Andreas Rödder, *Deutschland einig Vaterland: Die Geschichte der Wiedervereinigung*, Bonn, Bpb, 2010; y los cuatro volúmenes de la *Geschichte der Deutschen Einheit*, Stuttgart, Deutsche Verlags-Anstalt, 1998.

autopercibía su lugar y papel en el mundo. Las revoluciones de 1989 supusieron una combinación diferente de transformaciones en el poder y la identidad internos y entre los Estados. Así, un requisito para que se produjeran dichas revoluciones fue la decisión de la Unión Soviética de no intervenir para detenerlas, pero los cambios internos en los países de la Europa del Este también fueron decisivos para su éxito. Las revoluciones supusieron el resultado de cambios en el poder material —los mercados energéticos y de capitales, diría—, pero también de cambios en cómo los Gobiernos socialistas entendieron la identidad socialista que durante tanto tiempo habían defendido.

Así, el principal desafío a la hora de escribir la historia del fin de la Guerra Fría es el hecho de que requiere una explicación transversal, que integre los cambios en todas las dimensiones descritas con anterioridad: política doméstica y relaciones internacionales, así como poder e identidad. En el contexto más específico del final de la Guerra Fría, este desafío implica que explicar dicho fin como un *conflicto geopolítico* requiere de una explicación ulterior del colapso del comunismo como *sistema de gobierno*. El hecho de que gran parte del final de la Guerra Fría estuviera determinado por procesos de cambios internos y de política doméstica significa, en realidad, que cualquier historia que solo se centre en las relaciones internacionales estará necesariamente incompleta. Lo mismo se puede decir de aquellas narrativas que pongan el foco en la estructura material o ideológica. Cualquier explicación que pretenda sustentarse en una sola de estas estructuras será muy limitada. De este modo, la historia del final de la Guerra Fría ha de integrar explicaciones provenientes de estas cuatro dimensiones: los cambios entre e intra Estados, así como en los ámbitos del poder y la identidad.

El segundo desafío a la hora de explicar el término de la Guerra Fría es que esta destaca como evento histórico por una razón que lo complica todo: en todos y cada uno de los pasos dados hasta su final, aquellas élites en posesión de poder imperial y autoritario se rindieron de forma intencionada y pacífica. Este desarrollo tan excepcional también ocurrió tanto dentro como entre los Estados involucrados. La Unión Soviética renunció a su imperio en Europa del Este y a la búsqueda de una confrontación de carácter global con Estados Unidos, a la vez que los líderes políticos del bloque oriental renunciaron pacíficamente a gobernar sus países; Nicolae Ceaușescu sería, una vez más, una excepción. Esta característica tan particular del final de la Guerra Fría es lo que la hizo tan difícil de predecir —y lo que dificulta, a su vez, entenderla en retrospectiva—. Así, cualquier explicación estará incompleta si no incluye una referencia a cómo y por qué aquellos en posesión del poder decidieron renunciar a él a finales de los años ochenta.

Hay, además, un tercer desafío que merece la pena destacar: el momento. La Guerra Fría duró cuatro décadas, tiempo suficiente para que fuera calificada por algunos analistas perspicaces como una «larga paz» entre las grandes potencias[17]. Después, de forma repentina, desapareció. El momento y el *timing* de este hecho tienen, por tanto, una relevancia central. Cualquier explicación que se pretenda mínimamente solvente debe abordar, además del *por qué*, el *por qué entonces*.

El último desafío de la historia del final de la Guerra Fría es explicar las características de su principal resultado: el surgimiento, con niveles de éxito, duración y legitimidad muy diversos, de las democracias electorales y las economías neoliberales de mercado en todos aquellos países que componían con anterioridad el bloque del Este. Mirándolo en retrospectiva, resulta muy sencillo asumir con naturalidad este resultado, pero no es así: en plena descomposición de la Guerra Fría, en sus últimos estertores, muy pocos pensaron que todo terminaría de esa manera. Por ello, teniendo en cuenta que la democracia electoral y la economía neoliberal no eran los únicos resultados posibles, cabe preguntarse por qué se impusieron sobre otras opciones. Dar respuesta a esta cuestión es el desafío final que hay que acometer para escribir una historia del fin de la Guerra Fría.

17 John Lewis Gaddis, *The Long Peace: Inquiries into the History of the Cold War*, Nueva York, Oxford University Press, 1987.

Este libro aborda todos estos retos bajo dos premisas básicas: el uso de nuevas evidencias, provenientes de archivos de ambos lados del telón de acero, y la formulación de un nuevo marco para hacer converger el cambio político y económico experimentado hacia el final de la Guerra Fría. Dicho marco se fundamenta en la convicción de que la crisis del petróleo de 1973 aumentó de forma drástica la importancia de los recursos energéticos y los mercados financieros en el ámbito de la política internacional. Este aumento fue tan decisivo que aceleró una transformación central en la competición entre el capitalismo democrático y el socialismo de Estado: la privatización de la Guerra Fría.

* * * *

Durante las dos primeras décadas y media de la Guerra Fría, los mercados financieros y energéticos jugaron un papel secundario a la hora de *hacer promesas*. El sistema de Bretton Woods vinculó, hasta su colapso en 1971, las monedas occidentales entre sí a valores fijos, y controlaba el flujo de capital a corto plazo entre las fronteras nacionales del mundo occidental. Los mercados financieros globales, que luego jugarían un papel crucial en los setenta y ochenta —conocidos como euromercados—, no existían en los años cuarenta, apenas tenían peso en los cincuenta y se mantuvieron como un espacio relativamente poco importante durante los sesenta. El bloque del Este no participó en el sistema de Bretton Woods, pero los Estados miembros mantuvieron un control más estricto y firme sobre su comercio y finanzas que sus homólogos occidentales. Las divisas del bloque oriental no eran convertibles entre ellas, o con las monedas occidentales, lo que significaba que estaban bajo control gubernamental. Así, más allá de algunos entes bancarios en Occidente que se empleaban para el comercio internacional, el bloque del Este permaneció aislado del fenómeno emergente de los euromercados.

En cuanto a la energía, a principios de los años setenta era barata y abundante en el mundo capitalista, y barata y escasa en el comunista. Irónicamente, la ubicuidad simultánea en el Oeste y la escasez en el Este la hizo menos importante en ambos bloques de lo que llegaría a ser después de 1973. En el lado occidental, los bajos precios del petróleo y el flujo ininterrumpido permitió a los Gobiernos construir sociedades industriales de consumo de masas después de la Segunda Guerra Mundial, sociedades que apenas prestaban atención al uso del petróleo o al país del que provenía. No fue hasta después de 1973 cuando las sociedades occidentales se darían cuenta de las implicaciones del consumo masivo de una *commodity* cuyo precio y producción no podían controlar[18]. En el Este, el Gobierno soviético se pasó la década de los cincuenta explorando sus amplias estepas en busca de depósitos petrolíferos; más tarde, en los sesenta, encontrarían oro negro en Siberia, donde se hallaba una de las mayores reservas petrolíferas del mundo. Desarrollar y poner en marcha esos depósitos llevó mucho tiempo, y no sería hasta el comienzo de los setenta, poco antes de que la crisis golpeara, cuando la Unión Soviética y todo el bloque oriental «disfrutaran, por primera vez, el lujo de tener energía eficiente y barata»[19]. Después del *shock* petrolero, las arcas del Kremlin se llenarían gracias a las exportaciones de petróleo y gas natural, y la energía se convertiría en la base material del poder soviético. Esto, sin embargo, fue un desarrollo característico del periodo posterior a 1973. En las dos primeras décadas y media de la Guerra Fría, tanto en el Este como en el Oeste, ni la energía ni las finanzas jugaron un papel importante en la política de hacer promesas.

18 Esto no niega, por supuesto, que los Gobiernos orientales y occidentales, especialmente Estados Unidos y la Unión Soviética, fueran muy conscientes desde el principio de la Guerra Fría de que el acceso a un petróleo abundante era extremadamente importante. La Unión Soviética pasó las dos primeras décadas de la posguerra construyendo sus propias capacidades de extracción y refinado de petróleo, y Estados Unidos trató de asegurar el flujo de petróleo desde Oriente Medio mucho antes de 1973. Véase Daniel Yergin, *The Prize: The Epic Quest for Oil, Money, and Power*, Nueva York, Free Press, 1991, y David Painter, «Oil and the American Century», *Journal of American History*, vol. 99, n.º 1, junio de 2012, pp. 24-39, entre otros.

19 Thane Gustafson, *Crisis Amid Plenty: The Politics of Soviet Energy Under Brezhnev and Gorbachev*, Princeton, Nueva Jersey, Princeton University Press, 1989, p. 23.

Así, en lugar de la energía y las finanzas, los países occidentales y orientales basaron su poder y legitimidad, previos a los años setenta, en el crecimiento económico industrializado. Como muestra la Figura I.1, la economía global experimentó un periodo único de crecimiento elevado durante las tres décadas que siguieron al final de la Segunda Guerra Mundial. Hasta ese momento, no se había visto nada semejante —y no se vería después—[20].

Debido a las altas tasas de crecimiento, la gente, especialmente en los bloques occidental y oriental, vio cómo sus estándares de vida aumentaban en una escala nunca antes vista en la historia de la humanidad. En el mundo capitalista, esta etapa sería recordada con una retahíla de nombres que señalaban, todos ellos, su carácter excepcional: en Alemania Occidental tendría el apelativo de *Wirtschaftswunder* [el milagro económico], los franceses la llamaron *les trente glorieuses* [los gloriosos treinta] y para los historiadores se referían a ella como la «edad dorada» del capitalismo[21]. Para no quedarse atrás, el bloque del Este igualaría el crecimiento del Occidente capitalista a lo largo de estos años. Así, durante el periodo 1950-1973, el PIB per cápita de Europa occidental aumentó a un ritmo anual del 4,1 %; en Estados Unidos, del 2,5 %; en Europa del Este, un 3,8 %; y, finalmente, en la Unión Soviética sería del 3,4 %[22]. Los dos bloques, por supuesto, no podían equipararse. Occidente comenzó esta etapa siendo mucho más rico, y la terminaría igual. Es más: allí el consumo de masas se consolidó como una realidad, mientras que en el bloque oriental tan solo pudo concebirse como una aspiración. Aun así, el bloque del Este pudo afirmar, al menos durante las dos primeras décadas de la Guerra Fría, que estaban igualando —¡o superando!— el crecimiento de Occidente.

20 Marc Levinson, *An Extraordinary Time: The End of the Postwar Boom and the Return of the Ordinary Economy*, Nueva York, Basic Books, 2016.

21 Eric Hobsbawm, *The Age of Extremes: A History of the World, 1914-1991*, Nueva York, Vintage Books, 1996; y Barry Eichengreen, *The European Economy since 1945: Coordinated Capitalism and Beyond*, Princeton, Nueva Jersey, Princeton University Press, 2007, capítulos 4 y 7.

22 Angus Maddison, *The World Economy*, vol. 1, *A Millennial Perspective*, París, OCDE, 2006, p. 265, apéndice B, cuadro B-22.

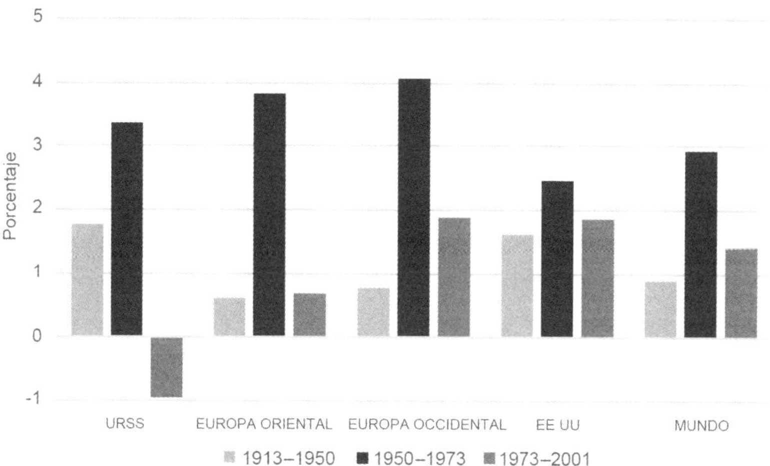

Figura 1.1. **Promedio anual del crecimiento económico per cápita en tres periodos.** Fuente: Angus Maddison, *The World Economy: Vol II, Historical Statistics*, París, OCDE, 2006, p. 640, tabla 8b.

Quizá, el momento más emblemático de esta carrera tendría lugar en 1959, cuando Nikita Kruschev, el primer secretario soviético, y Richard Nixon, por aquel entonces vicepresidente estadounidense, mantuvieron en Moscú el famoso «debate de cocina». Mientras paseaban por una sala de exposiciones estadounidense en la que se mostraba los múltiples beneficios materiales del modo de vida capitalista, los dos líderes comenzaron a debatir sobre los méritos de sus sistemas. Frente a una audiencia televisiva global, Nixon se deshizo en elogios al sistema estadounidense, que proveía a cualquier trabajador del metal de una vivienda equipada con lavavajillas y televisión en color. Kruschev se jactaba de que, en el comunismo, los trabajadores tenían derecho a la vivienda, y llegó a afirmar que la Unión Soviética llegaría en siete años «al nivel de Estados Unidos, y después más allá. Cuando os superemos, os saludaremos con la mano y, si queréis, nos detendremos y os diremos: "por favor, acompañadnos"»[23]. De este modo, a lo largo de

23 «The Kitchen Debate Transcript», 24 de julio de 1959, CIA Online Reading Room, consultado el 28 de abril de 2017, https://www.cia.gov/library/readingroom/docs/1959-07-24.pdf.

sus primeros veinticinco años, la Guerra Fría fue una competición entre dos sistemas de promesas gubernamentales respaldadas por un crecimiento económico sin precedentes.

Luego, en torno a 1970, sucedió lo inesperado. En contra de las predicciones del capitalismo democrático y el socialismo de Estado, el crecimiento se estancó abruptamente. Los motivos eran muy diversos. Se agotaron las ganancias económicas que acompañaron la reconstrucción de la posguerra; los salarios de los trabajadores se estancaron a finales de los sesenta, mientras los beneficios de sus empleadores aumentaban; y, quizá lo más importante, comenzó un declive gradual y con efectos a largo plazo de la productividad —un declive del que todavía no nos hemos recuperado—[24]. Normalmente, los historiadores internacionales solo se fijan en el estancamiento económico del bloque oriental durante los setenta y ochenta. Pero «La gran desaceleración» y «La caída del crecimiento» son subtítulos en las principales historias del capitalismo, y no del comunismo, en el periodo posterior a 1970[25]. La confianza ciega de Occidente en la superioridad moral del capitalismo no volvería hasta los ochenta, después de que el crecimiento se recuperase ligeramente y la inflación remitiera de forma clara en los países capitalistas. Así, a lo largo de los setenta, los problemas económicos de Occidente parecían los mismos que los del Este[26].

Este fue el contexto de crecimiento lento en el que la crisis del petróleo de 1973 irrumpió en escena y cambió para siempre la economía global y la Guerra Fría. La multiplicación —¡por

24 Entre muchos otros títulos, véase Ferenc Jánossy, *The End of the Economic Miracle*, White Plains, Nueva York, International Arts and Sciences Press, 1971; Phillip Armstrong, Andrew Glyn y John Harrison, *Capitalism since 1945*, Oxford, Oxford University Press, 1991; y Robert Gordon, *The Rise and Fall of American Growth*, Princeton, Nueva Jersey, Princeton University Press, 2016.

25 Armstrong, Glyn, Harrison, *Capitalism since 1945*, cap. 14; Gordon, introducción a *Rise and Fall*.

26 De 1974 a 1982, el crecimiento per cápita en el Occidente industrializado fue, por término medio, del 1,4 % anual, frente al 1,3 % en Europa del Este y el 1,2 %. en la Unión Soviética. «Selected Macroeconomic Indicators, 1951-1988», *World Economic Outlook: A Survey by the Staff of the International Monetary Fund*, Washington D. C., Fondo Monetario Internacional, 1990, p. 65, cuadro 18.

cuatro!— del precio de la materia prima más importante del mundo originó la presión de romper promesas y, a su vez, los medios para sortearla. Por un lado, el *shock* de los precios dejó obsoletas las economías industrializadas de Oriente y Occidente, intensivas en energía, e inició la transición a largo plazo hacia la desindustrialización del mundo desarrollado. El resultado de este cambio de paradigma se tradujo en innumerables bancarrotas, pérdidas de puestos de trabajo y mucha, mucha austeridad. Por otro lado, esa misma cuadruplicación aceleró el desarrollo de dos polos de riqueza —los recursos energéticos y los mercados globales de capital— a los que los Estados recurrían para evitar tener que transitar hacia un mundo con precios de la energía altos.

El aumento meteórico de la riqueza financiera y energética en los setenta dio lugar a una de las características fundamentales de la Guerra Fría privatizada: el aumento del gasto social y militar se tornó dependiente de las finanzas y el petróleo. Si los Estados tenían acceso a dichos mercados, podían financiar sus políticas exteriores y domésticas y retrasar los ajustes austericidas. Esto es: podían sostener la Guerra Fría en el extranjero y seguir haciendo promesas en casa.

Por el contrario, si los países dejaban de tener acceso a uno de los dos polos de poder referidos con anterioridad, se veían obligados a romper promesas para así volver a ganar la confianza de los mercados del capital, o resistir a una recesión en los precios de la energía a nivel mundial. Así, romper promesas podía forzar a los Gobiernos a alterar sus políticas doméstica y exterior, sobre todo depreciando sus compromisos con su ciudadanía, aliados internacionales o defensa nacional. En los siguientes capítulos examinaremos con más detenimiento cada una de estas tres dimensiones.

Esto evidenció que en el corazón de la Guerra Fría privatizada yacía una cuestión de corte social: cómo disciplinar los contratos sociales de posguerra que se habían desarrollado en el Este y Oeste después de la Segunda Guerra Mundial. La habilidad de los Estados para romper promesas pasaría a ser la diferencia fundamental entre aquellos países que sobrevivían y aquellos que no.

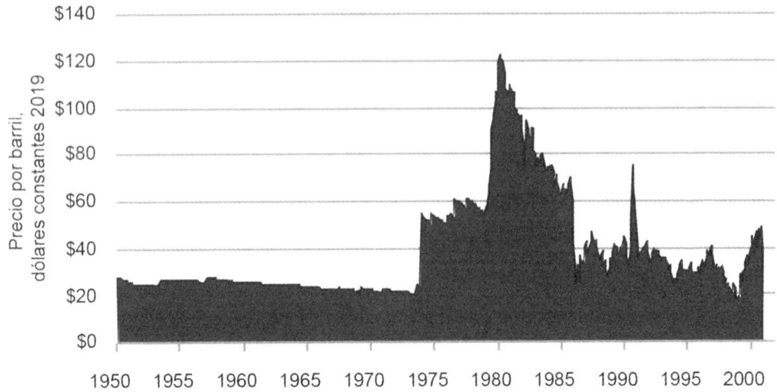

Figura 1.2. **El precio mundial del petróleo en la segunda mitad del siglo xx.** Extraído y adaptado de «Crude Oil Prices-70 Year Historical Chart Macro-Trends», consultado el 5 de junio de 2021, https://www.macrotrends.net/1369/crude-oil-price-history-chart.

Por supuesto, esto implicaba que la política doméstica y la ideología eran elementos esenciales para comprender la Guerra Fría. O sea: los líderes políticos tenían que recurrir a marcos ideológicos para justificar cualquier recorte del contrato social. Así, para poder hacerlo, los Gobiernos se vieron obligados a transformar sus discursos y enfoques durante la Guerra Fría privatizada. Como veremos *a posteriori*, el éxito o fracaso de estas transformaciones sería decisivo para el futuro de esos países —y sus ciudadanos—.

Por tanto, tratando de dar respuesta a la cuestión central de la relación entre el cambio económico y político, este libro adopta un punto de vista muy particular, en el cual la historia de la Guerra Fría converge con la del neoliberalismo. En la Guerra Fría privatizada, el desafío económico de romper promesas llevó a los Gobiernos a adoptar un «nuevo pensamiento» ideológico y político, tanto en el Este como en el Oeste. Los historiadores de este periodo suelen referirse a ese «nuevo pensamiento» como el movimiento idealista que surgió entre los reformistas que rodeaban a Mijaíl Gorbachov en la Unión Soviética. Pero, si salimos del contexto más particular de la historia soviética, resulta evidente que fueron muchos los Gobiernos que a ambos lados del telón de acero adoptaron diversas fórmulas del nuevo pensamiento durante los setenta y ochenta. Estas nuevas formas de pensamiento emanaron de diferentes tradiciones ideológicas, pero tenían un rasgo compartido: todas terminaban en el disciplinamiento económico, es decir, eran, todas ellas, perspectivas neoliberales de la gobernanza.

Esto no significa que la deriva de la economía global llevó inexorablemente a la *creación* del «nuevo pensamiento», pero sí que ayudó a que muchos Gobiernos y sociedades lo *adoptaran*. Ya fuera el thatcherismo en Reino Unido, el monetarismo y la desregulación en Estados Unidos, la perestroika y glásnost en la Unión Soviética, o la particular democratización en Polonia y Hungría, todos los Gobiernos adoptaron estos enfoques porque les proveían de los medios ideológicos y políticos necesarios para romper promesas.

Margaret Thatcher y Mijaíl Gorbachov suelen concebirse como los representantes de los dos polos opuestos del «nuevo pensamiento» en los ochenta —el thatcherismo y la perestroika, respectivamente—, pero la propia percepción de ambos líderes sobre la relación entre ellos muestra que entre el thatcherismo y la perestroika hay más cosas en común de lo imaginado. En 1987, el secretario general narraba a sus camaradas su relación con algunos líderes occidentales; entre ellos, Margaret Thatcher. «Ellos también están llevando a cabo una perestroika», les contó[27]. Dos años después, Thatcher le devolvió el cumplido. En 1989, en una reunión con Gorbachov, la británica le dijo al soviético que empatizaba por completo con los desafíos que estaba afrontando, precisamente, porque ella estaba impulsando «una perestroika análoga» en su país[28]. Así, si los líderes de las revoluciones neoliberal y socialista de los ochenta veían rasgos comunes entre sus proyectos, quizá los historiadores de este periodo también. Después

27 Anatolii Cherniaev (ed.), V Politbiuro TsK KPSS: *Po zapisiam Anatoliia Cherniaeva, Vadima Medvedeva, Georgiia Shakhnazarova*, Moscú, Gorbachev-Fond, 2006, p. 180.

28 Documento 18, «Record of Negotiations between Gorbachev and Margaret Thatcher, London», 6 de abril de 1989, en Csaba Békés y Malcolm Byrne (eds.), *Political Transition in Hungary, 1989-1990: A Compendium of Declassified Documents and Chronology of Events*, Washington D. C., National Security Archive, 1999.

de 1971, la energía y las finanzas impusieron a los Estados el desafío de romper sus promesas, y los sistemas políticos y sus ideologías subyacentes fueron moldeados para hacer frente a este reto.

De hecho, ambos lados convergieron en el neoliberalismo. A finales de la década de los ochenta, los Gobiernos tanto al este como al oeste del telón de acero buscaban aumentar la libre circulación de bienes y capitales a través de sus fronteras. Ambos intentaban limitar el papel del Estado en la provisión de seguridad económica y social para sus ciudadanos y aspiraban a incrementar la desigualdad dentro de sus propios Estados. Las comparaciones entre Thatcher y Gorbachov no eran meros juegos de palabras, sino el reconocimiento mutuo de un desafío compartido e incluso de un objetivo común: disciplinar los contratos sociales de posguerra que predominaban en sus sociedades.

Aunque el desafío interno de romper las promesas determinó en última instancia el destino de los Estados en la Guerra Fría privatizada, los eventos a escala internacional también fueron de vital importancia. De hecho, a través de los mercados energéticos y financieros, la evolución del sistema internacional fue lo que obligó a los Gobiernos a enfrentar el desafío del incumplimiento de promesas a nivel nacional. Aunque estos cambios ocurrieron a nivel internacional, no necesariamente fueron solo el resultado de relaciones interestatales. La Guerra Fría privatizada fue un mundo en el que actores estatales y no estatales competían por la influencia y el control. Muchos cambios en los mercados energéticos y financieros escapaban al control de cualquier Estado específico. Durante la Guerra Fría privatizada los actores económicos y financieros no estatales a menudo eran tan importantes como los Gobiernos e incluso, en muchas ocasiones, más relevantes. Este fue el periodo en el que la nebulosa pero crucial influencia del «mercado» comenzó a determinar el destino de las naciones.

Los Gobiernos no tenían un control total sobre los mercados energéticos o financieros, pero sí podían ejercer su influencia en la Guerra Fría privatizada al modificar el acceso de otros Estados a la energía o las finanzas. El arte de gobernar en este nuevo sistema internacional radicaba en conceder o negar a otros Estados el acceso a los recursos energéticos y financieros, y la diplomacia de finales de la Guerra Fría reflejaba esta realidad. En los años setenta, la Unión Soviética y sus adversarios occidentales libraron una batalla silenciosa por el control de Europa del Este a través de los mercados energéticos y de capitales: los soviéticos proporcionaban a sus aliados un suministro creciente y subvencionado de petróleo y gas natural, mientras que Occidente otorgaba a los Estados del bloque oriental un acceso en aumento y subvencionado a los mercados mundiales de capitales. En la década de los ochenta, este proceso se invirtió. La influencia soviética sobre el bloque disminuyó con la reducción del crecimiento y la subvención de sus suministros energéticos, mientras que la occidental aumentó al imponer condiciones al acceso del bloque oriental al crédito.

Por lo tanto, el arte de gobernar era crucial en la Guerra Fría privatizada. No obstante, el poder de la diplomacia siempre estuvo limitado por el hecho de que los Estados nación, incluso los muy poderosas como Estados Unidos y la Unión Soviética, nunca pudieron controlar completamente el acceso de otros Estados a las finanzas y la energía. Las opiniones de los actores del mercado mundial siempre coexistieron con la diplomacia de la Guerra Fría, y juntos fueron los dos determinantes internacionales clave del acceso de cualquier Estado a la energía y las finanzas en la Guerra Fría privatizada.

No sorprenderá al lector que este marco de la Guerra Fría privatizada se ajuste estrechamente a las dimensiones del cambio identificadas al principio de este texto. La Guerra Fría privatizada generó cambios dentro de los Estados y entre ellos, así como modificaciones en el poder y la identidad. Esta estrecha alineación implica que el marco que he delineado podría potencialmente explicar el colapso del comunismo como sistema de gobierno y, al hacerlo, podría dar cuenta del fin de la Guerra Fría como conflicto geopolítico.

La tarea central de los capítulos que siguen será proporcionar y desarrollar dicha explicación. El libro se divide en dos partes.

La primera se dedica a explicar el surgimiento de los mercados de capitales y los recursos energéticos como fuerzas decisivas en la política internacional y la transición de hacer promesas a incumplirlas en Oriente y Occidente tras la crisis del petróleo de 1973. Su mensaje principal es claro: entre 1973 y 1985, los Estados capitalistas democráticos superaron con éxito el desafío de romper promesas, mientras que los Estados comunistas no lo hicieron. Esta disparidad dejó a los Gobiernos occidentales en una fuerte posición interna a mediados de los años ochenta y les otorgó influencia en forma de deuda soberana sobre muchos de los Estados socialistas de Europa del Este. Esta deuda resultaría crucial para el desenlace de la Guerra Fría.

En la segunda parte, me ocuparé de los cuatro procesos identificados anteriormente como fundamentales para el final de la Guerra Fría: el término de la carrera armamentística nuclear y convencional, la conclusión de la competición ideológica mundial, el colapso de los Estados socialistas y la desintegración de la Unión Soviética. Aquí, veremos cómo las historias entrelazadas de la energía, las finanzas y el disciplinamiento económico dieron lugar a los dramáticos acontecimientos que hoy llamamos el colapso del comunismo y el fin de la Guerra Fría.

Aunque abordo varios países de los bloques oriental y occidental, he enfocado esta historia en Polonia, Hungría, Alemania Oriental y la Unión Soviética en el Este, así como, en el Oeste, Gran Bretaña, Estados Unidos y, en menor medida, Alemania Occidental. Espero que la decisión de centrarme en los eventos de Washington, Moscú, Bonn y Londres no genere grandes interrogantes. Sin embargo, la elección de Polonia, Hungría y Alemania del Este requiere una explicación.

Quiero poner el foco en estos tres países porque fueron los pioneros de los cambios sísmicos de 1989. Aunque otros Estados de la región tenían sus propias historias de deuda, energía y disciplinamiento económico —por ejemplo, Rumanía pagó su deuda a un alto costo para su propio pueblo, mientras que Checoslovaquia logró evadir la dependencia financiera de Occidente—, no lideraron el cambio en 1989. Para comprender los sorprendentes eventos de ese año, es crucial analizar el curso particular de los acontecimientos en Varsovia, Budapest y Berlín Este.

Hay otro país cuya omisión en este libro requiere una explicación. Desde finales de la década de los setenta, la República Popular China ha experimentado un ascenso notable como potencia mundial al emprender muchas acciones que los comunistas mencionados en este libro no llevaron a cabo: la implementación de reformas de mercado, la eliminación del contenido de su ideología dominante y, de manera más trágica, la represión violenta de las peticiones de cambio por parte de sus ciudadanos en 1989. En este contexto, representa un desafío significativo para el argumento presentado aquí. Sin embargo, es crucial recordar que China inició sus reformas desde una posición inicial muy diferente a la de la Unión Soviética, los países de Europa del Este o, en este caso, las naciones desarrolladas de Occidente.

En lugar de ser un país industrializado donde la manufactura y la industria pesada constituían la columna vertebral de la economía, la China de la década de los setenta era una sociedad abrumadoramente rural y agraria, con más del 80 % de la población viviendo en áreas rurales[29]. A diferencia de un Gobierno políticamente estancado en el que los intereses burocráticos y económicos resistían la reforma, China acababa de salir de la Revolución Cultural, que había desorganizado las jerarquías gubernamentales, la ideología y la vida cotidiana del Estado. Dado que el caos y la miseria eran experiencias tan generalizadas en todo el país en la década de los setenta, amplios sectores de la población, especialmente los agricultores, clamaban por liberarse del control económico del Estado[30]. Estas diferencias no determinaron de manera rígida el curso de la reforma en Pekín, pero sí dieron lugar a una transformación

29 «Urban Population (% of total population)-China», Banco Mundial, *World Development Indicators: Urban Population Statistics*, https://data.worldbank.org/indicator/SP.URB.TOTL.IN.ZS?locations=CN.

30 Sobre la importancia de estas diferencias para China y la Unión Soviética, véase Miller, *Struggle to Save the Soviet Economy*, en particular la conclusión.

completamente diferente a la de los países que aquí se tratan. La política de no cumplir promesas estuvo presente en China, pero, en general, la experiencia fue de reforma y crecimiento económico, no de desindustrialización y disciplinamiento económico[31].

A través del estudio de los países abordados en este libro, se busca proporcionar un nuevo marco interpretativo para comprender el fin de la Guerra Fría y el surgimiento del neoliberalismo como productos interrelacionados del cambio económico mundial a finales del siglo XX. Para lograrlo será necesario responder, finalmente, a las tres preguntas planteadas al inicio: ¿por qué aquellos que poseían el poder imperial y autoritario en el bloque del Este renunciaron voluntariamente a él? ¿Por qué lo hicieron a finales de los años ochenta? ¿Y por qué surgieron democracias electorales y economías de mercado neoliberales de las cenizas del socialismo de Estado?

Mis respuestas a estas preguntas se fundamentan en la política de romper promesas. En la economía global que prevaleció tras la crisis del petróleo de 1973, el único propósito práctico del imperio soviético en Europa del Este era aislar a los Estados socialistas de la presión que implicaba el no cumplir promesas. Este aislamiento, manifestado en forma de suministros subvencionados de energía y otras materias primas, resultó ser extremadamente costoso. A principios de la década de los ochenta, los líderes soviéticos determinaron que proteger a sus aliados de las presiones de la economía mundial era, de hecho, demasiado oneroso, y se comprometieron a reducir esos costos, incluso si eso significaba arriesgarse a perder su propio imperio. Cuando Gorbachov informó a sus aliados sobre la derogación de la Doctrina Brézhnev, no estaba liquidando conscientemente el imperio soviético, sino rompiendo la promesa que la Unión Soviética había hecho a sus aliados desde la crisis del petróleo: protegerlos de las demandas disciplinarias de la

31 Sobre los debates en torno a la reforma de los precios en China en la década de 1980, véase Isabella Weber, *How China Escaped Shock Therapy*, Nueva York, Routledge, 2021. Véase también, Barry Naughton, *Growing out of the Plan: Chinese Economic Reform, 1978-1993*, Nueva York, Cambridge University Press, 1995.

economía mundial. Cuando el imperio se desmoronó en 1989, los líderes soviéticos aceptaron pacíficamente el resultado porque ya no creían que proteger a Europa del Este del desafío que suponía romper promesas fuera de interés nacional para la Unión Soviética.

Sin embargo, la pérdida de la protección imperial soviética frente a la economía mundial no condujo automáticamente a los detentadores del poder autoritario en el bloque oriental a renunciar pacíficamente a su poder dentro de los Estados comunistas. Por el contrario, renunciaron a su poder a finales de la década de los ochenta con el objetivo de obtener la legitimidad política que consideraban necesaria para aplicar la política de romper promesas dentro de sus propios países. Desde el lanzamiento de la perestroika y la glásnost por parte de Gorbachov hasta las negociaciones de las mesas redondas en Polonia y Hungría, los líderes comunistas buscaron proactivamente legitimar su poder para poder, a su vez, disciplinar sus contratos sociales internos. Cuando los líderes comunistas se percataron de que sus intentos de legitimar su propio poder tendrían como consecuencia la pérdida efectiva de este, optaron por no impedir dicha pérdida de forma violenta. En la política de romper promesas, no había recompensa para los poderosos y victoriosos, solo costos. Los líderes comunistas decidieron que sus sucesores soportarían la carga de los costos asociados con el incumplimiento de promesas.

Estos eventos sorprendentes en el imperio soviético y dentro de los Estados comunistas ocurrieron en el momento preciso, debido a que la historia global de los mercados de energía y capitales hizo inevitable el desafío de romper promesas dentro del bloque del Este a finales de la década de los ochenta. El acceso a la energía soviética y a los mercados de capitales occidentales permitió a los Gobiernos del bloque postergar la tarea de disciplinar sus contratos sociales a lo largo de la década de los setenta. Sin embargo, la ventaja de las entregas de petróleo soviético a Europa del Este y la confianza de los mercados de capitales occidentales en la región alcanzaron su punto álgido a principios de los ochenta y nunca se recuperaron completamente.

Por lo tanto, el momento del fin de la Guerra Fría fue el resultado no solo de la agencia individual y la contingencia histórica, sino también de la evolución estructural del sistema internacional que se remonta a la crisis del petróleo.

La democracia electoral y las economías de mercado neoliberales surgieron en el Este después del colapso del comunismo por la misma razón por la que sobrevivieron en Occidente durante las dos últimas décadas de la Guerra Fría: eran los sistemas políticos y económicos más efectivos para romper promesas. Los Estados capitalistas democráticos no fueron inmunes a los desafíos que enfrentó el mundo comunista en las postrimerías de la Guerra Fría. También tuvieron que reescribir sus contratos sociales de posguerra en las décadas de los setenta y ochenta. Sin embargo, tuvieron éxito donde el Este falló, porque sus sistemas políticos y tradiciones ideológicas les proporcionaron una serie de ventajas decisivas.

En primer lugar, aunque los Gobiernos occidentales hicieron numerosas promesas a sus pueblos durante las tres primeras décadas de la Guerra Fría, nunca prometieron controlar todos los aspectos de su sociedad y economía. Incluso en el apogeo de la planificación keynesiana de posguerra, los Gobiernos capitalistas democráticos mantenían una distinción entre «el Estado» —un área de la sociedad que controlaban— y «el mercado»— un área de la sociedad que regulaban pero no controlaban del todo—[32]. Esto contrastaba fuertemente con sus homólogos comunistas, que afirmaban con orgullo que la base misma de su poder y legitimidad descansaba precisamente en su control total del Estado, la sociedad y la economía. Los Gobiernos capitalistas democráticos hicieron menos promesas a su pueblo, lo que implicaba que tenían que incumplir menos promesas.

No obstante, romper promesas no resultó una tarea sencilla en Occidente. De hecho, a lo largo de la década de los setenta, muchos perspicaces observadores de los Gobiernos occidentales temían

32 Doy las gracias a Max Krahé por nuestras numerosas conversaciones sobre estas cuestiones y por aclararme este punto concreto. Véase su «TINA and the Market Turn: Why Deindustrialization Proceeded under Democratic Capitalism but Not State Socialism», *Critical Historical Studies*, vol. 8, n.º 2, otoño de 2021.

que la persistente incapacidad de las democracias para imponer el disciplinamiento económico pudiera convertirse en su defecto fatal[33]. La experiencia de los años ochenta demostró exactamente lo contrario. El ascenso de Margaret Thatcher en el Reino Unido y de Ronald Reagan en Estados Unidos reveló que la poderosa combinación de democracia electoral e ideología neoliberal podía generar un Estado más robusto y adaptable que el autoritarismo socialista en la era de promesas incumplidas. Aunque las elecciones obligaban a los Gobiernos democráticos a responder a los intereses de sus poblaciones, también proporcionaban a las democracias una vía pacífica y estable para transformar su ideología de gobierno. Thatcher y Reagan se apartaron drásticamente de los paradigmas ideológicos de la posguerra en sus respectivos países, pero en ambos el Estado perduró. El autoritarismo no ofreció a los Gobiernos socialistas de Estado un mecanismo estable para reformar y adaptar su ideología. Cuando Gorbachov intentó reformar la ideología de gobierno de la Unión Soviética, provocó una grave inestabilidad en el mundo socialista, culminando en la Revolución socialista soviética y, en última instancia, en el colapso del bloque socialista.

Si las elecciones proporcionaron a los Estados occidentales los medios políticos para incumplir sus promesas, el neoliberalismo les ofreció los fines ideológicos. Una vez en el poder, Thatcher y Reagan revivieron la tradición retórica del liberalismo económico que había estado latente en Occidente durante el apogeo de las promesas keynesianas en la posguerra. Con su defensa del individualismo y su crítica a toda forma de intervención gubernamental, el neoliberalismo proporcionó un marco ideológico conveniente para justificar la ruptura de promesas. Aquí, nuevamente, la tradición ideológica del socialismo de Estado no ofrecía tal recurso. Gorbachov intentó desarrollar una ideología de ruptura de promesas a

33 Para dos ejemplos importantes, véase Michel Crozier, Samuel Huntington y Joji Watanuki, *The Crisis of Democracy: Report on the Governability of Democracies to the Trilateral Commission*, Nueva York, New York University Press, 1975, y Paul McCracken *et al.*, *Toward Full Employment and Price Stability: A Report to OECD by a Group of Independent Experts*, París, OCDE, 1977.

través de la perestroika, pero luchó constantemente por encajarla dentro de la tradición del marxismo-leninismo que, finalmente, abandonó por completo.

Todo esto sugiere un tipo peculiar y preocupante de triunfo occidental en la Guerra Fría, pero es el único triunfalismo que el final de la Guerra Fría puede enseñarnos. No deberíamos tener problema en afirmar que Occidente ganó la Guerra Fría, pero debemos reconocer claramente por qué lo hizo. El capitalismo democrático prevaleció porque demostró ser capaz de imponer el disciplinamiento económico a sus propios ciudadanos. El comunismo se desmoronó porque no pudo hacerlo. Y la democracia neoliberal surgió tanto en el Este como en el Oeste de las cenizas de la Guerra Fría porque era el mejor sistema ideológico para romper promesas. El triunfo de las promesas incumplidas es un tema al que volveremos en la conclusión. Pero primero, debemos comenzar con la crisis que cambió la economía mundial y la Guerra Fría para siempre. A principios de la década de los setenta, el precio del petróleo se cuadruplicó de repente, y el mundo nunca volvió a ser el mismo.

Parte I

La privatización de la Guerra Fría

De la crisis del petróleo a la Guerra Fría

El 10 de diciembre de 1976, el primer ministro de Alemania Oriental, Willi Stoph, abandonaba Moscú decepcionado, cabizbajo, con las manos vacías. Había acudido a la capital soviética en busca de un aumento de las entregas de petróleo soviético a la República Democrática Alemana (RDA), pero su homólogo soviético, Alexéi Kosygin, había rechazado rotundamente su petición: «No tenemos recursos para ello», le dijo durante su reunión en el Kremlin. «Tenemos una aguda escasez de energía en nuestro país (...). Está usted en las nubes». «No lo estoy», replicó Stoph. «Pero usted quiere que aumentemos las entregas», respondió Kosygin, y añadió: «No podemos satisfacer ese nivel de demanda. Nadie en el mundo puede hacerlo»[34].

Ahora, mientras los dos hombres se dirigían por las calles de la capital soviética hacia el aeropuerto, Kosygin trató de aligerar el ambiente recordando a su camarada las principales ventajas del sistema socialista, sobre todo en comparación con el caos que reinaba en ese momento en el mundo capitalista. «Comprendemos que la situación en la RDA no es fácil —dijo el primer ministro soviético—, pero, si la comparamos con la situación de los Estados capitalistas, todos los Estados socialistas, tanto la URSS como la RDA, se encuentran en una situación comparativamente mejor». Para Kosygin, las ventajas eran evidentes. Los países socialistas estaban «en condiciones de planificar» sus economías «hasta 1980, 1985 y más allá», así como de «pactar las condiciones y

34 «Niederschrift über die Verhandlungen zwischen dem Vorsitzenden des Ministerrates der DDR, Genossen Willi Stoph und dem Vorsitzenden des Ministerrates der UdSSR, Genossen A.N. Kossygin, am 10.12.1976», 12 de diciembre de 1976, DE/1/58569, Bundesarchiv Berlin-Lichterfelde (BArch Lichterfelde).

características de nuestro desarrollo». Por el contrario, dijo Kosygin: «los Estados capitalistas ni siquiera podían planificar los próximos tres meses». Sacudido tal vez por su decepción ante la comparación de Kosygin, Stoph se ensañó con sus enemigos ideológicos: «Todos los esfuerzos de planificación de los Estados capitalistas solo les han llevado a la crisis», señaló. Kosygin se mostró de acuerdo y concluyó: «Nuestra situación es mil veces mejor»[35].

No hacía falta ser un acérrimo comunista para, a mediados de los setenta, compartir esta opinión. De hecho, muchos en Occidente creían que las crisis económicas de inicios de esa década habían puesto de manifiesto los defectos estructurales tanto del capitalismo como de la democracia. La combinación de desempleo generalizado y alta inflación en todo Occidente confundió tanto a los economistas profesionales que estudiaban las economías de mercado como a los líderes que, elegidos democráticamente, las gobernaban. La doctrina económica imperante, el keynesianismo, ofrecía pocas respuestas en este contexto de estanflación, y las que proponía —incremento del gasto público y política monetaria acomodaticia— solo agravaban los problemas. Como la democracia sometía a los Gobiernos occidentales a las demandas y deseos de su ciudadanía, se extendió la creencia de que esos mismos estados del bienestar estaban condenados a una inflación crónica y elevada, precisamente porque los políticos necesitaban prometer a sus ciudadanos cosas exageradamente buenas para resultar elegidos. En política exterior, una nueva palabra de moda —interdependencia— dominaba los debates sobre el papel que debía jugar Occidente, y parecía presagiar el descontrol de esas mismas sociedades occidentales sobre su propio destino. ¿Qué podía hacer el Occidente desarrollado ante la dependencia del petróleo de Oriente Medio? Para muchos a ambos lados del telón de acero, la respuesta parecía ser sencilla: nada en absoluto. ¿Podían los líderes democráticos

35 Conversación reconstruida a partir de dos documentos que recogen los mismos hechos: Willi Stoph, «Information über die Beratung mit Genossen Kossygin am 10.12.1976 in Moskau» y «Niederschrift über die Verhandlungen», ambos en DE/1/58569, BArch Lichterfelde.

resolver el enigma de la estanflación si eso implicaba infligir dolor a sus gobernados? Parecía que no.

El bloque del Este, según se creía, era diferente. Los observadores occidentales consideraban que los Estados socialistas eran en gran medida inmunes a las crisis que afectaban al mundo capitalista. Como muestra el intercambio entre Kosygin y Stoph, los líderes socialistas mantenían una confianza similar en la superioridad de su propio sistema. Dado que la Unión Soviética era uno de los mayores productores mundiales de recursos energéticos, la multiplicación por cuatro del precio del petróleo a finales de 1973 y principios de 1974 parecía ser una ganancia financiera inesperada, más que un desafío económico estructural para los dirigentes de Moscú. Los Estados socialistas de Europa del Este tenían poco petróleo, pero bajo el generoso patrocinio de la Unión Soviética recibieron grandes y crecientes entregas de energía soviética durante la década de los setenta, a precios, además, altamente subvencionados. Como casi todo el comercio y los precios se fijaban en planes quinquenales dentro del bloque, los Estados socialistas parecían estar exentos de las violentas oscilaciones de la inflación y las crisis de los precios de las materias primas que paralizaban el mundo occidental. Y si el viejo vicio de las democracias de prometer por encima de sus posibilidades a sus ciudadanos era la causa de la inflación occidental, la estructura autoritaria de los Estados socialistas parecía hacerlos más insensibles a las demandas de sus poblaciones. En conjunto, estos rasgos eran suficientes para que Kosygin y Stoph rebosaran confianza mientras conducían por la capital soviética aquel día de 1976.

Y, sin embargo, empezamos con su intercambio porque, por debajo de dichas muestras de confianza, la discusión también apuntaba a los problemas que terminarían hundiendo al propio socialismo de Estado. Stoph había hecho la petición inicial de más petróleo soviético con un propósito muy concreto: reducir la deuda soberana de la RDA con los bancos y Gobiernos occidentales. Con más petróleo, la RDA podría producir más productos petroquímicos y exportarlos a Occidente a cambio de divisas. Esto, a su vez, reduciría la necesidad de obtener préstamos occidentales para pagar las importaciones y las deudas antiguas. En la primera mitad de los años setenta, los bancos occidentales estaban ansiosos por prestar dinero al bloque socialista por las mismas razones por las que el socialismo se revelaba como un fenómeno ascendente para todo tipo de observadores occidentales en los años setenta: tenía energía, autoritarismo y no había inflación. Pero en 1976, los banqueros occidentales empezaron a dudar: ¿serían capaces los Estados socialistas de devolverles el dinero? Visto así, queda claro que la peregrinación de Stoph a Moscú en busca de petróleo fue, de hecho, un esfuerzo indirecto para tranquilizar a los banqueros occidentales y mantener el flujo de capital occidental.

La situación de la RDA distaba mucho de ser única; todos los Estados del Consejo de Asistencia Económica Mutua (CMEA o Comecon) eran tan dependientes como Alemania del Este tanto del capital occidental como del petróleo soviético, en mayor o menor medida[36]. Así pues, el rechazo de Kosygin a la petición de Stoph apunta al segundo problema que acechaba en el trasfondo de su discusión: tras un periodo de diez años de crecimiento espectacular, los recursos energéticos soviéticos empezaron a estancarse a mediados de la década de los setenta, y se preveía que disminuirían después de 1980. La aparente impermeabilidad del bloque oriental a las vicisitudes de la economía mundial se basaba en estos dos fundamentos: el fácil acceso al capital occidental y un suministro cada vez mayor de recursos energéticos soviéticos. Si alguno de estos elementos se tambaleaba, como ocurriría hacia 1980, todo el bloque se vería obligado a afrontar los problemas sociales, económicos y políticos que ya habían acosado a Occidente después de 1973.

Así pues, este capítulo analiza la respuesta tanto del Occidente industrial como del Oriente socialista a la crisis del petróleo, con el objetivo de aclarar una cuestión clave: a pesar de que, al principio, la crisis pareció confirmar las diferencias fundamentales entre el

36 Excepto Rumanía, que importaba la mayor parte de su petróleo del mercado mundial. Esto liberó al país de la dependencia del petróleo soviético, pero aumentó drásticamente su dependencia del capital occidental.

capitalismo democrático y el socialismo de Estado, con el tiempo se demostró que ambos bloques estaban sometidos a las mismas presiones del mismo mercado mundial. Se trataba de un mercado que ninguna de las partes podía controlar, por lo que la forma en que los Estados de cada sistema, ya fuera capitalista o socialista, reaccionaban a los caprichos de la economía mundial se convirtió en el factor determinante de su propio éxito y supervivencia. La espectacular expansión de los mercados mundiales de capitales tras la crisis del petróleo ofreció a Oriente y Occidente una vía para suavizar el duro golpe que supuso el ajuste a las nuevas condiciones del mercado. Pero el reto fundamental que la crisis planteaba tanto a los Estados capitalistas democráticos de Occidente como a los sistemas socialistas de Estado de Oriente no podía evitarse de forma permanente, eludirse para siempre. La crisis desafió a los Gobiernos de ambos lados de la división ideológica a distribuir internamente las pérdidas económicas causadas por la crisis de los precios del petróleo, a realizar la transición de sus sociedades a sistemas de producción y consumo más rentables y eficientes energéticamente y a mantener el acceso a los mercados mundiales de capital que se expandieron rápidamente tras la crisis del petróleo. Todas estas presiones, a su vez, amenazaban la legitimidad tanto de los estados del bienestar de Occidente como de los Estados comunistas del Este. La crisis, que primero se sintió débilmente y luego se hizo notar con estridencia, inició, para ambos bloques, el paso de la promesa a la ruptura.

El 6 de octubre de 1973, la guerra llegó una vez más a las disputadas tierras de Israel y sus vecinos. A primera hora de esa tarde, las fuerzas armadas egipcias cruzaron el Canal de Suez hacia la península del Sinaí, ocupada por Israel, y las fuerzas sirias abandonaron su país para enfrentarse a las fuerzas israelíes que ocupaban los Altos del Golán. Durante las tres semanas siguientes, la coalición árabe y las Fuerzas de Defensa israelíes libraron batallas campales en lo que se conocería, *a posteriori*, como la Guerra de Yom Kipur. En los primeros días de la contienda, la Unión Soviética reabasteció a sus aliados árabes y, el 14 de octubre, Estados Unidos decidió, a su vez, reabastecer a Israel. Para los Estados árabes del

Golfo que apoyaban la campaña egipcia y siria, la decisión estadounidense exigía una respuesta a la altura. Así, desenvainaron «el arma del petróleo» y anunciaron unilateralmente un aumento del 70 % en su precio, hasta los 5,11 dólares por barril. Al día siguiente, anunciaron un embargo continuado contra aquellos que apoyaban a Israel, principalmente Estados Unidos. Después de que el presidente estadounidense Richard Nixon anunciara un nuevo paquete de ayuda a Israel el 19 de octubre, el rey Feisal de Arabia Saudí subió la apuesta, imponiendo un embargo total sobre el suministro de petróleo a Estados Unidos.

A finales de octubre, las armas se habían silenciado, pero los efectos de la subida de los precios no habían hecho más que empezar. En diciembre, los ministros de la Organización de Países Exportadores de Petróleo (OPEP) se reunieron en Teherán para discutir la fijación del precio del crudo. A instancias de su anfitrión, el sah Mohammad Reza Pahleví, el grupo fijó un precio objetivo aún más alto, de 11,65 dólares, algo impensable solo unos meses antes[37]. Con la desintegración del sistema de Bretton Woods en 1971 y la consiguiente devaluación del dólar estadounidense —moneda en la que se cotizaba el petróleo—, parte del aumento del precio del crudo podría explicarse por el deseo de los productores de recuperar el valor que habían perdido con la caída del dólar. Pero la cuadruplicación de 2,90 dólares a mediados de 1973 a 11,65 a finales de año representó mucho más que eso. Desde el punto de vista económico, era reflejo del desarrollo de las prósperas sociedades industriales en Occidente, que habían multiplicado por seis la demanda de petróleo desde 1950 y llevado a Estados Unidos de la autonomía energética a la dependencia del petróleo extranjero a finales de los años sesenta[38]. Desde el punto de vista político, el aumento de los precios era el culmen de décadas de lucha por parte de los países en desarrollo para aumentar el valor de los

37 Daniel Yergin, *The Epic Quest for Oil, Money, and Power*, Nueva York, Free Press, 1991, cap. 29.

38 Daniel Sargent, *A Superpower Transformed*, Oxford, Oxford University Press, 2014, pp. 132, 135.

productos básicos que constituían la base de su riqueza nacional. Cuando, en mayo de 1974, pidieron colectivamente en las Naciones Unidas un «nuevo orden económico internacional», lo hicieron con los vientos de una riqueza largamente buscada a sus espaldas.

La bonanza para los productores de petróleo mundiales supuso una quiebra para el mundo desarrollado de una magnitud desconocida en los años de posguerra. La crisis del petróleo se desencadenó en un mundo occidental ya acosado por una creciente lista de problemas económicos. El principal era, claro, la inflación. El aumento del nivel de precios se debió a diversas causas, entre ellas el intento del presidente estadounidense Lyndon Johnson de financiar sus programas de la Gran Sociedad y la guerra de Vietnam sin aumentar los impuestos, una explosión de aumentos salariales reales en todo Occidente entre 1968 y 1972 y la decisión estadounidense de 1971 de suspender la convertibilidad del dólar en oro. Washington había abandonado el sistema de tipos de cambio fijos de Bretton Woods en respuesta al continuo ascenso económico de Europa occidental y Japón, que aumentaba la presión competitiva sobre la industria estadounidense y disminuía la posición relativa de Estados Unidos en la economía mundial. La devaluación, implícita en la decisión de 1971, y el sistema de tipos de cambio flotantes que le siguió poco después restauraron, en cierta medida, la competitividad de Estados Unidos[39]. Pero también produjeron una inestabilidad monetaria persistente en el mundo capitalista y liberaron a Estados Unidos de la restricción nominal de limitar su oferta monetaria a cantidades que pudieran convertirse en oro, a treinta y cinco dólares la onza. La combinación de estas fuerzas había llevado la inflación de los precios al consumo en los países de la Organización para la Cooperación y el Desarrollo Económico (OCDE) a una tasa anual del 8,2 % en 1973[40]. Con unos precios que ya avanzaban a un ritmo constante, la cuadruplicación del coste

39 Robert Brenner, *The Economics of Global Turbulence*, Nueva York, Verso, 2006, cap. 9.

40 «Inflation (CPI)», OCDE, consultado el 19 de marzo de 2017, https://doi.org/10.1787/eee82e6e-en.

de la mercancía que constituía la base de la sociedad industrial estaba destinada a tener efectos económicos dramáticos.

Entre 1974 y 1975, Occidente sufrió la peor recesión económica desde la Gran Depresión[41]. El desempleo en la OCDE alcanzó el 5,5 % en 1974 y un máximo del 8,9 % en Estados Unidos en mayo de 1975[42]. En las condiciones económicas predominantes desde 1945, una recesión de tal magnitud habría eliminado de raíz el problema de la inflación. Pero la subida vertiginosa del precio del petróleo hizo que esta contracción fuera diferente, y la inflación de los precios al consumo aumentó en todo Occidente hasta el 14,1 % en 1974 y el 11,8 % en 1975[43].Y así, desafiando la teoría y la experiencia económicas de la posguerra, nació la «estanflación».

En el ámbito de la política pública, en Occidente, los años transcurridos desde 1945 se habían plegado a la larga sombra del economista británico John Maynard Keynes y del corpus teórico que llevaba su nombre. Durante su apogeo en la década de 1960, los economistas keynesianos que poblaban los Gobiernos occidentales habían declarado su victoria sobre las vicisitudes del ciclo económico y alardeaban de ser capaces de prevenir las recesiones económicas mediante cambios en la política monetaria y fiscal. «Las recesiones se consideran ahora fundamentalmente evitables, como los accidentes aéreos y a diferencia de los huracanes», declaró en 1970 Arthur Okun, economista jefe de Lyndon B. Johnson[44]. En el continente europeo y en Japón, dos décadas de crecimiento económico casi ininterrumpido, de 1950 a 1970, dieron credibilidad y pusieron cuerpo a tales afirmaciones. Incluso en Estados Unidos, donde las recesiones habían sido una parte

41 Harold James, *International Monetary Cooperation since Bretton Woods*, Nueva York, Oxford University Press, 1996, p. 264.

42 Charles S. Maier, «Inflation and Stagnation as Politics and History», en *The Politics of Inflation and Economic Stagnation: Theoretical Approaches and International Case Studies*, Leon N. Lindberg y Charles S. Maier (eds.), Washington D. C., Brookings Institution, 1985, p. 17.

43 «Inflación (IPC)», OCDE.

44 Citado en Robert J. Samuelson, *The Great Inflation and Its Aftermath*, Nueva York, Random House, 2008, p. 55.

recurrente, aunque leve, de la vida de posguerra, los economistas de los años sesenta encontraron razones para pensar que los resultados económicos estaban sujetos, en última instancia, al control gubernamental. La curva de Phillips, llamada así por el economista neozelandés A. W. Phillips, teorizada en 1958, pretendía demostrar que la inflación y el desempleo estaban inversamente relacionados: cuanto más subía uno, más bajaba el otro. Con estos conocimientos, los economistas argumentaron en la década de 1960 que los Gobiernos podían controlar el nivel tanto de la inflación como del desempleo mediante ajustes fiscales y monetarios.

Siguiendo esta línea de pensamiento, los Gobiernos de posguerra habían basado su política y construido su legitimidad en la promesa de optimizar los beneficios sociales del crecimiento económico. De ahí surgió el principal objetivo económico del estado del bienestar occidental: el pleno empleo. Como ha escrito Charles Maier, «después de 1945 surgió como vara de medir una "norma de pleno empleo" con la que se juzgaba a todos los Gobiernos occidentales». Según esta norma, era responsabilidad del Gobierno garantizar que todo aquel que quisiera un empleo lo tuviera. Este compromiso suponía un cambio drástico con respecto a las responsabilidades de los Gobiernos capitalistas democráticos en los años de preguerra, cuando, bajo el patrón oro, las naciones de Occidente priorizaban su solvencia crediticia sobre los intereses de sus clases trabajadoras nacionales. La horrible experiencia de la Gran Depresión, la caída de Europa en el fascismo y la aparición de un bloque socialista que pretendía gobernar en interés de la clase obrera obligaron a los Gobiernos capitalistas democráticos después de la guerra a adoptar los intereses de la clase obrera como propios. El resultado de esta fusión de intereses entre la clase obrera y sus Gobiernos fue el pleno empleo. Como ha escrito Maier, «aceptar la primacía del pleno empleo significaba que una de las principales prioridades de la clase obrera se había convertido en la de toda la sociedad»[45].

45 Charles S. Maier, «"Fictitious Bonds of Wealth and Law": On the Theory and Practice of Interest Representation», en *In Search of Stability: Explorations in Historical Political Economy*, Cambridge, Cambridge University Press, 1987, p. 251.

La estanflación puso en tela de juicio, lisa y llanamente, toda la promesa de la gobernanza keynesiana y, con ella, la legitimidad de los estados del bienestar occidentales. Si la tarea básica del Gobierno de posguerra era hacer algo para proteger los intereses de la clase trabajadora, después de 1973 no estaba claro qué debía ser ese *algo*. La inflación parecía indicar que los Gobiernos y los sindicatos ya habían hecho demasiado. Como fenómeno financiero, la inflación era fácil de entender: el nivel de precios aumentaba cuando había más dinero que bienes en una economía. Pero, como fenómeno social, la inflación era una señal de conflictos no resueltos sobre cómo debía (re)distribuirse la riqueza. Los trabajadores creían que tenían que recibir más, por lo que exigían aumentos salariales. El capital, poco dispuesto a ver disminuir sus beneficios, respondió aumentando los precios, y el proceso siguió sin resolverse hasta que hubo más dinero que bienes. Más que un simple fenómeno monetario, la inflación apareció en aquellas sociedades en las que se habían hecho más promesas de las que el mercado podía ofrecer[46].

En las sociedades occidentales, se creía que el culpable de todas las promesas incumplidas era el estado del bienestar de la posguerra y su promesa fundacional de pleno empleo. La causa de la inflación era «el compromiso mundial con el pleno empleo y la máxima producción», escribía la revista estadounidense *Business Week* en octubre de 1974. Este punto de vista no era del agrado de los portavoces de la comunidad empresarial. Incluso los simpatizantes de los intereses de las personas trabajadoras y el estado del bienestar, como Paul Samuelson, economista keynesiano, estaban de acuerdo en que la crisis de 1974-1975 mostraba que los Gobiernos estaban haciendo demasiado para proteger a los trabajadores. La inflación «está profundamente arraigada en la naturaleza del estado del bienestar», concluyó, porque «incluso cuando hay holgura en el sistema, el desempleo no ejerce la presión a la baja sobre los precios que sí ejercía bajo el "capitalismo

46 Véase Maier y Lindberg (eds.), *Politics of Inflation*, especialmente Albert O. Hirschman, «Reflections on the Latin American Experience», pp. 53-77.

cruel"». El problema, escribía Samuelson, era que nadie quería «dar marcha atrás al reloj»[47].

Esto es, precisamente, lo que hacía tan difícil acabar con la inflación. Implicaba que alguien tendría que perder. La crisis del petróleo agravó el reto al provocar la situación que la curva de Phillips había proclamado imposible: alto desempleo e inflación al mismo tiempo. Los Gobiernos podían luchar contra uno u otro, pero no contra ambos a la vez. La estabilidad de las sociedades occidentales y la legitimidad de sus Gobiernos dependían de la vuelta del crecimiento económico, pero la lucha contra la inflación exigía que dicha vuelta no supusiera una nueva carga a sociedades ya insatisfechas.

En Europa, esta situación amenazaba con destruir el frágil orden surgido en 1945. «La posguerra ha terminado», declaraba el historiador Fritz Stern en un artículo de mayo de 1974. «Durante unos veinticinco años, una economía en constante expansión protegió a Europa de grandes convulsiones políticas». En las revueltas de 1968, los estudiantes y los radicales pudieron haberse rebelado contra la autocomplacencia de la vida burguesa, pero los trabajadores, centro de gravedad de la política de posguerra, habían sido apaciguados con promesas de prosperidad cada vez mayores. «Los trabajadores de Europa encontraron en el aburguesamiento una experiencia novedosa y, en general, estimulante», escribió Stern. «Cada año, en todos los países europeos, más trabajadores podían permitirse comprar coches, irse de vacaciones, soñar con bungalós en el campo, esperar una vida mejor para sus hijos». Ese mundo ha desaparecido. Con Europa abocada al «"crecimiento cero" en el mejor de los casos», Stern creía que las democracias del continente se verían privadas de la promesa de la prosperidad, promesa que había constituido su sustento desde la Segunda Guerra Mundial. Sin prosperidad, nadie podía estar seguro de que seguiría habiendo paz[48].

47 *Business Week* y Samuelson, citado en Jefferson Cowie, *Stayin' Alive: The 1970s and the Last Days of the Working Class*, Nueva York, New Press, 2010, p. 223.

48 Fritz Stern, «El fin de la posguerra», *Commentary*, vol. 57, n.º 4, abril de 1974, p. 27.

Por tanto, había que mantener viva la promesa del orden de posguerra, incluso cuando sus cimientos económicos se desmoronaban. En todo Occidente, los Gobiernos y los principales sindicatos se aseguraron de proteger el nivel de vida de la clase trabajadora cuando estalló la crisis del petróleo en 1974. En Estados Unidos, los aumentos salariales de los trabajadores durante el año superaron a la inflación[49]. En Alemania Occidental, la primera huelga de empleados públicos de la historia del país, celebrada en mayo, supuso para todos los trabajadores un aumento salarial real del 3,4 % en ese año[50]. En Gran Bretaña, unas tensas elecciones nacionales celebradas en febrero de 1974 dieron como resultado un débil Gobierno laborista que concedió inmediatamente a los trabajadores industriales del país un aumento salarial nominal del 29 %[51]. En Italia, donde todos los salarios estaban indexados a la inflación mediante un sistema conocido como *scala mobile*, los trabajadores recibieron incluso un aumento del 10 % en los salarios reales en 1975[52]. En Japón, donde la inflación alcanzó un asombroso 24 % en 1974, los trabajadores cubrieron con facilidad el aumento de los precios con un incremento salarial del 32 %[53]. En todo Occidente, la primera reacción de los sistemas políticos fue proteger a la clase trabajadora nacional frente a los cambios del mercado mundial.

Como las promesas de la política de posguerra no se desechaban fácilmente, había que encontrar nuevas fuentes para financiarlas. La crisis del petróleo transfirió aproximadamente el dos por ciento de la riqueza mundial a las naciones productoras de petróleo y, si se quería que la vida en Occidente continuara como hasta entonces, había que

49 Cowie, *Stayin' Alive*, p. 72.

50 Andrei S. Markovits, «Salarios y productividad por persona», Apéndice 10, en *The Politics of the West German Trade Unions: Strategies of Class and Interest Representation in Growth and Crisis*, Cambridge, Cambridge University Press, 1986, p. 459.

51 Kevin Hickson, *The IMF Crisis of 1976 and British Politics*, Londres, I. B. Tauris, 2005, p. 53.

52 James, *International Monetary Cooperation*, p. 283.

53 T. J. Pempel, «Japanese Foreign Economic Policy: The Domestic Bases for International Behavior», en *Between Power and Plenty*, Peter J. Katzenstein (ed.), Madison, University Wisconsin Press, 1978, p. 184.

encontrar la manera de que esos fondos volvieran a las economías occidentales[54]. «A partir de 1980», señalaba el Tesoro estadounidense en agosto de 1974, «las necesidades de capital del mundo serán enormes en comparación con cualquier momento de la historia»[55].

Los euromercados, precursores de los actuales mercados mundiales de capitales no regulados, representaban una posible vía para distribuir los ahorros mundiales de los productores de petróleo a los países consumidores. Fundados en Londres, en 1955, con los excedentes de dólares estadounidenses de los europeos, los euromercados estaban formados por todas las divisas mantenidas fuera de su país de origen y, por tanto, sujetas a una regulación escasa. Dado que el dólar estadounidense era la moneda más importante y utilizada en el comercio internacional, los eurodólares representaban la inmensa mayoría de la liquidez de los euromercados, aunque los marcos alemanes, los francos suizos y las libras esterlinas también desempeñaban un papel importante. A lo largo de las décadas de 1950 y 1960, Estados Unidos reguló fuertemente los tipos de interés que los bancos podían aplicar a sus depósitos dentro del país, por lo que cada vez más empresas, bancos y bancos centrales empezaron a mantener sus tenencias de dólares estadounidenses en el extranjero y a recibir una mayor tasa de rentabilidad en los euromercados. Ni el Gobierno estadounidense ni el británico estaban dispuestos a regular esta actividad, por lo que los euromercados siguieron creciendo. En 1970, dichos mercados estaban valorados en 80.000 millones de dólares y, cuando estalló la crisis del petróleo, representaban una posible vía de mediación en un mundo financiero cada vez más interdependiente.

Sin embargo, no fueron ni mucho menos los únicos. Muchos observadores financieros y responsables políticos creían que los

54 Richard P. Mattione, *OPEC's Investments and the International Financial System*, Washington D. C., Brookings Institution, 1985, p. 23.

55 William Withrell para el subsecretario Parsky, «World Capital Markets Study», 14 de agosto de 1974, carpeta «1974», caja 1, Office of Assistant Secretary for International Affairs, Chronological Files of the Office of Financial Resources and Energy Finance, 1974-1977 (OASIA), National Archives and Records Administration (NARA), College Park, Maryland.

Gobiernos o el FMI tendrían que reciclarse, en lugar de dejar un elemento tan importante de la economía mundial a la volatilidad del mercado. En los diez primeros meses de 1974, los países de la OPEP depositaron 16.500 millones de dólares de sus 45.000 millones de superávit en los euromercados, frente a solo 10.500 millones de Estados Unidos[56]. El 26 de junio de 1974, el mayor banco privado de Alemania Occidental, Herstatt, se hundió bajo la presión de las pérdidas especulativas en divisas. Muchos dentro de la propia comunidad financiera creían que la quiebra sería sólo la primera de muchas fichas de dominó que caerían si el proceso de reciclaje seguía siendo responsabilidad de los bancos y los euromercados. Los bancos utilizaban los depósitos a corto plazo de los países de la OPEP para conceder préstamos a los países importadores de petróleo con vencimientos de entre siete y diez años. Eso era, como señaló *The Wall Street Journal* días después del colapso de Herstatt, «pedir prestado a corto plazo y prestar a largo plazo, la clásica fórmula de los banqueros para solucionar cualquier problema». Ante lo que parecía una situación insostenible, *The Wall Street Journal* —que no es conocido, en realidad, por su defensa del control gubernamental— llegó a la conclusión de que los Gobiernos y el FMI tendrían que asumir la tarea primordial del reciclaje de los petrodólares: «La única alternativa es terrible», señalaba, «reducciones drásticas de las importaciones, devaluaciones de la moneda y fuertes desaceleraciones económicas acompañadas de un aumento del desempleo»[57].

Una vez más, la realidad superó las expectativas. A finales de 1974, quedó claro que a los productores de petróleo no les interesaba utilizar las finanzas para desestabilizar a los países que compraban su petróleo, y decidieron asegurar sus depósitos en bancos occidentales a más largo plazo. Los bancos, a su vez, encontraron menos motivos para preocuparse por prestar a los países. En el verano de 1975, un funcionario del Tesoro de Estados Unidos

56 Departamento de Estado a las capitales de la OCDE, «OECD Committee on Financial Markets Meeting, Noviembre 21-22, 1974», carpeta «1974» caja 1, OASIA, NARA.

57 Charles Stabler, «Jitters on the Euromarkets», *The Wall Street Journal*, 28 de junio de 1974, p. 14.

podía afirmar que «la mayoría de los bancos reconocen ahora que los problemas de financiación debidos a las acumulaciones financieras de la OPEP son manejables»[58]. Si el sistema bancario privado podía gestionar el proceso de reciclaje, el FMI o los Gobiernos tenían poco que hacer. A partir de 1975, los esfuerzos de los Gobiernos por controlar el proceso de reciclaje disminuyeron y la gran mayoría de los empréstitos soberanos se mantuvieron en los euromercados, que siguieron creciendo vertiginosamente durante el resto de la década de los setenta (Figura 1.1).

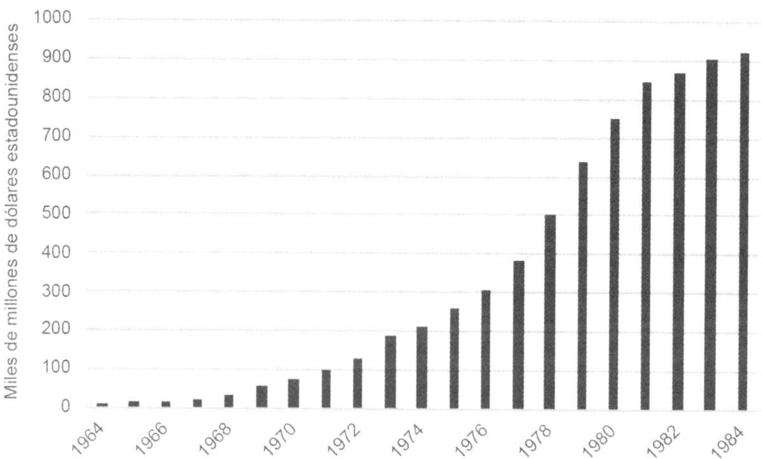

Figura 1.1. **Crecimiento de los euromercados de 1964 a 1984.** Fuente: Benjamin Cohen, *In Whose Interest: International Banking and American Foreign Policy*, New Haven, Connecticut, Yale University Press, 1986, p. 23, cuadro 2.2. [ed. esp. *¿En el interés de quién? La banca privada y la política exterior de Estados Unidos*, Madrid, Limusa, 1990].

Esto supuso un acontecimiento fatídico, tanto para los Gobiernos capitalistas democráticos como para el socialismo de Estado. Con el excedente de capital mundial a su disposición, la comunidad financiera internacional se convirtió en árbitro de la política

58 «Remarks by William Witherell, Director of the Office of Financial Resources, U.S. Department of the Treasury», 17 de junio de 1975, carpeta «Junio de 1975», caja 1, OASIA, NARA, p. 12.

mundial. Los banqueros y la mayoría de los políticos se resistían a ver el papel de las finanzas en estos términos, pero era cierto. Cualquier Estado, oriental u occidental, que dependiera del capital prestado para financiar los productos de su política nacional, estaba ahora sujeto a la caprichosa confianza y al designio de la clase capitalista. Mientras los mercados siguieran convencidos de que el capital prestado se devolvería en los plazos acordados y con intereses, la política de los Estados podría desarrollarse con normalidad. Los políticos podían seguir prometiendo prosperidad a su pueblo y la legitimidad del Gobierno tenía la posibilidad de sobrevivir sin ser cuestionada. Pero si la confianza de los mercados comenzara a flaquear, la política interior de los Estados prestatarios se vería inmediatamente perturbada. Tanto en el Este como en el Oeste, la tentación de utilizar el capital prestado para mantener el nivel de vida nacional resultó demasiado fuerte como para resistirse a ella[59]. Esto significaba que existía una conexión directa entre las promesas que los Gobiernos hacían a sus ciudadanos y los mercados de capitales que utilizaban para financiarlas.

A medida que, a partir de 1975, aumentaba la importancia de los mercados mundiales de capitales, crecía también la de los bancos centrales. Si los Gobiernos no podían controlar los mercados de capitales a los que ahora estaban sujetos, los bancos centrales sí podían controlar la liquidez que circulaba a diario por esos mercados. Esto hizo que la reacción de los bancos centrales más importantes del mundo ante las crisis económicas de los setenta fuera tan importante como la respuesta de los Gobiernos. En la Reserva Federal de Estados Unidos, el banco central más decisivo a nivel global por su control sobre la liquidez de la moneda estadounidense, que entonces circulaba por el mundo como petrodólares, se aplicó un breve periodo de tipos de interés altos en la primavera de 1974 para contrarrestar la crisis de los precios del petróleo, pero rápidamente se volvió, ese mismo otoño, a una política acomodaticia.

59 Jeffrey A. Frieden, *Global Capitalism: Its Fall and Rise in the Twentieth Century*, Nueva York, W. W. Norton, 2006, pp. 368-369.

De este modo, los tipos de interés se mantuvieron al nivel de la inflación o por debajo de este, lo que, a su vez, hizo que el coste real de los préstamos en dólares estadounidenses en todo el mundo fuera prácticamente cero. Así, con pequeñas variaciones, el coste real del dólar se mantuvo próximo a cero hasta finales de los setenta.

Otros bancos centrales hicieron mayores esfuerzos por restringir el crecimiento del dinero y reducir la inflación en sus sociedades. Alemania Occidental y Japón adoptaron, a mediados de los años setenta, formas de monetarismo que les permitieron controlar la inflación dentro de sus fronteras. Pero mientras el verdadero motor de la liquidez mundial, la Reserva Federal estadounidense, no abordara el fenómeno de la inflación con mayor ahínco, los Gobiernos seguirían encontrando numerosos obstáculos para hacer realidad las promesas que hacían a sus pueblos. Hasta que la Reserva Federal no tomase las decisiones que debía tomar, los sistemas políticos de todo el mundo tampoco se veían obligados a hacerlo.

Esto convirtió cualquier intento gubernamental de acabar con la inflación en una opción política extremadamente impopular. Tres días después de asumir la presidencia, en agosto de 1974, el presidente estadounidense Gerald Ford se dirigió a la nación en un discurso televisado en el que declaró: «La inflación es nuestro enemigo público nacional número 1», y procedió a lanzar una campaña WIN (Whip Inflation Now), con la que animaba a los estadounidenses a cultivar sus propios alimentos, equilibrar sus presupuestos domésticos y acceder a los préstamos con moderación. El único efecto real de la campaña WIN fue contribuir a la estrepitosa derrota del Partido Republicano en las elecciones de noviembre de 1974. Un año después, Ford, escarmentado por la derrota y enfrentado a una enorme mayoría demócrata en ambas cámaras del Congreso, firmó una serie de recortes fiscales y postergó la receta austericida[60].

En el resto de Occidente, los intentos gubernamentales de priorizar la lucha contra la inflación sobre la búsqueda del pleno empleo

60 Judith Stein, *How the United States Traded Factories for Finance in the Seventies*, New Haven, Connecticut, Yale University Press, 2010, pp. 112-115.

fueron aplastados por la oposición. Solo en Alemania Occidental, el canciller Helmut Schmidt, un socialdemócrata que gozaba de fuertes lazos con los sindicatos de su país, consiguió aprobar un polémico paquete de austeridad en 1975. Lo hizo, además, apoyándose en su estatus de representante de los trabajadores que se limitaba a trasladar las malas noticias económicas que exigían las nuevas condiciones del mercado. Como dijo a la nación el año siguiente a la aprobación de las medidas de austeridad: «Nada volverá a ser como antes de 1974»[61].

La mayoría de los políticos occidentales y sus electores se negaban a creer a Schmidt. Incluso aquellos que lo hicieron descubrieron que su mensaje era profundamente impopular en todas esas democracias en las que prosperaban aquellos que prometían un retorno a la edad de oro de la posguerra. Quizá ninguna otra obra haya captado el estado de ánimo imperante en Occidente como *Los límites sociales al crecimiento*, del economista británico Fred Hirsch, publicado en 1976. «El liberalismo económico —escribió Hirsch— es víctima de su propia propaganda: tentador para todos, ha evocado demandas y presiones que no pueden cumplirse ni contenerse». La promesa de opulencia se había extendido en las sociedades occidentales, debido al «principio de participación universal» y a «las exigencias de legitimación política». Aunque «la propagación de los objetivos burgueses hacia abajo, a través de la escalera social, refuerza la legitimidad política del capitalismo liberal de mercado —escribió Hirsch—, el mismo proceso resulta, en última instancia, perjudicial para el rendimiento económico». El problema económico fundamental de las «sociedades avanzadas», afirmaba, era ahora «una necesidad estructural de hacer retroceder los límites del avance económico». Las perspectivas de que esto ocurriera eran escasas, porque el «rasgo principal de las democracias modernas es la necesidad de justificar» las decisiones políticas ante el pueblo. Ese era, para Hirsch, «su triunfo moral y, al mismo tiempo, un problema

61 Markovits, *Politics of West German Trade Unions*, pp. 126-132, cita en p.126.

técnico sin aparente resolución». El hecho de que la resolución de los problemas económicos de Occidente tuviera que ser «éticamente defendible» imponía «límites drásticos al conjunto de soluciones disponibles». Esto significaba que el mayor reto para las sociedades industriales no consistía en formular políticas para resolver la crisis de estanflación, sino conseguir «la aceptación pública necesaria para que funcionen»[62].

Conseguir la aceptación pública era, sin lugar a dudas, el desafío de aquel momento, y pocos Estados de Occidente parecían capaces de materializarlo. Si el consenso social iba a ser cada vez más esquivo en las democracias occidentales, quizá los sistemas políticos que renunciaran a alcanzarlo tendrían mejores resultados en el mundo post-1974. Si nada volvería a ser igual después de la crisis del petróleo, tal vez el futuro estuviera, por fin, en manos del socialismo de Estado.

Es comprensible que los dirigentes socialistas del bloque del Este quisieran evitar a toda costa los problemas que aquejaban a sus homólogos capitalistas. A primera vista, parecían, de hecho, bien situados para hacerlo. Hasta mediados de los años setenta, los precios en el Comecon se fijaban como parte del proceso de planificación quinquenal. Así, en 1970, la URSS había fijado el precio de su petróleo dentro del Comecon para todo el periodo 1971-1975 en unos catorce rublos por tonelada, alrededor de 2,43 dólares por barril[63]. En aquella época, los precios del petróleo en el mercado mundial rondaban los dos dólares por barril, por lo que los Estados del Comecon pagaban un ligero plus por el petróleo soviético. Esta prima la pagaban sin problemas porque el comercio con la Unión Soviética no se realizaba en divisas fuertes; es decir, divisas de libre convertibilidad como el dólar estadounidense, la libra esterlina o el marco alemán occidental. Aunque el petróleo

62 Fred Hirsch, *The Social Limits to Growth*, Cambridge, Massachusetts, Harvard University Press, 1976, pp. 11, 170 y 190.

63 Calculado a partir de los valores del petróleo y la moneda, en «Preise für den Import von Erdöl und Erdgas aus der UdSSR seit 1972 Gegenüberstellung dieser Preise zu den kapitalistischen Weltmarktpreisen und Ausweis des Vorteils für die DDR», sin fecha, pero publicado en 1985, DE/1/58747, BArch Lichterfelde.

soviético se cotizaba, a efectos contables, en rublos, el Comecon comerciaba a través del trueque en el marco de los planes quinquenales. Antes de la crisis del petróleo, el proceso de planificación quinquenal determinaba que el petróleo soviético valía una cierta cantidad de televisores de Alemania Oriental, barcos polacos o equipos de ingeniería checoslovacos, y, a partir de esta operación, el comercio durante todo el periodo se realizaba a ese precio.

Para los países del Este, que generalmente importaban materias primas y exportaban productos elaborados, este acuerdo tenía dos principales ventajas, especialmente en comparación con el comercio que realizaban en los mercados occidentales: sus productos tenían garantizado un comprador y podían venderse con independencia de su calidad. Los funcionarios soviéticos podían protestar —y lo hacían— por la calidad de los productos de Europa del Este que recibían, pero poco podían hacer para detener ese flujo sin alterar radicalmente la estructura del Comecon. A pesar de estas ventajas para Europa del Este, el comercio dentro del Comecon antes de la crisis del petróleo no era muy diferente del comercio en el mercado mundial. El sistema de trueque no enfatizaba la calidad, pero el valor económico atribuido a los bienes —como se ve en la paridad aproximada de los precios del petróleo en Comecon y en el mundo— estaba básicamente en línea con los valores del mercado mundial.

La explosión de los precios de las materias primas, a principios de la década de los setenta, alteró por completo esta dinámica. En cuestión de meses, de finales de 1973 a principios de 1974, el precio de los recursos energéticos de la Unión Soviética en el mercado mundial se cuadruplicó y, con ello, el dominio del país sobre el resto del bloque se convirtió en un enorme lastre económico. Mientras los precios mundiales del petróleo se mantuvieran por encima de los diez dólares el barril, cualquier entrega de petróleo soviético a Europa del Este, a dos dólares y medio el barril, representaría una pérdida impresionante en la venta del activo más valioso del país. Pero si el Kremlin ajustaba los precios del Comecon para reflejar los nuevos precios del mercado mundial, los países del bloque del

Este tendrían que aumentar drásticamente sus exportaciones a la Unión Soviética para costearlos. Este aumento de las exportaciones tendría que producirse en detrimento del consumo interno, por lo que los contratos sociales no escritos de este socialismo tardío podrían verse alterados, aumentando el malestar social. Todos los dirigentes del bloque del Este querían que esto sucediera, por lo que utilizaron todas las herramientas a su alcance para proteger los contratos sociales de sus países de los cambios en el mercado mundial y en el Comecon. Tras la crisis del petróleo, una nueva tensión definió las relaciones entre los «aliados fraternales»; los intereses económicos de la Unión Soviética se oponían ahora, de forma frontal, a las prioridades políticas, económicas y sociales del bloque del Este en su conjunto.

Esta tensión apareció por primera vez en 1974, después de que los dirigentes soviéticos propusieran un nuevo sistema que aumentaría drásticamente el precio de los recursos energéticos soviéticos para ajustarlos a los nuevos precios del mercado mundial. Ese año el politburó soviético puso este asunto a debate en numerosas ocasiones, y el secretario general soviético, Leonid Brézhnev, «atribuyó, de forma muy personal, una gran importancia a esta cuestión», declaró el presidente del Gosplán [Comité Estatal de Planificación de la Unión Soviética], Nikolai Baibakov, a su homólogo de Alemania Oriental, Gerhard Schürer, en diciembre de ese año. El dirigente soviético creía «que ningún país socialista, ni la Unión Soviética, deberían sufrir un retroceso en su desarrollo económico nacional debido a la regulación de los precios». Para los dirigentes soviéticos, los precios del petróleo eran «fundamentalmente una cuestión política, no solo un problema puramente económico», como afirmó Baibakov. Los dirigentes soviéticos sabían que un cambio en los precios «podría llevar el caos a las economías de los países socialistas, como ocurre actualmente en los países capitalistas». Sin embargo, al mismo tiempo, creían que los países socialistas no podían «separarse completamente del desarrollo del mercado mundial» porque los cambios de precios eran «un proceso objetivo [e] irreversible». Esto significaba que el bloque socialista no podía «huir del aumento de precios que imperaba en el mercado mundial»[64].

Escapar era, precisamente, lo que los líderes de Europa del Este creían que debía hacer el bloque. Para ellos, la crisis del petróleo era la señal más clara de que el capitalismo era propenso a las crisis y estaba condenado al fracaso. La política oficial de la RDA sostenía que la crisis de los precios del petróleo estaba «influenciada en gran medida por factores especulativos e inflacionistas» que surgieron «de la intensificación de la crisis general del sistema capitalista, especialmente de la crisis estructural de la energía, la divisa y el mercado financiero»[65]. De forma similar, el Partido Socialista Obrero Húngaro concluyó que «la manipulación llevada a cabo por los monopolios capitalistas internacionales» había producido la crisis de los precios de las materias primas. «La crisis general del capitalismo se agrava», se declaraba en ese momento en los documentos del partido[66].

Ante los evidentes fracasos del capitalismo, los dirigentes del Este consideraron insensato importar, de forma voluntaria, los efectos de la crisis capitalista mediante cambios en los precios del Comecon. Como los responsables políticos de la RDA dijeron a sus camaradas soviéticos, el bloque «no debería, bajo ninguna circunstancia», incorporar al sistema del Comecon aumentos de precios basados «en factores especulativos (...) del sistema impe rialista». Tal medida únicamente «contagiaría los efectos de la inflación capitalista a nuestras relaciones económicas». Esto no solo tendría «efectos económicos», advirtieron. «También debemos reconocer que podrían surgir problemas políticos si el aumento

64 Gerhard Schürer, «Information über ein Gespräch zwischen Genossen Schürer und Genossen Baibakow am 9.12.1974» 9 de diciembre de 1974, DE/1/58586, BArch Lichterfelde. Los funcionarios soviéticos expresaron los mismos sentimientos en sus reuniones con funcionarios húngaros. Véase, «Zapis' Besedy-nachal'nika Upravleniia torgovli s sochialisticheskimi stranami Uvropy t. Loshakova M.G. s nachal'nikom upravleniia Ministerstva vneshnei torgovli VNR t. A Feder- erom», 10 de julio de 1974, Archivo Estatal Ruso de Economía (RGAE), f. 413, o. 31, d. 6631, l. p. 22.

65 «Standpunkt der DDR zur Gestaltung der RGW-Preise 1976-1980», 30 de mayo de 1974, DE/1/58577, BArch Lichterfelde.

66 Attila Mong, *Kádár Hitele*, Budapest, Editorial Libri, 2012, p. 150.

de los precios de las materias primas desencadenara un aumento general de los precios en nuestro bloque»[67].

Los dirigentes soviéticos entendían a la perfección el impacto social que tendrían los cambios de precios, pero seguían firmemente convencidos de que el aumento del precio del petróleo era algo que había que celebrar, no lamentar. Lejos de señalar el poder de los monopolios y los especuladores en el mundo capitalista, las sacudidas de los precios de las materias primas representaban una victoria rotunda de las fuerzas globales que se oponían al imperialismo occidental. «Algo muy importante está ocurriendo a nivel mundial», dijo Nikolai Patolichev, ministro de Comercio Exterior soviético, a sus colegas de Alemania Oriental. «En los últimos años, los países en desarrollo han logrado su independencia económica. 1973 fue el punto culminante de esta lucha. Esto es: no se trata de un proceso imperialista, sino de un desarrollo antiimperialista». El bloque socialista había «apoyado a los países en desarrollo en su lucha política, y ahora han triunfado», declaró Patolichev. Esto significa que «por su propia naturaleza, los nuevos precios de las materias primas son el resultado de la lucha antiimperialista»[68].

Las diferencias de interpretación ideológica entre el Kremlin y sus aliados reflejaban las diferencias de intereses nacionales y de política interna que la crisis del petróleo se encargó de poner de manifiesto. Tal y como el ministro de Comercio Exterior soviético Patolichev lo planteó a los funcionarios de la RDA: «¿Cómo vamos a explicar a nuestro pueblo que estamos vendiendo nuestro petróleo treinta rublos por debajo del precio del mercado mundial?». Los aliados tenían que entender, dijo Patolichev, «el coste que tendría, en la parte soviética, vender las materias primas tan baratas». Los soviéticos no podían seguir proporcionando tal subvención porque ya no podían «explicárselo al pueblo soviético». Esto

67 «Standpunkt der DDR», BArch Lichterfelde.

68 Subrayado en el original. Horst Sölle, «Niederschrift über eine Zusammenkunft des Ministers für Außenhandel der DDR, Genossen Sölle, mit dem Minister für Außenhandel der UdSSR, Genossen Patolitschew, anläßlich der Übergabe des Aid-mémoires zur Bildung der Vertragspreise im RGW 1976-1980 und 1975», 3 de octubre de 1974, DE/1/58588, BArch Lichterfelde.

hacía «absurdo rechazar» la *Berechtigung* [autoridad] de la Unión Soviética para revisar la estructura de precios del Comecon[69].

Los Gobiernos del bloque oriental sintieron, también, la presión de agradar a sus pueblos. Como escribió Erich Honecker, el líder de Alemania Oriental, en una carta de 1974 a Brézhnev, los dirigentes de la RDA pensaban que no se podían permitir «una reducción del nivel de vida de la población» porque los «enemigos de clase» en Occidente estaban orquestando «un intento diario de pervertir ideológicamente al pueblo de la RDA». Para contrarrestar esta amenaza, los dirigentes de Alemania del Este pensaron que «era necesario resolver una serie de cuestiones sociales —aumento de las pensiones, del salario mínimo, apoyo a las familias jóvenes, ayuda a los niños [y] aceleración de la construcción de viviendas, hospitales y escuelas, etc.—»[70]. La misma estrategia fue aplicada por los regímenes de János Kádár en Hungría, Edward Gierek en Polonia, Gustáv Husák en Checoslovaquia, Todor Zhivkov en Bulgaria y Nicolae Ceaușescu en Rumanía. La subida de los precios de la energía en la Unión Soviética se traducía, de forma casi automática, en menos casas en Leipzig, salarios más bajos en Gdańsk, estanterías más vacías en Sofía y más inestabilidad política en todas partes.

En última instancia, era la Unión Soviética la que tenía el petróleo, así que fue el Kremlin el que tomó la última decisión sobre la estrategia política. Al principio, el politburó decidió que los precios de la energía en el Comecon para 1975 se fijaran sobre la base de una media del precio del mercado mundial en 1973 y 1974. Como en estos dos años se produjeron aumentos de precios drásticos, esta decisión estaba plenamente al servicio de los intereses económicos soviéticos. Pero, tras escuchar las fuertes protestas de sus aliados, el politburó decidió que la media de precios de dos años sería «demasiado difícil para los países socialistas». En su lugar, optaron por basar el precio de 1975 en una media de 1972,

69 Sölle, «Niederschrift über eine Zusammenkunft», BArch Lichterfelde.

70 Carta de Erich Honecker a Leonid Brezhnev, 9 de diciembre de 1974, DE/1/58586, BArch Lichterfelde.

1973 y 1974, para incluir «un año con precios bajos, medios y altos». A partir de 1975, los funcionarios soviéticos decidieron que el sistema de precios del Comecon se ajustaría sobre la media de los precios del mercado mundial de los cinco años anteriores.

Esta decisión comportaba un coste de miles de millones de rublos —y, por extensión, de miles de millones de dólares—. Como explicó Baibakov, si el Comecon hubiera pasado inmediatamente a los precios del mercado mundial, los países socialistas habrían tenido que exportar a la Unión Soviética mercancías por valor de 16.000 millones de rublos más durante el Plan Quinquenal 1976-1980. Con el sistema de precios flexibles, la carga de 16.000 millones de rublos para Europa del Este se reduciría a 7.000 u 8.000 millones[71]. Patolichev describió el nuevo sistema de precios variables como «un compromiso óptimo, que reparte las tensiones necesarias entre la URSS y los demás países del CAME». Sin embargo, en ningún caso, lo óptimo era sinónimo de fácil. Los negociadores sabían que las consecuencias de sus decisiones serían enormes y duraderas. Como le dijo Patolichev a Honecker en medio de una discusión especialmente tensa: «El cambio actual en los precios de la Comecon es la tarea más difícil de mi vida. No se trata solo de una cuestión que atañe a la URSS, sino que, política y económicamente, también es importante para toda la comunidad socialista»[72].

Lo que resultaba difícil para los funcionarios soviéticos constituía una amenaza vital para los de Europa del Este. Incluso con el sistema de precios variables, era evidente que el precio de la energía para los países del bloque sufriría un aumento drástico en los años venideros. Al enterarse de que Moscú iba a cambiar el sistema de precios, Erich Honecker convocó una reunión de emergencia de los dirigentes de Alemania Oriental para debatir y formular una respuesta. La

71 Gerhard Schürer, «Information über ein Gespräch zwischen Genossen Schürer und Genossen Baibakow am 9.12.1974», 9 de diciembre de 1974, DE/1/58586, BArch Lichterfelde.

72 Patolichev, citado en «Niederschrift über die Beratung zwischen Genossen Erich Honecker und Genossen Baibakow am 21.12.1974» 21 de diciembre de 1974, DE/1/58586, BArch Lichterfelde.

decisión soviética tenía dimensiones nacionales e internacionales que debían discutirse. En el plano internacional, el secretario general observó que la crisis del petróleo había cambiado de forma fundamental, y quizá permanente, el valor económico que Europa del Este tenía para la Unión Soviética. «Hasta ahora pagábamos más por una tonelada de petróleo de la URSS que de la RFA. En un futuro no muy lejano, Europa del Este será una carga económica para Moscú»[73].

En el plano interno, el sistema de precios variable anticipaba conflictos sociales y políticos. La primera estimación de las pérdidas económicas para la RDA con el nuevo sistema de precios preveía un coste adicional de entre 7.000 y 8.000 millones de marcos en 1975 y de entre 8.000 y 9.000 millones de marcos anuales durante el periodo 1976-1980. Para poner en perspectiva la magnitud de estos costes, los encargados de la planificación advirtieron al politburó que los nuevos costes anuales del petróleo soviético eran «superiores al incremento anual de la renta nacional». Günter Mittag, adjunto de Honecker y principal responsable económico de la RDA, comprendió inmediatamente lo que esto significaría para el país: «una caída absoluta del nivel de vida en la RDA». Mittag estaba furioso. Si no se fijaban los precios, sería imposible aislar a la RDA de la volatilidad del mercado mundial y la inflación que imperaba en el mundo capitalista se extendería al bloque oriental. Para Honecker, impedirlo constituía su mayor prioridad. «No permitiremos que la inflación llegue al mundo socialista», dijo al grupo. Las subvenciones presupuestarias eran la única forma de convertir unos precios de importación flexibles y al alza en otros internos, estables y baratos, por lo que la lucha contra la inflación se haría a costa del presupuesto del Estado[74]. Honecker trasladó estas órdenes a su comisario de planificación estatal, Gerhard Schürer, a principios de 1975. «La tarea principal»

73 Klopfer, «Persönliche Niederschrift über eine Beratung beim 1. Sekretär des Zentralkomitees der SED am 9.8.1974», 9 de agosto de 1974, DE/1/58586, BArch Lichterfelde.

74 Klopfer, «Persönliche Niederschrift über eine Beratung beim 1. Sekretär des Zentralkomitees der SED am 9.8.1974», 9 de agosto de 1974, DE/1/58586, BArch Lichterfelde.

consistía en lograr el crecimiento económico «mediante la *intensificación*» —el término socialista para referirse al aumento de la productividad— y garantizar que «la seguridad social se sitúe en el centro del desarrollo de las condiciones de trabajo y de vida»[75]. Hablar de seguridad social significaba, por encima de todo, hablar de estabilidad de los precios. Honecker había tomado una decisión: el progreso continuaría en el país del socialismo *realmente existente*, fueran cuales fueran las consecuencias.

El progreso continuaría también en Hungría. En 1972, el politburó húngaro había convenido la necesidad de mejorar la posición de la clase obrera y aumentar los salarios reales. Para los húngaros, una crisis capitalista como la de los precios del petróleo no iba a interponerse en el camino hacia este objetivo. János Kádár declaró al país en su discurso ante el Undécimo Congreso del Partido en 1975: «A pesar de las dificultades externas, nuestra economía nacional se desarrollará en los próximos años a un ritmo similar al que lo ha hecho en los últimos años»[76]. En esta línea, el programa del partido aprobado en el congreso de 1975 seguía insistiendo en que la fase final del comunismo podría llegar a Hungría en los próximos quince o veinte años[77].

La decisión de los Gobiernos del bloque de proteger el contrato social por encima de todo ante la crisis del petróleo procedía de recuerdos históricos traumáticos y desgarradores. Gerhard Schürer, jefe de la Comisión de Planificación Estatal de Alemania Oriental, escribió sobre los dirigentes de la RDA: «Desde el aumento del precio del azúcar del 17 de junio de 1953» —cuando el aumento de los precios había provocado un levantamiento violentamente reprimido por el ejército soviético— «el miedo al alza de los precios de los productos básicos caló tan hondo en el imaginario de los responsables políticos que nadie logró un cambio»[78]. En Polonia, el

75 Gerhard Schürer, «Vermerk», 31 de enero de 1975, DE/1/58746, BArch Lichterfelde.

76 Citado en Mong, *Kádár Hitele*, p. 151.

77 Mong, *Kádár Hitele*, pp. 150-151.

78 Gerhard Schürer, Gewagt und Verloren*: Eine deutsche Biographie*, Frankfurt del Meno, Frankfurter Oder Editionen, p. 75.

trauma era mucho más reciente: el ascenso a la cúspide del país de Edward Gierek se debió a la derogación de las subidas de precios de 1970 y al inicio de su «Nuevo Programa de Desarrollo», que prometía una vida mejor a la clase trabajadora. En Hungría, tras el trauma nacional de 1956, Kádár se había asegurado el apoyo de la población con una sola promesa: niveles de vida cada vez más altos. A Gustáv Husák lo detestaban en Checoslovaquia, pero después de 1968 hizo un trato similar. En todo el bloque, el aumento del nivel de vida fue el precio a pagar por la paz social.

Pero, si bien la historia y la política ayudaron a impulsar la estabilización de los contratos sociales en los países del socialismo tardío, no fueron las principales razones. Lo fue, en realidad, la particular configuración del capitalismo global surgido tras la crisis del petróleo. Aunque pudiera resultar irónico, fue el desarrollo del capitalismo financiero global lo que permitió la existencia y supervivencia del socialismo tardío. Sin el crecimiento explosivo de los mercados mundiales de capitales después de 1970 —y especialmente después de 1974—, el modelo del socialismo tardío habría sido imposible. Si no hubiera habido fondos transnacionales de capital en los euromercados durante la década de los setenta, o si esos fondos hubieran estado más regulados y, por tanto, hubiera sido más difícil acceder a ellos, todo habría sido completamente diferente. En lugar de hablar del surgimiento de Solidaridad en la crisis polaca de 1980 y 1981, podríamos estar escribiendo sobre la crisis polaca, húngara o de Alemania del Este de 1974 o 1975.

Günter Mittag, responsable de política económica del partido en Alemania Oriental, lo confesó en sus memorias. En sus palabras, como en los años setenta «se consideraba un axioma indiscutible que el nivel de vida debía aumentar, se solicitaron préstamos para paliar la escasez de suministros». De no haber sido por estos préstamos, la Unidad de Política Económica y Social —nombre con el que se conocía en Alemania Oriental la política de elevar el nivel de vida— habría resultado insostenible. Abandonar esta política, escribió Mittag, hubiera sido «un certificado de defunción para la RDA en la década de los setenta». La ruptura del contrato social habría producido «conflictos sociales con enormes consecuencias políticas, que probablemente habrían afectado no solo a la antigua RDA». En los años setenta, «una posible desestabilización política en la RDA, debida a recortes en políticas sociales, hubiera constituido un riesgo político incalculable. En este sentido, la garantía de estabilidad económica y social era una premisa básica de toda acción política»[79].

Del mismo modo, una premisa básica, pero que frecuentemente se ha pasado por alto en nuestras historias del último periodo de la Guerra Fría, es la íntima relación entre el capitalismo financiero globalizador de la década de los setenta y la frágil estabilidad del socialismo tardío. Se trataba, sin lugar a dudas, de una relación silente, que subyacía a todo, desde la vida cotidiana de los europeos del Este hasta la alta política de la Guerra Fría. En realidad, su poder e influencia solo se hicieron evidentes una vez desaparecida, como ocurriría en 1980, momento en que la ruptura entre el capitalismo financiero y el socialismo tardío produciría una crisis en Polonia que perturbaría tanto la vida cotidiana de los europeos del Este como la alta política de la Guerra Fría.

Una mirada más atenta a la situación de la RDA en el momento en que estalló la crisis del petróleo ilustra, de forma muy gráfica, esta interdependencia. Justo cuando la crisis del petróleo empezaba a desarrollarse, en noviembre de 1973, miembros del Ministerio de Economía de Alemania Oriental elaboraron una proyección de cómo evolucionaría la deuda soberana del país hasta 1980 en el caso de que mantuviera su trayectoria bajo la rápida subida de los precios mundiales. Los resultados eran aterradores. A finales de 1974, la deuda de la RDA con Occidente ascendía a 8.700 millones de «marcos valuta» (VM, por sus siglas en inglés), la unidad contable de Alemania Oriental utilizada para el comercio exterior y las finanzas, cuyo valor era aproximadamente el de un marco alemán de la Alemania Occidental (DM, por sus siglas en inglés)[80].

79 Günter Mittag, *Um Jeden Preis: Im Spannungsfeld zweier Systeme*, Berlín, Weimar Aubau Verlag, 1991, pp. 61-63.

80 En aquella época, un marco valuta se valoraba a razón de 2,5 VM por un dólar estadounidense, por lo que este total representaba unos 3.500 millones de dólares.

Incluso con unas previsiones optimistas sobre las exportaciones en divisas fuertes, la deuda pasaría de 12.100 millones de marcos en 1975 a 25.500 millones de marcos, unos 10.000 millones de dólares, en 1980. Los funcionarios creían que tal nivel de deuda sería imposible de alcanzar. Estimaron que, durante todo el periodo 1974-1980, los 18.000 millones de MV de endeudamiento previsto en los mercados mundiales de capital eran sencillamente «inviables». Como escribieron, «todos los cálculos muestran» que la trayectoria económica de la nación «no es viable», debido «al desarrollo y proyección de la deuda y a los imposibles [requisitos] de financiación». Si se quería controlar la deuda, habría que modificar el contrato social, con las consecuencias que esto tendría en las poblaciones del bloque oriental[81]. En sus primeros meses, la crisis del petróleo solo pareció empeorar las perspectivas de un posible endeudamiento sustancial del bloque del Este. Como ya se ha dicho, muchos observadores occidentales no creían que los euromercados pudieran gestionar de forma sostenible el reciclaje de petrodólares durante más de dos meses[82]. En marzo de 1974, había «diferencias de opinión fundamentales» entre los dirigentes económicos sobre la cuestión de si podrían encontrarse «las fuentes de crédito necesarias para financiar las importaciones previstas para el periodo 1975-1980». La cuestión seguía abierta, ya que los banqueros de Alemania Oriental se habían visto obligados recientemente a contraer nuevos préstamos para hacer frente a los pagos de la deuda pendiente. Esto era «ya un objeto de tensión porque las fuentes de crédito existentes [*estaban*] en gran parte agotadas». Los bancos extranjeros «cuestionaban cada vez más la liquidez de la RDA». Los primeros meses de subida de los precios de las materias primas habían empeorado, y no mejorado, la disponibilidad de crédito. Parecía que los mercados podrían

81 Günter Ehrensperger y otro autor cuya firma es ilegible, «Probleme und Konsequenzen aus der Arbeit am Volkswirtschaftsplan 1974 auf dem Gebiet der Zahlungsbilanz gegenüber dem nichtsozialistischen Wirtschaftsgebiet bis 1980», 6 de noviembre de 1973, DY/30/25761, BArch Lichterfelde.

82 Véase para este contexto, James, *International Monetary Cooperation*, p. 320.

forzar un cambio en la política interna del bloque del Este, con independencia de lo que quisieran o no los líderes comunistas[83]. El debate sobre el acceso del bloque a los mercados mundiales de capital continuó durante el tumultuoso verano de 1974 en Occidente. Mientras la Unión Soviética se esforzaba por cambiar los precios del petróleo del Comecon en septiembre, un grupo recién formado de altos funcionarios económicos de la RDA discutía un enfoque marxista-leninista de la situación de los euromercados, calificado de «alto secreto». En la primera sección, titulada «La naturaleza del euromercado y sus riesgos», los autores detallaban cómo habían comenzado los euromercados a finales de los años cincuenta, cuando los excedentes de dólares estadounidenses terminaron recalando en Europa debido al «irrestricto predominio político y económico del imperialismo estadounidense en el mercado capitalista mundial». Luego, a finales de la década de 1960, «las leyes del modo de producción capitalista», como el «desarrollo económico desigual de los Estados industriales capitalistas» y «el gasto excesivo del imperialismo estadounidense en financiar su agresiva estrategia global», condujeron a la ruptura del sistema de Bretton Woods en 1971. El informe recordaba que el partido había decidido recientemente que «la crisis general del capitalismo ha alcanzado una nueva fase» y declaraba que esta conclusión era «plenamente aplicable al desarrollo del mercado de eurodivisas». El resultado era claro: «Con sus riesgos inherentes e inevitables, el mercado de eurodivisas no proporciona una base a largo plazo para financiar los déficits de la balanza de pagos»[84]. Si esto era cierto, entonces todos los Estados del bloque se enfrentarían a una situación de enorme precariedad. A medida que se acercaba

83 Grünheid, «Information für Genossen Schürer über die Planberatung mit dem Minister für Außenhandel, Genossen Sölle, zum Stand der Ausarbeitung der Staatlichen Aufgaben für 1975 und zur Konzeption für den Zeitraum 1976 bis 1980» 28 de marzo de 1974, DE/1/58580, BArch Lichterfelde.

84 «Die Auswirkungen der krisenhaften Situation auf dem Eurogeldmarkt auf die Lösung der Finanzierungsaufgaben der Außenhandelsbank im Rahmen der Zahlungsbilanz 1975 und für die weiteren Jahre» adjunto a «Tagesordnung für die Sitzung der Arbeitsgruppe Zahlungsbilanz am 27. September 1974, 8.30 Uhr, Zimmer 441», 27 de septiembre de 1974, DY 3023/963, BArch Lichterfelde.

1975, con los líderes de Europa del Este decididos a no permitir que el aumento de los precios de la energía soviética provocara una caída del nivel de vida, los banqueros del bloque no tuvieron más remedio que comprobar cuánto dinero les permitirían pedir prestado los mercados de capitales occidentales.

Para sorpresa de todos, resultó que era mucho. Una vez que se hizo evidente que los bancos privados podían gestionar el reciclaje de petrodólares de forma permanente, los planes económicos de todo el mundo que se habían considerado «no financiables» en 1973 pasaron a serlo con pasmosa rapidez en 1975. La rápida expansión de los euromercados iniciada en 1974 impulsó el objetivo de vivir a crédito a un nivel que se habría considerado peligroso y poco práctico solo un año antes. Los países de la OPEP acumularon un superávit de 60.000 millones de dólares en 1974. De estos, 21.000 millones se depositaron en bancos con eurodivisas, y los activos totales de los cinco mayores bancos estadounidenses crecieron a un ritmo anual sin precedentes del 40 % en 1974[85]. El momento era más que propicio para consolidar el matrimonio de conveniencia y, en 1975, el bloque oriental en su conjunto pidió prestado más dinero que nunca. Los préstamos en eurodivisas —del tipo que los funcionarios de Alemania Oriental temían que escaseara de repente— se duplicaron con creces de 1974 a 1975, pasando de 1.000 millones de dólares a 2.400 millones. Así, de manera literal, el excedente de capital generado por una crisis del capitalismo global costeaba ahora la defensa del socialismo de Estado contra el sistema capitalista mundial[86].

De hecho, a principios de 1976, el crecimiento de los préstamos socialistas era tan notable que la revista *Euromoney*, la

85 William Witherell, «Policy Issues in International Finance», 17 de junio de 1975, carpeta «June 1975», caja 1, OASIA, NARA.

86 Esta cifra solo contabilizaba los préstamos en eurodivisas a los que se había dado publicidad, por lo que probablemente subestima de manera sustancial el flujo total de capital hacia la región. Un porcentaje mucho mayor de la deuda, pero también imposible de rastrear, se acumuló a través de depósitos a corto plazo que los bancos occidentales colocaron en bancos centrales y de comercio exterior del bloque del Este. Véase «How the East Bloc Tapped the Euromarkets», *Euromoney*, enero de 1977, p. 24.

publicación de referencia para los euromercados en la década de los setenta, sacó al bloque del Este en la portada de su número de enero. «Acostumbramos a comenzar el año nuevo con una mirada retrospectiva», señalaba el artículo principal, «y si nos centramos en los euromercados, el número y la naturaleza de los préstamos del Comecon en 1975 son cuanto menos sorprendentes»[87].

En 1975 el endeudamiento del Comecon fue tal que, a principios del año siguiente, los dirigentes financieros y políticos occidentales empezaron a cuestionar la solvencia del bloque. El artículo de *Euromoney* señalaba que era «inevitable» que se pusiera fin a los préstamos a Europa del Este[88]. En mayo, en un artículo muy comentado de *Business Week*, Zbigniew Brzezinski, que pronto se convertiría en asesor de seguridad nacional de Jimmy Carter, hablaba sobre las dimensiones políticas del aumento de la deuda del bloque del Este[89]. «Estamos ante una oportunidad y una amenaza», afirmó a la revista, en una formulación que evidenciaba la interdependencia entre los bloques. «El endeudamiento suele aumentar el poder del deudor y disminuir el del acreedor», declaró. «La amenaza de la interdependencia preocupaba al secretario de Estado estadounidense, Henry Kissinger, quien advirtió en una reunión de funcionarios de la OCDE, en junio de 1976, de los "posibles esfuerzos" de los Estados socialistas por "utilizar indebidamente las relaciones económicas con fines políticos hostiles" a Occidente»[90].

El aluvión de comentarios en Occidente llegó a oídos de los funcionarios del Este, que ahora eran muy sensibles a los cambios de sentir y pareceres del mercado mundial. «Los bancos capitalistas nacionales e internacionales», escribieron los funcionarios de Alemania Oriental a principios de 1976, «han expresado

87 Charles Schmidt, «Comecon's Borrowing Requirements in 1976», *Euromoney*, enero de 1976, p. 12.

88 Schmidt, «El endeudamiento de Comecon», p. 14.

89 «The Debt That Overhangs East-West Dealings», *Business Week*, 3 de mayo de 1976, pp. 118-119.

90 Bernard Nossiter, «U.S. Urges Wariness in East Trade», *The Washington Post*, 22 de junio de 1976.

recientemente sus dudas sobre la solvencia de los países socialistas. No siempre ha sido así. Hace unos años... la insolvencia de un prestatario de un país socialista era tan impensable, por ejemplo, como la insolvencia del fabricante de automóviles estadounidense General Motors»[91].

Eso sí: a pesar de que los peligros de un impago del Comecon habían comenzado a parecer realistas en la primavera de 1976, eso no impidió, en ningún caso, que los bancos siguieran concediendo préstamos[92]. A principios de 1977, el bloque volvió a ser la estrella de los euromercados y volvió a ser portada de *Euromoney*. «Cualquier preocupación por el rápido aumento del nivel de endeudamiento de los países de la CMEA no ha frenado el volumen de préstamos, escriben los periodistas de la revista. «Al contrario, 1976 fue un año muy productivo en esos términos». Aunque los bancos parecían estar de acuerdo en que habían prestado demasiado dinero a Comecon, no pudieron frenar los préstamos. Los créditos en eurodivisas al mundo comunista habían aumentado el 33 % en 1976, hasta los 3.200 millones de dólares, y en ese momento no se podía vislumbrar el final[93]. Como deja claro la Figura 1.2, la carga de la deuda del bloque socialista seguiría aumentando hasta finales de los setenta y continuaría siendo gravosa durante el resto de la Guerra Fría.

¿Por qué siguieron prestando los bancos? La potente combinación de capital excedentario y presunciones equivocadas les hizo caer en un entusiasmo sin sustento en la realidad. «Según cualquier criterio normal», declaró un banquero londinense a *Euromoney*, el bloque del Este estaba «ciertamente sobreendeudado». Pero los bancos no exigían al bloque un alto nivel de solvencia «porque no tenían problemas de liquidez», afirmó otro banquero[94]. Walter

91 «Information über Aspekte und Beziehungen SW/NSW nr. 8», 2 de febrero de 1976, DN/11/6431, BArch Lichterfelde.

92 «Debt That Overhangs», *Business Week*.

93 Richard Ensor y Francis Ghiles, «CMEA Debts May Be $45 Billion, but the Loans Have Kept Flowing», *Euromoney*, enero de 1977, p. 23.

94 Ensor and Ghiles, «CMEA Debts», p. 23.

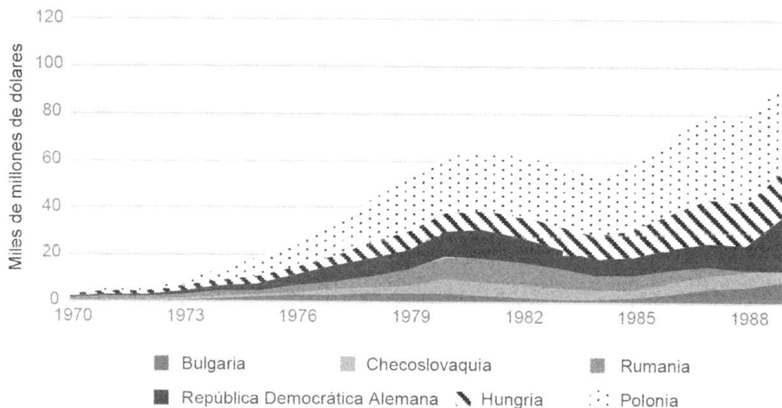

Figura 1.2. **Deuda soberana de Europa del Este (neta de reservas en divisas fuertes) de 1970 a 1990.** Fuente: Naciones Unidas, Comisión Económica para Europa, Economic Survey of Europe in 1990-1991 (Ginebra, Naciones Unidas, 1991), 250, apéndice cuadro C.11.

Wriston, consejero delegado de Citibank y principal promotor del movimiento mundial hacia los préstamos soberanos en la década de los setenta, proclamó sin ambages: «Los países no quiebran»[95].

Además de los países capitalistas «normales», los banqueros creían que los países socialistas contaban con otras tres ventajas. En primer lugar, tenían un historial impecable de puntualidad en los pagos y nunca habían dejado de pagar sus deudas. En segundo lugar, los banqueros suponían que la estructura autoritaria de los Estados socialistas significaba que tenían la «capacidad de controlar el consumo interno y la inversión»[96]. A diferencia de las democracias capitalistas, que prometían demasiado a sus ciudadanos, se suponía que el autoritarismo socialista no tenía problemas en aplicar la austeridad. Sin embargo, si eso fallaba, los banqueros creían que la Unión Soviética ocuparía una posición estratégica y en su beneficio. A lo largo de la década, llegaron a creer en lo que se denominó «la teoría del paraguas», según la cual preveían

95 «Debt and Transition (1981-1989)», Fondo Monetario Internacional, *Money Matters: An IMF Exhibit-The Importance of Global Cooperation*, consultado el 17 de octubre de 2021, https://www.imf.org/external/np/exr/center/mm/eng/mm_dt_01.htm.

96 Schmidt, «Comecon's Borrowing», p. 12.

que la URSS «acudiría al rescate» de sus aliados si estos tenían problemas financieros[97].

Además de contar con unas estructuras ideológicas y financieras favorables, el bloque oriental tenía como representantes en los mercados financieros occidentales a un grupo de banqueros comunistas de gran talento. De hecho, la prensa occidental los trataba con una potente mezcla de intriga y respeto. A la cabeza de este grupo, y a la altura de cualquier funcionario financiero occidental, estaba János Fekete, vicepresidente adjunto del Banco Nacional Húngaro. Fekete se había ganado una venerable reputación en los círculos financieros occidentales por predecir con exactitud la devaluación del dólar estadounidense en 1971 y la recesión mundial de 1974-1975. Cuando *Euromoney* publicó un perfil sobre él en 1977, el texto trataba sus opiniones con una reverencia casi oracular. Publicaron un artículo sobre el tema, «Lo que Fekete dice sobre Occidente», presumiblemente para ayudar a los lectores de la revista a comprender el futuro del capitalismo a partir de este astuto «economista marxista». Descrito como «con gafas y entusiasta», Fekete declaró a *Euromoney* que el bloque del Este estaba, al contrario de lo que se podía pensar, muy infraendeudado, y no excesivamente endeudado. «Si tenemos en cuenta el potencial económico de estos países, sus deudas son ridículamente bajas», afirmó. Jugando con la noción occidental de la teoría del paraguas, trasladó sin fisuras las preguntas sobre los problemas de la Europa del Este a un debate sobre la fuerza material de la Unión Soviética: «En un año, [la Unión Soviética] produce 480 millones de toneladas de petróleo, unos 300.000 millones de metros cúbicos de gas y 700 millones de toneladas de carbón. Es una economía de una gran fuerza»[98]. Con semejante fortaleza de los recursos naturales soviéticos, se daba a entender que la deuda

97 Gabriel Eichler, «Country Risk Analysis and Bank Lending to Eastern Europe», en *Eastern European Economic Assessment: Part 2-Regional Assessments*, Washington D. C., Government Printing Office, 1981, pp. 759-775, cita en p. 767.

98 Padraic Fallon, «Hungary's Marxist Economist and Central Banker, János Fekete», *Euromoney*, enero de 1977, pp. 14-17.

del resto del bloque apenas importaba. Por el momento, los bancos occidentales no podían sino estar de acuerdo.

Si Fekete proyectaba confianza en sí mismo, el polaco Jan Woloszyn, vicepresidente primero del Bank Handlowy, el banco polaco de comercio exterior, proyectaba una elegancia señorial. En ese mismo número de *Euromoney* de 1977, se le describía como un «distinguido y anciano estadista de la banca polaca que se sentiría como en casa en la sala de juntas de cualquier banco de Occidente»[99]. Los banqueros no tenían nada que temer del «Sr. Polonia», concluía un perfil publicado más tarde. Woloszyn era «creíble, informado e... impresionante», nunca se había afiliado al Partido Comunista polaco y había pensado más de una vez en dejar la banca para dedicarse a actividades burguesas más tranquilas, entre ellas la jardinería. «Este es un negocio de personas», afirmaban los banqueros a *Euromoney*, y Woloszyn era «el que, gracias a su carisma, prestigio y personalidad, convence a muchos bancos para que concedan préstamos a Polonia»[100].

En Alemania Oriental, dos hombres, Werner Polze y Horst Kaminsky, dirigieron los esfuerzos de financiación pública del país en los euromercados. Ambos se dedicaron a sus negocios en Occidente sin la fanfarria de Fekete o Woloszyn. Después de la Guerra Fría, sus acciones pasaron a un segundo plano en Alemania tras la revelación de que otro hombre —Alexander Schalck-Golodkowski, conocido simplemente como Schalck— había estado dirigiendo la Kommerzielle Koordinierung, una suerte de organización dentro del Gobierno de la RDA. KoKo, como se la conocía, se encargaba de crear divisas fuertes para el Estado de Alemania Oriental utilizando cualquier medio disponible. Desde finales de la década de 1960 hasta el colapso del Estado en 1989, esta misión llevó a KoKo a realizar todo tipo de actividades, incluida la especulación con divisas y materias primas, la gestión de hoteles, el

99 Descripción de Wołoszyn en Padraic Fallon, «Roman Malesa. Bank Handlowy's President and Negotiator», *Euromoney*, enero de 1977, p. 31.

100 Nicholas Cumming-Bruce, «Jan Wołoszyn's Struggle for Poland», *Euromoney*, octubre de 1980, pp. 60-62.

almacenamiento de bienes de consumo, los servicios de eliminación de residuos para Berlín Occidental y la venta de armas a países en desarrollo. Por el camino, Schalck se convirtió en una de las personas más importantes dentro de la dirección del país, ya que era el principal negociador del Estado con Alemania Occidental en todos los asuntos financieros.

Y había mucho que negociar. Tras el lanzamiento de la Ostpolitik de Willy Brandt, a finales de los sesenta, y la firma del Tratado Básico que normalizó las relaciones entre los dos Estados alemanes en 1972, el Gobierno de la RFA empezó a utilizar sus recursos financieros como una herramienta central en su política de distensión. A Alemania Oriental se le concedió acceso a un crédito *swing* con bancos de Alemania Occidental, en virtud del cual podía tomar prestados marcos alemanes sin intereses hasta un límite previamente negociado, que osciló entre 500 y 800 millones en los años setenta y ochenta. Además, Bonn pagaba anualmente a la RDA una suma destinada al mantenimiento de las carreteras entre la República Federal y Berlín Occidental, que los alemanes orientales podían utilizar a su antojo. Lo más espectacular de todo fue que la República Federal empezó a comprar la libertad de los alemanes orientales, transfiriendo sumas de dinero cada vez mayores al Gobierno de la RDA a cambio de la liberación de disidentes —y, con el tiempo, de muchos otros—. Schalck participó en todas estas negociaciones sin dejar de organizar las variadas actividades comerciales de KoKo, por lo que su influencia dentro de la jerarquía de Alemania Oriental no dejó de crecer durante las dos últimas décadas de la Guerra Fría. Tras la caída del Muro de Berlín, las revelaciones públicas sobre las dudosas actividades de KoKo llevaron a muchos en la recién reunificada Alemania a considerar a Schalck como el «enemigo público número uno»[101].

101 La mejor monografía histórica sobre Schalck y KoKo es la de Matthias Judt, *KoKo: Mythos und Realität: Das Imperium des Schalck-Golodkowski*, Berlín, Berolina, 2015. Una visión estimulante y exhaustiva de la Ostpolitik de Alemania Occidental y sus transferencias financieras concomitantes sigue siendo la de Timothy Garton Ash, *In Europe's Name: Germany and the Divided Continent*, Nueva York, Knopf, 1993.

La situación de Alemania del Este se reveló un ejemplo especialmente vibrante de cómo la política de distensión relajó aún más la gestión y supervisión de los préstamos soberanos —más allá, incluso, de su ya de por sí laxo control—. El régimen de Gierek en Polonia demostró ser muy hábil a la hora de utilizar el interés económico de los Gobiernos occidentales para mejorar las relaciones con el bloque oriental. Todos los presidentes estadounidenses de la década de los setenta —Nixon, Ford y Carter— visitaron Polonia bajo la retórica de la distensión, y cada vez que aterrizaban en Varsovia llevaban consigo aumentos en las garantías de los préstamos del Gobierno estadounidense como señal de buena voluntad —y medio para impulsar las exportaciones estadounidenses[102]—. En 1975, en plenas reuniones para firmar los Acuerdos de Helsinki, Gierek y el canciller de Alemania Occidental, Helmut Schmidt, firmaron un acuerdo por el que se concedía a Varsovia un «préstamo jumbo» de 500 millones de marcos a cambio de que el Gobierno polaco permitiera que su minoría alemana emigrara a la República Federal[103]. En Rumanía, a Nicolae Ceaușescu su reputación de independiente de Moscú le convirtió en miembro del Fondo Monetario Internacional en 1972, lo que sirvió a su país para tener mayor acceso y a un precio menor al crédito del mercado europeo. En general, el Gobierno húngaro de Kádár se abstuvo de utilizar la *détente* para obtener créditos de los Gobiernos occidentales, pero aprovechó su reputación en Occidente como el país más liberal y reformista del bloque para obtener grandes beneficios financieros.

Aunque la cuestión del acceso a los mercados de crédito occidentales resultó sorprendentemente fácil de resolver para los Estados del bloque del Este, la cuestión de cómo utilizar el capital prestado fue infinitamente más complicada. Todas las estrategias

102 Edward C. Keefer y Peter Kraemer (eds.), *Foreign Relations of the United States, 1969-1976, vol. E-15, parte 1, Documents on Eastern Europe, 1973-1976*, Washington D. C., United States Government Printing Office, 2008.

103 Véase Michael Kieninger, Mchthild Lindemann y Daniela Taschler (eds.), *Akten zur Auswärtigen Politik der Bundesrepublik Deutschland 1975*, Múnich, R. Oldenbourg Verlag, 2006.

de endeudamiento exterior del bloque del Este se basaban, al menos oficialmente, en una única idea: utilizar divisas fuertes para importar tecnología occidental, modernizar la producción nacional y desarrollar industrias capaces de exportar al mercado mundial —y generar así suficientes divisas para pagar los préstamos[104]—. En Polonia, por ejemplo, la Nueva Estrategia de Desarrollo de Gierek había aumentado las tradicionales exportaciones de cobre y carbón con nuevas inversiones en divisas en la industria pesada, productos químicos, aviones, material de construcción y piezas automovilísticas, suponiendo que estas industrias producirían bienes exportables al final del decenio. En Alemania Oriental, los planificadores habían financiado una expansión masiva de la industria petroquímica a finales de los sesenta y principios de los setenta para aprovechar los crecientes suministros energéticos soviéticos y aumentar las exportaciones de productos petrolíferos refinados a Occidente. En todos los casos, parte de los productos importados sirvió para mejorar el estado de las fábricas y la calidad de los procesos de producción de Europa del Este, pero otra parte importante se destinó a ampliar las redes de corrupción y clientelismo.

Y lo que es más importante, la decisión de basar el desarrollo a largo plazo en las exportaciones de productos básicos al mercado mundial rompió una importante barrera, hasta entonces prácticamente inquebrantable, entre el Comecon y el resto de la economía mundial. Para extraer ganancias de los mercados mundiales de exportación, los países del bloque oriental tendrían que competir con los países en desarrollo de América Latina y Asia Oriental, con el objetivo de vender sus mercancías en el Occidente desarrollado. Esta competencia sometía a los productos del bloque del Este a una competencia directa con los productos capitalistas y oponía los métodos socialistas de producción a los capitalistas que el bloque había evitado durante mucho tiempo. Así, la decisión del bloque oriental de recurrir a los

104 Fallon, «Hungary's Marxist Economist», p. 17.

mercados mundiales de capitales llevaba implícita la de competir en los mercados comerciales mundiales.

El bloque resultaría el perdedor de esta competición, una y otra vez, en la década de los setenta. A pesar de las constantes exhortaciones desde las élites orientales sobre la importancia de aumentar las exportaciones y, en última instancia, producir superávits comerciales en divisas fuertes, los miembros de Europa del Este del Comecon —excluida la Unión Soviética— tuvieron un déficit comercial acumulado en divisas fuertes entre 1970 y 1977 de, aproximadamente, 26.000 millones de dólares[105]. A los funcionarios del bloque del Este les gustaba culpar de su incapacidad para aumentar las exportaciones al lento crecimiento y a la alta inflación de las economías occidentales, así como a las políticas comerciales discriminatorias de Occidente, que impedían que sus productos llegaran a los consumidores occidentales. Pero la realidad era más sencilla que todo esto: simplemente, no producían bienes que los occidentales quisieran comprar. «Aunque la economía mundial se basa en parte en un sistema social socialista y en parte en un sistema social capitalista», escribiría Fekete en 1982, «no hay dos mercados mundiales, no hay máquinas y productos "capitalistas y socialistas", sino únicamente máquinas buenas o malas, productos modernos u obsoletos»[106]. A finales de la década de los setenta, el bloque del Este producía obsolescencia defectuosa. Y si los superávits comerciales necesarios para pagar la deuda no podían crearse mediante aumentos de las exportaciones, tendrían que hacerlo mediante disminuciones de las importaciones. Eso, a su vez, solo significaba una cosa: la austeridad acechaba a la vuelta de la esquina.

105 Cálculos del autor basados en las tablas 8 y 9 de Jan Vanous, «Soviet and Eastern European Trade in the 1970's: A Quantitative Assessment», en *Eastern European Economic Assessment, part 2, Regional Assessments*, p. 696.

106 János Fekete, *Back to the Realities: Reflections of a Hungarian Banker*, Budapest, Akademiai Kiado, 1982, p. 12.

Años de ilusión y ajustes de cuentas

En el verano de 1976, el rápido aumento de las deudas del Este y las dudas de Occidente llevaron a Edward Gierek a reconsiderar sus estrategias para Polonia. Aunque el bloque socialista en su conjunto seguía siendo creíble a ojos de los banqueros occidentales, Polonia estaba acumulando deudas a un ritmo vertiginoso que parecía insostenible. De 1971 a 1975, la deuda de la nación con Occidente se disparó de 764 millones de dólares a 7.400 y no mostraba signos de desaceleración, a menos que la economía del país experimentara cambios drásticos para reducir las importaciones y aumentar las exportaciones[107]. Con ese propósito, el 24 de junio de 1976, el Gobierno polaco anunció un plan para aumentar en un promedio del 60 % los precios de los alimentos en todo el país.

Esta decisión tuvo que hacer frente a dos grandes obstáculos: la subida de los precios empobrecería aún más a los ciudadanos polacos y socavaría la promesa central del socialismo tardío de mejorar el nivel de vida. Consciente de la impopularidad de la medida, el Gobierno se comprometió a realizar «consultas públicas» para discutir el plan con la población. Sin embargo, el hecho de que dichas consultas se programaran para un solo día revelaba su carácter más propagandístico que participativo. A pesar de ello, los trabajadores polacos tomaron en serio la oportunidad de expresar su desacuerdo y el 25 de junio convocaron huelgas y manifestaciones en los centros industriales, así como otras interrupciones laborales a lo largo del país. Ante la presión y el temor de repetir los sucesos de 1970, las autoridades polacas anunciaron al

107 Cifras recogidas en Joan Parpart Zoeter, «Eastern Europe: The Hard Currency Debt», en *Eastern European Economic Assessment, part 2, Regional Assessments*, Washington D. C., Government Printing Office, 1981, pp. 716-731, cifras en p. 720.

final del día que habían tenido consultas productivas con la clase trabajadora y suspendieron de manera indefinida el incremento de precios[108].

Estos acontecimientos de junio de 1976 suelen situarse en una narrativa sobre el ascenso del sindicato Solidaridad, comenzando con las huelgas por el precio de los alimentos en 1970 y culminando con la formación del sindicato en el verano de 1980. Desde esta perspectiva, los intentos de subida de precios evidencian la ineptitud y la injusticia del régimen de Gierek y suponen un punto crucial en la formación de una oposición polaca unificada, que se consolidaría *a posteriori* bajo la bandera de Solidaridad[109].

Sin embargo, estos hechos también pueden interpretarse como símbolos de tendencias globales en el mundo industrializado de los años setenta. Primero, demostraban que los mercados financieros podían forzar cambios en las políticas nacionales. Segundo, reflejaban la dificultad de los Gobiernos para legitimar decisiones políticas que perjudicasen a sus ciudadanos. Y tercero, evidenciaban el potencial de la clase trabajadora para obstaculizar planes gubernamentales de austeridad interna. En este contexto, el intento de Polonia de subir precios es un ejemplo más del dilema común en la política de finales de los setenta, tanto en el Este como en el Oeste: ¿cómo podían los gobiernos solicitar sacrificios económicos a sus ciudadanos?

Fue un desafío que pocos Gobiernos manejaron con éxito y que la mayoría trató de eludir hasta que no quedó más remedio. A lo largo de la década, la clase trabajadora, en general, tenía más poder en Occidente que en los países del Este. A ambos lados del telón de acero, la mayoría de los Gobiernos retrasaron lo más posible el pedir sacrificios a sus ciudadanos, condicionados por los límites impuestos por los mercados financieros. Las crisis monetarias en Occidente y las crisis de deuda en el Este eran, en esencia, diferentes

108 Andrzej Paczkowski, *The Spring Will Be Ours, trans. Jane Cave*, University Park, Pennsylvania State University Press, 2003, pp. 357-358. Timothy Garton Ash, *The Polish Revolution*, Londres, Penguin, 1999, p. 19.

109 Para una interpretación habitual, véase Garton Ash, *Polish Revolution*.

manifestaciones de un mismo problema: la pérdida de confianza del capital internacional en la viabilidad económica de una nación. Ambas crisis requerían una respuesta similar, generalmente en forma de austeridad: políticas gubernamentales que rebajaban de manera intencionada el nivel de vida para recuperar la confianza de los mercados financieros en la economía nacional. Llamar a estas medidas «ajustes» económicos o estructurales, como se hacía en los setenta y los ochenta, ocultaba las graves consecuencias sociales y políticas que conllevaban. Tanto en el Este como en Occidente, el «ajuste» económico era nada menos que un desafío directo a la legitimidad y la ideología de cualquier Gobierno que intentara implementarlo.

Este capítulo narra los episodios de crisis económica que afectaron tanto al mundo occidental como al de los países del Este a finales de los setenta. Los Gobiernos del bloque oriental continuaron confiando en su acceso a materias primas soviéticas baratas y en los mercados de crédito occidentales para evitar los ajustes disruptivos que la austeridad llevó a las sociedades occidentales desde 1976. Sin embargo, estos apoyos económicos empezaron a flaquear hacia finales de la década, haciendo inevitable la austeridad. En 1977, el Kremlin anunció que la Unión Soviética no podría aumentar sus entregas de energía al resto del bloque después de 1980. Esto debilitó uno de los soportes empleados por los Gobiernos de Europa del Este para posponer los efectos de la crisis del petróleo desde 1973, haciéndolos dependientes en gran medida del flujo continuo de capital occidental, especialmente en dólares estadounidenses de los euromercados, para retrasar las demandas del mercado mundial.

Dado que la Reserva Federal de Estados Unidos controlaba el dólar estadounidense, el capital occidental seguiría fluyendo mientras la política monetaria de Estados Unidos se mantuviera flexible, como había ocurrido a lo largo de los años setenta. Estados Unidos, al igual que los países comunistas del bloque del Este, postergó los ajustes económicos necesarios tanto como le fue posible. No obstante, a finales de la década, también se les acabó el margen de maniobra. Las crisis del dólar en 1978 y 1979 forzaron a la Reserva Federal a implementar medidas de austeridad interna para restaurar la confianza de los inversores globales en la moneda estadounidense. La manera en que Paul Volcker, presidente de la Reserva Federal, resolvió la crisis del dólar en 1979, imponiendo austeridad interna, marcó el fin de la era de aplazamiento de los efectos de la crisis del petróleo por parte de Estados Unidos y también el de la época de liquidez fácil en los euromercados. La posición central del dólar en la economía mundial significó que cuando Estados Unidos finalmente enfrentó sus desafíos económicos, incumpliendo sus promesas, el resto del mundo, incluidos los Estados comunistas del bloque del Este, se vio obligado a hacer lo mismo.

* * * *

El Gobierno británico fue el primero en sucumbir a las presiones de la austeridad. Al igual que su contraparte en Varsovia, tras la crisis del petróleo, el Gobierno laborista de Harold Wilson había acumulado una deuda considerable en los mercados internacionales de crédito para postergar ajustes económicos. Pero, en marzo de 1976, los inversores internacionales empezaron a dudar de la sostenibilidad a largo plazo de la economía británica y comenzaron a retirar sus inversiones de la libra esterlina, provocando una crisis en la moneda. El Banco de Inglaterra intentó sostener la libra en los mercados de divisas internacionales, pero sus recursos se agotaron rápidamente. El Gobierno se vio forzado a solicitar préstamos de emergencia a otros bancos centrales occidentales. El Tesoro de Estados Unidos y el Bundesbank alemán le otorgaron un préstamo de 5.300 millones de dólares, pero con la condición de que el Gobierno británico llegara a un acuerdo de austeridad con el Fondo Monetario Internacional (FMI). En julio se pactó un paquete de medidas, aunque esto no logró detener la fuga de capitales.

En noviembre, ahora bajo la dirección de James Callaghan, el Gobierno laborista solicitó ayuda adicional al FMI. Las condiciones eran severas: recortes en el gasto público por valor de 3.500 millones de libras en los siguientes dos años, reducción de las necesidades de endeudamiento del Estado, limitaciones en la creación de crédito interno y la implementación de una «política de ingresos» que ajustaba los aumentos salariales de los trabajadores británicos a la inflación. Callaghan intentó persuadir a los Gobiernos de Estados Unidos y Alemania Occidental para que el FMI suavizara sus condiciones. Sin embargo, tanto el presidente estadounidense Gerald Ford como el canciller alemán Helmut Schmidt presionaron a Callaghan para que aceptara los términos del FMI. Sin alternativas internacionales, el primer ministro británico no tuvo otra opción que seguir adelante con el plan del FMI, que se aprobó en diciembre de 1976[110].

La situación crítica de insolvencia a la que se enfrentó el Reino Unido propició una reevaluación de la democracia y sus promesas, a menudo percibidas como excesivas. «La vaca sagrada más importante —la democracia representativa sin ningún tipo de trabas— tendrá que ser cuestionada», escribió Samuel Brittan, destacado autor financiero británico, en su libro *Las consecuencias económicas de la democracia*, publicado en 1977. Brittan planteaba la pregunta de si era «posible construir o desarrollar un consenso, hasta ese momento ausente, sobre un orden social legítimo que apele al sentido de la justicia de la gente, y la persuada de atemperar su búsqueda del interés privado, tanto cada vez que acude a las urnas como en el resto de actividades colectivas»[111]. Las perspectivas para lograr esto parecían poco alentadoras.

En las altas esferas del Gobierno británico, la crisis comenzó a cambiar radicalmente la percepción del Partido Laborista sobre el papel del Estado. La austeridad impuesta por el FMI llevó a priorizar las restricciones presupuestarias y a un alejamiento del keynesianismo en el país natal del propio Keynes. Como expresó

110 Harold James, *International Monetary Cooperation since Bretton Woods*, Nueva York, Oxford University Press, 1996, pp. 279-282.

111 Samuel Brittan, *Economic Consequences of Democracy*, Londres, Temple Smith, 1977, XI, pp. 255, 267.

Callaghan en un discurso en la conferencia del Partido Laborista en septiembre de 1976: «Solíamos creer que se podía superar una recesión simplemente aumentando el gasto (...) esta opción ya no es viable (...) en el mejor de los casos, tan solo había generado más inflación y desempleo». Estas declaraciones de Callaghan, un referente político de la clase obrera británica, representaron un rechazo significativo de la economía keynesiana, dominante en la política británica desde la Segunda Guerra Mundial[112].

Mientras los mercados financieros globales desafiaban el contrato social de posguerra en Gran Bretaña, también lanzaban un ataque sostenido contra Italia. Tras la crisis del petróleo, los sindicatos italianos habían conseguido mejoras significativas en los salarios reales para sus trabajadores gracias a la indexación automática de los salarios [*scala mobile*] y habían protegido a sus miembros del despido en un contexto de creciente eficiencia empresarial. En 1976, los trabajadores italianos eran costosos y resultaba difícil el despido, y el Gobierno, liderado por los democristianos, no sabía cómo contener el movimiento obrero. Para cubrir el enorme déficit entre la producción y el consumo nacionales, en 1974 y 1975, había recurrido a los euromercados y al FMI. Las negociaciones con este último y con la Comunidad Europea, a principios de ese año, se tradujeron en demandas al Gobierno italiano sobre la contención del crecimiento de los salarios reales, la emisión de moneda y el gasto público. Los democristianos, sin suficiente credibilidad ante los trabajadores para lograr una moderación salarial voluntaria, y enfrentándose a una dura competencia del Partido Comunista Italiano en las elecciones de junio, rechazaron las demandas del capital internacional.

En el contexto de la Guerra Fría, la posibilidad de un triunfo comunista en Italia mostró que la izquierda italiana vivía un peligroso ascenso. Sin embargo, la crisis financiera reveló que, al igual que sus contrapartes británicos, los comunistas italianos

112 Cita de James, *International Monetary Cooperation*, pp. 279-282, cita en p. 282. Sobre el declive de la izquierda británica, véase Kevin Hickson, *The IMF Crisis of 1976 and British Politics*, Londres, Tauris, 2005.

también se adaptarían a las presiones internacionales en favor de la austeridad. Tras una victoria ajustada en las elecciones de junio, el líder democristiano Giulio Andreotti formó un Gobierno de «solidaridad nacional», dependiendo de los comunistas para hacer «socialmente aceptable» la austeridad exigida a nivel internacional[113]. Emilio Berlinguer, líder del Partido Comunista, adoptó lo que describió como la «ideología de la austeridad», con la esperanza de sacar al país de su crisis financiera. Con la aprobación de medidas deflacionistas en otoño de 1976, que se estimaba reducirían la demanda interna en el tres por ciento del PIB, los principales grupos industriales y sindicatos italianos firmaron un «pacto social» en enero de 1977, que comenzó a limitar el uso de la *scala mobile* y fomentó una mayor movilidad laboral dentro de las empresas. Dicho pacto supuso un cambio significativo en la política italiana, que llevó a los trabajadores a adoptar una posición defensiva. Con el apoyo de los comunistas y a pesar de las objeciones de muchos sindicatos, el Gobierno italiano llegó a un acuerdo con el FMI en 1977 para implementar recortes en el gasto público y el consumo interno[114].

La austeridad experimentada por las democracias occidentales resultó ser una advertencia para los Gobiernos socialistas, reforzando su reticencia a adoptar políticas restrictivas. Para líderes como Erich Honecker, en Alemania Oriental, y János Kádár, en Hungría, la situación en Occidente les brindaba una oportunidad para reivindicar la superioridad de sus sistemas sobre el capitalismo, que ellos consideraban en declive. Creían que la austeridad era un problema de los sistemas capitalistas, mientras que sus naciones debían presentarse como oasis de estabilidad económica. Honecker, en una reunión con funcionarios de Alemania Oriental en noviembre de 1976, destacó la diferencia entre los caminos

113 Los comunistas no se unieron formalmente al Gobierno, pero la coalición gobernante volvió a mentir sobre la abstención de los comunistas en la votación para aprobar las leyes.

114 Véase Robert Flanagan, David Soskice y Lloyd Ulman, *Unionism, Economic Stabilization, and Incomes Policies*, Washington D. C., Brookings Institution, 1983, pp. 546-556. También James, *International Monetary Cooperation*, pp. 283-285.

del capitalismo, caracterizados por la deflación o la inflación, y el enfoque socialista de un desarrollo económico metódico y equilibrado[115].

Por otro lado, en una reunión del politburó húngaro en ese mismo mes, se advirtió sobre la insostenibilidad de la creciente deuda del país acumulada entre 1974 y 1976. A pesar de ello, Kádár se mantuvo firme en su compromiso de mejorar el nivel de vida de los trabajadores, retornando en 1977 a un incremento salarial de entre el 3,5 y el cuatro por ciento, lo que a su vez incrementó la deuda[116].

En Polonia, tras el fracaso de la propuesta de aumentar los precios en 1976, Edward Gierek intentó una «maniobra económica» que, según afirmaba, reduciría la deuda del país con Occidente sin disminuir el nivel de vida nacional, centrando los recortes en la inversión. Aunque Polonia tenía una alta tasa de inversión y margen para la restricción, esta estrategia podría empeorar la situación de la deuda a largo plazo si la inversión retenida no se utilizaba de manera eficaz[117]. Los dirigentes polacos eran muy conscientes de ello, pero, al igual que sus homólogos tanto del Este como del Oeste, optaron por una política que garantizaba la estabilidad social, sin importar las consecuencias a largo plazo. En marzo de 1977, los dirigentes financieros del Comité Central Polaco advirtieron de que «el nivel de endeudamiento de Polonia con los países capitalistas a finales de 1976 y 1977 se situaba al máximo. Su crecimiento ulterior amenaza con afectar negativamente al desarrollo socioeconómico de Polonia a lo largo del actual plan quinquenal»[118]. Pero los dictados políticos del

115 «Niederschrift über eine Beratung zum Entwurf des Fünfjahrplanes 1976-1980 unter Leitung des Generalsekretärs des ZK der SED, Genossen Erich Honecker, am 5.11.197», 5 de noviembre de 1976, DE/1/58633, BArch Lichterfelde.

116 Attila Mong, *Kádár Hitele*, Budapest, Libri, 2012, pp. 157, 160.

117 Włodzimierz Brus, «Aims, Methods, and Political Determinants of the Economic Policy of Poland, 1970-1980», en *The East European Economies in the 1970s*, Alec Nove (ed.), Hans-Hermann Hohmann y Gertraud Seidenstechann, Londres, Butterworth-Heinemann, 1982, pp. 108-139.

118 «Wpływ Bilansu Płatniczego y Krajami Kapitalistycznymi na Społeczno-Gospodarczy Rozwoj Polski w Latach 1977-1980», 11 de marzo de 1977, PZPR-KC XI

momento prevalecieron sobre las preocupaciones económicas a largo plazo. Mientras la nación pudiera pedir dinero prestado e importar recursos soviéticos subvencionados, la conveniencia política estaría servida.

En la primavera de 1977, la disparidad entre las prioridades políticas y la capacidad económica había crecido tanto en Alemania Oriental que Gerhard Schürer, presidente de la Comisión Estatal de Planificación, y Günter Mittag, responsable económico del partido, escribieron una carta secreta a Honecker pidiendo ajustes. «Por primera vez estamos experimentando graves dificultades de pago», escribieron en marzo de 1977. «Los ingresos en divisas fuertes de nuestras exportaciones (...) son insuficientes para financiar nuevas importaciones». El temor recurrente desde los primeros momentos de la crisis del petróleo de que el crédito fuera repentinamente inaccesible volvía a ser su principal preocupación. Para evitar la amenaza de insolvencia, instaron a su jefe a emprender inmediatamente una política exportadora agresiva y una restricción de las importaciones[119].

Honecker tomó su advertencia como un insulto personal. En una reunión cara a cara, criticó severamente a sus dos subordinados, refiriéndose a su estimada Unidad de Política Económica y Social[120]. Para él, la estabilidad social y de precios eran las ventajas superiores del socialismo frente al capitalismo, y no estaba dispuesto a renunciar a ellas. Más tarde, ese mismo año, al describir la propuesta de Schürer y Mittag al Comité Central, Honecker afirmó que ambos habían «presentado un plan que imposibilitaría la continuación de nuestro programa de política social. Pero el camino de la restricción simplemente no es viable».

A-510, Archiviwum Akt Nowych, Varsovia. Agradezco a Lukas Dovern que me haya facilitado este documento.

119 Citado en Hans-Hermann Hertle, *Der Fall der Mauer: Die unbeabsichtige Selbstauflösung des SED-Staates*, Opladen, Westdeutscher Verlag, 1999, p. 37.

120 «Notizen zu einer Beratung des Generalsekretärs mit den 1.Sekretären der Bezirkleitung der SED im Anschluß an die 6. Tagung des Zentralkomitees am 24.6.1977. Tagung des Zentralkomitees am 24.6.1977», 1 de julio de 1977, DE/1/58618, BArch Lichterfelde.

En tales «condiciones capitalistas», proclamó, «nos enfrentaríamos a grandes complicaciones»[121]. Intimidados, los dos hombres se retractaron rápidamente, posponiendo una vez más el desafío de solicitar sacrificios a la nación[122]. En su lugar, los banqueros del país recurrieron nuevamente a los euromercados para financiar el socialismo existente a crédito, con la esperanza de que los días de dinero fácil continuaran.

Por suerte para ellos, 1976 resultó ser un «año de cosecha» para los Estados socialistas en los Euromercados, según *Euromoney*, y todo apuntaba a que 1977 seguiría por el mismo camino. Mientras el capital occidental y el petróleo soviético continuaran fluyendo sin restricciones, el día del ajuste de cuentas podría seguir posponiéndose. Por ahora, el socialismo de Estado había logrado desafiar las leyes de la gravedad económica que afectaban al resto del mundo industrializado. Sin embargo, en 1977, las primeras señales de debilidad en la producción petrolera soviética indicaron que el momento de rendir cuentas estaba cada vez más cerca.

* * * *

«La industria petrolera soviética tiene problemas». Así comenzaba un revelador informe de marzo de 1977 de la Agencia Central de Inteligencia (CIA), titulado «La inminente crisis del petróleo soviético». La CIA, muy atenta a la situación de la industria que fundamentaba el poder económico soviético, proyectó que la producción de petróleo de la Unión Soviética alcanzaría muy pronto su máximo —«posiblemente al año siguiente, y con total seguridad antes de principios de los ochenta»—. Según el informe, se esperaba que el declive en la producción fuera «abrupto», particularmente en el gigantesco yacimiento de Samotlor en Siberia Occidental, crucial para el crecimiento de la producción soviética desde finales de los sesenta, que alcanzaría su pico en 1978 y solo se mantendría en ese

121 Hertle, *Der Fall der Mauer*, p. 38.

122 Richard Ensor y Francis Ghiles, «CMEA Debts May Be $45 Billion, but the Loans Have Kept Flowing», *Euromoney*, enero de 1977, p. 23.

nivel durante cuatro años. El país contaba con grandes cantidades de carbón y gas natural que podrían compensar la disminución en la producción de petróleo; sin embargo, la agencia señaló que estos recursos se encontraban «al este de los Urales», por lo que «la distancia, el clima y el terreno dificultarían y encarecerían su explotación y transporte»[123].

En conjunto, el panorama era desolador y las repercusiones, «profundas». Con la producción de petróleo estancada, a la Unión Soviética «le resultaría extremadamente difícil continuar satisfaciendo simultáneamente sus propias necesidades y las de Europa del Este, mientras siga exportando a países no comunistas en la escala actual», concluyó la agencia. Estas eran «consideraciones importantes» para el liderazgo en Moscú, dado que el Kremlin suministraba tres cuartas partes del petróleo de Europa del Este, y «sin duda, desea retener la influencia política y económica que conlleva ser su principal proveedor». Al mismo tiempo, las exportaciones de petróleo a países no comunistas representaban «la mayor fuente individual de divisas fuertes para la URSS». Así, al llegar a su fin la era de crecimiento excepcional del petróleo soviético, Leonid Brézhnev debía enfrentarse a decisiones políticas fundamentales para Moscú. La sincronización de la CIA fue perfecta. Justo cuando se divulgaba el informe, el Gobierno soviético ya estaba asumiendo la realidad de que su producción de petróleo podría comenzar a disminuir pronto. Ya en 1973, especialistas soviéticos en petróleo habían advertido a los líderes políticos sobre la temporalidad del auge petrolero de Siberia Occidental y su insuficiencia como base para el crecimiento después de 1980[124]. A pesar de las advertencias, el secretario general Brézhnev y el primer ministro Alexei Kosygin habían ignorado inicialmente estas señales. A finales de 1977, la evidencia de una crisis inminente impulsó a la acción, y

123 Agencia Central de Inteligencia, Intelligence Memorandum, The Impending Soviet Oil Crisis, marzo de 1977, CIA Online Reading Room, consultado el 22 de marzo de 2017, https://www.cia. gov/library/readingroom/docs/DOC_0000498607.pdf.

124 Agencia Central de Inteligencia, *Intelligence Memorandum, The Impending Soviet Oil Crisis*, marzo de 1977, CIA Online Reading Room, consultado el 22 de marzo de 2017, https://www.cia. gov/library/readingroom/docs/DOC_0000498607.pdf.

Brezhnev optó por implementar cambios de emergencia en el plan quinquenal, redirigiendo la inversión hacia la industria petrolera para asegurar el cumplimiento de los objetivos de producción hasta 1980. Esta medida le supuso un respiro al país y evitó que la predicción de estancamiento y declive de la CIA se materializara, pero a un alto costo para la eficiencia de la industria del petróleo y la productividad del resto de la economía, que se vio privada de valiosos recursos de inversión.

Incluso con este plan de inversión de emergencia, el desafío de un estancamiento energético después de 1980 seguía sin resolver. Dentro de la dirección soviética, se generó un intenso debate sobre cómo abordar este problema. Todos estaban de acuerdo en que el futuro no sería como el pasado y que la era de la abundancia energética había llegado a su fin[125]. Como le dijo un funcionario soviético a su homólogo de Alemania Oriental a principios de 1978: «La cuestión de las materias primas es muy difícil... A día de hoy... no se puede esperar un aumento de los recursos petrolíferos. También hay camaradas en nuestro país que no se lo pueden creer. Nos habíamos acostumbrado a un aumento de unos cien millones de toneladas de petróleo en cada plan quinquenal y no a un crecimiento del cero por ciento, como ocurrirá en el plan quinquenal de 1981-1985»[126].

Tal y como anticipó la CIA, la crisis tuvo efectos inmediatos en las relaciones de Moscú con sus aliados. En una reunión de ministros del Comecon, en junio de 1977, el primer ministro Kosygin se dirigió a los funcionarios que llenaban la sala, esperando un aumento de los suministros energéticos soviéticos, para decirles que el crecimiento de la producción soviética de petróleo después de 1980 sería «considerablemente menor» que en la década de 1970. Los problemas de la industria energética soviética eran numerosos,

125 Thane Gustafson y Crisis Amid Plenty, *The Politics of Soviet Energy under Brezhnev and Gorbachev*, Princeton, Nueva Jersey, Princeton University Press, 1989, especialmente pp. 27-29.

126 Abteilung UdSSR, «Arbeitsniederschrift über das Gespräch zwischen Genossen Grünheld und Genossen Worow am 12.2.1978 in Berlin», 12 de febrero de 1978, DE/1/58564, BArch Lichterfelde.

informó Kosygin, y en tales condiciones, la única respuesta para el bloque era aumentar su eficiencia energética. El primer ministro consideró que este era un desafío de carácter global, compartido tanto por el Este como el Oeste: «El problema del combustible y la energía es uno de los más agudos del desarrollo económico en el mundo. Todos los países buscan una solución aumentando la eficiencia del consumo de energía mediante un ahorro sustancial de recursos energéticos». Para adaptarse al nuevo entorno, la Unión Soviética también había hecho del aumento de su eficiencia energética una prioridad.

Kosygin era consciente de que no se podía decir lo mismo del resto del bloque. Los Gobiernos de los países satélites habían elaborado planes a todas luces insuficientes para aumentar su eficiencia. Esta crítica contenía cierta ironía, teniendo en cuenta el despilfarro en la economía soviética. Sin embargo, Kosygin no estaba allí para juegos diplomáticos, sino para amonestar a sus aliados. Cada país había presentado a Moscú proyecciones de sus necesidades energéticas hasta 1990, y el panorama resultante era desalentador. Según Kosygin, «estos datos muestran claramente que la mayoría de los países anticipan un aumento en el ritmo de consumo de energía hasta 1990». Mientras que colectivamente los aliados planeaban aumentar su demanda energética el 47 % para 1990, solo preveían incrementar su producción energética el 23 %. Para Kosygin, era evidente que esperaban compensar la diferencia «principalmente mediante un aumento de los suministros de petróleo y gas de la URSS», algo que simplemente no era factible. Las proyecciones apuntaban a un aumento del 74 % en las entregas de petróleo soviético, 130 % en gas natural y 135 % en electricidad desde 1980 a 1990. «Hemos realizado cálculos detallados», les dijo Kosygin a sus oyentes, que dejan claro que «no es posible suministrar energía desde la Unión Soviética en esos niveles».

La energía soviética ya no podía ser el elixir económico para el bloque. «El problema de suministro de combustible de los países del CMEA [Comecon] no puede resolverse únicamente con un aumento de los suministros de la Unión Soviética», afirmó Kosygin.

En cambio, cada nación debía analizar su propia economía y descubrir cómo utilizar los recursos de forma más eficiente. «Debemos admitir que, hasta ahora, este trabajo no se ha llevado a cabo adecuadamente en todos los países de la Comunidad, incluyendo a la Unión Soviética», concluyó»[127].

La noticia de que los suministros de energía soviéticos alcanzarían su máximo en 1980 sacudió a todo el bloque. Para los Estados cuyo crecimiento económico dependía de un suministro energético cada vez mayor, en lugar de un uso más eficiente, el mensaje de Kosygin era una amenaza existencial. La respuesta de la RDA ilustra la dinámica general del bloque. Durante la década de 1970, los políticos de Alemania Oriental habían unido estrechamente el destino de su nación al suministro de materias primas soviéticas. Aunque los cambios en los precios del Comecon en 1974 habían alterado el costo de estas materias primas, no habían modificado su tasa de crecimiento anual. A pesar de los precios más altos, los líderes de la RDA entendían que el continuo aumento en los suministros de recursos soviéticos era crucial para su supervivencia. «Era y sigue siendo una ventaja inestimable para nuestra economía nacional», escribió la Comisión Estatal de Planificación en 1975, «importar la mayoría de nuestras materias primas del área económica socialista, especialmente de la URSS, a precios contractuales a largo plazo que están por debajo de los precios del mercado mundial capitalista»[128]. Un año y medio después, al comenzar a trabajar en el plan quinquenal 1980-1985, reafirmaron la importancia crítica de aumentar las entregas soviéticas. «Cubrir [nuestra] demanda de materias primas y energía», escribieron los planificadores a finales de 1976, ocupa «un lugar central» en la

127 «Rede des Leiters der Delegation der UdSSR auf der XXXI. Tagung des RGW, Genossen A.N. Kossygin», 15 de junio de 1977, DE/1/55847, BArch Lichterfelde. Sobre cómo los problemas de producción de petróleo empezaron a afectar a las relaciones bilaterales de los soviéticos con los países del bloque, véase, por ejemplo, «Zapis' besedy Predsedatelia Gosplana SSSR t Baibokova s zamestitelem Predsedatelia Soveta Ministrov NRB tov A Lukanovym», 11 de noviembre de 1977, Archivo Estatal Ruso de Economía (RGAE), f. 4372, o. 66, d. 819, l. pp. 19-25.

128 Staatliche Plankommission, «Information zu einigen Problemen der Außenhandelsbeziehungen der DDR», 21 de mayo de 1975, DE/1/58558, BArch Lichterfelde.

relación entre la RDA y la Unión Soviética. La RDA «continuaría dependiendo de crecientes importaciones de muchas fuentes de energía y materias primas». Incluso mientras planificaban «un uso más eficiente de los combustibles y la energía», la comisión de planificación subrayó la necesidad de «mayores aumentos en los suministros de petróleo y gas natural de la URSS». En consecuencia, solicitaron que los suministros anuales de petróleo pasaran de 19 millones de toneladas en 1980 a 22 millones en 1985 y a 25 millones en 1990. Del mismo modo, pidieron que las entregas anuales de gas natural aumentaran de 6.500 millones de metros cúbicos en 1980 a 9.000 millones en 1985 y a 11.000 millones en 1990[129].

El anuncio de Kosygin en el verano de 1977 representó un importante revés para los planes de la RDA. Ante la ausencia de incrementos en la energía soviética a partir de 1980, Alemania Oriental se enfrentaba a dos opciones: o bien encontrar la manera de utilizar los recursos energéticos de forma más eficiente, o compensar la falta de suministros soviéticos aumentando su endeudamiento con Occidente para comprar materias primas en el mercado mundial. En cuanto a la primera opción, los funcionarios de la RDA que estudiaron el problema eran conscientes de que, a pesar del compromiso de los líderes de realizar «grandes esfuerzos» para ahorrar energía, su economía planificada tenía pocas posibilidades de utilizar la energía de forma más eficiente[130]. Incluso después de que los precios nacionales de la energía subieran en 1980, la estructura básica de la economía planificada llevó a las empresas a acaparar insumos, en lugar de intentar ahorrarlos.

Frente a la incertidumbre sobre cómo incrementar la eficiencia energética, las autoridades enseguida se dieron cuenta de que

129 «Zur langfristigen ökonomischen Zusammenarbeit zwischen der DDR und der UdSSR und Arbeit an den Zielprogrammen», 30 de noviembre y 1 de diciembre de 1976, DE/1/58569, BArch Lichterfelde.

130 Staatliche Plankomission Abt. Energiewirtschaft, «Problemmaterial zur en energetisch- en Sicherung der Entwicklung der Volkswirtschaft 1981-1985 unter Beruck-sichtigung vom Prämissen aus den Verhandlungen mit der UdSSR über Rohstoffund Energieträger Liefermögichkeiten», sin fecha, pero probablemente sea de 1978 o 1979, DE/1/58657, BArch Lichterfelde.

tendrían que compensar el déficit de suministro soviético con importaciones de Occidente. Esto, a su vez, agravaría su ya serio problema de deuda soberana. De hecho, la relación entre una disminución en la energía y materias primas soviéticas y un aumento en las importaciones de divisas de Occidente era tan fuerte que los funcionarios de Alemania Oriental comenzaron a cuantificarla. En primer lugar, calcularon las ganancias que ya habían obtenido durante la década de los setenta gracias al apoyo de la URSS. En 1977, los planificadores llegaron a la siguiente conclusión: «Si la RDA se hubiera visto obligada a comprar en el mercado mundial la cantidad de petróleo que recibió de la Unión Soviética entre 1974 y 1976, habría tenido que pagar unos 4.500 millones de marcos más de lo que pagó a la Unión Soviética». Esta cifra, admitieron los planificadores, incluso subestimaba el beneficio, ya que Alemania Oriental había podido pagar el petróleo soviético «con bienes de la RDA, que, como demuestra la experiencia, habrían sido difíciles de vender en el mercado capitalista»[131]. En numerosas otras áreas, como el grano, el gas natural y el acero, los planificadores eran plenamente conscientes de que el patrocinio de los precios soviéticos había reducido directamente la deuda del país con Occidente. Por elevada que fuera la deuda, estaba claro que habría sido aún mayor sin las materias primas soviéticas.

Hacia finales de los años setenta, los funcionarios de Alemania del Este intentaron convencer repetidamente a sus homólogos soviéticos. Después de numerosas conversaciones en 1977, en las que la parte soviética insistió en que no podría haber un aumento de las entregas después de 1980, los funcionarios de Alemania Oriental comenzaron 1978 insistiendo en que los déficits soviéticos solo los empujarían más hacia Occidente. Tras una reunión en febrero de 1978, en la que se insistió en que no era posible aumentar los suministros, un miembro de la Comisión Estatal de Planificación expresó a su homólogo soviético que si «no se podían aumentar

131 «Zur Frage der Aufwendungen der DDR in freikonvertierbaren Währung im Zeitraum 1971/76», 10 de julio de 1977, DE/1/58554, BArch Lichterfelde.

los suministros de la URSS», la RDA «tendría que comprar las materias primas en Occidente»[132].

Este tira y afloja continuó hasta octubre de 1978, cuando Kosygin informó a los alemanes de la RDA de que, en lugar de nivelar sus suministros después de 1980, la Unión Soviética tendría que reducirlos. Los alemanes reaccionaron con indignación, advirtiendo que tal decisión «pondría en entredicho» el desarrollo económico del país, o lo forzaría a realizar «un aumento política y económicamente inaceptable de las importaciones en divisas fuertes». Kosygin respondió que los suministros soviéticos habían permitido a la RDA ser «en gran medida independiente de las importaciones de materias primas de los países capitalistas». Dado que el desarrollo de materias primas en la Unión Soviética se había vuelto «cada vez más difícil y costoso», ese lujo ya resultaba poco realista e insostenible[133].

De regreso en Berlín Este, los planificadores calcularon rápidamente que la decisión soviética de recortar las entregas se traduciría en 10.700 millones de marcos más en importaciones (y deuda) de Occidente. Ante una cifra tan alarmante, se decidió llevar el caso al más alto nivel. A finales de 1978, Honecker hizo un llamamiento directo a Brézhnev para mantener la energía y las materias primas al nivel de 1980 durante el siguiente plan quinquenal. Cuando el primer ministro de Alemania Oriental, Willi Stoph, regresó a Moscú en diciembre para reunirse con Kosygin, comprobó que el llamamiento de Honecker había surtido efecto. Kosygin anunció que se mantendrían los niveles de 1980 porque «el camarada Brézhnev ha decidido encontrar posibilidades de ayudar a la RDA en este asunto»[134].

El anuncio de Kosygin eliminó de la agenda un punto polémico, pero dejó una tensión latente entre ambas partes que estalló al

132 Abteilung UdSSR, «Arbeitsniederschrift über das Gespräch zwischen...», BArch Lichterfelde.

133 Karl Grünheid, «Information über Gespräche mit Vertretern des Gosplan der UdSSR auf Expertenebene zu den Fragen der Rohstoffiieferungen im Zeitraum 1981 bis 1985», 29 de octubre de 1978, DE/1/58665, BArch Lichterfelde.

134 «Information über die Beratung mit Genossen Kossygin im Moskau am 8. Dezember 1978», 8 de diciembre de 1978, DE/1/58666, BArch Lichterfelde.

final de la reunión[135]. La solidaridad socialista ya no podía ocultar los intereses económicos divergentes de los aliados. Kosygin lanzó una extensa diatriba sobre la situación privilegiada de la RDA en el contexto económico mundial. «Me gustaría decir que toda la economía de la RDA se encuentra en una posición bastante privilegiada», enfatizó el primer ministro soviético. «A veces no lo pensáis, pero me gustaría recordároslo». Al abordar lo que consideró «una cuestión fundamental para toda la economía», Kosygin preguntó: «¿Dónde, camarada Stoph, se puede encontrar una situación similar en el mundo, en la que el petróleo y también el gas natural llegan por oleoductos prácticamente hasta la puerta de casa?». Y fue más allá: «La economía de [su] país está en el paraíso. La RDA [está] en una posición mucho mejor y más privilegiada que la economía de Italia, Francia o la República Federal». Stoph respondió airadamente: «¿Cómo que Italia, Francia y la República Federal? No somos ellos. Somos la RDA». Kosygin replicó: «Entiendo que ustedes no son Italia ni Francia. Pero muy a menudo se oye decir: "Tenemos condiciones diferentes"». En cuanto a la energía, esa no era la situación. Todos los países, ya fueran capitalistas o comunistas, debían utilizarla de manera más eficiente[136].

Cuando Stoph dejó Moscú, se había evitado el peor de los escenarios. Los líderes soviéticos se comprometieron a mantener las entregas al nivel de 1980 durante el periodo de 1981-1985. Sin embargo, existían pocos motivos para el optimismo. El dilema fundamental seguía siendo el mismo: o la RDA lograba avances significativos en eficiencia energética o tendría que aumentar sus importaciones y endeudamiento con Occidente. En 1979, la Comisión Estatal de Planificación intentó hacer una estimación realista del impacto del estancamiento de los suministros soviéticos. Los resultados reflejaron los problemas inherentes a la

135 «Überschlagsrechnung zur Auswirkung der bisherigen Mitteilungen über Rohstofflieferungen der UdSSR 1981/85 gegenüber der volkswirtschaftlichen Konzeption», 30 de octubre de 1978, DE1/58665, BArch Lichterfelde.

136 «Stenografische Niederschrift der Beratung des Vorsitzenden des Minterrates der DDR Genossen Willi Stoph, mit dem Vorsitzenden des Ministerrates der UdSSR Genossen Alexei Kossygin» 8 de diciembre de 1978, DE/1/58666, BArch Lichterfelde.

economía planificada. Con los suministros soviéticos de petróleo congelados en sus niveles de 1980, la RDA tendría un déficit de 19,5 millones de toneladas de petróleo con respecto a sus planes originales para 1981-1985. De esta cantidad, los planificadores creían que solo 3,8 millones de toneladas podrían compensarse con una mayor eficiencia. Esto significaba que 15,7 millones de toneladas de petróleo, equivalentes a unos 3.200 millones de dólares, tendrían que ser importadas de Occidente, lo que requeriría divisas extranjeras[137].

Al mismo tiempo, el estancamiento soviético incrementaba la necesidad de préstamos occidentales para la RDA, pero en Occidente comenzaban a surgir señales de alarma sobre la confianza de los mercados financieros en el bloque socialista. Mientras los funcionarios de la Comisión Estatal de Planificación iban y venían de Moscú para intentar conseguir más petróleo soviético, los del Banco de Comercio Exterior de Alemania Oriental visitaban los centros neurálgicos del capitalismo mundial en busca de nuevos préstamos occidentales. En mayo de 1978, el presidente del banco, Werner Polze, viajó durante dos semanas a Estados Unidos en busca de apoyo para una nueva ronda de créditos. A su regreso, Polze presentó un informe preocupante. Muchos banqueros le habían expresado su escepticismo sobre «la futura capacidad de reembolso de los países socialistas». Los banqueros occidentales consideraban que la situación era insostenible. «Se planteaba continuamente la cuestión», informó Polze, sobre cómo la RDA planeaba «equilibrar sus cuentas comerciales y de pagos [frente a] los precios de importación considerablemente más altos, las escasas oportunidades de exportación a los mercados capitalistas (...) y el nivel estable de precios interno, que conduce a una demanda interna en constante aumento». Probablemente, estas

137 El importe de 3.200 millones de dólares es un cálculo del autor a partir de las cifras que figuran en el documento utilizando un tipo de cambio de 2,5 marcos valuta por 1 dólar estadounidense. Staatliche Plankomission Abt. Energiewirtschaft, «Problemmaterial zur energetischen Sicherung der Entwicklung der Volkswirtschaft 1981-1985», BArch Lichterfelde.

mismas preguntas se les plantearon —y seguramente así fue— a todos los países del bloque[138].

Para los bancos occidentales, el problema más urgente era Polonia. Desde el fallido intento de la subida de precios en 1976, la deuda del país había aumentado a un ritmo alarmante. Los funcionarios polacos, liderados por Jan Wołoszyn, habían recurrido en varias ocasiones a los euromercados en busca de capital. En el otoño de 1978, esta búsqueda llevó a Polonia a anunciar un intento de obtener un préstamo de 500 millones de dólares en los euromercados, una cifra sin precedentes e impactante, sobre todo para un país socialista. Aunque los funcionarios polacos intentaban minimizar sus crecientes dificultades financieras en público, en privado la realidad quedaba bastante clara[139]. Justo cuando Polonia se preparaba para anunciar su nuevo préstamo, Werner Polze, de Alemania Oriental, regresaba a Occidente para sondear de nuevo el panorama crediticio. En reuniones mantenidas en Londres, «la cuestión de la deuda de los países socialistas ocupó un lugar preponderante en las negociaciones», según informó. «Casi todos los bancos destacaron que la frecuente aparición de Polonia en el mercado había generado cierta desconfianza respecto a la concesión de más créditos a los polacos»[140].

Con las entregas de materias primas soviéticas a punto de estabilizarse y la confianza financiera occidental tambaleándose, el desafío que enfrentaban todos los países del bloque oriental a principios de 1979 era desalentador. Como bien resumió la Comisión de Planificación Estatal de la RDA ese verano, el «problema básico» de sus economías era que, «a pesar del difícil objetivo de aumentar

138 Werner Polze, «Bericht über eine Dienstreise nach den USA und Kanada in der Zeit von 8. bis 19.5.1978», 23 de mayo de 1978, DN/10/447, BArch Lichterfelde.

139 El artículo de portada es Christopher Bobinski y Anthony Robinson, «Poland Seeking Long term $500m Euro-loan» *The Financial Times*, 30 de noviembre de 1978, p. 1. Citas de Christopher Bobinksi, «Poland to Open Its Books for $500m Loan», *The Financial Times*, 30 de noviembre de 1978, p. 2.

140 Werner Polze, «Bericht über eine Dienstreise des Präsidenten der Deutschen Außenhandelsbank nach Großbritannien in der Zeit vom 25.10.-2.11.1978», 3 de noviembre de 1978, DN/10/447, BArch Lichterfelde.

la eficiencia con suministros extremadamente limitados de materias primas» y de los esfuerzos por aumentar las exportaciones y reducir las importaciones del mercado mundial, «persistía un importante déficit financiero sin resolver»[141]. La magnitud de los «déficits financieros no resueltos» variaban entre los distintos países del bloque, pero el problema fundamental era el mismo: a pesar de los intentos de reducir su dependencia del capital occidental, los líderes de Berlín Este, Budapest y Varsovia dependían más que nunca de los mercados financieros occidentales para financiar sus sociedades. La protección de Moscú frente a la economía mundial ya no era una certeza. Los tiempos estaban cambiando, como le dijo Brézhnev a Honecker en el otoño de 1979. Durante una reunión en Berlín con todo el politburó de Alemania Oriental, el secretario general soviético dio un puñetazo en la mesa y declaró: «Tienen razón aquellos que dicen que únicamente se puede confiar en lo que uno produce», y añadió, a modo de advertencia: «Ninguno de nosotros quiere vivir a expensas de los demás ni declararse en bancarrota»[142].

Solo la Reserva Federal de Estados Unidos podía inclinar la balanza y convertir estas señales de alarma en una crisis total. «Nuestro dinero es el dinero del mundo»[143]. Mientras la Reserva Federal, el motor de la creación monetaria global, mantuviera bajos los tipos de interés reales y los dólares estadounidenses fluyeran con facilidad por todo el mundo, los Gobiernos socialistas podrían conservar su apariencia de tranquilidad en medio de las aguas turbulentas del mercado mundial. Un claro ejemplo

141 Comisión Estatal de Planificación, «Information und Vorschläge zur Ausarbeitung des Planansates 1980», 7 de junio de 1979, DE/1/58657, BArch Lichterfelde.

142 «Stenographische Niederschrift der Zusammenkunft des Generalsekretärs des ZK der SED und Vorsitzenden des Staatsrates der DDR, Genossen Erich Honecker, sowie der weiteren Mitglieder und Kandidaten des Politbüros des ZK der SED mit dem Generalsekretär des ZK der KPdSU und Vorsitzenden des Präsidiums des Obersten Sowjets der UdSSR, Genossen Leonid Iljitsch Breschnew», 4 de octubre de 1979, DY 30/2378, Stiftung Archiv der Parteien und Massenorganisationen der DDR im Bundesarchiv, Berlín (SAPMO), p. 91. El puñetazo de Brézhnev durante esta reunión lo recoge Hertle en *Der Fall der Mauer*, p. 42.

143 Citado en William Greider, *Secrets of the Temple: How the Federal Reserve Runs the Country*, Nueva York, Simon & Schuster, 1987, p. 58.

de esto ocurrió en la primavera de 1979, cuando, a pesar de sus serias dudas sobre la economía polaca, los banqueros occidentales reunieron su capital y concedieron el préstamo solicitado de 500 millones de dólares a Polonia[144].

Sin embargo, si los acontecimientos forzaban a la Reserva Federal a cambiar su política y restringir el flujo de capitales, el bloque oriental se vería expuesto a la crisis que había estado evitando desde 1973. Era una perspectiva aterradora, pero en 1979 todavía resultaba improbable. Un aumento significativo de los tipos de interés por parte de la Reserva Federal probablemente llevaría la austeridad a Estados Unidos y, al igual que los Estados comunistas de Europa del Este, el Gobierno estadounidense había mostrado poca disposición y ninguna capacidad para imponer la austeridad a su propia gente durante los años setenta. A finales de la década, la mayoría de los funcionarios estadounidenses habían llegado a preguntarse si su democracia sería capaz de resolver el enigma de la austeridad. La inflación, signo revelador de demasiadas promesas para tan pocos bienes, era del 13 % en 1979 y no mostraba signos de desaceleración. «¿Puede una democracia autodisciplinarse?» se preguntaba a finales de 1970 Alfred Kahn, destacado economista estadounidense y asesor del presidente de Estados Unidos, Jimmy Carter[145]. La respuesta tendría implicaciones a ambos lados del telón de acero.

****

En el otoño de 1978, la situación del dólar estadounidense era crítica. Tras amenazar a Gran Bretaña e Italia con provocar crisis monetarias en 1976, los inversores internacionales habían centrado su atención en Estados Unidos, generando una grave depreciación del dólar frente al yen japonés y al marco alemán desde septiembre

144 «The Polish Problem», *Euromoney*, abril de 1979, p. 5.

145 Citado en Theodore H. White, *America in Search of Itself: The Making of the Presidents 1956-1980*, Nueva York, Harper and Row, 1982, p. 149.

de 1977 hasta octubre de 1978. Al igual que con las crisis más agudas en Londres y Roma, la huida de los tenedores de capital del dólar señalaba sus dudas sobre la viabilidad a largo plazo de la economía estadounidense. La inflación, que había disminuido al 4,9 % a finales de 1976, repuntó al nueve por ciento en 1978, generando temores de que el valor futuro del dólar se erosionara[146]. A lo largo de 1978, la Reserva Federal incrementó gradualmente los tipos de interés del 6,5 % al 9,5 %, pero estas medidas apenas lograron mantenerlos ajustados a la inflación. Quedaba claro que se necesitaba más ayuda y el 1 de noviembre, los bancos centrales occidentales anunciaron un «paquete de rescate» del dólar para estabilizarlo. A corto plazo, estos esfuerzos coordinados tuvieron éxito, y el dólar se estabilizó a finales de año. Sin embargo, la crisis fue una seria advertencia y un presagio de lo que podría suceder si la política interna estadounidense no cambiaba pronto[147].

El inicio de 1979 presentó nuevos desafíos, ya que el clímax de la revolución en Irán llevó al derrocamiento del sah, Mohammed Reza Pahleví, en enero, generando una oleada de incertidumbre en los mercados petroleros mundiales. Irán, el segundo mayor productor de petróleo del mundo, había cesado sus exportaciones de crudo en diciembre de 1978, y la inestabilidad social tras la partida del sah sugería que dichas exportaciones no se reanudarían pronto. Esto generó una situación de pánico, y los países miembros de la OPEP vieron la oportunidad para orquestar otro incremento masivo en los precios del petróleo. De diciembre de 1978 a diciembre de 1979, los precios del crudo experimentaron un alza del 150 %, escalando de trece dólares el barril a más de treinta. En Estados Unidos, el precio de la gasolina aumentó el 55 % en la primera mitad de 1979, y la inflación escaló rápidamente, situándose en el 13,4 %. De permitirse que esta tendencia continuara, era incierto cuándo los capitales internacionales podrían

146 «Historic Inflation United States-CPI Inflation», inflation.eu, Worldwide Inflation Data, consultado el 26 de marzo de 2017, http://www.inflation.eu/inflation-rates/unitedstates/historic-inflation/cpi-inflation-united-states.aspx.

147 James, *International Monetary Cooperation*, pp. 303-306.

perder nuevamente la confianza en Estados Unidos y desencadenar otra corrida cambiaria[148].

En esta coyuntura, la primavera de 1979 vio cómo los mercados del petróleo y de capitales presionaban a Washington D. C. para que aplicara medidas de austeridad. El desafío era cómo hacer que estas políticas fueran socialmente aceptables para la población. El Gobierno de Jimmy Carter se enfrentó a este reto. Un memorándum del secretario del Tesoro Michael Blumenthal, enviado a Carter en la primavera de 1979, planteó la cuestión de cómo «vender públicamente una política de austeridad económica a largo plazo». Blumenthal consideró que continuar con «políticas macroeconómicas duras y austeras que exigen sacrificios» era el «único camino viable» para la nación. Sin embargo, este camino provocaría «insatisfacción política entre un amplio espectro de grupos de interés». Por lo tanto, la Administración tendría que encontrar la forma de hacer que la austeridad fuera aceptable a nivel doméstico. «Admito sin ningún problema», escribió Blumenthal, «que esta no es una tarea fácil». Para conseguir que el plan se desarrollara con éxito, Blumenthal creía que un programa de austeridad necesitaba «un tema omniabarcante que capturara la imaginación y las convicciones profundas de la población». Carter tendría que decir a la nación que «como individuos, como economía nacional y como Gobierno, hemos vivido por encima de nuestras posibilidades, dependiendo de déficits en nuestras cuentas personales, gubernamentales y comerciales». El mensaje clave sería: «Ya no podemos permitirnos esto». Para restaurar la preeminencia económica de Estados Unidos, Carter tendría que instar al país a «sacrificarse y reconstruir»[149].

Para el presidente Carter, la tarea de recuperar el control de la economía estadounidense en 1979 implicó un profundísimo proceso

148 Daniel Yergin, *The Prize: The Epic Quest for Oil, Money, and Power*, Nueva York, Free Press, 1991, cap. 33, y Judith Stein, *Pivotal Decade: How the United States Traded Factories for Finance in the Seventies*, New Haven, Connecticut, Yale University Press, 2010, pp. 211-215.

149 W. Michael Blumenthal, *Memorandum for the President*, 25 de mayo de 1979, carpeta «Venice Summit 1980», caja 90, Staff Office-Council of Economic Advisors, Jimmy Carter Presidential Library (JCPL), Atlanta, Georgia.

de reflexión. Durante diez días en el verano de ese año, se retiró a Camp David, la famosa residencia presidencial en Maryland. Allí, se sumergió en debates con una variedad de expertos y reflexionó sobre su propia trayectoria hasta ese momento. Había llegado a la presidencia en 1976 como un demócrata con promesas de empleo pleno, estímulos fiscales y reformas laborales para fortalecer a los sindicatos. Sin embargo, las circunstancias parecían exigirle que actuara en contra de los intereses de quienes lo habían elegido. Para controlar la inflación, tenía tres opciones: reducir el gasto público, inducir la moderación salarial a través de negociaciones con sindicatos y endurecer la política monetaria. Durante sus primeros dos años y medio en el cargo, había explorado estas opciones sin mucho entusiasmo, pero el desafío persistía. Con la inflación alcanzando el 13 %, una contracción del PIB del tres por ciento en el segundo trimestre de 1979 y largas filas en las gasolineras, estabilizar la economía en un mercado mundial volátil parecía una tarea abrumadora.

Carter concluyó que la crisis era de naturaleza espiritual. Al salir de su retiro, se dirigió a la nación en un discurso televisivo, describiendo lo que consideraba una «crisis de confianza» colectiva. En su diagnóstico sobre los problemas del país, sugirió que muchos estadounidenses se habían rendido «a la autoindulgencia y el consumo»[150]. Aunque no lo expresó explícitamente, el mensaje subyacente de Carter era un llamamiento a vivir dentro de los medios del país. Poco sabía que, meses después, Brézhnev transmitiría un mensaje similar, aunque más directo, a sus camaradas en Alemania Oriental en Berlín. La idea compartida era que una nación solo podía consumir lo que producía. Tanto en el Este como en el Oeste, había una creciente conciencia de que habían vivido más allá de sus posibilidades, dependiendo del capital global y la energía extranjera para mantener su estilo de vida, y que el tiempo para un cambio se agotaba. Ahora la cuestión era cómo implementar esas correcciones.

150 Jimmy Carter, «Energy and National Goals: Address to the Nation», 15 de julio de 1979, Jimmy Carter Library, consultado el 27 de marzo de 2016, https://www.jimmycarterlibrary.gov/documents/speeches/energy-crisis.phtml.

Al igual que hicieron antes los Gobiernos de Europa occidental, Carter consideraba crucial la gestión de las relaciones entre empresas y trabajadores Junto con sus asesores, creía que moderar las demandas salariales de los sindicatos era clave para comenzar el camino hacia una inflación baja. En el verano de 1979, lanzó una iniciativa para unir a empresarios y trabajadores en un programa de moderación salarial. A finales de septiembre, firmó un «acuerdo nacional» con representantes del movimiento obrero, buscando garantizar que la austeridad necesaria para combatir la inflación se distribuyera equitativamente. Siguiendo el modelo de los «contratos sociales» utilizados en Europa occidental durante la década de 1970 para frenar el crecimiento de los salarios reales, este acuerdo nacional se interpretó como un paso significativo de Estados Unidos hacia la austeridad. Como señaló Jefferson Cowie, el acuerdo representó un giro respecto a las políticas de abundancia de la era de Roosevelt, orientándose, en este caso, hacia una modalidad compartida de austeridad, orientada a superar las tensiones políticas[151].

Para el presidente Carter, la política monetaria de Estados Unidos no era una prioridad principal. Tras su discurso sobre la «crisis de confianza», llevó a cabo una reorganización de su Gabinete, solicitando la renuncia de varios funcionarios, incluido el secretario del Tesoro, Michael Blumenthal. Carter nombró en su lugar a William Miller, entonces presidente de la Reserva Federal, dejando vacante el cargo más alto del banco central. Se consideraron varios candidatos del sector bancario y empresarial, pero finalmente Carter eligió a Paul Volcker, presidente del Banco de la Reserva Federal de Nueva York. Aparentemente, Carter lo eligió sin tener un conocimiento profundo de su visión sobre la política monetaria, más allá de una vaga noción de que era «muy duro con la inflación»[152].

151 Jefferson Cowie, *Stayin' Alive: The 1970s and the Last Days of the Working Class*, Nueva York, New Press, 2010, pp. 300-301.

152 Véase Greider, *Secrets*, *47*. Véase también W. Carl Biven, *Jimmy Carter's Economy: Policy in the Age of Limits*, Chapel Hill, Carolina del Norte, University of North Carolina Press, 2002, pp. 238-239.

Carter no fue el único que minimizó la importancia de la política monetaria y el papel del presidente de la Reserva Federal. A finales de la década de 1970, muchos observadores creían que los bancos centrales tenían una capacidad limitada para contrarrestar la inflación frente a los hábitos arraigados del Gobierno democrático de posguerra y la política del estado del bienestar. Incluso un expresidente de la Reserva Federal, Arthur Burns, afirmó en un discurso ante las élites financieras mundiales, en otoño de 1979, que las «crecientes expectativas económicas, la mayor participación ciudadana en la arena política y el compromiso gubernamental con el pleno empleo» habían llevado a los Gobiernos occidentales a prometer más de lo que sus economías podían ofrecer. En tal entorno, concluyó Burns, los bancos centrales solo podrían enfrentar la inflación de forma marginal[153].

Volcker, sin embargo, tenía una visión muy diferente acerca del propósito y el poder de su nuevo cargo. Consideraba que la inflación era un producto de las expectativas de la gente sobre la economía. En 1979, el aumento constante de precios se había vuelto tan común que la ciudadanía lo incorporaba en su comportamiento económico: trabajadores que exigían salarios más altos, consumidores que pedían más préstamos, un Gobierno con un déficit creciente y especuladores apostando contra el dólar, todos actuando bajo la premisa de que los dólares valdrían menos mañana. Estas acciones, a su vez, generaron una profecía autocumplida; crearon la misma inflación que anticipaban. Los salarios más altos, un incremento del endeudamiento y un aumento en el gasto público elevaron la demanda de bienes; como resultado, los precios subieron inevitablemente. Por lo tanto, si se quería vencer a la inflación, Volcker consideraba que las expectativas tendrían que ser modificadas.

Para ello, primero era necesario entenderlas. ¿De dónde provenían? ¿Qué suposiciones sustentaban la confianza universal de que

153 Arthur Burns, «The Anguish of Central Banking», en *The 1979 Per Jacobsson Lecture*, 30 de septiembre de 1979, consultado el 27 de marzo de 2017, http://www.perjacobsson.org/lectures/1979.pdf.

la inflación siempre continuaría? La respuesta era, en resumen, la política de hacer promesas. Si la inflación era un fenómeno inherentemente político, entonces las expectativas inflacionarias eran, por definición, suposiciones sobre la política. Indicaban creencias ampliamente compartidas y mantenidas de forma inconsciente sobre lo que la sociedad y el Gobierno valoraban. Para 1979, la gente había llegado a creer instintivamente lo que los intelectuales occidentales habían estado escribiendo desde mediados de la década de 1970: el Gobierno, y por extensión su banco central, era incapaz de romper sus promesas e imponer políticas de ajuste económico. Por razones de moralidad pública y conveniencia electoral, los Gobiernos no eran capaces de ignorar los destinos de sus constituyentes. Ante la elección entre prevenir el desempleo y combatir la inflación, los Gobiernos de la posguerra siempre habían optado por lo primero y no había razón para pensar que dejarían de hacerlo.

Volcker comprendió que debía modificar el enfoque prevalente. Él y la Reserva Federal tenían que demostrar que estaban dispuestos a permitir que los estadounidenses enfrentaran dificultades económicas. En una reunión de la Reserva Federal en 1980, expresó: «Cuando comencemos este esfuerzo para combatir la inflación (...) no deberíamos esperar mucho apoyo. Si (...) llegamos al límite o permitimos que sucedan cosas que no hemos permitido en toda la posguerra, la gente (...) no estará contenta». Pero insistió en que era necesario y en que no se podían «cambiar las expectativas inflacionistas sin que eso ocurriera». Ilustró su opinión con una anécdota sobre un banquero de Chicago que, al ser preguntado sobre por qué su banco se expandía de manera agresiva, a pesar de las malas condiciones económicas, respondió que si tenían problemas, el Gobierno los protegería. La gente creía que la Reserva Federal siempre «iba a ceder»[154].

Cambiar las expectativas inflacionistas significaba cambiar las suposiciones de los ciudadanos sobre lo que podían esperar de

154 Citado en William L. Silber, *Volcker: The Triumph of Persistence*, Nueva York, Bloomsbury, 2012, p. 197.

su Gobierno. La tarea era, en realidad, profundamente política. La inflación terminaría cuando la gente creyera que a la Reserva Federal le importaba más la estabilidad de precios que el pleno empleo o el crecimiento económico. El Gobierno de Estados Unidos debía ser creíble en su compromiso de romper sus promesas.

Volcker sabía que esta tarea provocaría una fuerte reacción política. En una recesión, la popularidad de los líderes políticos se resiente porque la gente espera que el Gobierno intervenga y ofrezca soluciones. La austeridad era diferente, pues, en ese caso, el dolor económico provenía directamente del Gobierno. Cada vez que la Reserva Federal votara por aumentar los tipos de interés, sería una decisión consciente, sabedora del dolor económico que infligía. Con una inflación del 13 % y expectativas inflacionistas arraigadas, nadie en la Reserva Federal sabía cuánto tendrían que subir los tipos o durante cuánto tiempo para convencer a la gente de que estaban cómodos infligiendo dolor. Todo lo que sabían era que cada una de sus decisiones tendría enormes consecuencias políticas.

Minimizar el número de decisiones era, por tanto, la mejor estrategia. El monetarismo, promovido por Milton Friedman en los setenta, sugería que la única responsabilidad de un banco central era garantizar un crecimiento monetario anual constante. Friedman tenía poca confianza en la capacidad de los banqueros centrales para entender la economía con precisión, por lo que argumentó que deberían dejar de intentar influir en ella. La Reserva Federal debería establecer un objetivo simple de crecimiento monetario anual —el tres por ciento era el ideal de Friedman— y dar por concluida su labor.

Volcker, junto con la mayoría de los demás miembros de la Reserva Federal, consideraba que los principios económicos del monetarismo eran demasiado simplistas. La idea de que la política monetaria se reducía a establecer un objetivo anual les resultaba ofensiva tanto para su autoestima como para su experiencia práctica. Sin embargo, frente al desalentador desafío de combatir la inflación, Volcker se sintió atraído por el monetarismo, ya que ofrecía una salida a la responsabilidad política. Si la Reserva

Federal se comprometía a aumentar la oferta monetaria a un ritmo bajo y constante, los drásticos aumentos de los tipos de interés parecerían subproductos de las fuerzas del mercado, no decisiones activas de la Reserva Federal. Charles Schultze, economista jefe del presidente Carter, comentó sobre la adopción del monetarismo por Volcker: «Fue un movimiento político, no económico (...) Lo bonito de esta nueva política era que, mientras los tipos de interés subían, la Fed podía decir (...) "No estamos subiendo las tipos, solo estamos apuntando a la oferta monetaria". Así podían subir los tipos y nadie podía culparlos»[155].

Durante su primer mes al frente de la Reserva Federal, Volcker se encontró con que la mayoría de sus colegas eran reticentes tanto al monetarismo como al aumento de los tipos de interés. En una reunión el 18 de septiembre de 1979, la Junta de la Reserva Federal se dividió en un voto público (4-3) sobre si subir el tipo de interés de descuento que cobraba a los bancos estadounidenses. Aunque se decidió aumentar el tipo de interés, la decisión usualmente unánime del consejo, en esta ocasión, se dividió, lo que pareció señalar al mercado que los esfuerzos por implementar una política monetaria más restrictiva podrían fracasar. Ante un sistema político aparentemente incapaz de aplicar la austeridad, los especuladores reaccionaron como solían hacerlo: vendiendo la divisa en cuestión. En las semanas posteriores a la controvertida decisión de septiembre, los mercados perdieron la confianza en la capacidad de Volcker para controlar la inflación, desencadenando una segunda corrida cambiaria. El precio del oro subió más de 25 dólares en un solo día y, a principios de octubre, alcanzó los 442 dólares por onza. «Hubo una huida generalizada de la moneda», recuerda Fred Schultz, vicepresidente de la Reserva Federal. Dentro de la Reserva Federal, se reconoció la necesidad de un cambio radical[156].

El sábado 6 de octubre, Volcker convocó una reunión secreta de emergencia del Comité Federal de Mercado Abierto, el principal

155 Greider, *Secrets*, p. 121.

156 *Ibid.*, pp. 83-86; la cita de Schulz, en p. 86.

órgano de gobierno de la Reserva Federal, y consiguió su aprobación para hacer el cambio al monetarismo. La reciente ola de especulación en los mercados había convencido a los antes escépticos de la necesidad de un cambio. Las implicaciones de su decisión eran claras para todos los presentes en la reunión. El gobernador de la Reserva Federal, Phillip Coldwell, recordó que «no había duda de que el Consejo sabía que vendría una recesión después de la votación»[157].

En una conferencia de prensa celebrada esa misma tarde, Volcker anunció el cambio de política. Un periodista le preguntó si la nueva orientación significaba que el tipo de los fondos federales sería «completamente libre de subir tanto como se pudiera», a lo que el presidente de la Reserva Federal respondió: «No sé qué es lo que usted piensa que puede subir tanto como quiera»[158], y le dijo a los estadounidenses que el destino de la nación estaba en manos del mercado. Esto, con todo, no era completamente cierto, por supuesto. Al controlar la oferta monetaria, Volcker seguía controlando la cantidad total de liquidez del sistema y, por tanto, los tipos de interés, el crecimiento y el empleo. Pero el lenguaje del monetarismo le proporcionaba ahora una forma de trasladar al mercado la responsabilidad de los resultados de la política monetaria.

Los efectos de las medidas de Volcker no se limitaron a fronteras geográficas o ideológicas. Al otro lado del telón de acero, los banqueros y los responsables políticos del mundo comunista vieron cómo empezaba a desvanecerse su último salvavidas de apoyo externo. El 25 de octubre, tres semanas después de la decisión de Volcker, Horst Kaminsky, presidente del Banco Estatal de Alemania Oriental, escribió en un memorándum a Günter Mittag: «Recientemente, estamos presenciando un aumento espectacular de los tipos de interés en los mercados financieros y crediticios

157 Coldwell citado en Greider, *Secrets*, p. 123.

158 «Transcript of Press Conference with Paul A. Volcker, Chairman, Board of Governors of the Federal Reserve System, October 6, 1979», consultado el 18 de octubre de 2021, https://fraser.stlouisfed.org/title/statements-speeches-paul-a-volcker-451/transcript-press-conference-held-board-room-federal-reserve-building-washington-dc-8201.

capitalistas. El tipo de interés actual en el euromercado se sitúa en torno al 16 %. No se pueden descartar nuevas subidas en las próximas semanas»[159].

Dos semanas después de la advertencia de Kaminsky, un acontecimiento en el otro extremo del mundo, que nada tenía que ver con la Guerra Fría, el socialismo ni las finanzas, provocó que la situación financiera del bloque del Este fuera de mal en peor. El 4 de noviembre de 1979, estudiantes iraníes asaltaron la embajada estadounidense en Teherán y tomaron a 152 estadounidenses como rehenes. Diez días después, la Administración Carter respondió con el congelamiento de todos los activos iraníes en bancos estadounidenses: unos 11.000 millones de dólares. Mientras la crisis diplomática entre Teherán y Washington se prolongó durante el año siguiente, la congelación de los activos iraníes provocó una gran incertidumbre en la comunidad financiera internacional y limitó aún más su disposición a conceder préstamos a los Estados socialistas[160].

La propia URSS terminó con el acceso del bloque del Este al capital occidental. A finales de diciembre de 1979, las fuerzas soviéticas invadieron Afganistán, y el presidente Carter respondió poniendo un embargo de cereales a la Unión Soviética y solicitando a todos los bancos estadounidenses que revisaran sus políticas de crédito con el bloque del Este. También anunció una nueva postura de defensa de Estados Unidos en Oriente Medio, denominada la Doctrina Carter, y solicitó aumentos en el presupuesto militar. La renovación de las tensiones entre superpotencias sobre Afganistán destruyó la última apariencia de normalidad para los préstamos socialistas en los euromercados. A principios de febrero, Polze y Kaminsky elaboraron un nuevo informe confidencial, que comenzaba así: «La situación en los mercados internacionales

159 La cifra de 200 millones de dólares se ha calculado a partir de la cifra de 520 millones de MV que figura en el documento a un tipo de cambio de 2,5 MV por 1 dólar estadounidense. Carta y anexo de Horst Kaminsky a Günter Mittag, 25 de octubre de 1979, DY 3023/1093, SAMPO, 129-131.

160 Benjamin Cohen, *In Whose Interest? International Banking and US Foreign Policy*, New Haven, Connecticut, Yale University Press, 1986, cap. 6.

de finanzas y crédito (...) se ha tensado significativamente en las últimas semanas». Debido a «la incertidumbre surgida tras el bloqueo de activos iraníes en Estados Unidos» y el «chantaje» (*Erpressung*) del Gobierno estadounidense contra la Unión Soviética en respuesta a Afganistán, los bancos «temporalmente no pudieron otorgar nuevos préstamos» o estaban «exigiendo costos de crédito más altos debido al riesgo creciente». Los principales bancos capitalistas creían, según escribieron Polze y Kaminsky, que «el crédito otorgado a los países socialistas en el futuro estaría considerablemente restringido». El «aumento de armamento en Estados Unidos y otros Estados imperialistas» en respuesta a la invasión soviética de Afganistán, «conduciría a aumentos en las tasas de interés en el futuro» porque obligaría a los Gobiernos occidentales a pedir prestado y gastar más dinero. Así, concluyeron, «difícilmente se puede esperar una disminución en las altas tasas de interés en 1980»[161].

La llegada de la primavera de 1980 no supuso ningún alivio. Polonia, como siempre, era el indicador del sentimiento del mercado. Desde el intento de subir los precios en junio de 1976, Edward Gierek había evitado pedir sacrificios a sus ciudadanos, pero esa estrategia ya no era sostenible. A finales de mayo de 1980, la Comisión de Planificación del Estado polaco alertó urgentemente a la dirección del partido sobre el notable deterioro de las «condiciones para aplicar el plan nacional». Señalaron que la situación de los pagos había empeorado debido a «dificultades crediticias». El «principal problema», indicaban, era la obtención de préstamos financieros para la compra de materias primas. Los tipos de interés de los préstamos que recibían «aumentaron enormemente, llegando a superar el 20 %». Estas circunstancias llevaron a la comisión a proyectar un déficit de financiación para el resto del año

161 Horst Kaminsky y Werner Polze, «Analyse der Lage auf den internationalen Geld- und Kreditmärkten, besonders des US-Dollar als Leit- und Reservewährung und Massnahmen zur Erhöhung des Aufhommens an relative stabilen Wahrungen sowie Sofortmassnahmen fur die Arbeit auf der Leipziger Frühjahrsmesse 1980», 6 de febrero de 1980, DY 3023/1094, SAPMO.

de 4.100 millones de dólares. Para compensarlo, los ministros propusieron incrementar las exportaciones a Occidente en unos 3.000 millones de dólares y restringir las importaciones en divisas fuertes en 1.500 millones de dólares. Si se lograban estas correcciones, escribían los planificadores, se podría compensar el actual «deterioro de las posibilidades de crédito»[162]. El desafío de romper promesas había llegado ahora al bloque socialista.

Esta crisis reveló una diferencia decisiva entre el emergente capitalismo neoliberal de Occidente y el socialismo de Estado en lucha en el Este. Reflexionando sobre el destino de los estados de bienestar democráticos durante el estancamiento de mediados de los setenta, Fred Hirsch había elogiado el sistema capitalista por su capacidad de prescindir de una norma ética explícita en la distribución de premios. Esta «gran fortaleza» del capitalismo liberal, que había sido eclipsada por las promesas explícitas del Gobierno de distribuir las ganancias económicas de forma justa y amplia bajo el *ethos* del estado de bienestar, estaba resurgiendo[163]. Las promesas se estaban incumpliendo, y las apelaciones al «mercado» para justificar la distribución de los resultados económicos volvían a ser atractivas. La lucha de Volcker contra la inflación había desplazado el compromiso de Washington con el pleno empleo, y la adopción del monetarismo había permitido a la Reserva Federal (y al Gobierno nacional al que pertenecía) afirmar que ya no era responsable de sus consecuencias sociales. Los funcionarios estadounidenses podían usar de nuevo el argumento de que los mercados estaban produciendo resultados en términos de políticas sociales, aunque en realidad seguían siendo ellos quienes controlaban la política. Un miembro de la Reserva Federal comentó: «Todo el mundo podía decir: "Mira, *sin manos*"»[164].

162 «Notatka w sprawie aktualnej oceny warunków realizacji Narodowego Planu Społeczno-Gospodarczego na rok 1980 i wniosków wynikających z tej oceny», 31 de mayo de 1980, en *Tajne Dokumenty Biura Politycznego*, Londres, Aneks, 1992, pp. 7-13.

163 Fred Hirsch, *The Social Limits to Growth*, Cambridge, Massachusetts, Harvard University Press, 1976, p. 175.

164 Greider, *Secrets*, p. 107.

En contraste, en el socialismo de Estado, el partido estaba en todas partes, y en la base ideológica del aparato estatal se podían encontrar normas éticas explícitas para la distribución de los beneficios económicos. Los partidos comunistas del bloque del Este habían pasado todo el periodo de posguerra creando intencionadamente Estados en los que eran responsables del destino de todos, y esto hacía que sus promesas fueran mucho más difíciles de romper.

Derrotar al enemigo interior

A finales de los años setenta, romper promesas se había vuelto ineludible tanto en el Este como en el Oeste. Mientras Paul Volcker comenzaba su cruzada contra la inflación en Estados Unidos, los mercados mundiales presionaban a los Gobiernos de dos de las economías más rezagadas de Europa —Gran Bretaña y Polonia— para que reconstruyeran los cimientos económicos y sociales de sus naciones. Dentro de sus respectivos bloques, ambos habían recibido calificaciones ignominiosas en la década de los setenta, reflejo de una situación muy complicada. En Occidente, la «enfermedad británica» se había convertido en sinónimo de las profundas disfuncionalidades económicas de las que adolecía el capitalismo democrático: un crecimiento lento, alta inflación, conflictividad industrial y desempleo elevado. En el Este, la «enfermedad polaca» simbolizaba los aspectos negativos del socialismo de Estado: una alta deuda soberana, crecimiento lento de las exportaciones y subvenciones públicas generalizadas. Lo más preocupante de ambas enfermedades era su carácter aparentemente terminal. Tras el rechazo de los pueblos británico y polaco, por medio de protestas masivas en 1970, 1974 y 1976, a los intentos de reforma, la mayoría de los observadores concluyó que estas enfermedades nacionales eran incurables debido, precisamente, a la enorme resistencia social que suscitaban los remedios necesarios.

De ahí que el principal desafío para los políticos británicos y polacos no fuera tanto identificar los contornos de las reformas como obtener el apoyo político nacional para implementarlas. Bajo el liderazgo de Margaret Thatcher en Gran Bretaña y Wojciech Jaruzelski en Polonia, el desafío de obtener el apoyo popular se resolvió de manera definitiva, aunque divergente, a principios de la década de los ochenta. Thatcher logró y pudo mantener un amplio apoyo de la población británica mientras aplicaba disciplina económica, mientras que Jaruzelski nunca lo consiguió. Este capítulo busca explicar, a través de las historias de John Hoskyns y Mieczysław Rakowski, las causas de estos resultados tan diferentes. Hoskyns y Rakowski fueron dos de los asesores más influyentes de Thatcher y Jaruzelski, respectivamente, a los que se les encomendó el desafío de congregar apoyo popular en torno a las necesarias reformas económicas. Así, a través de sus experiencias, podemos comprender mejor las trayectorias tan diferentes de sus países durante ese periodo[165].

Como se observó durante la década de los setenta en Occidente, se asumía que el socialismo de Estado tenía una ventaja clara en la imposición de disciplina económica, ya que el apoyo popular parecía ser un factor irrelevante bajo un Gobierno autoritario socialista. La creencia general era que la mano dura servía precisamente para imponer soluciones impopulares a una población que podría tener la tentación de resistirse ante ellas. Por el contrario, se pensaba que las democracias electorales poseían una desventaja natural, ya que ¿cómo podrían los líderes elegidos democráticamente esperar implementar políticas económicas impopulares en sistemas donde su poder dependía de la aprobación del pueblo? Así, en plena

165 Sobre Thatcher y el thatcherismo, véase John Campbell, *The Grocer's Daughter*, Londres, Jonathan Cape, 2000; *The Iron Lady*, Londres, Jonathan Cape, 2003; la biografía en tres volúmenes de Charles Moore, *Margaret Thatcher: From Grantham to the Falklands*, Nueva York, Knopf, 2013; *Margaret Thatcher: At Her Zenith*, Nueva York, Knopf, 2016; *Margaret Thatcher: Herself Alone*, Nueva York, Knopf, 2019; Robert Skidelsky (ed.), *Thatcherism*, Londres, Chatto & Windus, 1988; y Andrew Gamble, *The Free Economy and the Strong State: The Politics of Thatcherism*, Londres, Macmillan, 1994. Sobre la Gran Bretaña de los años ochenta, véase Graham Stewart, *Bang! A History of Britain in the 1980s*, Londres, Atlantic Books, 2013 y Alwyn W. Turner, *Rejoice! Britain in the 1980s*, Londres, Aurum, 2010. Sobre la crisis polaca, los títulos más importantes en inglés son Timothy Garton Ash, *Solidarity: The Polish Revolution*, Londres, Granta Books, 1991; Andrzej Paczkowski y Malcolm Byrne (eds.), *From Solidarity to Martial Law: The Polish Crisis of 1980-1981*, Budapest, Central European University Press, 2007; David Ost, *Solidarity and the Politics of Anti-Politics: Opposition and Reform in Poland Since 1968*, Filadelfia, Temple University Press, 1990; y Gregory Domber, *Empowering Revolution: America, Poland, and the End of the Cold War*, Chapel Hill, University of North Carolina Press, 2014.

década de los setenta, justo cuando la Guerra Fría pasó de ser una carrera de hacer promesas a convertirse en una competición para incumplirlas, el socialismo de Estado parecía tener la ventaja.

El thatcherismo en Gran Bretaña y la crisis en Polonia desafiaron la creencia predominante de que los regímenes autoritarios y democráticos eran más efectivos en la imposición de políticas económicas duras y rigurosas. Estos dos escenarios captaron la atención mundial no solo como ejemplos dinámicos de una lógica más amplia que se desarrollaba tanto en el Este como en el Oeste, sino también como eventos decisivos en la transformación de la Guerra Fría. Los acontecimientos en Varsovia y Londres, en Gdańsk y Orgreave, demostraron a los líderes mundiales tanto los méritos como los deméritos de implementar políticas de ruptura de promesas en sistemas políticos democráticos y autoritarios. Revelaron, así, cómo la combinación de democracia electoral e ideología neoliberal podía crear un Estado más robusto que el autoritarismo socialista.

Margaret Thatcher fue capaz de imponer una mayor disciplina económica con mucha más legitimidad que sus contrapartes polacas, gracias a los múltiples beneficios que las elecciones democráticas multipartidistas y la ideología neoliberal ofrecían a su Gobierno. Las elecciones le permitieron afirmar de manera creíble que no era responsable de las políticas seguidas por Gobiernos anteriores, y dieron a la mayoría de los británicos la satisfacción de que su Gobierno era perfectamente legítimo. La promoción de la libertad individual como el bien moral supremo y la crítica a la intervención gubernamental en la economía proporcionaron al neoliberalismo un marco ideológico extraordinariamente virtuoso para la política de ruptura de promesas. Aunque muchos en Gran Bretaña despreciaban a Thatcher y todo lo que representaba, después de 1979 pasaron a ser una minoría nacional.

Este contraste se hace aún más evidente en comparación con la situación polaca. Wojciech Jaruzelski, al frente de un Estado autoritario y un partido comunista que monopolizaba el poder, no podía distanciarse de manera creíble de la política anterior, ni acomodarse en los beneficios de la legitimidad popular o ganarse la confianza de la sociedad. Al dirigir un partido comunista que se jactaba de su férreo control sobre la sociedad y la economía, Jaruzelski intentaba enmarcar la política de ruptura de promesas en un marco ideológico más favorable a sus intereses. El principal obstáculo para la reforma era también la razón por la que Solidaridad ganó un amplio apoyo nacional: la mayoría de la población pensaba que vivía en una sociedad injusta bajo un Gobierno ilegítimo y, por lo tanto, no confiaba en que el partido comunista pudiera llevar a buen puerto las reformas económicas necesarias. A pesar de los numerosos intentos de Jaruzelski por cambiar esta percepción, quedó claro que no podía hacerlo sin desmantelar el propio Estado comunista. Al verse en esta encrucijada, optó por la militarización y la represión. Mientras Gran Bretaña prosperaba bajo el thatcherismo y Polonia se tambaleaba bajo la ley marcial en la década de los ochenta, las lecciones se mostraban claras y cristalinas para el resto del mundo: la política de romper promesas funcionaba mejor cuando los ciudadanos veían a su Gobierno como legítimo y cuando los Gobiernos encontraban una base ideológica que permitía definir la austeridad como algo virtuoso. Los efectos de estas lecciones resonarían en las revoluciones de 1989.

* * * *

A lo largo de la década de los setenta, mientras la situación económica de Polonia y Gran Bretaña se hacía cada vez más precaria, la posibilidad de la reforma se convirtió en el centro de un amplio y variado debate nacional. Numerosos economistas, políticos e intelectuales presentaron propuestas para revertir el declive nacional. Sin embargo, fueron John Hoskyns en Gran Bretaña y Mieczysław Rakowski en Polonia quienes influyeron significativamente en el rumbo de sus respectivos países. Ambos provenían de ámbitos ajenos a la política: Hoskyns había construido una exitosa carrera empresarial como director general de una compañía de informática, mientras que Rakowski era el longevo director de *Polityka*, un periódico reformista polaco. Sin embargo, debido a que sus ideas ofrecían maneras convincentes de superar las crisis nacionales, se convirtieron en asesores influyentes de Thatcher y Jaruzelski en el momento en el que sus Gobiernos trataban de implementar un disciplinamiento económico[166].

Hoskyns, que se describía a sí mismo como políticamente ecléctico —de hecho, había votado a los laboristas en las elecciones de 1970—, decidió involucrarse más en la política británica al comprobar la incapacidad del *establishment* político para reparar la economía británica. Tras presenciar la caída del Gobierno de Edward Heath en las elecciones de 1974, desencadenada por una poderosa huelga del Sindicato Nacional de Mineros, Hoskyns se convenció de que la clave para solucionar todos los males económicos de Gran Bretaña era acabar con los sindicatos y su probada capacidad de resistir al disciplinamiento económico. Con esta convicción, comenzó a buscar un partido político que respaldara sus ideas.

La elección no era tan evidente en ese momento como podría parecer en retrospectiva. Tanto los laboristas como los *tories* habían cumplido a rajatabla el consenso keynesiano de posguerra, y su política hacia los sindicatos oscilaba entre el apoyo explícito y la aceptación resignada. Ningún partido se oponía frontalmente a los intereses sindicales porque no creían que fuera posible derrotarlos. De hecho, todo el espectro político asumía que Gran Bretaña solo podía gobernarse con el permiso de los sindicatos. La caída del Gobierno de Heath parecía confirmar que cualquier reforma que contraviniera los intereses de la clase trabajadora no solo fracasaría, sino que también provocaría la caída del Gobierno que la propusiera. Como Thatcher recordó en sus memorias, durante la mayor parte de la década de los setenta, «la idea generalizada entre la población era que Reino Unido solo podía gobernarse con el

166 Para conocer la opinión de Thatcher sobre Hoskyns, véase Margaret Thatcher, *The Downing Street Years*, Nueva York, HarperCollins, 1993, p. 30. Respecto a la de Jaruzelski sobre Rakowski, véase *Wojciech Jaruzelski, Mein Leben für Polen: Erinnerungen*, Múnich, Zürich Piper, 1993, p. 243.

consentimiento del movimiento sindical. Ningún Gobierno podía realmente resistir —y mucho menos derrotar— una gran huelga»[167].

Thatcher compartía en gran medida la perspectiva de Hoskyns y, por tanto, encontró en el ala radical del partido conservador, que iba adquiriendo cada vez más poder, un lugar idóneo. Después de la derrota de Heath en 1974, Thatcher y su aliado político más cercano, Keith Joseph, fundaron el Centro de Estudios Políticos (CPS), un *think tank* que tenía por objetivo reformular la política económica keynesiana y la política de aceptación sindical del partido conservador. Elegida líder del partido al año siguiente, Thatcher se convirtió en el rostro visible de la oposición en el Parlamento. A través de Joseph, Hoskyns conoció a Thatcher en el verano de 1976 y se unió al CPS para explorar cómo revertir el declive económico británico. Con el país sumido en la política tensa y la economía estricta de la crisis del FMI ese otoño, era el momento propicio para una nueva reflexión sobre cómo curar la «enfermedad británica».

Pronto se identificó la raíz del problema: las reformas que podrían resolver los problemas económicos de Gran Bretaña eran políticamente inviables, y las políticas políticamente viables no resolverían los problemas económicos. Por lo tanto, el objetivo central de cualquier reforma pasó a ser la ampliación de los horizontes de lo políticamente posible. En una carta de junio de 1977 a Joseph, Hoskyns escribió que para modificar el rumbo de la economía británica se necesitaría «un cambio completo en el papel de los sindicatos; una disminución del nivel de vida; incluso más desempleo —a menos que los salarios puedan bajar aún más—», lo que era «políticamente inviable». El dilema para el Gobierno —cualquiera que fuera el partido gobernante— era «absoluto»: podían intentar implementar las medidas que cambiarían la economía, pero que resultaban políticamente imposibles, o podrían optar por medidas que, aunque razonables, no salvarían la economía del Reino Unido, aunque al menos eran políticamente permisibles. Así,

167 Thatcher, *The Downing Street Years*, p. 377.

la cuestión clave para los conservadores era de carácter político, más que económico. «¿Qué innovación política se necesita para eliminar las restricciones políticas a la libertad del Gobierno para aplicar dichas políticas?», se preguntaba Hoskyns de manera un tanto enrevesada[168]. Esta pregunta definiría la estrategia de los conservadores en la oposición. Joseph compartió las opiniones de Hoskyns con Thatcher, quien quedó impresionada y encargó a Hoskyns y a su colaborador, Norman Strauss, que desarrollaran «un plan coherente» para la campaña electoral y el futuro Gobierno[169].

El resultado fue el informe *Stepping Stones* de noviembre de 1977, considerado por muchos como la base del thatcherismo. Tenía dos objetivos principales. El primero, «desarrollar una estrategia de comunicación para convencer a la ciudadanía de que era necesario un cambio radical, aunque incómodo, y que la alternativa sería mucho peor»[170]. Los conservadores tenían que centrar sus esfuerzos en «vender nuevas políticas», ya que «hacer pedagogía sobre la necesidad y urgencia de las reformas» aseguraría que las propias reformas no desencadenaran lo que muchos temían que pudiera ser una verdadera revolución[171]. En segundo lugar, Stepping Stones buscaba unir al propio partido en torno a un conjunto de políticas públicas de transformación económica. Los cambios propuestos eran extensos; abarcaban la inflación, el tipo de cambio, los tipos de interés, los impuestos, la política industrial y el gasto público. Pero todos giraban en torno a la reforma sindical, una cuestión enormemente delicada.

En términos puramente cuantitativos, el partido conservador seguía dominado por políticos que creían que la cuestión sindical no debía tocarse. Estos políticos, que más tarde serían conocidos como los *wets* [húmedos], estaban enfrentados con el grupo liderado por Thatcher, que se mostraba a favor de abordar la cuestión

168 Carta de John Hoskyns a Keith Joseph, citada en John Hoskyns, *Just in Time: Inside the Thatcher Revolution*, Londres, Aurum Press, 2000, p. 26.

169 Diario de Hoskyns, citado en Hoskyns, *Just in Time*, p. 28.

170 *Ibid.*, p. 40.

171 *Ibid.*, p. 63.

sindical, más tarde llamados los *dries* [secos]. A pesar de que los *dries* eran una minoría con bastante poder, no dejaban de ser una minoría. Por lo tanto, el desafío principal era unir firmemente al partido en torno a la reforma sindical[172].

El informe *Stepping Stones* no se hacía ilusiones sobre el desafío que se avecinaba. El trabajo del próximo Gobierno sería «de una naturaleza diferente» de la de cualquiera de los Gobiernos de la posguerra. La recuperación económica requeriría «un cambio radical en la economía política británica». Para lograrlo, no bastaría con una victoria aplastante en las próximas elecciones, si esta simplemente reflejaba la «insatisfacción material del electorado». Más bien, la victoria electoral tendría que representar un rechazo explícito al socialismo y la demanda de algo moral y económicamente mejor. Debería producir un mandato que abordara el «único gran obstáculo del país: el papel perjudicial de los sindicatos». Conseguirlo no iba a ser fácil, pero si se manejaba con habilidad la cuestión sindical, la opinión pública podría pasar de considerarla un lastre político a una fortaleza[173].

¿Cómo lograría el partido cambiar de manera tan drástica la opinión del electorado? El informe aplicaba teorías de publicidad para postular una gran teoría del cambio social. Para empezar, sostenía que, en política, el partido y sus políticas eran aspectos del «producto» que el votante, o «usuario», adquiere con su voto. Cada votante tiene un «*set* mental» —un conjunto más o menos estable de opiniones, valores, intereses y propósitos— que utiliza a la hora de elegir un producto. Mientras los sets mentales de los votantes permanezcan inalterados, su comportamiento tenderá a ser predecible y seguirá un patrón fijo. Solo los «nuevos datos» —la nueva información sobre la función, los efectos o el impacto psicológico del producto (o del partido)— podrían alterar los esquemas

172 *Ibid.*, p. 40.

173 John Hoskyns y Norman Strauss, *Stepping Stones*, 14 de noviembre de 1977, el original se puede consultar en «Margaret Thatcher Papers», Churchill Archives Centre, Universidad de Cambridge, (THCR), archivo THCR 2/6/1/248. Consultado a través de Margaret Thatcher Foundation Digital Collection (MTFDC) el 19 de diciembre de 2017, https://www.margaretthatcher.org/document/111771, S-1 y S-2.

mentales de los usuarios y llevarlos a un estado de «disonancia cognitiva» que les resultaría estresante e intentarían, por tanto, buscar una solución cambiando su comportamiento. Si un número suficiente de votantes llega a un estado de disonancia cognitiva, el electorado reconocerá que el país ha alcanzado la «discontinuidad»: un punto en el que las soluciones a nuestros problemas simplemente no podrían encontrarse sin romper las restricciones —políticas o económicas— previamente aceptadas como inmutables[174].

En resumen, los conservadores tenían que lograr que la gente cambiara de opinión sobre el mundo del trabajo organizado y el ámbito sindical. Más allá del campo del lenguaje, se enfrentaban a un reto significativo. «Debe existir una conciencia nacional de que los sindicatos han de modificar su comportamiento para ser menos combativos, más flexibles y, por tanto, realmente útiles», concluía el informe. «Tenemos que asegurarnos de que [los votantes] sientan aversión hacia los valores sindicales actuales. Deben disgustarles tanto que su miedo se convierta en ira»[175].

Aunque el *Stepping Stones* proporcionó una interpretación convincente de cómo el thatcherismo logró ganarse un amplio apoyo popular, a finales de 1977 y 1978 recibió un respaldo tibio por parte de los líderes conservadores. Thatcher calificó el informe como «lo mejor que hemos tenido en muchos años» y ordenó la creación de grupos de trabajo para estudiar su implementación. Sin embargo, cuando comenzaron a trabajar, en la primavera de 1978, los políticos conservadores más experimentados, acostumbrados a evitar conflictos con los sindicatos, relegaron gradualmente la agenda de *Stepping Stones* al olvido. En lugar de plantear, de forma estratégica, la cuestión en foros públicos para «invitar» a los votantes a reorganizar sus «*sets* mentales», la mayoría de los líderes *tories* recurrieron al método más eficaz para lidiar con temas incómodos: no hablar de ello[176].

174 Hoskyns y Strauss, *Stepping Stones*, pp. 22, 24, 25, 27.

175 *Ibid.*, Apéndice, «The Union Problem», A-1, A-2.

176 Hoskyns, *Just in Time*, p. 79.

Pero, entonces, si el amplio reconocimiento público de la «discontinuidad» no fue el resultado de una hábil estrategia de comunicación, ¿a qué se debió? La respuesta se encuentra en una causa más mundana, pero también más efectiva: una serie de acontecimientos imprevistos. En el verano de 1978, el primer ministro laborista James Callaghan decidió posponer las elecciones, previstas para el otoño de ese mismo año, a la primavera de 1979. En los meses intermedios, su «política de ingresos», que respaldaba el FMI y establecía niveles nacionales para los aumentos salariales anuales como medio de combatir la inflación, colapsó bajo la presión popular. Los sindicatos de todas las tendencias y corrientes se declararon en huelga para exigir mayores salarios. Durante el denominado «Invierno del descontento», a finales de 1978 y principios de 1979, la sociedad británica prácticamente se paralizó. Bernard Donoughue, principal asesor de Callaghan, recordaba lo siguiente:

> En la segunda semana de enero [de 1979] (...) existía una grave escasez de alimentos y suministros médicos —los ministros incluso consideraron la posibilidad de enviar tanques a la sede de la división médica del ICI [Imperial Chemical Industries] para recuperar medicamentos y equipos esenciales— (...) En la televisión, las imágenes de violencia nocturna y el rostro brutal del sindicalismo estaban causando un daño terrible al Gobierno y al propio movimiento sindical.
>
> (...) un millón y medio de trabajadores de los servicios públicos se declararon en huelga, obligando a cerrar hospitales, escuelas y servicios sociales de las autoridades locales en todo el país. Los ferrocarriles se paralizaron (...)
>
> El NUPE [Sindicato Nacional de Empleados Públicos] anunció de forma pública, sin disculparse ni dar muestras de compasión, que no permitiría la entrada de enfermos en los hospitales; y un funcionario se plantó ante las cámaras de televisión y llegó a declarar que «si moría gente, que así fuera»[177].

177 Citado en Hoskyns, *Just in Time*, p. 80. Véase también Stewart, *Bang!*, p. 23.

El Invierno del descontento generó, precisamente, los «nuevos datos» que *Stepping Stones* reclamaba. Reino Unido alcanzó un momento de «discontinuidad», y la gente comenzó a buscar una salida a lo que hasta entonces parecía ser inalterable. El 18 de enero de 1979, Hoskyns escribió en su diario que los *tories* estaban experimentando una «leve euforia porque, creo, la cuestión sindical se ha convertido en la cuestión más discutida del país»[178]. A finales de marzo, Callaghan perdió un voto de confianza en la Cámara de los Comunes, lo que llevó a las primeras elecciones generales forzadas por la Cámara desde 1924. Poco más de un mes después, el 3 de mayo de 1979, los conservadores regresaron al Gobierno británico con cuarenta y tres escaños por encima de la mayoría, y Thatcher se convirtió en primera ministra con el mandato de combatir la inflación, limitar el gasto público y poner fin al poder sindical.

Mientras John Hoskyns implementaba los postulados de *Stepping Stones* en Gran Bretaña, Mieczysław Rakowski trabajaba en los planes de reforma para Polonia. Desde su posición como editor de *Polityka*, observó cómo la década de los setenta se desarrollaba en un contexto político y económico que, a pesar de ser radicalmente diferente al del Reino Unido, presentaba sorprendentes similitudes. Si Edward Heath había caído en 1974 tras intentar imponer disciplina a los sindicatos británicos, a Władysław Gomułka le había ocurrido lo mismo en 1970, tras intentar disciplinar a los trabajadores polacos aumentando los precios de los bienes básicos. Al igual que los laboristas que reemplazaron a Heath en Gran Bretaña, Edward Gierek, sucesor de Gomułka, legitimó su liderazgo después del año 1970 gracias a la defensa, y no el disciplinamiento, de los intereses de la clase obrera polaca. Incluso la crisis de mediados de la década en Polonia coincidió con la del FMI en Gran Bretaña.

Así, a finales de los años setenta, Polonia y Gran Bretaña se enfrentaban a un problema similar: la imposibilidad política de la

178 Citado en Hoskyns, *Just in Time*, p. 85.

reforma económica. Al igual que en Gran Bretaña, la presión por apaciguar a la clase trabajadora había llevado a que los aumentos salariales en Polonia durante la primera mitad de la década de los setenta superaran ampliamente el aumento de la productividad laboral. Esto dejó a la población polaca con mucho dinero para gastar, pero poco en qué gastarlo. En Gran Bretaña, este exceso monetario se manifestó en una inflación paralizante, mientras que en Polonia, donde los precios se fijaban de manera administrativa, resultó en una escasez igualmente inmovilizadora de bienes de consumo. Si en Reino Unido, Hoskyns y los conservadores intentaron resolver este problema mediante el monetarismo, la reducción de subvenciones a las industrias nacionalizadas y la disciplina sindical, en Polonia, los políticos buscaban soluciones similares a través del aumento de precios, la independencia empresarial y campañas para incrementar el disciplinamiento laboral. En ambos países, los resultados de estas reformas implicarían descensos significativos en el nivel de vida nacional, quiebras de empresas nacionalizadas de enorme valor y mayor inseguridad laboral para la clase trabajadora, lo que constituía en sí mismo una amenaza a la estabilidad política.

En Polonia, coincidiendo con lo planteado por John Hoskyns, la cuestión era qué innovación política permitiría al Gobierno implementar políticas necesarias en lo económico pero impopulares en lo político. Fue en este contexto donde Rakowski emergió como una voz importante en la escena polaca. Aunque no era economista, Rakowski era un observador de la política nacional muy astuto. Para finales de la década de los setenta, estaba claro que cualquier esfuerzo futuro de reforma económica por parte del Gobierno estaría condenado al fracaso, debido a dos debilidades de por sí evidentes: la falta de legitimidad del Gobierno a los ojos del pueblo polaco y la consiguiente falta de confianza de la población en el Gobierno. Rakowski remarcó estas debilidades en 1978 y 1979, en un libro muy crítico con el liderazgo comunista en la década de los setenta: *Rzeczpospolita na progu lat osiemdziesiątych* [La República en el umbral de los ochenta].

Al comienzo del libro, tras elogiar los logros del socialismo en Polonia, Rakowski rápidamente trató el problema central que motivaba su texto. Para 1979, la economía polaca llevaba tres años registrando malos resultados y no se esperaba una mejora significativa en, por lo menos, los dos siguientes. Esto significaba que la mitad de la década estaría marcada por «graves dificultades económicas». Cinco años de problemas económicos implicaban que la situación de Polonia «ya no era una cuestión trivial» y que el país se enfrentaba «no solo a un enorme desafío económico, sino también a uno político»[179].

Los problemas económicos del país habían generado dos fenómenos sociales preocupantes. Primero, la población polaca percibía cada vez más su sociedad como injusta. «Muchas personas son cada vez más conscientes de la creciente brecha entre su situación de vida [y la de aquellos] considerados privilegiados en la sociedad», escribió Rakowski. La política social había comenzado a alejarse de «los principios básicos del igualitarismo social y los principios más elementales de la justicia social». En segundo lugar, se había instaurado en la población una desconfianza generalizada hacia el Gobierno y el partido comunista, el Partido Obrero Unificado Polaco (conocido por su acrónimo polaco, PZPR). A medida que la escasez de bienes de consumo y las largas colas en las tiendas se volvían deprimentemente familiares a finales de la década de los setenta, las «dificultades acumulativas de la vida cotidiana» habían llevado a grandes sectores de la sociedad a «perder la confianza» en las constantes declaraciones del partido sobre el benigno avance del socialismo[180].

Debido a estas dos tendencias, Rakowski temía que una «mayoría social» no creyera en «la idea de sacar a Polonia conjuntamente de las dificultades en las que había caído». Mientras el partido intentaba «llevar a cabo grandes y nada fáciles tareas económicas y sociales» en los años venideros, se vería obligado a hacerlo en

179 Rakowski, *Rzeczpospolita na progu lat osiemdziesiątych*, Varsovia, Państwowy Instytut Wydawniczy, 1981, p. 69.

180 Rakowski, *Rzeczpospolita na progu lat osiemdziesiątych*, pp. 56, 31.

medio de una profunda «crisis de confianza pública en nuestra política». Si tal ambiente persistía, escribió Rakowski de manera ominosa y premonitoria, «podría llegar el momento en que la sociedad, o algunas de sus facciones, cuestionaría ferozmente nuestra capacidad para desempeñar un papel de liderazgo en la definición de las direcciones de desarrollo del país», cuyas consecuencias serían «trágicas»[181].

En su búsqueda de encontrar el modo de evitar esta inminente tragedia, Rakowski planteó una pregunta similar a la de Hoskyns: «¿Qué se debe hacer para encontrar una salida a la actual situación, altamente desfavorable?». Propuso varias opciones, pero todas gravitaban en torno a un tema común: era el momento de que el PZPR buscara alianzas para resolver los problemas de la nación. Rakowski definía esta alianza como un acuerdo entre el PZPR y otras fuerzas sociales, que establecería la «corresponsabilidad» de los socios tanto en las políticas de reforma como en el destino del país. La Iglesia católica y los sindicatos encabezaban la lista de posibles socios. La Iglesia era «uno de los garantes de la paz en Polonia», mientras que los sindicatos podían «cumplir el papel de un intermediario auténtico entre la clase trabajadora y los centros de poder». Si ambos pudieran incorporarse como socios, Rakowski creía que el partido se beneficiaría de una «distribución real de responsabilidad compartida por el desarrollo del país». Pero tenían que actuar rápido. Rakowski advertía que la inacción acarrearía problemas aún mayores. Si el partido no «satisfacía el creciente anhelo de la sociedad por una participación real en el Gobierno, la vida nos obligaría a hacerlo de todos modos», concluía[182].

A pesar de lo perspicaces que parecen los juicios de Rakowski en retrospectiva, en 1979 no encontraron eco en los círculos de poder polacos. Debido a la extensa crítica al partido comunista que recoge en su libro, Rakowski no encontró una editorial que lo publicara, aunque se le permitió difundirlo entre sus amigos y

181 *Ibid.*, pp. 32-33.

182 *Ibid.*, pp. 33, 183, 177, 188, 189, 190.

asociados[183]. Ese año la economía polaca se contrajo y, en lugar de abordar proactivamente los crecientes problemas, el aparato del partido, entonces bajo el mando de Gierek, adoptó una postura de parálisis política. Al igual que ocurrió con el informe *Stepping Stones* en Gran Bretaña, era necesario que llegara una situación de crisis nacional para que las opiniones de Rakowski fueran plenamente consideradas. Solo después de un momento de «discontinuidad» la gente buscaría una solución a lo que hasta entonces parecían ser hechos inalterables de la vida.

La crisis no tardó en llegar. El Gobierno de Gierek, excluido de los mercados mundiales de capitales por una combinación de factores como los tipos de interés de Volcker, la crisis de los rehenes iraníes y la invasión soviética de Afganistán, intentó subir los precios de los alimentos, por tercera vez en una década, el 1 de julio de 1980. Tres semanas después, estallaron en los centros industriales del país huelgas generalizadas. A mediados de agosto, los disturbios se reavivaron en los astilleros Lenin de Gdańsk, donde los activistas presentaron demandas económicas y políticas. Uno de esos trabajadores, Lech Wałęsa, quien había sido despedido por organizar un sindicato, se convirtió en líder del comité de huelga y buscó unificar las diferentes luchas en el comité de huelga interfábricas. La rápida y extensa magnitud de las protestas superó a los sistemas estatales de represión y al poco los trabajadores publicaron una lista con veintiuna reivindicaciones. El debilitado politburó de Gierek optó por negociar, y el 31 de agosto firmaron los Acuerdos de Gdańsk, reconociendo los derechos de los trabajadores a formar sindicatos independientes y a expresarse libremente en la esfera pública. En los días siguientes, se firmaron acuerdos similares en otras partes del país y, a mediados de septiembre, los trabajadores unieron sus grupos en el Sindicato Independiente Autogestionario «Solidaridad». Polonia había alcanzado su momento de «discontinuidad», y la búsqueda

183 El libro no se publicó hasta 1981, cuando comenzó la crisis polaca y las opiniones de Rakowski se convirtieron en la corriente dominante.

nacional de soluciones frente a hechos de vida previamente inalterables comenzó de inmediato.

Como en Gran Bretaña, el primer paso fue destituir al líder que había llevado al país a la crisis. A principios de septiembre, Gierek fue rápidamente depuesto por su propio politburó, en un intento desesperado del partido por distanciarse de las políticas de los años setenta. Sin embargo, su sucesor, Stanislaw Kania, estaba casi igualmente implicado en los errores pasados y pocos polacos vieron su nombramiento como un nuevo comienzo. En los últimos meses de 1980, se produjeron nuevas tensiones entre el PZPR y la nueva oposición. En octubre, Solidaridad organizó una huelga general de una hora para protestar por los retrasos en los aumentos salariales prometidos en Gdańsk, lo que obligó a Kania a prometer su adhesión a los acuerdos al día siguiente. En noviembre, mientras el partido se demoraba en reconocer oficialmente la existencia de Solidaridad, el sindicato amenazó con otra huelga general más larga, a menos que se aprobara su registro. Una vez más, el partido cedió. En diciembre, los trabajadores de la ciudad de Piotrków Trybunalski se declararon en huelga para protestar por la reducción de sus raciones de carne. El Gobierno argumentó que lo exigía la crisis económica, pero, como temía Rakowski, los trabajadores habían perdido toda confianza en la credibilidad de las declaraciones gubernamentales. De hecho, se había extendido la creencia de que el partido estaba generando a propósito la crisis económica, incluyendo la retención de alimentos, con el objetivo de desacreditar a Solidaridad a los ojos de la sociedad. Los trabajadores no volvieron a sus puestos de trabajo hasta que los funcionarios locales aceptaron que Solidaridad supervisara el sistema de distribución de alimentos en la zona[184].

En un contexto de profunda desconfianza social, construir un programa de reforma y disciplinamiento económico se convirtió en un desafío abrumador. Rakowski, quien desde hace tiempo creía en la necesidad de cambio, vio en las luchas de finales de 1980 la

184 Ost, *Solidarity*, pp. 99-121.

oportunidad de ganar apoyos para su perspectiva. En noviembre, utilizó las páginas de *Polityka* para abogar por un cambio en el curso del partido. Bajo el título «Credibilidad», escribió un texto dirigido a los polacos donde decía: «Somos testigos del fin de cierta era: la de la autonomía del PZPR. En lugar de autonomía, surge el asociacionismo como una perspectiva». El Gobierno del partido ya no podía basarse «en la sospecha hacia los socios», ya que esos potenciales socios ahora contaban con «el apoyo de importantes facciones de la sociedad» El «factor decisivo» en la creación de Solidaridad había sido «el cansancio de la clase trabajadora y de toda la sociedad por [la forma del partido] de ejercer el poder». Si el PZPR quería continuar gobernando Polonia, primero tenía que recuperar la confianza de la población[185].

Estas opiniones finalmente captaron la atención de una figura clave: Wojciech Jaruzelski. A medida que, a finales de 1980, la posición de Kania se debilitaba, Jaruzelski comenzó a desempeñar un papel más prominente en la dirección del partido. En otoño de ese año, siendo jefe del ejército y ministro de Defensa, ascendió a primer ministro en febrero de 1981. Tras leer los artículos de Rakowski, solicitó el manuscrito de su libro aún inédito. En sus memorias, Jaruzelski recordó que compartía la convicción de Rakowski de considerar a Solidaridad como un socio valioso y encontraba afinidad con sus puntos de vista[186]. Por ello, le ofreció en su nuevo Gobierno el cargo de viceprimer ministro para los sindicatos, y le pidió que implementara su visión de asociación entre el PZPR y la ciudadanía. Al igual que en Gran Bretaña, un periodo de crisis social había desencadenado un cambio en el Gobierno y en su orientación política. Lo que quedaba por ver era si los nuevos Gobiernos y la nueva corriente de pensamiento podrían generar el cambio impopular que se les había resistido a todos sus predecesores.

185 Citado en Rakowski, *Dzienniki polityczne 1979-1981*, Varsovia, ISKRY, 2004, p. 278.

186 Jaruzelski, *Mein Leben für Polen*, pp. 242-243.

****

El primer año del Gobierno de Thatcher no trajo consigo la revolución que muchos esperaban. Para resolver los conflictos laborales en el corazón del Invierno del descontento, el Gobierno laborista saliente había concedido un generoso conjunto de aumentos salariales en toda la economía, y Thatcher prefirió no gastar sus primeros momentos en el cargo reavivando las batallas laborales que la habían llevado a Downing Street. Junto a las presiones generadas por la segunda crisis del petróleo, estos aumentos salariales solo agravaron el problema inflacionario que se cernía sobre Gran Bretaña. Además, aunque el primer presupuesto de Thatcher no fue un derroche de gasto keynesiano, sí estimuló más que disciplinó la economía a través de recortes en el impuesto sobre la renta. El resultado fue que, en otoño de 1979, la inflación estaba en un 17,4 %, y el estado de bienestar británico y el sistema de sindicatos permanecieron prácticamente intactos[187].

Quedó en manos de quienes controlaban las imprentas imponer la disciplina que había evitado el Gabinete de Thatcher. Bajo la dirección de Geoffrey Howe, ministro de Hacienda, el Gobierno adoptó una política monetaria destinada a quebrar las expectativas inflacionarias de la población. Al igual que Volcker en Estados Unidos, el Gobicrno británico establecería un objetivo de crecimiento monetario anual, ajustando los tipos de interés para alcanzarlo. Teóricamente, esto significaba que no había límite para los niveles de tipos de interés que el Gobierno establecería en pos de sus objetivos monetarios, pero en la práctica, simplemente resultaba en un aumento significativo de los tipos respecto al pasado. Y eso fue lo que ocurrió: Howe elevó los tipos del 12 % al 14 % en junio de 1979, y del 14 % al 17 % en noviembre. Rápidamente se notaron los efectos en la economía. La cotización de la libra esterlina subió con fuerza hasta alcanzar los 2,40 dólares en la segunda mitad de 1980 (comparado con los 1,57 dólares en el

187 Stewart, *Bang!*, p. 56.

punto más bajo de la crisis del FMI), y la desventaja competitiva resultante para la industria británica en los mercados mundiales condujo a despidos masivos en el sector privado. El desempleo, que había sido de 1,4 millones de personas cuando Thatcher asumió el cargo, comenzó una escalada constante e insostenible hasta llegar a los tres millones en enero de 1982[188].

Hoskyns y sus aliados esperaban una reacción popular adversa. Con los recuerdos del Gobierno de Heath de 1974 y del Invierno del descontento de 1979 aún frescos en su memoria, comenzaron a planificar lo que creían sería la respuesta inevitable de la clase trabajadora: huelgas. En el verano de 1979, Hoskyns inició las denominadas campañas «Rápida» y «Larga» para modificar el pensamiento de la clase trabajadora. Ambas se basaban en lo que él y su colega de la Unidad de política, Norman Strauss, llamaron «comunicaciones guiadas por acontecimientos». Esta teoría estaba motivada por la convicción de que «las actitudes públicas no se veían muy afectadas por discursos y artículos, debido a que la mayoría de las personas no tienen el hábito de visualizar situaciones futuras diferentes». Sin embargo, «lo que cambiaba sus mentes (...) era la observación directa —o mejor aún, la experiencia de primera mano— de acontecimientos y acciones reales». En términos de política práctica, esto significaba que el Gobierno de Thatcher debería utilizar «argumentos basados en principios» para exponer en público sus posiciones económicas y «estar preparado para dejar que las huelgas ocurrieran». Una vez que estuvieran «causando dificultades generalizadas» y «estrés en la mente de la ciudadanía», se haría evidente la «quiebra moral e intelectual» de los líderes sindicales. Solo entonces las actitudes públicas hacia los sindicatos, incluidos sus miembros de base, comenzarían a cambiar[189].

Hay que resaltar dos puntos importantes sobre esta línea de razonamiento. Primero, al igual que ocurrió con el informe *Stepping*

188 *Ibid.*, pp. 57-59.

189 Hoskyns, *Just in Time*, p. 118; la cita sobre la «quiebra moral e intelectual» en p. 125.

Stones cuando el partido conservador estaba en la oposición, casi todos los ministros de Thatcher encontraron que esta política de provocación intencionada era políticamente temeraria y optaron por guardar silencio. La mayoría de los ministros simplemente no compartían la fe de Hoskyns en la mutabilidad de la opinión pública. Después de unos cuantos discursos severos de Thatcher y Howe en el otoño de 1979, la campaña «Rápida» se desvaneció y, para la primavera de 1980, el propio Hoskyns había abandonado la «Larga» debido a la oposición interna.

En segundo lugar, y más importante, incluso si el Gabinete *tory* no depositaba mucha esperanza en las «comunicaciones guiadas por acontecimientos», al otro lado del telón de acero los líderes del politburó polaco sí lo hacían. A lo largo de su larga batalla con un sindicato, los líderes polacos esperaban que la «experiencia de primera mano» de los ciudadanos con las «dificultades materiales» producidas por las acciones de Solidaridad expusiera lo que ellos creían que era la «quiebra moral e intelectual» del liderazgo sindical e inclinara la opinión pública a su favor. Por supuesto, su esperanza se enfrentó a un problema bastante significativo: en el sistema autoritario socialista, antidemocrático e injusto, era difícil convencer a ningún polaco de que era Solidaridad, y no el partido, el que había entrado moral e intelectualmente en quiebra. Aunque hay algunas evidencias que sugieren que la población polaca se cansó de las dificultades materiales y la incertidumbre de la vida diaria a finales de 1981, estos sentimientos nunca se tradujeron en un cambio generalizado de la opinión pública contra Solidaridad. El PZPR nunca emprendió los pasos que le habrían dado la moral y la superioridad intelectual necesarias para cambiar la opinión pública porque no podía hacerlo sin liquidar el sistema comunista en sí. Por esa razón, los acontecimientos siempre «comunicaban» un mensaje diferente a la población polaca que al pueblo británico[190].

190 Véase la introducción en Paczkowski y Byrne, *From Solidarity*, para un análisis más detallado de la opinión pública durante la crisis.

A pesar de las ambiciones de Hoskyns, para inicios de 1980, el Gobierno de Thatcher aún no había hecho nada para cambiar la estructura del Gobierno y de la sociedad británicos. Una serie de innovaciones políticas en la primavera y el verano de ese año convergieron para comenzar a producir tales cambios. En marzo, el Tesoro anunció una nueva política de planificación monetaria a largo plazo, denominada Estrategia Financiera a Medio Plazo (MTFS, por sus siglas en inglés). Como elaboración adicional de la visión monetarista del Gobierno, la MTFS anunció objetivos anuales para el crecimiento de la oferta monetaria y comprometió al Gobierno a reducir el déficit presupuestario para alcanzarlos. En el Banco de Inglaterra, el Tesoro y en Downing Street, muchos funcionarios y políticos excepcionalmente inteligentes pensaron que esta era una idea excepcionalmente estúpida[191]. Según ellos, el crecimiento de la oferta monetaria era extremadamente difícil de medir, y mucho menos de predecir, y cada vez que pareciera fallar al intentar alcanzar un objetivo, el Gobierno quedaría atrapado. Como lo expresó Nigel Lawson, el subalterno de Howe en el Tesoro, quien había propuesto inicialmente la idea: «ese era, por supuesto, el objetivo de todo el ejercicio». Para Lawson, la MTFS «estaba destinada a ser una restricción autoimpuesta sobre la formulación de políticas económicas, al igual que el patrón oro y el sistema de Bretton Woods (...) lo habían sido en el pasado»[192]. Al final, resultó que los dos bandos tenían razón. Los objetivos a menudo no se alcanzaron (a veces por un margen considerable), sin embargo, su mera existencia impulsó al Gobierno a adoptar políticas difíciles de asumir que de otro modo no se habrían llevado a cabo.

Las pruebas comenzaron a manifestarse casi de inmediato. Con el anuncio de la MTFS, el Gobierno se encontró con presiones internas para reducir el gasto público. Durante el verano y el

191 En marzo de 1980, en una reunión de altos consejeros, el gobernador del Banco de Inglaterra transmitió a Thatcher sus «serias dudas sobre todo el ejercicio», A. J. Wiggins a John Hoskyns, 10 de marzo de 1980, MTFDC, https://www.margaretthatcher.org/document/113049.

192 Nigel Lawson, *The View from N.º 11: Memoirs of a Tory Radical*, Londres, Corgi, 1993, p. s67.

otoño de 1980, esta presión se hizo evidente a través de diversos debates técnicos sobre los acuerdos salariales del sector público, la desvinculación del gasto público de la inflación y la definición de los «límites de tesorería» para cada ministerio y sector nacionalizado. En conjunto, estos debates muestran un Gobierno en busca de formas que hicieran políticamente viable lo que consideraba económicamente necesario.

El asesoramiento en estas negociaciones de Hoskyns, principal estratega del Gobierno, resultó decisivo. Con una inflación de dos dígitos en 1980, cualquier decisión gubernamental de separar los incrementos salariales del nivel de precios conllevaba inevitablemente una disminución significativa de los salarios reales de los trabajadores. Todos eran conscientes de que esto podría generar problemas e incluso provocar una huelga en el sector público, pero Hoskyns, confiado, aconsejó a Thatcher que hiciera el cambio[193].Él creía firmemente que los cambios en la opinión pública estaban influenciados por los acontecimientos, por lo que tal vez una huelga sería justo lo que el Gobierno de Thatcher necesitaba. «Hay razones sólidas para hacerlo pronto», escribió, «con el fin de permitir un "tiempo de protesta" máximo para que el debate posterior pueda exponer la falta de argumentos éticos e intelectuales de la posición sindical». Como había sostenido desde que desarrolló por primera vez su gran teoría del cambio social en *Stepping Stones*, reiteró: «No se lograrán nuevos comportamientos a menos que haya nuevas actitudes. Y no se obtendrán nuevas actitudes sin nueva información y sin que haya pasado el tiempo suficiente para que los medios de comunicación la transmitan, la expliquen y el público la comprenda»[194].

La desvinculación de los pagos de seguridad social de la inflación presentaba un desafío disciplinario similar. El memorando de

193 John Hoskyns, «Estrategia económica», 13 de junio de 1980, PREM19/172 f129, Fundación Margaret Thatcher, Thatcher Digital Archive (MSS), consultado el 29 de diciembre de 2017, https:// www.margaretthatcher.org/document/115536.

194 Hoskyns al primer ministro, «Public Sector Pay», 18 de julio de 1980, PREM19/182 f134, Margaret Thatcher Foundation, Thatcher Digital Archive (MSS), consultado el 20 de diciembre de 2017, https://www.margaretthatcher.org/document/115669.

Hoskyns sobre este tema enseguida señaló «las dificultades políticas» inherentes a esta decisión, pero alentó a Thatcher a seguir adelante de todos modos. Con el fin de suavizar el mal trago que supondría para la sociedad, Hoskyns sugirió que la desvinculación se incluyera en un «paquete más amplio» que enfatizara una «distribución justa del sacrificio». Conjeturó que sería suficiente algo como un «recargo simbólico» en los tramos impositivos más altos. «La gente aceptará casi cualquier cosa», concluyó, «siempre y cuando se les convenza de que es (a) necesario; (b) justo»[195]. En esta etapa de su mandato, Thatcher era conocida en todo el mundo por su mantra: «No hay alternativa». Para Hoskyns, esa frase resumía únicamente la mitad del desafío: no solo era necesario convencer a la gente de que no existían alternativas a la disciplina gubernamental, sino también de que la carga de dicha disciplina se distribuiría equitativamente entre toda la sociedad.

Las cuestiones de necesidad y justicia alcanzaron un punto crítico a finales de 1980. A pesar de los meses de trabajo en la formulación de políticas de disciplina económica, Thatcher y su Gobierno aún no habían implementado suficiente austeridad para cambiar las perspectivas del país. De hecho, en noviembre de 1980, la mayoría de los observadores, tanto dentro como fuera del Ejecutivo, habían llegado a la conclusión de que el Gobierno había alcanzado un equilibrio equivocado entre la política fiscal y la monetaria en sus dos primeros años. La combinación de tipos de interés elevados y una política fiscal laxa había tenido como resultado lo peor de ambos mundos: tipos de interés elevados que se habían traducido en una libra esterlina sobrevalorada; una libra esterlina sobrestimada que había perjudicado seriamente a la industria británica; una industria diezmada que luego había despedido a cientos de miles de trabajadores; un aumento en la tasa de desempleo que había aumentado el gasto público

195 Hoskyns a Thatcher, «Opciones políticas», 11 de noviembre de 1980, PREM19/174F222, Fundación Margaret Thatcher, Thatcher Digital Archive (MSS), consultado el 20 de diciembre de 2017, https://www.margaretthatcher.org/document/115566.

en seguridad social, y un aumento del gasto público que había incrementado aún más el déficit presupuestario y había llevado a mayores tipos de interés. Se trataba de una espiral destructiva para la que no parecía existir una solución política fácil. Todas las opciones aparentes que podrían resolver la crisis, ya fuera reducir aún más el gasto público, revertir los recortes fiscales que habían desequilibrado el programa de gobierno de Thatcher o permitir la quiebra de las empresas nacionalizadas, suponían un suicidio político de una manera u otra.

Este era precisamente el momento de la imposibilidad política que Hoskyns llevaba tiempo anticipando. Desde finales de noviembre de 1980 hasta la publicación del próximo presupuesto en marzo de 1981, emprendió una campaña constante para persuadir a Thatcher de que pasara por alto todas las limitaciones políticas y tomara las medidas que consideraba económicamente necesarias. «Debemos estar llegando a un punto en el que tenemos que elegir entre dos caminos. Por un lado, podemos seguir avanzando hacia lo que es "políticamente posible" pero insuficiente para resolver el problema. Por otro, tendremos que encontrar formas de hacer lo que parece "políticamente imposible" pero que es esencial»[196], le escribió en noviembre de 1980. A finales de año, había ampliado el alcance de su mensaje a todo el periodo de posguerra. El declive británico de la posguerra lo habían causado «políticos que nunca han entendido lo que es económicamente necesario, solo lo que parece "posible"». A finales de 1980, muy pocas cosas parecían políticamente posibles, debido a una larga lista de limitaciones: incapacidad para reducir el gasto en seguridad social, así como para reformar los sindicatos, superar las huelgas y liquidar las empresas estatales. Pero Hoskyns abogó por la persistencia: «Aceptar estas limitaciones equivale a decir: "Pensándolo bien, hemos decidido que no podemos tener éxito"». Hoskyns instó a Thatcher a convencer a su Gabinete de que cada una de estas limitaciones «debe

196 Hoskyns a Thatcher, 20 de noviembre de 1980, PREM19/174 f196, MTFDC, consultado el 29 de diciembre de 2017, https://www.margaretthatcher.org/document/115568.

romperse» y también a que se centrara en «la comunicación política adecuada para ganarse la aceptación de la opinión pública»[197].

La política de Thatcher se había focalizado durante mucho tiempo en tocar las fibras retóricas que resonarían en el corazón del pueblo británico. A lo largo de sus discursos, la primera ministra apelaba a los principios liberales del individualismo, la independencia y la autosuficiencia para enaltecer su lucha contra la intervención gubernamental en la economía. En su opinión, no estaba imponiendo disciplina económica a una población renuente, sino liberando a una población cautiva de la creciente tiranía del Estado. «No es el Estado el que crea una sociedad sana», le advirtió a la nación en octubre de 1980. «El Estado agota a la sociedad, no solo en términos de riqueza, sino de iniciativa y energía. Una sociedad sana no la crean sus instituciones», sino que «una gran nación [es] el resultado voluntario de su pueblo», y la prosperidad es el fruto de «innumerables actos de confianza y autosuficiencia personal»[198]. Esto no se trataba de una simple tapadera retórica con la que convencer a la ciudadanía; Thatcher fue una defensora convincente de su visión porque creía sinceramente en ella.

Esta sinceridad de convicciones resultó crucial cuando, como ocurrió en el otoño de 1980, el deterioro de su situación dejaba entrever que debía abandonar sus creencias. De hecho, la mayoría de los observadores creían que era cuestión de tiempo que cambiara de rumbo, y se hablaba de que daría un «giro de 180 grados». A la Dama de Hierro le gustaba desafiar las expectativas. «A aquellos que esperan ansiosamente el giro de 180 grados», afirmó en su discurso del mes de octubre, «solo tengo una cosa que decirles: giren si así lo desean. La dama no está para giros»[199]. Este nivel de confianza en la disciplina económica y en el lenguaje liberal

197 Hoskyns a Thatcher, «Estrategia del Gobierno», 22 de diciembre de 1980, PREM19/174 f11, MTFDC, consultado el 29 de diciembre de 2017, https://www.margaretthatcher.org/document/115579.

198 Margaret Thatcher, «Discurso ante la Conferencia del Partido Conservador», 10 de octubre de 1980, CCOPR 735/80, MTFDC, consultado el 15 de junio de 2021, https://www.margaretthatcher.org/ document/104431.

199 Thatcher, «Discurso ante la Conferencia del Partido Conservador».

del individualismo y la autosuficiencia no estaba al alcance de Jaruzelski ni de Rakowski en Polonia. Fue ahí, en la confianza ciega en sus propias convicciones ideológicas y en las justificaciones retóricas que ofreció en público, donde el neoliberalismo marcó una diferencia crucial en la competición por romper las promesas.

La confianza justificada todavía necesitaba vincularse a políticas concretas, así que, a principios de 1981, un pequeño grupo de altos funcionarios se reunió en Chequers durante un retiro de fin de semana para discutir sus próximos pasos. Allí nació el presupuesto de 1981 —hito definitorio en la historia fiscal del thatcherismo—. Cuando el grupo se reunió, el 17 de enero, Geoffrey Howe llegó con muy malas noticias: el déficit presupuestario estaba creciendo y no se veía el final[200]. A menos que se zanjara el aumento de la deuda pública, los tipos de interés y la libra seguirían subiendo, la industria continuaría despidiendo a trabajadores y el gasto público seguiría subiendo. Para evitar este deterioro, se hizo evidente que el Gobierno tendría que proponer un presupuesto deflacionario extremadamente austero en medio de una recesión ya severa. Los ministros regresaron a Londres, donde los esperaba librar una lucha por el futuro del experimento Thatcher.

En sus memorias, Thatcher escribió: «Nunca olvidaré las semanas que precedieron al presupuesto de 1981. No había día en el que el panorama financiero empeorara de alguna manera»[201]. De hecho, cada vez que Howe presentaba nuevas proyecciones, el déficit presupuestario proyectado aumentaba todavía más, siempre por encima del objetivo establecido por el Gobierno en el MTFS. El debate gubernamental interno buscaba equilibrar los intereses de los dos grupos más influyentes en la política de incumplimiento de promesas: los inversores internacionales que compraban deuda británica y los ciudadanos del país a quienes servía el Gobierno. Durante gran parte del mes de febrero, el debate sobre cómo equilibrar los intereses opuestos de estos dos grupos causó tensiones

200 Diario de Hoskyns, citado en Hoskyns, *Just in Time*, p. 260.

201 Thatcher, *The Downing Street Years*, p. 132.

en el seno del Gobierno. Tras una de esas reuniones, Hoskyns y la Unidad política advirtieron: «Este presupuesto marca un punto de inflexión». Las restricciones económicas habían forzado una confrontación con la dura realidad política, concluyeron, y el futuro político de Thatcher dependía de su elección. «EN RESUMEN, CREEMOS QUE EL PRESUPUESTO PRESENTADO EL 10 DE MARZO DETERMINARÁ EN GRAN MEDIDA SI GANAMOS O PERDEMOS LAS PRÓXIMAS ELECCIONES»[202].

Finalmente, Thatcher optó por la disciplina económica en lugar de la popularidad política e introdujo un presupuesto deflacionario que incluyó aumentos de impuestos y recortes de gastos. Intentó explicar públicamente que, al priorizar la reducción del déficit, el presupuesto tenía como objetivo reducir los tipos de interés, mejorar el tipo de cambio y, con el tiempo, devolver a Gran Bretaña al crecimiento económico. Pero fue una tarea difícil de vender. En gran parte del espectro político y académico, el presupuesto fue condenado por mantener una fe inquebrantable en el poder del monetarismo, a pesar del evidente sufrimiento de la población. El caso más famoso fue el de un grupo de 364 economistas de toda Gran Bretaña que publicaron una carta en *The Times*, en la que declaraban: «La teoría económica no se sustenta sobre ninguna base ni evidencia que respalde la creencia del Gobierno de que reduciendo la demanda se controlará la inflación de manera permanente». El presupuesto de 1981, afirmaban, «no hará más que profundizar la depresión»[203].

Existe un debate académico sobre los efectos finales del presupuesto de 1981, pero hay dos aspectos claros y significativos para nuestros propósitos[204]. En primer lugar, ya sea causado por

202 Mayúsculas en el original. Memorando de Alan Walters, David Wolfson y John Hoskyns a Thatcher, «Estrategia presupuestaria», 20 de febrero de 1981, PREM19/439 f200, MTFDC, consultado el 29 de diciembre de 2017, https://www.margaretthatcher. org/document/114016.

203 Citado en Stewart, *Bang!*, pp. 59-60.

204 Véase, por ejemplo, el debate sobre la política británica en Michael Bordo y Athanasios Orphanides (eds.), *The Great Inflation: The Rebirth of Modern Central Banking*, Washington D. C., National Bureau of Economic Research Conference Report, 2013, y Skidelsky (ed.), *Thatcherism*, caps. 5 y 6.

el presupuesto o simplemente correlacionado con él, la recesión de principios de los años ochenta alcanzó su punto más bajo en el primer trimestre de 1981, y a partir de entonces comenzó a despegar el crecimiento económico. Como Nigel Lawson escribió, con evidente satisfacción, sobre la carta de los 364 economistas: «La economía inició una fase prolongada de crecimiento vigoroso prácticamente desde el momento en que se publicó la carta. En lugar de precipitar a la economía en una espiral descendente perpetua, el Presupuesto [sic] marcó el comienzo de ocho años de crecimiento continuo»[205].

En segundo lugar, con independencia del impacto económico del presupuesto, su limitado impacto político y social fue aún más importante. En la primavera y el verano de 1981, estallaron disturbios socialmente preocupantes y muy difíciles de gestionar desde lo político en el barrio londinense de Brixton y en el barrio Toxteth de Liverpool. Cientos de policías y manifestantes se enfrentaron de forma violenta, se incendiaron más de cien edificios y automóviles policiales y cientos de personas fueron arrestadas[206]. Sin embargo, Gran Bretaña no cayó en la revolución. Esta afirmación puede parecer arriesgada, pero simplemente se necesitaba mirar al otro lado del telón de acero para comprender el potencial de una revuelta popular que esperaba bajo las alas de la austeridad. Como Jaruzelski y Rakowski descubrirían pronto en Polonia, aplicar la disciplina económica en un sistema político carente de legitimidad popular era el mejor acicate posible para una revolución nacional.

****

Los dos líderes polacos comenzaron su búsqueda casi exactamente en el mismo momento en que Thatcher anunció su presupuesto de 1981. En su primer discurso ante el Sejm polaco, tras asumir el cargo de primer ministro en febrero de 1981, Jaruzelski solicitó

205 Lawson, *View from N.º 11*.

206 Stewart, *Bang!*, pp. 85-99.

una moratoria de tres meses en las huelgas para que el Gobierno pudiera «dar los primeros pasos hacia la implementación de un programa de estabilidad económica» y «preparar reformas económicas de gran alcance». A cambio de su cumplimiento, ofreció a Solidaridad participar en un «comité permanente» sobre las relaciones entre el Gobierno y los sindicatos, que sería dirigido por Rakowski[207]. Dos días después, Wałęsa se reunió por primera vez con Rakowski y acogió con satisfacción el llamamiento a la paz social y las consultas. El 15 de febrero, Rakowski en el primer discurso que pronunció en el Sejm, se dirigió a los funcionarios allí reunidos con estas palabras: «Hemos comenzado el difícil y arduo camino para recuperar la credibilidad ante los votantes (...) no es posible imaginar la construcción de un gran acuerdo nacional en Polonia sin "Solidaridad"»[208].

Wałęsa volvió a reunirse con Rakowski y Jaruzelski a principios de marzo. Rakowski informó al líder sindical sobre la evaluación, muy pesimista, del Gobierno sobre la situación económica y expresó su preocupación por las recientes declaraciones antisoviéticas y antigubernamentales de las agrupaciones locales de Solidaridad en diversas partes del país. Wałęsa accedió a calmar a esos sectores de su coalición, pero Rakowski y Jaruzelski no estaban seguros de que pudiera o quisiera cumplir su promesa[209].

La primera prueba para testar las intenciones del líder de Solidaridad se produjo en la ciudad de Radom, donde el sindicato local se declaró en huelga a principios de marzo, exigiendo una mezcla de demandas políticas y económicas. Wałęsa viajó hasta allí e instó a los trabajadores a que desconvocaran la huelga y dieran más tiempo al nuevo Gobierno. «Debemos adoptar un enfoque de lucha diferente», dijo, «no podemos destruirnos a nosotros mismos. Nuestro primer ministro quiere hacer algo [bueno], debemos recordar que aspiramos a tener un Gobierno sabio y fuerte». Al

207 Citado en Garton Ash, *Solidarity: The Polish Revolution*, p. 153.

208 Rakowski, *Dzienniki polityczne 1979-1981*, p. 336.

209 Rakowski, *Dzienniki polityczne 1979-1981*, pp. 355-356.

leer el discurso en su despacho de Varsovia, Rakowski concluyó: «Si Wałęsa puede persuadir a su gente, quizás podamos construir algo bueno»[210].

El optimismo no duró mucho. En marzo de 1981, durante lo que se conoció como la crisis de Bydgoszcz, las tensiones entre el partido y Solidaridad llegaron a un punto crítico que casi puso fin a cualquier esperanza de asociación y, en última instancia, amenazó con desencadenar la invasión soviética de Polonia. La crisis comenzó cuando la policía en la ciudad de Bydgoszcz expulsó por la fuerza a un grupo de activistas de Solidaridad de un edificio gubernamental. Tres activistas resultaron heridos y, a los pocos días, los miembros de Solidaridad de todo el país presionaron para que se diera una respuesta sindical fuerte a la provocación del Gobierno. Mientras la tensión aumentaba, Wałęsa convocó una huelga general y los dirigentes soviéticos insinuaron una posible invasión. Durante casi dos semanas, el país se precipitó hacia el enfrentamiento hasta que, a finales de mes, Wałęsa y Rakowski llegaron a un acuerdo que, aunque dejó insatisfechas a ambas partes, al menos aseguró su continuidad y supervivencia[211].

A pesar de que la idea de Rakowski de asociación entre Gobierno y Solidaridad sobrevivió a la crisis de Bydgoszcz, las restricciones políticas y económicas del país seguían ejerciendo una creciente presión sobre su viabilidad. En primer lugar, el país se encontraba en una situación económica precaria. Desde la primavera de 1980, cuando los banqueros polacos buscaron financiamiento en los mercados globales de capital, estuvieron librando una batalla cada vez más desesperada por mantener la solvencia del país. Los Acuerdos de Gdańsk y toda la actividad de Solidaridad desde entonces solo habían hecho aumentar las promesas del Gobierno en un momento en que se necesitaba desesperadamente reducir los compromisos. Ese año, la Unión Soviética había proporcionado al menos mil

210 *Ibid.*, p. 360.

211 Para los intrincados detalles y las fuentes primarias de esta presión soviética, véase Paczkowski y Byrne, *From Solidarity to Martial Law*. Para más detalles sobre los aspectos internos de la crisis de Bydgoszcz, véase Ost, *Solidarity*, p. 125.

millones de dólares en divisas para ayudar al país a mantenerse a flote, pero no bastaba para hacer frente a los crecientes pagos de la deuda[212]. Así que, en febrero de 1981, Varsovia informó a Occidente de su intención de reprogramar sus deudas. Dos meses después, en abril, quince Gobiernos occidentales firmaron un acuerdo de reprogramación con Polonia que posponía la mayoría de los pagos de su deuda de 1981 durante cinco años, y en junio, los bancos occidentales hicieron lo mismo en términos similares. Si bien estos acuerdos aplazaron temporalmente las obligaciones de Polonia con sus acreedores, no sirvieron para restaurar el acceso general del país a los mercados globales de capital. La confianza de los bancos occidentales en el sistema polaco se había deteriorado y, hasta que no se llevaran a cabo reformas internas significativas y necesariamente dolorosas, no se restablecería. Incluso con la reprogramación de su deuda, el Estado tenía muy pocas divisas para comprar los alimentos y productos básicos necesarios para abastecer las tiendas y calmar las preocupaciones de la población.

El resultado fue el racionamiento. En abril, el Gobierno se vio obligado a implementar cartillas de racionamiento para la carne, la mantequilla y los cereales, lo que supuso que aumentara la sospecha entre la población de que se les estaba privando de alimentos por motivos políticos. Pronto, los cigarrillos y el alcohol se sumaron a la lista de productos controlados[213]. Si la situación económica era ya de por sí mala, la implementación de reformas económicas no haría más que empeorarla. Todos estaban de acuerdo en que cualquier paquete de reformas en Polonia implicaría dificultades significativas y prolongadas para la población. Un economista occidental que escribió un artículo en el *Socialist Register* en 1981 calculó que los precios de los alimentos deberían subir el cien por cien, el racionamiento tendría que continuar, las horas de trabajo

212 Mark Kramer calcula que la ayuda financiera soviética total durante la crisis alcanzó casi los 3.000 millones de dólares. Véase Mark Kramer (ed.), «Soviet Deliberations in the Polish Crisis», *Special Working Paper No. 1*, abril de 2000, *Cold War International History Project*, pp. 135, 216.

213 Paczkowski y Byrne, «La crisis polaca: Internal and International Dimensions», en *From Solidarity to Martial Law*, p. 22.

tendrían que alargarse y 1,2 millones de polacos perderían sus empleos en pro de recuperar el crecimiento económico[214]. Al final, se llegó a proyecciones similares de aumento de precios y pérdida de empleos, que resultarían en una disminución promedio del nivel de vida polaco del 25 %[215].

Sin embargo, a diferencia de la Gran Bretaña de Hoskyns, el Gobierno de Polonia no podía lograr que la imposición de la austeridad fuera más sencilla e indolora. Para ello, necesitaba la cooperación de Solidaridad. Esto colocó al sindicato en una posición de poder que tardó en reconocer y aceptar. Durante la mayor parte de 1980, la dirección de Solidaridad afirmaba que la reforma económica era responsabilidad del Gobierno. Sostenían que ellos eran solo un sindicato y, por lo tanto, no podían tomar una posición en un asunto que claramente correspondía a los políticos. Sin embargo, a medida que la economía se deterioraba, esta postura se volvía cada vez más insostenible. Ante los rumores de que el partido estaba privando a la sociedad de alimentos por motivos políticos, quedó claro que solo Solidaridad podría actuar como árbitro de cualquier posible reforma. Por lo tanto, en la primavera de 1981, el sindicato cambió de enfoque. Utilizaría su credibilidad para obtener la aceptación popular de la disciplina económica, pero solo si se le concedía el poder de supervisar la implementación de la reforma junto con el Gobierno. En teoría, esto encajaba con el concepto de asociación de Rakowski. Después de todo, él lo había definido como un acuerdo entre el PZPR y las fuerzas sociales para ser «corresponsables» del destino del país. Pero ¿funcionaría en la práctica?

El segundo semestre de 1981 demostraría que no. Cuando Jaruzelski declaró la ley marcial el 13 de diciembre de ese año, Rakowski apoyó la decisión sin ambages. Para entonces, el hombre que inicialmente había propuesto la asociación como un medio para superar los desafíos económicos del país había abandonado la idea

214 Mario Nuti, citado en Garton Ash, *Solidarity: The Polish Revolution*, p. 202.

215 Garton Ash, *Solidarity: The Polish Revolution*, p. 115.

al considerarla inviable y una amenaza para la propia existencia del Estado. Este cambio de opinión nos permite comprender por qué imponer la disciplina económica en los sistemas antidemocráticos del bloque del Este resultó tan difícil e inestable. Con cada nuevo golpe a la economía, los líderes de Solidaridad se sentían presionados por la opinión pública para exigir más poder social y político a cambio de su apoyo a la austeridad y la reforma. Y con cada nueva demanda de más poder por parte de Solidaridad, Rakowski veía progresivamente al sindicato no como un socio, sino como una amenaza. Lo único que podría haber detenido este ciclo creciente de demandas forzadas y amenazas percibidas era la confianza de la sociedad, la misma que Rakowski había intentado construir en un inicio. Los últimos meses de la crisis polaca revelaron que la confianza social era la premisa de la asociación, más que su resultado. Sin ella, el camino hacia la ley marcial era inevitable.

La espiral descendente comenzó en agosto, cuando ambas partes se reunieron para celebrar sus primeras negociaciones desde la crisis de Bydgoszcz. El telón de fondo era sombrío. El anuncio del Gobierno, a finales de julio, de un nuevo recorte en las raciones de carne había llevado a Solidaridad a promover «marchas del hambre» en todo el país. Como la decisión no se consultó con el sindicato, sus líderes se negaron a reconocer su legitimidad y se acusó de nuevo al PZPR de retener alimentos a la población para debilitar a sus oponentes[216]. Como es lógico, estas acusaciones enfurecieron y decepcionaron a Rakowski. Así lo confesó en su diario: «Si los almacenes estuvieran llenos de alimentos, el Gobierno, luchando por ganarse el apoyo del público (…) pondría todos los suministros estratégicos en el mercado. No hay nada más importante para nosotros que la paz social». Por desgraciada, señaló, «la gente cree en Solidaridad»[217]. El racionamiento y las marchas del hambre también llevaron a algunos miembros de Solidaridad a la conclusión de que el Gobierno no era capaz de sacar al país

216 Paczkowski y Byrne, *From Solidarity to Martial Law*, xl.

217 Rakowski, *Dzienniki polityczne 1981-1983*, p. 9.

de la crisis, por lo que el sindicato tenía que «tomar el timón»[218]. Rakowski percibió estas afirmaciones como crecientes llamamientos a derrocar al Estado. Aunque albergaba la esperanza de que algunos líderes de Solidaridad compartieran su idea de asociarse, en los días previos al inicio de las negociaciones escribió: «Tengo la impresión de que nos acercamos a una confrontación»[219].

Como era de esperar, estas dudas mutuas enconaron las negociaciones. Solidaridad llegó a la reunión, celebrada en Varsovia, con una única exigencia: que se le concediera el control y la supervisión del suministro de alimentos del país, lo que Rakowski interpretó como una amenaza para su poder[220]. A pesar del duro comienzo, las dos partes fueron limando sus diferencias durante los tres días siguientes, hasta que llegaron a las líneas generales de un acuerdo que otorgaba a Solidaridad derechos de supervisión sobre la distribución de alimentos y un mayor acceso a los medios de comunicación, a cambio de que el sindicato se comprometiera a garantizar la paz social. Mientras las dos partes trabajaban hasta altas horas de la noche del 6 de agosto, Rakowski presentó a Wałęsa un borrador final del comunicado con pequeños cambios que no se habían discutido previamente. Dos partes que confiaran la una en la otra habrían sido capaces de pasarlos por alto o no los habrían propuesto. Pero la confianza entre las partes no existía. Wałęsa se negó a firmar. Enfurecido y agotado, Rakowski salió furioso de la sala y las negociaciones acabaron sin acuerdo[221]. «Las conversaciones terminaron (...) con un fiasco —escribió esa misma noche—. Me esperaba cualquier cosa, pero no un final como este»[222].

218 *Ibid.*, pp. 18-19.

219 *Ibid.*, p. 12.

220 Informe oficial de la reunión, citado en Garton Ash, *Solidarity: The Polish Revolution*, p. 205. También Ost, *Solidarity*, p. 128.

221 Los relatos de las negociaciones de agosto son notoriamente contradictorios sobre la cuestión de quién fue el responsable último de la ruptura de las conversaciones. Este relato se basa en Rakowski, *Dzienniki polityczne 1981-1983*, pp. 18-22; Garton Ash, *Solidarity; The Polish Revolution*, pp. 204-206; Ost, *Solidarity*, pp. 128; y Władysław Baka, *Zmagania o Reformę: z dziennika politycznego 1980-1990*, Varsovia, Wydawn, 2007, pp. 40-41.

222 Rakowski, *Dzienniki polityczne 1981-1983*, p. 23.

La ruptura de las negociaciones no hizo sino reforzar la convicción de Solidaridad de que el sindicato debía asumir un papel más importante en el gobierno de la sociedad. En su primera reunión nacional tras las negociaciones, los líderes sindicales hablaron abiertamente por primera vez de la necesidad de cambiar el sistema político de Polonia, junto con el económico. Algunos propusieron exigir elecciones libres para los gobiernos locales y el Sejm; otros pensaron que era hora de crear una nueva segunda cámara en el Sejm, una «cámara del trabajo» que representara los intereses de la sociedad junto a los del Gobierno. Otros pensaron que el sindicato debía empezar a gestionar la economía sin consultar al Gobierno y, de este modo, demostrar que no necesitaba al PZPR para gobernar. Fue esta última idea la que llevó al sindicato a publicar un «Llamamiento a la sociedad», en el que se pedía al pueblo que pusiera fin a todas las huelgas y trabajara más horas por el bien de la nación; la solidaridad se convertiría en una «reforma de autogestión», a la espera de crear «instituciones que garanticen la influencia de los trabajadores en la política socioeconómica del Estado»[223].

La naturaleza de estas instituciones fue objeto de debate en el primer Congreso Nacional de Solidaridad, celebrado entre septiembre y octubre de 1981. Allí se propuso la creación de un Consejo Social de la Economía Nacional para supervisar la aplicación de las reformas económicas del país. El programa adoptado señalaba que «una condición para el éxito de la lucha contra la crisis no reside únicamente en la elaboración de un programa aceptable para la sociedad, sino también en el control público de la aplicación de dicho programa»[224]. El Consejo Social sería el que desempeñase esta función de control. Estaría compuesto por veinte economistas y otros profesionales que mantuvieran la «confianza social», y tendría potestad para proponer sus propias reformas económicas y vetar los planes aprobados por el Gobierno. También avanzaba que, con el tiempo, el consejo daría lugar a

223 Ost, *Solidarity*, p. 132.

224 «The Solidarity Program», en *The Solidarity Sourcebook*, Stan Persky y Henry Flam (eds.), Vancouver, Canadá, New Star Books, 1982, p. 211.

«un nuevo Sejm» que gozaría de la confianza del pueblo[225]. Para los observadores, tanto dentro como fuera de Polonia, estaba claro que el alcance de las demandas y ambiciones de Solidaridad había crecido enormemente.

Mientras, Rakowski observaba con una consternación creciente. Su lenguaje empezó a cambiar de manera evidente. «Nuestros socios, o más bien ahora nuestros oponentes», escribió en su periódico el 6 de octubre, «subestiman las amenazas reales del exterior [la Unión Soviética], y en los asuntos internos adoptan públicamente la posición de que si el Gobierno accede a otorgarles el control sobre la economía y la política gubernamental, entonces la miseria económica y la grave escasez (...) desaparecerán como la niebla de la mañana». También Jaruzelski empezó a creer que Solidaridad se alejaba de la posibilidad de asociación. El Congreso de Solidaridad había «despreciado [la] "línea de acuerdo"», dijo el 13 de octubre en una reunión del Gobierno. «La mano tendida de las autoridades quedó colgando en el vacío», y la economía se había «convertido en un escenario de lucha por el poder», concluyó. Ni Rakowski ni Jaruzelski se alegraron de su percepción del giro del sindicato hacia la confrontación. «El desastre no perdonará a nadie, ni a Solidaridad ni a las autoridades. Navegamos en un solo barco», escribió Rakowski en su diario[226].

A pesar de su creciente desesperación, Rakowski y Jaruzelski no abandonaron sus esfuerzos por construir una base social de apoyo a la reforma económica. Para contrarrestar el Consejo Social de Economía Nacional de Solidaridad, que consideraban una propuesta de un segundo Gobierno, Jaruzelski propuso un Consejo de Acuerdo Nacional entre el PZPR, Solidaridad y la Iglesia católica. A menudo se duda de la sinceridad de esta propuesta en las historias de la crisis polaca, que la consideran una estratagema propagandística en el camino hacia la ley marcial, pero el diario de Rakowski cuenta una historia diferente. El 22 de

225 Ost, *Solidarity*, p. 136; «The Solidarity Program», p. 211; y Garton Ash, *Solidarity: The Polish Revolution*, p. 221.

226 Rakowski, *Dzienniki polityczne 1981-1983*, pp. 64, 71, 72.

octubre, Jaruzelski se reunió con el primado polaco, el cardenal Józef Glemp, para presentarle la idea de un frente nacional y compartir su convicción de que «para superar la crisis, hay que crear una amplia plataforma de acuerdo nacional». Aunque se describió a sí mismo como «bastante escéptico», Rakowski dejó constancia de que «el general se aferraba a la esperanza de que [el acuerdo nacional] podría detener el curso desfavorable y muy peligroso de los acontecimientos». Para seguir explorando la posibilidad de alcanzar un acuerdo, Jaruzelski convocó, el 4 de noviembre, una reunión sin precedentes con Glemp y Wałęsa para discutir la idea[227].

La reunión solo consiguió mostrar el crecimiento de las demandas de Solidaridad y, por parte del partido, el crecimiento de la percepción de la amenaza que representaba Solidaridad para el Estado. Cuando Wažsa anunció al Comité Nacional de Coordinación de Solidaridad que se reuniría con Jaruzelski, el ala radical de la dirección le atacó por hacerle el juego al partido. Entonces, mientras él asistía a la reunión en Varsovia, el comité adoptó una resolución que amenazaba con una huelga general si no se formaba el Consejo Social de Economía Nacional en el plazo de tres meses. En la reunión, Wažsa intentó asegurar a Jaruzelski que el Consejo Social de Economía Nacional no pretendía ser un segundo Gobierno, pero el general siguió sin estar convencido[228]. En una reunión del politburó celebrada seis días después, el 10 de noviembre, le comunicó a sus camaradas: «No podéis haceros ilusiones sobre el objetivo estratégico de la dirección de "S", que es tomar el poder y cambiar el sistema». Sin embargo, para demostrar que el partido estaba agotando las opciones pacíficas y ganarse los corazones y las mentes de los ciudadanos polacos indecisos, creía que el partido debía seguir persiguiendo públicamente un acuerdo nacional, incluso mientras preparaba otras medidas[229].

227 *Ibid.*, pp. 77, 80.

228 *Ibid.*, p. 89.

229 Documento 73, «Protokół nr 14 z posiedzenia Biura Politycznego KC PZPR 10 listopada 1981 r.», en Zbigniew Wlodek (ed.), *Tajne Dokumenty Biura Politycznego: PZPR a «Solidarność», 1980-81*, Londres, Reino Unido, Aneks, 1992, pp. 516-527.

Las negociaciones entre ambas partes continuaron durante todo el mes de noviembre, pero la suerte estaba echada. Las conversaciones entre ambos bandos durante el mes anterior a la ley marcial revelan las pronunciadas e incompatibles diferencias que separaban a Solidaridad y al PZPR. Después de que el Gobierno disolviera por la fuerza una huelga en Varsovia a principios de diciembre, el Comité Nacional de Solidaridad convocó una reunión en Gdańsk, donde se puso de manifiesto el alcance total de sus crecientes demandas e intenciones. Wašsa comenzó la reunión diciendo que, durante mucho tiempo, había buscado la asociación y el compromiso con las autoridades porque era una estrategia que ganaría corazones y mentes. Pero el momento de esa estrategia había quedado atrás: «Hoy la sociedad debe entender que la confrontación es inevitable». Otros secundaron la conclusión de su líder e incluso expresaron su confianza en que la Unión Soviética aceptaría un Gobierno de Solidaridad siempre que garantizara los intereses de seguridad de Moscú. Cuando Jacek Kuro tomó la palabra, declaró que la necesidad de «un Gobierno con confianza social» obligaba a Solidaridad a exigir la puesta en marcha inmediata de elecciones y prensa libre. Un sinfín de activistas exigieron implantar algún tipo de «control social» sobre la política y la economía, y cuando terminó la reunión, el sindicato publicó una lista de «condiciones mínimas» que el partido debía cumplir si quería continuar las negociaciones[230].

A la manera del partido comunista, el PZPR hizo que sus servicios de seguridad interceptaran los procedimientos, por lo que Rakowski y Jaruzelski pronto se encontraron escuchando cintas con cada palabra de la reunión de Solidaridad. Cuando acabaron de escuchar la grabación, «se hizo el silencio por un momento», escribió Rakowski. Entonces Jaruzelski dijo: «Bueno, sí (...) No me lo esperaba». Rakowski fue más dramático y confió a su diario que escuchaba los discursos de Wašsa «con el sentimiento de un amante decepcionado». Decidieron que las cintas se discutirían al

230 Rakowski, *Dzienniki polityczne 1981-1983*, pp. 112-119; y Ost, *Solidarity*, p. 144.

día siguiente en el politburó. Cuando Rakowski regresó a casa con un «ánimo sombrío», se convenció de que él y Jaruzelski habían dado una oportunidad real a la idea de la alianza. «Queda fuera de toda duda que reconocimos a "S" no solo como una fuerza real, sino también duradera en el socialismo polaco». Era el sindicato y no el partido, pensaba, quien había destruido la idea de la asociación, y ahora amenazaba la existencia del Estado polaco: «Lo que he oído no puede calificarse de otra cosa que de llamamiento a derrocar el poder legal del Estado y sus instituciones. ¿Es posible imaginar a cualquier Gobierno del mundo observando de brazos cruzados los llamamientos a derrocarlo por la fuerza[231]?

Al día siguiente, en el politburó, el partido planeó su movimiento final a la luz de la nueva fuerza de las demandas de Solidaridad. Uno de sus miembros, Stanisław Ciosek, comenzó haciendo un resumen de las grabaciones. Solidaridad ahora exigía, dijo, acceso sin restricciones a los medios masivos, la transformación política del Estado y una reforma económica[232]. «El consentimiento para la introducción de [una reforma económica] está sujeto a [nuestro] consentimiento a las dos primeras condiciones. De ahí que el precio a pagar por acordar la reforma económica es la transformación política». Cuando tomó la palabra, Rakowski hizo públicas para todo el liderazgo del partido sus opiniones privadas de la noche anterior. Las posibilidades de asociación se habían «agotado», dijo. «Nuestro socio decidió luchar contra nosotros (...). Pensamos que lo forzaríamos a una corresponsabilidad limitada. "S" no la quiere (...). La dirección de "S" ha pasado de ser un movimiento sindical y social a un partido de la oposición con un semblante contrarrevolucionario»[233]. Después de que la discusión recorriera la sala, Jaruzelski tuvo el último turno de palabra: «La fe en la omnipotencia de la ley marcial es mitología», dijo[234]. No resolvería

231 Rakowski, *Dzienniki polityczne 1981-1983*, p. 120.

232 Documento 77, «Protokół nr 18 z posiedzenia Biura Politycznego KC PZPR 5 grudnia 1981 r.», en Wlodek (ed.), *Tajne Dokumenty Biura Politycznego*, pp. 549-550.

233 Documento 77, «Protokół nr 18 z posiedzenia Biura Politycznego», p. 562.

234 Rakowski, *Dzienniki polityczne 1981-1983*, p. 125.

todos sus problemas de inmediato. Su lucha para recuperar el país sería larga y dura, pero, llegados a ese punto, no les quedaba otra opción. Tenían que salir en defensa del Estado. Pidió que le otorgaran el poder de declarar la ley marcial en el momento de su elección, y todos accedieron. Cuando Rakowski salió de la reunión, hizo pública la conclusión del general: «No nos queda nada excepto la fuerza»[235]. Su transformación se había completado.

En la noche del 12 de diciembre de 1981, Jaruzelski impuso la disciplina en Polonia. Poco antes de medianoche, las fuerzas de seguridad rodearon una reunión de la dirección de Solidaridad, en Gdańsk, y detuvieron a todos los presentes. Lech Wałęsa fue puesto bajo arresto domiciliario y, en cuestión de horas, miles de miembros de las filas medias del sindicato fueron detenidos en todo el país. Los tanques resonaron en el centro de Varsovia y en Gdańsk y, a las seis de la mañana del día siguiente, Jaruzelski apareció en la televisión nacional para declarar el «estado de guerra». Anunció que Polonia «estaba al borde del abismo» y que el nuevo Consejo Militar de Salvación Nacional impondría el orden y la disciplina que habían estado ausentes desde agosto de 1980. Bajo el amparo de la ley marcial, finalmente se implementaría la difícil reforma económica que el país había evitado durante tanto tiempo[236]. Mientras sonaba el himno nacional de fondo, Jaruzelski repitió sus «palabras inmortales'» y exhortó a todos los polacos patriotas a colaborar en la salvación del país[237].

En los meses siguientes, los precios aumentaron, los salarios reales disminuyeron y muchos polacos fueron «reubicados» en nuevos puestos de trabajo. Se estima que el nivel de vida de la población se redujo en un rango del 20 % al 30 %. El programa de reforma económica se oficializó a principios de 1982. Bajo el lema de las tres nuevas «Aes» (autosuficiencia, autogobierno y autofinanciación), el programa de reforma proclamó que las empresas

235 *Ibid.*, p. 126.

236 Citado en Andrzej Paczkowski, *Revolution and Counterrevolution in Poland, 1980-1989*, Rochester, Nueva York, University of Rochester Press, 2015, p. 97.

237 Garton Ash, *Solidarity: The Polish Revolution*, p. 274.

polacas se regirían por un nuevo «criterio de actividad económica»: «el beneficio». Según un informe gubernamental, estas empresas quedarían supuestamente liberadas del control del Gobierno y las subvenciones, y se basarían en la «racionalidad económica». Esto se traduciría en la reducción de costos de producción, mejoría en la calidad y un esfuerzo por competir en el mercado[238].

A pesar de que la ley marcial otorgó a Jaruzelski un poder autoritario para implementar las reformas económicas, socavó aún más la escasa legitimidad que los comunistas polacos tenían dentro y fuera del país. Es difícil evaluar con precisión el sentimiento de la opinión pública después de la imposición de la ley marcial, pero un exhaustivo estudio sobre la opinión pública polaca en ese periodo concluyó que «el régimen había destruido a Solidaridad, pero también se había desacreditado a sí mismo y a la ideología socialista para la que reclamaba legitimidad»[239]. La promesa de una Polonia socialista se había roto, y mientras la ley marcial continuara en vigor, no se podría forjar una nueva visión de una sociedad justa y un Estado legítimo.

* * * *

Mientras los tanques avanzaban hacia Varsovia, Margaret Thatcher se enfrentaba a grandes desafíos al otro lado del telón de acero. Aunque el presupuesto de 1981 demostraría ser un triunfo a largo plazo, sus efectos inmediatos solo trajeron dificultades económicas y una disminución de su popularidad política. Un caluroso verano de disturbios debilitó aún más su posición política, y la amenaza de una devaluación de la libra esterlina en otoño puso en tela de juicio la credibilidad económica de su Gobierno. Para evitar una fuga de capitales, el ministro de Hacienda, Geoffrey Howe, se vio obligado

238 Ministerio de Asuntos Exteriores de Polonia, «The Polish Economic Reform: Major Prerequisites, Model Provisions, and State of Implementation», sin fecha, pero primavera de 1982, caja 58, fila 1, EUR Country Files, Archivos del Fondo Monetario Internacional (FMI), Washington D. C.

239 David Mason, *Public Opinion and Political Change in Poland, 1980-1982*, Cambridge, Cambridge University Press, 1985, p. 231.

a aumentar nuevamente los tipos de interés, lo que iba en contra de la disciplina monetaria que perseguía el presupuesto de 1981. En septiembre, el mercado de valores cayó a su nivel más bajo en diecisiete años, y al comienzo del nuevo año, el número de desempleados en el Reino Unido superó la temida cifra de los tres millones.

Además de estos desafíos económicos, una nueva y poderosa fuerza política emergió en la escena británica: el Partido Socialdemócrata (SDP). Liderado por un grupo de ministros laboristas descontentos, conocidos como la «Banda de los cuatro», el SDP cambió el panorama político al adoptar ideas tanto de la izquierda como de la derecha, con la esperanza de ocupar el creciente espacio político del centro. A diferencia de los laboristas, que se oponían firmemente a los esfuerzos de Thatcher por reformar los sindicatos, el SDP abogaba por limitar su poder político. Sin embargo, a diferencia de Thatcher, el nuevo partido no se oponía de manera vehemente al estado de bienestar y, de hecho, quería utilizarlo de manera efectiva para facilitar la adaptación del país al nuevo contexto económico global. Con el trasfondo de las políticas de austeridad de Thatcher y la firme oposición del Partido Liberal a cualquier cambio en el antiguo orden económico, esta mezcla centrada parecía ser una estrategia política efectiva. La opinión general era que, en unas elecciones generales, el SDP se uniría al minoritario Partido Liberal, y una encuesta de Gallup, de septiembre de 1981, mostró que la alianza SDP/Liberal recibiría el apoyo del 40 % de los británicos, mientras que el Partido Conservador solo obtendría el 16 %»[240].

Es comprensible que estas encuestas pusieran nerviosos a los conservadores, y las cifras empeoraron debido al hecho de que la economía no ofrecía respuestas alentadoras. A principios de 1982, el ministro del Gabinete Peter Walker escribió a Thatcher: «El Partido Conservador se enfrenta a perspectivas más sombrías que en cualquier otro momento desde el final de la Segunda Guerra Mundial. Estamos presidiendo a tres millones de desempleados

240 Moore, *Margaret Thatcher: From Grantham to the Falklands*, p. 643.

y, ahora, a una disminución en el nivel de vida de los que todavía trabajan (...) Somos el primer Gobierno de posguerra que ha producido una caída sustancial en la producción real de la nación». La alianza entre el SDP y los liberales era, en sus palabras, «la amenaza de tercer partido más ominosa de los tiempos modernos», y su existencia ponía a Gran Bretaña «al borde de una de esas coyunturas en las que un paisaje político familiar se reorganiza de manera radical»[241]. Este juicio pesimista de Walker no era el único. Como concluyó el biógrafo de Thatcher, en los primeros meses de 1982, «pocos observadores con visión de futuro (...) imaginaban que era probable que Thatcher ganara las próximas elecciones generales»[242]. Casi tres años después del inicio del experimento Thatcher, los resultados eran escasos y el destino político de los conservadores parecía sombrío. Si, como sugirió Walker, el país estaba al borde de una reorganización radical, parecía improbable que Thatcher y el thatcherismo encontraran un lugar en el nuevo panorama político.

Sin embargo, la historia dio un giro inesperado. A ocho mil millas de Londres, en el Atlántico Sur, las fuerzas armadas argentinas, bajo la dirección de la junta militar de Buenos Aires, invadieron las Islas Malvinas el 2 de abril de 1982. Aunque habían sido una colonia británica durante siglo y medio, a principios de la década de los ochenta eran una parte olvidada de un imperio en gran parte desaparecido. Sin embargo, ante la invasión, Thatcher, y con ella todo el país, recuperó la imagen imperial de la nación y se comprometió a recuperar las islas y liberar a los 1.800 habitantes británicos de la tiranía de sus nuevos opresores. Durante los dos meses y medio siguientes, el primer ministro desempeñó un papel central en un inverosímil drama de tensa diplomacia internacional y conflicto militar mortífero. Tras el fracaso de las

241 Peter Walker al primer ministro, «Memorándum sobre una estrategia conservadora para los próximos dos años», 16 de febrero de 1982, THCR 1/15/6 f3, MTFDC, consultado el 29 de diciembre de 2017, https://www.margaretthatcher.org/document/122920.

242 Moore, *Margaret Thatcher: From Grantham to the Falklands*, p. 752.

negociaciones bilaterales, una fuerza expedicionaria británica invadió las Malvinas mientras la Royal Navy y la Fuerza Aérea se enfrentaban a los argentinos en los mares y cielos circundantes; 255 militares británicos y 649 argentinos murieron en las batallas que siguieron, pero las fuerzas británicas recuperaron las islas entre finales de mayo y principios de junio. El día 15 de junio, el alto mando argentino se rindió, y las Falklands volvieron a estar bajo control británico[243].

La magnitud del triunfo en el campo de batalla solo fue superada por la relevancia de la nueva posición de Thatcher en la escena política nacional. A pesar de que su mandato estuvo al borde del fracaso antes del conflicto, emergió de la guerra con una firme determinación por controlar su propio destino y el de la nación. Alan Walters, de la Unidad de política, comentó el día de la victoria: «La primera ministra ahora tiene total libertad de acción». Según él, Thatcher tenía ahora la «libertad total para imponer sus políticas internas, externas y de defensa»[244]. Los tres principales partidos políticos: conservadores, laboristas y liberales/SDP estaban prácticamente empatados en cuanto al apoyo popular antes de las Malvinas, pero el partido en el Gobierno salió del conflicto con una ventaja de aproximadamente el 15 %[245]. La pregunta obvia en ese momento era: ¿cómo la usarían los conservadores?

Antes de proporcionar una respuesta, Thatcher consideró que lo mejor sería ganar las siguientes elecciones generales. Aunque algunos asesores estaban tentados a convocar elecciones mientras aún brillaba el resplandor posMalvinas, Thatcher concluyó que tal decisión parecería oportunista y decidió posponerlas hasta 1983. El asunto de los sindicatos permanecía sin resolver, pero la política exigía paciencia. «Las instituciones democráticas y la necesidad de un alto grado de consenso», escribió Thatcher a Friedrich Hayek en 1981, hacían que el proceso de reforma fuera «dolorosamente

243 *Ibid.*, los caps. 23 y 24 ofrecen una historia completa de la guerra de las Malvinas.

244 Citado en *ibid.*, p. 755.

245 Figura 2.1, en David Butler y Dennis Kavanagh, *The British General Election of 1983*, Londres, Macmillan, 1984, p. 15.

lento»[246]. La economía requería una reestructuración adicional, pero tendría que esperar hasta las elecciones. El Gobierno debía «reducir la carga de las empresas estatales deficitarias», escribió John Vereker, de la Unidad de política, en un memorando estratégico a finales de 1982. La British Steel Company sobrevivía «en contra de toda lógica económica [por] razones políticas», según Vereker, y también era necesario reducir el tamaño de la British Rail. Pero concluyó con que el Gobierno «haría bien [en esperar] hasta después de las elecciones» para tomar cualquier decisión[247].

Luego estaba la cuestión del carbón, que era el desafío económico más importante para el Gobierno, tanto en términos políticos como económicos[248]. Desde el inicio del Gobierno *tory*, en 1979, tanto Thatcher como el Sindicato Nacional de Mineros habían estado esperando el momento adecuado para asestarse el golpe decisivo. Ambas partes consideraban que era inevitable que se repitieran los acontecimientos de 1974, cuando el NUM derrocó al Gobierno de Heath mediante una huelga. Estuvieron cerca de la confrontación a principios de 1981, cuando la oferta salarial inicial del National Coal Board al NUM llevó a los mineros al borde de convocar una huelga nacional. Sin embargo, visto el sombrío contexto político que rodeaba al presupuesto de 1981, Thatcher llegó a la conclusión de que no tenía la fuerza ni el apoyo para ganar una huelga y cedió ante las demandas salariales del NUM.

La pérdida de esa batalla solo fortaleció la determinación de la primera ministra de ganar la guerra en un sentido más amplio. Después de la capitulación, el Gobierno lanzó una estrategia multifacética con el fin de preparar al Estado británico para la próxima

246 Thatcher a Hayek, 17 de febrero de 1982, Margaret Thatcher Foundation, Hayek MSS (Hoover Institution), caja 101, MTFDC, consultado el 29 de diciembre de 2017, https://www.margaretthatcher.org/document/117179.

247 John Vereker a Alan Walters, 24 de diciembre de 1982, PREM19/1092 f155, MTFDC, acceso el 29 de diciembre de 2017, https://www.margaretthatcher.org/document/138788

248 Nigel Lawson a Margaret Thatcher, 21 de enero de 1983, PREM19/1092 f134, consultado el 29 de diciembre de 2017, https://www.margaretthatcher.org/document/138768.

vez que los mineros amenazaran con actuar. La estrategia constaba de tres elementos principales: aumentar la resistencia eléctrica del país acumulando excedentes de carbón en las centrales eléctricas, fortalecer y coordinar la fuerza policial para mantener abiertas las minas durante una huelga y moldear la opinión pública para evitar que otros trabajadores y sindicatos se unieran a los mineros. John Hoskyns resumió la mentalidad de confrontación que sustentaba la estrategia: «No podemos ganar una guerra de supervivencia económica fingiendo que estamos en tiempos de paz»[249]. Desde su punto de vista, el Gobierno necesitaba fortalecer la infraestructura física y la capacidad estatal para resistir una huelga y permitir que se desarrollara para que todo el país pudiera verla. «Creemos, como regla general, (...) que la única forma de acabar con la cultura de huelga es dejar que suceda», escribió Hoskyns en otro memorando. En lugar de tratar de prevenir una huelga, Hoskyns pensaba que el Gobierno debería concentrar sus esfuerzos en «movilizar a la opinión pública para ganar la batalla por nosotros»[250].

Por otro lado, el NUM se preparó eligiendo a un nuevo líder más militante: Arthur Scargill. Había destacado como líder local del NUM en la batalla de Saltley Gate durante la huelga de 1974, donde los mineros se impusieron a la policía en la fábrica de coque Saltley de Birmingham y cerraron la planta. En pocas semanas, Heath cedió a las demandas de los mineros y renunció a su cargo. Scargill creía, y los conservadores temían, que podría lograr lo mismo con Thatcher. Después de ser elegido presidente del NUM en diciembre de 1981, presionó al sindicato para convocar dos huelgas en 1982 y una tercera a principios de 1983, pero los mineros votaron a favor de seguir trabajando. Los ministros del Gobierno interpretaron esto como una señal de «resistencia a la huelga por parte de los

249 Hoskyns a Thatcher, 27 de marzo de 1981, PREM19/540 f186, MTFDC, consultado el 4 de enero de 2018, https://www.margaretthatcher.org/document/126057.

250 Hoskyns escribió esto en un memorando sobre una posible huelga de la Administración pública, pero, como sugiere su expresión «regla general», creía que se aplicaba por igual a todas las áreas de la economía. Hoskyns a Thatcher, 8 de abril de 1981, PREM19/400 f64, MTFDC, consultado el 4 de enero de 2018, https://www.margaretthatcher.org/document/125602.

propios mineros», pero en la antesala de las elecciones, se dieron cuenta de que Scargill no era «en absoluto una fuerza agotada»[251].

Cuando *The Economist* publicó en la portada del número de mayo de 1983 «La cuestión es Thatcher», los británicos tenían una idea clara de las implicaciones que se escondían tras ese titular. En el momento de las elecciones, el 46 % de la población consideraba que los conservadores tenían las mejores políticas para el país (en comparación con el 23 % de los laboristas y el 22 % de los liberales/SDP), y el 55 % de la población creía que los conservadores también tenían «el mejor equipo de líderes» (en comparación con el 16 % de los laboristas y el 23 % de los liberales/SDP). Estos sentimientos anunciaban una victoria arrolladora. Los conservadores obtuvieron treinta y ocho escaños en el Parlamento, mientras que los laboristas perdieron cincuenta y dos, y Thatcher regresó al Gobierno con la mayoría más amplia para un partido desde la posguerra[252].

Con un nuevo mandato en sus manos, la primera ministra se dispuso a implementar íntegramente su visión de la reforma, lo que significaba, sobre todo, enfrentarse finalmente al NUM. En otoño de 1983, la resistencia del país ante una posible huelga del carbón había durado seis meses, por lo que no había razones para demorar más la confrontación[253]. Ian MacGregor, jefe de la Junta Nacional del Carbón, estaba de acuerdo, y en septiembre presentó un plan para acelerar el cierre de minas y reducir la fuerza laboral minera en los próximos dos años. Este plan incluía el cierre de setenta y cinco minas y la reducción de la plantilla, que pasaba de 202.000 mineros a 138.000 en 1985[254]. Los planes se mantuvieron

251 Lawson a Thatcher, 21 de enero de 1983, PREM19/1092 f134, MTFDC, consultado el 4 de enero de 2018, https://www.margaretthatcher.org/document/138768.

252 Cifras de Butler y Kavanagh, *The British General Election of 1983*, p. 280.

253 Peter Gregson a Thatcher, 14 de septiembre de 1983, PREM19/1329 f244, MTFDC, consultado el 5 de enero de 2018, https://www.margaretthatcher.org/document/133119.

254 «Acta de una reunión celebrada en el número 10 de Downing Street», 15 de septiembre de 1983, PREM19/1329 f243, MTFDC, consultado el 5 de enero de 2018, https://www.margaretthatcher.org/document/133121.

en secreto para evitar una reacción pública negativa, y se conservó la paz laboral durante el invierno de 1983-1984. Sin embargo, el 6 de marzo de 1984, MacGregor hizo público su plan de recortar veinte mil puestos de trabajo en el próximo año, y el Gobierno recibió informes de que «la temperatura (...) estaba subiendo en las regiones mineras»[255]. Los mineros de Yorkshire y Escocia, que se verían especialmente afectados por los cierres, no tardaron en declararse en huelga y, a mediados de marzo, casi la mitad de los mineros del país se unieron a ellos. La pregunta ahora era si Scargill convocaría a sus miembros a una votación para declarar una huelga nacional oficial.

Nunca lo hizo. Después de ser rechazado en tres ocasiones por los miembros del NUM, Scargill concluyó que no podía arriesgarse a otra votación. Esta decisión tuvo enormes consecuencias, ya que socavó la legitimidad de la causa del NUM y dificultó que otros sindicatos respaldaran la huelga con acciones paralelas. A pesar de sus esfuerzos por convertir la huelga en una coalición nacional contra el Gobierno de Thatcher, la falta de una votación hizo que sus llamamientos a la acción parecieran caer en el vacío. En marzo, Scargill se dirigió al país con estas palabras: «El NUM está inmerso en una batalla social e industrial en Gran Bretaña», y añadió que lo que necesitaba con urgencia la «movilización rápida y total del movimiento sindical y obrero»[256]. Incapaz de movilizar siquiera a la mayoría de su propio sindicato, le resultó difícil atraer el apoyo de la mayoría del país. Tres meses después del inicio de la huelga, el 71 % de la población creía que era «sensato» cerrar las minas de carbón «antieconómicas», mientras que solo el 25 % apoyaba la victoria de Scargill, y el 51 % quería que el NCB saliera victorioso[257].

255 David Pascall a Andrew Turnbull, 7 de marzo de 1984, PREM19/1329 f140, MTFDC, consultado el 5 de enero de 2018, https://www.margaretthatcher.org/document/133140.

256 Citado en Thatcher, *Downing Street Years*, p. 350.

257 David Pascall, «The Coal Dispute-Public Opinion», 14 de junio de 1984, PREM19-1331 f225, MTFDC, consultado el 21 de junio de 2021, https://www.margaretthatcher.org/document/133376.

La huelga de un año que siguió cristalizó los principios que estaban en juego en la política de ruptura de promesas y la forma en que estos adquirieron significados divergentes a ambos lados del telón de acero. A igual que Walesa en Polonia, Scargill declaró que el «objetivo explícito» de sus esfuerzos era el derrocamiento del Gobierno[258], pero, a diferencia de los diez millones de polacos que se unieron masivamente a Solidaridad, el NUM nunca contó con una base de apoyo popular, y las llamadas de Scargill a emprender «acciones extraparlamentarias» contra el Gobierno no tuvieron eco[259]. Grandes mayorías de la opinión pública británica desaprobaban cualquier intento de los mineros en huelga de obligar a los mineros trabajadores a unirse a ellos, así como la perspectiva de que otros sindicatos se unieran a los mineros para iniciar una huelga general contra el Gobierno[260]. El 69 % de la población creía que los motivos de Scargill eran políticos, pero —otra diferencia de lo que ocurrió en Polonia— esto no se veía como algo positivo[261].

Al igual que Jaruzelski al declarar la ley marcial, Thatcher presentó las acciones gubernamentales y policiales como la respuesta apropiada del Estado ante la ilegalidad y la violencia. Pero mientras que la ley marcial destruyó la legitimidad de los comunistas polacos, tanto en el país como en el extranjero, la huelga de los mineros solo sirvió para cimentar la imagen de Thatcher en todo el mundo como la determinada y legítima Dama de Hierro: «Lo que tenemos es un intento de sustituir el imperio de la ley por el imperio de la multitud, y no debe tener éxito», dijo, en un discurso a la nación, en mayo de 1984, mientras se desarrollaba una batalla entre miles de huelguistas y policías en las obras de coque de Orgreave[262]. La población británica, en su gran mayoría, estuvo

258 Moore, *Margaret Thatcher: At Her Zenith*, p. 155.

259 *Ibid.*, p. 162.

260 «The Miners and the TUC Conference», 31 de agosto de 1984, PREM19-1332 f10, MTFDC, consultado el 21 de junio de 2021, https://www.margaretthatcher.org/document/133497.

261 Pascall, «The Coal Dispute-Public Opinion», 14 de junio de 1984.

262 Moore, *Margaret Thatcher: At Her Zenith*, p. 156.

de acuerdo con ella. Aunque solo el 40 % del país aprobaba a Thatcher durante la huelga, un abrumador 92 % aprobaba a la policía que estaba implementando sus políticas en el terreno[263]. A pesar de las profundas divisiones, el Estado contaba con una legitimidad abrumadora.

La huelga de los mineros duró un año entero, pero no paralizó el país. La acumulación de reservas eléctricas durante los tres años anteriores garantizaba un suministro de energía constante para la economía, mientras que la policía protegía tanto a las minas como a los mineros. Además, la opinión pública nunca dejó de respaldar al Gobierno. La terca negativa de Scargill a ceder aseguró que, cuando llegara la derrota, sería definitiva. Cuando finalmente los mineros regresaron al trabajo el 3 de marzo de 1985, lo hicieron sin ningún compromiso por parte de la Junta del Carbón de mantener al menos algunos de sus puestos de trabajo y minas en el futuro. En los cinco años siguientes, cerrarían más de la mitad de las 170 minas de carbón de la NCB, lo que llevó a que 79.000 mineros perdieran su empleo. Estas pérdidas fueron solo el principio de los cambios drásticos en la Gran Bretaña industrial y obrera. Durante el mandato de Thatcher, el empleo en el sector manufacturero de mano de obra disminuyó del 30 al 22 %, y la afiliación sindical cayó del 54 al 42 % de los trabajadores. En total, en la década de los ochenta, los sindicatos perdieron tres millones de afiliados[264].

La derrota de la huelga de los mineros marcó el punto culminante de un proceso que Hoskyns había delineado en el informe *Stepping Stones* ocho años atrás. Los «nuevos datos» habían perturbado lo suficiente los «sets mentales» de los ciudadanos como para cambiar los horizontes de posibilidades políticas. Las instituciones democráticas y la ideología neoliberal jugaron un papel crucial a la hora de facilitar este proceso. Durante el

263 Índice de aprobación de la policía en Pascall, «The Coal Dispute-Public Opinion», 14 de junio de 1984; índice de aprobación de Thatcher en «Public Opinion Background Note», 4 de julio de 1984, THCR 2-6-3-87 f262, MTFDC, consultado el 21 de junio de 2021, https://www.margaretthatcher.org/document/137582.

264 Marc Levinson, *An Extraordinary Time: The End of the Postwar Boom and the Return of the Ordinary Economy*, Nueva York, Basic Books, 2016, pp. 192, 194.

apogeo de la huelga, Thatcher describió, de forma infame, a sus opositores como «el enemigo interior», y la mayoría de los ciudadanos británicos la creyeron. En contraste, cuando Jaruzelski declaró la ley marcial, no logró convencer al pueblo polaco de que Solidaridad era «el enemigo interior». Sin la legitimidad, o de distancia de la política previa, que las elecciones democráticas proporcionaron a Thatcher en Gran Bretaña, Jaruzelski luchó por ganarse la confianza de la población polaca en su Gobierno. Además, sin los preceptos del neoliberalismo que convierten la disciplina en virtud, tuvo dificultades para justificar sus acciones en términos marxistas-leninistas. Los polacos condicionaron la aceptación de un nuevo contrato social con mayor disciplinamiento a un mayor control democrático del proceso político. Jaruzelski no pudo aceptar el acuerdo, por lo que la ley marcial se convirtió en su única opción. Al igual que Thatcher, derrotó al enemigo interior de Polonia, pero los medios que empleó garantizaban que el enemigo volvería a aparecer en cualquier momento.

La perestroika capitalista

Antes de que la perestroika transformara el mundo socialista, ya había impactado profundamente en el capitalista. Así lo creían los funcionarios soviéticos en la década de los ochenta[265]. Por ejemplo, en 1983, oficiales del banco estatal soviético Gosbank señalaban que el Fondo Monetario Internacional demandaba a los países endeudados realizar una «perestroika económica» como condición para otorgarles asistencia financiera[266]. Para los analistas soviéticos, el término «perestroika», traducido directamente al inglés como *restructuring*, se asociaba estrechamente con los procesos de reforma económica capitalista, tanto es así que de él surgió la expresión rusa (*strukturnaya perestroika*) para designar un «ajuste estructural», la terminología que el FMI usaba para describir las reformas pro mercado que imponía como condición para su ayuda financiera[267]. Incluso después de que Mijaíl Gorbachov adoptara la perestroika con significados socialistas y soviéticos particulares, él y otros funcionarios soviéticos continuaron usando el término para referirse a cambios económicos en el mundo capitalista. Como ejemplo, en 1987 Gorbachov comentó a su politburó que varios países capitalistas de Europa occidental, incluyendo la Gran Bretaña de Margaret Thatcher, también estaban implementando

265 La traducción más directa al inglés de la palabra perestroika es *restructuring* [reconstrucción, reestructuración]. Para una definición holística, véase Abel Aganbegyan, *The Economic Challenge of Perestroika*, Bloomington, Indiana, Indiana University Press, 1988. Nótese que este libro se publicó utilizando la transliteración «Aganbegyan», por lo que he mantenido esa ortografía al referirme a él en las notas.

266 Memorándum del Gosbank, «Mezhdunarodnyi valiutnyi fond i sotsialisticheskiestrany», 11 de noviembre de 1983, Archivo Estatal Ruso de Economía (RGAE), f. 2324, o. 33, d. 406.

267 «Usloviia kreditovaniia zapadom razvivaiushchikhsia stran progressivnoi orientatsii», 20 de marzo de 1987, RGAE, f. 2324 o. 33 d. 640.

una perestroika[268]. Y los funcionarios del influyente Instituto de Estados Unidos y Canadá de la Unión Soviética se hicieron eco de la opinión de su líder: «La actual perestroika estructural de la economía de los países desarrollados tiene consecuencias de gran alcance», escribieron en 1989[269].

Y así fue. Este capítulo analiza las causas y los efectos de la perestroika que se extendió por el mundo capitalista a principios de los años ochenta. Dicha perestroika capitalista comprendía tres procesos clave. Primero, el presidente de la Reserva Federal de Estados Unidos, Paul Volcker, la puso en marcha mediante el cambio drástico de los tipos de interés del dólar estadounidense entre 1979 y 1983. En el mundo capitalista, el *shock* de Volcker desató una ola de deflación, quiebras bancarias y un desempleo sin precedentes en tiempos de posguerra. Esta serie de cambios generó efectos disciplinarios a largo plazo en las economías occidentales. En Estados Unidos, el capital recuperó control sobre el trabajo, los salarios quedaron rezagados respecto al crecimiento de la productividad y la desigualdad se incrementó de manera drástica. En Europa occidental, aunque los Gobiernos dieron una mayor protección a los derechos laborales y la igualdad de ingresos, el desempleo aumentó significativamente y se mantuvo elevado durante el resto del siglo XX. Además, mientras el Este seguía centrado en la industria pesada, los Gobiernos occidentales promovieron la desindustrialización y redujeron el tamaño de sus clases trabajadoras industriales. En resumen, después de 1979, los Gobiernos de Occidente no pudieron seguir ofreciendo a sus ciudadanos la combinación de incremento de ingresos, seguridad laboral y pleno empleo que había definido la política de promesas del periodo de posguerra. Ahora sí, el contrato social de posguerra se había roto.

En segundo lugar, a principios de los años ochenta, Ronald Reagan cambió de manera involuntaria, pero fundamental, el flujo

268 Anatolii Cherniaev (ed.), *V Politbiuro TsK KPSS:Po zapisiam Anatoliia Cherniaeva, Vadima Medvedeva, Georgiia Shakhnazarova*, Moscú, Alpina, 2006, p. 180.

269 V. B. Benevolenskii, «Ekonomicheskaia vzaimozavisimost' i vneshnia politika SShA», 21 de enero de 1989, Archivo de la Academia Rusa de Ciencias (ARAN), f. 2021 d. 2 o. 70, l. 266.

de capital en la economía mundial, pues Estados Unidos pasó de ser un exportador neto de capital a convertirse en la nación más endeudada del mundo. La inquebrantable apuesta de Reagan por lograr grandes recortes fiscales y el mayor despliegue militar en tiempos de paz en la historia de Estados Unidos generó colosales déficits presupuestarios y por cuenta corriente. Al contrario de lo esperado, estos déficits fueron financiados por un torrente de capital extranjero. En la década de los ochenta, el capital fluyó hacia Estados Unidos a un ritmo sin precedentes. Esta «acumulación financiera de Reagan» eliminó la tradicional disyuntiva del Gobierno estadounidense entre gasto militar y social, y respaldó tanto la reactivación del crecimiento económico interno como la expansión del poder estadounidense en el extranjero. El mismo instrumento político que disciplinaba a los trabajadores estadounidenses —los tipos de interés altos — fue clave para atraer estas entradas de capital extranjero, permitiendo a Estados Unidos renovar su poder mundial al romper promesas en casa.

En tercer lugar, la perestroika capitalista terminó con la interdependencia económica de los años setenta e inició una nueva era de dominio económico occidental sobre el resto del mundo. La acumulación financiera de Reagan fue crucial en esta transformación de la economía política mundial. No solo fortaleció la proyección del poder estadounidense al financiar su acumulación militar, sino que también cambió la geopolítica de la década restringiendo el flujo de capital a otros países. Cuanto más capital mundial concentraba Estados Unidos, más les costaba a otros Gobiernos atraer capital. Esta escasez de capital modificó las relaciones de poder entre prestamistas y prestatarios a nivel mundial, permitiendo a la Administración Reagan y al FMI imponer su visión económica global. La subsiguiente crisis de deuda soberana amenazó inicialmente con colapsar el sistema financiero mundial. Los países deudores y acreedores se encontraron en un estado de destrucción financiera mutua: si los deudores incumplían, los acreedores se hundirían en una depresión económica. Pero los líderes del sistema financiero mundial en la Reserva Federal, el FMI y el Gobierno de Estados Unidos desenredaron hábilmente esta interdependencia, haciendo a los países deudores completamente dependientes de sus acreedores. Y así descubrieron cómo usar la deuda soberana como una palanca para imponer programas económicos neoliberales a nivel global.

La perestroika capitalista, tanto en Estados Unidos como en el resto del mundo, tuvo un profundo impacto. En los cinco años desde el nombramiento de Volcker, en 1979, hasta la reelección de Reagan en 1984, Estados Unidos pasó de estar limitado por las restricciones financieras, la interdependencia internacional y la debilidad gubernamental, a contar con una influencia ilimitada, que ejercía su poder mediante la dependencia financiera y la superioridad militar a nivel mundial. A diferencia de lo que le ocurrió al Gobierno soviético bajo su propia perestroika, el estadounidense renovó con éxito su poder durante la perestroika capitalista, gracias a su capacidad para disciplinar a sus ciudadanos y aprovechar el flujo de capital extranjero que ha sostenido el imperio estadounidense desde entonces.

* * * *

Aunque Paul Volcker anunció el paso de la Reserva Federal al monetarismo en noviembre de 1979, mantuvo en reserva el grueso de su ataque a la inflación hasta después de las elecciones presidenciales de 1980. Volcker era plenamente consciente de los efectos nocivos que unos tipos de interés más altos tendrían en la economía real, y no quería que se considerara que había inclinado las elecciones en contra de Jimmy Carter al agravar los problemas económicos del país en vísperas de la votación. Así que esperó. Con la elección de Ronald Reagan, en noviembre de 1980, por fin llegó la oportunidad que había estado esperando.

Al elegir a Reagan, el pueblo estadounidense eligió conscientemente a alguien que se comprometía a luchar contra la inflación, aunque fuera a costa de la clase trabajadora y sus puestos de trabajo. De hecho, el 42 % de los hogares sindicalizados le votaron[270].

270 Jonathan Levy, *Ages of American Capitalism: A History of the United States*, Nueva York, Random House, 2021, p. 605.

Frustrados por una década de crisis económica, y atraídos por los llamamientos religiosos y culturales de la «nueva derecha» de Reagan, muchos votantes blancos de clase trabajadora que tradicionalmente habían constituido la piedra angular de la coalición demócrata del *New Deal* estaban dispuestos a dar una oportunidad al conservadurismo promercado y antigubernamental de Reagan. Los llamados «demócratas de Reagan» dieron al candidato republicano una victoria aplastante en el Colegio Electoral; derrotó a Carter por un asombroso margen de 489 a 49[271].

Volcker creía que los meses inmediatamente posteriores a la victoria de Reagan ofrecían al país una «rara oportunidad» para «abordar, de manera fundamental y decisiva, el problema de la inflación»[272]. Como declaró ante el Congreso en los primeros días de enero de 1981, «ahora estamos ante una de esas raras oportunidades de concitar un consenso nacional» para anteponer la inflación sobre otras prioridades más tradicionales, como el pleno empleo y el crecimiento económico[273]. A lo largo del año y medio siguiente, los tipos de interés del dólar estadounidense superaron el 20 % durante semanas y nunca bajaron del 15 %[274]. Incluso después de que Volcker empezara a bajarlos en la segunda mitad de 1982, su determinación de acabar con cualquier atisbo de expectativas inflacionistas llevó a la Reserva Federal a mantenerlos inauditamente altos durante el resto de la década. Tras languidecer y mantenerse por debajo de cero durante la mayor parte de los

271 Kevin Kruse y Julian Zelizer, *Fault Lines: Una historia de Estados Unidos desde 1974*, Nueva York, W. W. Norton, 2019, p. 105.

272 Paul A. Volcker, «A Rare Opportunity», discurso pronunciado en la Tax Foundation, 3 de diciembre de 1980, carpeta «Federal Reserve Board Paul Volcker (1 of 7)», caja 15, Subject File, Martin Anderson Files, Ronald Reagan Presidential Library (RRPL), Simi Valley, California.

273 Declaración de Paul A. Volcker, presidente de la Junta de gobernadores del sistema de la Reserva Federal ante el Comité de banca, vivienda y asuntos urbanos de Estados Unidos, Senado, 7 de enero de 1981, carpeta «Federal Reserve Board Paul Volcker (1 of 7)», caja 15, Subject File, Martin Anderson Files, RRPL

274 Se refiere al tipo preferente de los préstamos bancarios. Véanse los datos de la Reserva Federal en «Bank Prime Loan Rate», Federal Reserve Bank of St. Louis, consultado el 5 de junio de 2021, https://fred.stlouisfed. org/series/MPRIME.

años setenta, los tipos de interés reales —esto es: tipos de interés nominales menos inflación— se dispararon hasta el cinco por ciento a principios de los ochenta y continuaron siendo positivos durante el resto del siglo XX[275].

Con el *shock* de Volcker, la política de cumplir promesas dio paso a la de romperlas en todo el país. Las fábricas cerraron, las filas de desempleados crecieron y la infraestructura industrial de la nación se desvaneció. Entre 1979 y 1983, la inversión fija en la industria manufacturera estadounidense se desplomó a un ritmo jamás registrado hasta entonces, y el empleo en la fabricación de bienes duraderos se redujo en más de dos millones de empleos[276]. La producción real se contrajo el 3,3 %, y el desempleo alcanzó un máximo de posguerra del 10,8 %[277]. Incluso cuando el crecimiento económico nacional se reanudó en 1983, la era dorada de la industria estadounidense no regresó. En 1983, por ejemplo, la U.S. Steel, un símbolo del poderío industrial estadounidense, anunció el cierre de casi el 20 % de su capacidad y el despido de quince mil trabajadores. Este fue solo un episodio sombrío en una década de declive para la industria siderúrgica estadounidense, que vio cómo su fuerza laboral se reducía de 450.000 a principios de los ochenta a 170.000 al final de la década[278].

Para Reagan, la disciplina monetaria de Volcker era un antídoto necesario contra lo que él consideraba el despilfarro de la política de promesas. Creía que los impuestos altos, la regulación y el gasto social de la posguerra habían erosionado los incentivos para trabajar duro y las razones de las empresas para invertir en nuevos equipos y expandir la producción. Su retórica sugirió que la economía debía liberarse de las restricciones gubernamentales.

275 Figura 2.2, en Andrew Glyn, *Capitalism Unleashed: Finance, Globalization, and Welfare*, Nueva York, Oxford University Press, 2006, p. 26.

276 Levy, *Ages of American Capitalism*, p. 603.

277 Michael Mussa, «U.S. Monetary Policy in the 1980s», en *American Economic Policy in the 1980s*, Martin Feldstein (ed.), Chicago, University Chicago Press, 1994, p. 104.

278 Steven Greenhouse, *The Big Squeeze: Tough Times for the American Worker*, Nueva York, Knopf, 2008, pp. 80-83.

Son célebres estas palabras el día de su discurso de investidura: «El Gobierno no es la solución a nuestros problemas; el Gobierno es el problema»[279]. En lugar del paradigma prometedor de la posguerra, Reagan adoptó una economía centrada en la oferta (*supply-side economics*), una corriente de pensamiento que abogaba por resolver el dilema de la estanflación mediante la reducción de impuestos y la desregulación gubernamental. Los defensores de esta teoría argumentaban que si el Gobierno confiscaba los frutos del trabajo duro de la gente y las compañías mediante los impuestos, ¿por qué esforzarse e invertir en el futuro? ¿Cómo podrían las empresas y los individuos asumir riesgos y buscar la innovación bajo una creciente regulación gubernamental? Frente al estancamiento de la producción, la caída de la productividad y los bajos niveles de ahorro e inversión de los años setenta, estas preguntas fueron ganando terreno y, con la elección de Reagan, se terminaron imponiendo. Los defensores de la economía de la oferta aseguraron al país que habría más ahorro personal, mayor inversión empresarial y crecimiento económico si se reducían los impuestos y regulaciones.

Una vez en el poder, estas convicciones llevaron al equipo económico de Reagan a acelerar una ola de desregulación ya en marcha. En los últimos años del mandato de Carter, los esfuerzos bipartidistas para desregular la mayoría de los aspectos de la economía estadounidense habían cobrado impulso. En los primeros años de Reagan, se abolieron normas que controlaban la competencia y los precios en distintos sectores, que iban desde las aerolíneas y los ferrocarriles hasta las telecomunicaciones y el transporte por carretera. El sector financiero pronto siguió el ejemplo. En dos leyes promulgadas en 1980 y 1982, el Congreso eliminó los límites a los tipos de interés de los depósitos bancarios y permitió a los bancos ofrecer préstamos a tipos variables. De esta manera, el poder legislativo redujo la capacidad del Gobierno para moderar y regular el mercado en todos y cada uno de los sectores.

279 «First Inaugural Address of Ronald Reagan», 20 de enero de 1981, Yale Law School, Lillian Goldman Law Library, *The Avalon Project*, consultado el 5 de junio de 2021, https://avalon.law. yale.edu/20th_century/reagan1.asp,.

En total, el porcentaje de la economía sujeta a algún tipo de regulación de precios pasó del 17 % en 1977 al 6,6 % en 1988[280]. A esta creciente tendencia desreguladora, Reagan añadió un envite deliberado contra el mundo sindical y los trabajadores. Después de que el salario mínimo aumentara el 127 % en términos reales entre 1950 y 1980, durante su presidencia experimentó una caída del 26 %[281]. En su primer año en el cargo, hizo que fuera más costoso para la clase trabajadora defender su posición económica al anunciar que aquellos que se declararan en huelga no recibirían cupones de alimentos. En el verano de 1981, mostró su intención de disciplinar a los sindicatos estadounidenses de manera contundente al despedir de forma abrupta a los once mil controladores aéreos de la Professional Air Traffic Controllers Organization (PATCO) que se habían declarado en huelga, y prohibirles acceder a un empleo federal de por vida. Tanto trabajadores como empleadores vieron la desintegración de PATCO como un punto de inflexión en el mundo laboral del país. El presidente de la Federación Estadounidense del Trabajo y Congreso de Organizaciones Industriales (AFL-CIO), Lane Kirkland, calificó la dura reacción de Reagan de «vengativa y brutal, como un bombardeo masivo»[282]. Según la ley, la decisión de Reagan estaba dentro del marco legal, pero constituía un paso que pocos líderes empresariales habían estado dispuestos a dar desde el *New Deal*[283]. Como informó la revista *Fortune* en noviembre de 1981, «los directivos están descubriendo que las huelgas pueden romperse (...) y que romper una huelga (...) no tiene por qué ser algo necesariamente malo»[284]. Los cambios en la opinión pública eliminaron este tabú, siempre en detrimento de

280 Levy, *Ages of American Capitalism*, p. 379.

281 Calculado a partir del conjunto de datos en dólares constantes para la figura 9.1 en Thomas Piketty, *Capital in the Twenty-First Century*, Cambridge, Massachusetts, Harvard University Press, 2014, p. 309. Conjunto de datos disponible en http://piketty.pse.ens.fr/files/capital21c/en/xls/, consultado el 15 de junio de 2021.

282 Citado en Jefferson Cowie, *Stayin' Alive: The 1970s and the Last Days of the Working Class*, Nueva York, New Press, 2010, p. 363.

283 Levy, *Ages of American Capitalism*, p. 605.

284 Meyer, «Decline of Strikes», p. 70.

las clases trabajadoras. La acción de Reagan fue popular, incluso entre los sindicalistas: el 64 % del país apoyó la decisión del presidente, incluyendo un sorprendente 52 % entre los sindicalistas[285]. Al igual que en Gran Bretaña, el pueblo estadounidense clamaba por el fin de la crisis económica y el malestar social, aunque fuera a expensas de los sindicatos.

La combinación del desempleo masivo causado por el *shock* de Volcker, la creciente ola de desregulación y el despido de los controladores aéreos por parte de Reagan rompió la resistencia de los trabajadores estadounidenses al disciplinamiento económico. En lugar de luchar por nuevas conquistas, muchos trabajadores se limitaron a luchar por mantener lo que tenían. En 1982, por ejemplo, la International Brotherhood of Teamsters, un poderoso sindicato temido por su capacidad de paralizar la economía con una huelga nacional de camioneros, acordó una congelación salarial de tres años para más de trescientos mil conductores de larga distancia[286]. En todo el país, se desplomó el número de días que los trabajadores pasaron en huelga. Durante el apogeo de la política de promesas, de 1950 a 1973, el promedio de grandes huelgas anuales era de 325. Pero de 1982 a 1990, esa cifra cayó a aproximadamente 70. A medida que disminuía la militancia sindical, también lo hacía su presencia en el lugar de trabajo. Mientras que los trabajadores sindicalizados representaban el 21 % de la mano de obra del sector privado en 1979, una década más tarde solo eran el 12 %. La remuneración real por hora en el sector privado se estancó durante la década de los ochenta, creciendo a una tasa promedio anual de solo el 0,1 % entre 1979 y 1990.

En resumen, los primeros años de la década de los ochenta representaron un cambio drástico para la clase obrera estadounidense, su remuneración y su nivel de vida. Como ilustra la Figura 4.1, hasta principios de la década de 1970, la relación entre la productividad de los trabajadores y su remuneración por hora en Estados

285 Stephen Hayward, *The Age of Reagan, vol. 2, The Conservative Counterrevolution, 1980-1989*, Nueva York, Three Rivers Press, 2009, p. 173.

286 Greenhouse, *Big Squeeze*, p. 80.

Unidos había aumentado de forma gradual durante todo el periodo de posguerra. Las crisis económicas de los setenta afectaron esta relación, pero fue el *shock* de Volcker, el empuje desregulador de finales de la década, el aumento de la competencia por las importaciones a principios de los ochenta y el fortalecimiento del control del capital sobre el trabajo durante el primer mandato de Reagan lo que llevó a que los salarios y la productividad se desvincularan de forma permanente. El trabajador promedio estadounidense prácticamente no experimentó ningún aumento en su salario real desde 1979 hasta finales de siglo[287].

Los trabajadores estadounidenses no fueron los únicos que sufrieron las consecuencias de los altos tipos de interés. Las

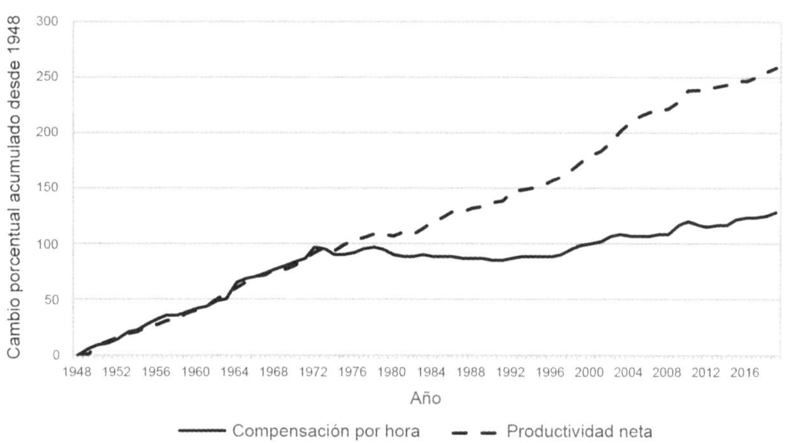

Figura 4.1. **Divergencia entre el aumento de la productividad estadounidense y la remuneración por hora.** Fuente: Análisis del Economic Policy Institute (EPI) sobre datos inéditos sobre la productividad total de la economía procedentes del Bureau of Labor Statistics (BLS) Programa de Productividad y Costes Laborales (BLS), datos salariales del BLS Current Employment Statistics, BLS Employment Cost Trends, BLS Consumer Price Index y Bureau of Economic Analysis National Income and Product Accounts. «The Productivity-Pay Gap», EPI, consultado el 21 de junio de 2021, https://www.epi.org/productivity-pay-gap/.

287 Para un análisis más detallado de esta amplia conclusión, véase Brenner, *The Economics of Global Turbulence*, Nueva York, Verso, 2006, p. 196.

políticas de la Reserva Federal forzaron a otros bancos centrales de todo el mundo a elevar significativamente sus tipos para proteger sus monedas. Por ello, el canciller alemán Helmut Schmidt tenía razón cuando se quejaba de que Volcker era el culpable de que los tipos de interés en Europa alcanzaran sus niveles más altos «desde el nacimiento de Jesucristo»[288]. Los elevados tipos de interés, a su vez, tuvieron un impacto tangible e implacablemente eficaz en la mano de obra de todas las economías industriales de Occidente. Después de mantenerse por debajo del dos por ciento poco antes de la primera crisis del petróleo, el desempleo en toda Europa occidental se disparó por encima del 10 % a mediados de los años ochenta y se mantuvo sobre el ocho por ciento hasta bien entrados los noventa[289]. Tras aumentar entre el tres y el cinco por ciento anual en los años sesenta y principios de los setenta, los salarios reales en Europa occidental y Japón tan solo crecieron alrededor del uno por ciento anual en las dos décadas posteriores. Incluso en una potencia industrial como Alemania Occidental, las horas de trabajo en el sector manufacturero se redujeron el 10 % entre 1979 y 1985[290], y el crecimiento de los costes laborales bajó a la mitad durante la década de los ochenta[291]. El desmantelamiento de las clases trabajadoras industriales fue un fenómeno generalizado en todos los países occidentales y marcó una diferencia decisiva entre el capitalismo democrático y el socialismo de Estado. Como ilustra la Figura 4.2, mientras los Gobiernos del bloque oriental continuaron incorporando trabajadores a las industrias pesadas durante los años ochenta, los Gobiernos occidentales fueron capaces de desindustrializar su propia masa laboral.

Buena parte de esta «desindustrialización» se llevó a cabo mediante la privatización de activos y de empresas estatales. Aunque

288 «Business Conditions: How High the Rate?», 26 de julio de 1981, *The New York Times*, sec. 3, p. 18.

289 Figura 9.3, en Barry Eichengreen, *The European Economy since 1945, Princeton*, Nueva Jersey, Princeton University Press, 2007, p. 265.

290 Glyn, *Capitalism Unleashed*, p. 116.

291 Brenner, *Economics of Global Turbulence*, p. 230.

pocos líderes occidentales igualaron el fervor casi religioso con el que Thatcher y Reagan apostaron por soluciones neoliberales, eso no les impidió adoptar la privatización como un medio para hacer que las industrias de sus países fueran más eficientes y competitivas. En la década de los ochenta, una verdadera oleada de privatizaciones recorrió las economías occidentales[292]. Desde las aerolíneas holandesas hasta las empresas de telecomunicaciones japonesas, incluyendo las eléctricas alemanas, todas pasaron a manos privadas. Incluso el Gobierno socialista de España se sumó a esta tendencia[293]. Cuando Gorbachov comentó al politburó en 1987 que el presidente del Gobierno español, Felipe González, se encontraba entre los líderes occidentales que «también estaban llevando a cabo una perestroika» de sus economías, hablaba de un líder socialista que estaba gestionando la privatización a gran escala de una economía donde casi el 20 % de los trabajadores españoles estaban en el paro[294].

Cuando los Gobiernos occidentales dejaron de ser propietarios de los medios de producción, no hubo una reducción correspondiente en el tamaño de sus estados de bienestar. De hecho, el considerable aumento del desempleo llegó incluso a incrementar ligeramente el gasto social en la OCDE (Organización para la Cooperación y el Desarrollo Económicos), pasando del 14,5 % al 16,5 % del PIB durante la década de los ochenta[295]. Pero las altas tasas de interés y los mercados financieros globalizados sí impusieron límites estrictos sobre cuánto bienestar público e intervención estatal podían perseguir los líderes occidentales en

292 Tony Judt, *Postwar: A History of Europe since 1945*, Nueva York, Penguin, 2005, p. 555.

293 Marc Levinson, *An Extraordinary Time: The End of the Postwar Boom and the Return of the Ordinary Economy*, Nueva York, Basic Books, 2016, p. 215; Laura Cabeza García y Silvia Gómez Ansón, «The Spanish Privitsation Process: Implications on the Performance of Divested Firms», *International Review of Financial Analysis*, n.º 16, 2007, pp. 390-409.

294 Cherniaev (ed.), V Politbiuro TsK KPSS, 180; Levinson, *An Extraordinary Time*, p. 217.

295 Conjunto de datos sobre gasto social de la OCDE en «Social Spending», OCDE, consultado el 8 de julio de 2021, https://data.oecd.org/socialexp/socialspending.htm#indicator-chart.

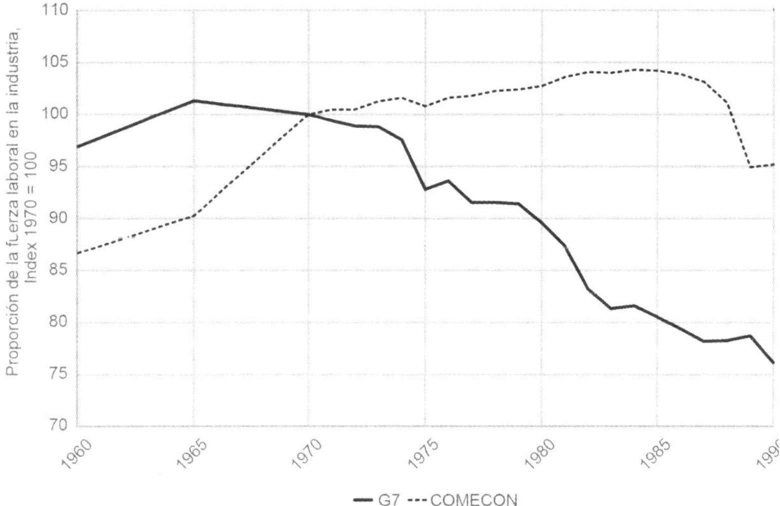

Figura 4.2. **Auge y declive de las plantillas industriales en el bloque oriental y occidental.** Adaptado, con permiso de University of Chicago Press Journals, de Maximilian Krahé, «TINA and the Market Turn: Why Deindustrialization Proceeded under Democratic Capitalism but Not State Socialism», *Critical Historical Studies*, vol. 8, n.º 2, otoño de 2021, figura 1; permiso concedido a través de Copyright Clearance Center, Inc.

sus economías domésticas. Los poseedores del capital mundial toleraron la supervivencia del estado del bienestar como una manera de satisfacer las necesidades básicas de los trabajadores desplazados por la reestructuración económica, pero rechazaron cualquier expansión del papel del Estado en la regulación de la economía o en la provisión de seguridad económica y social a sus ciudadanos.

Estos nuevos límites se hicieron evidentes en Francia. En 1981, los votantes franceses, desafiando la tendencia conservadora del mundo angloamericano, eligieron al socialista François Mitterrand como presidente. Su elección, siendo el primer jefe de Estado socialista elegido democráticamente en Europa, fue un hito para la izquierda europea. Los socialistas franceses y europeos vieron su victoria como una oportunidad largamente esperada de usar el poder estatal para instaurar una «ruptura con el capitalismo» y someter la economía al control gubernamental[296]. La plataforma de campaña de Mitterrand contenía todas las características de la política de hacer promesas: las industrias serían nacionalizadas, se crearían empleos gubernamentales y el estado de bienestar se expandiría. En coalición con el Partido Comunista Francés, los socialistas cumplieron estas promesas en su primer año de mandato, aumentando el gasto público el 27 % y pidiendo préstamos para incrementar salarios y pensiones, reducir la edad de jubilación y disminuir las horas de trabajo. Nacionalizaron treinta y ocho bancos y empresas financieras, cinco de las principales compañías industriales de Francia y los dos mayores conglomerados siderúrgicos del país[297]. Durante un breve lapso de tiempo, la política de hacer promesas en Occidente alcanzó su apogeo.

Sin embargo, a los grandes capitalistas no les gustó lo que vieron y pronto expresaron su descontento. Con la inflación, el gasto y los impuestos sobre el patrimonio subiendo en Francia, los inversores decidieron sacar su dinero del país. La fuga de capitales obligó a las autoridades francesas a devaluar la moneda en octubre de 1981 y en junio de 1982, y llevó a Mitterrand a iniciar la búsqueda de un nuevo enfoque económico. Para apoyar la segunda devaluación, anunció lo que se llamó «giro de 180 grados»: un paquete de austeridad interna con congelaciones de salarios y precios, aumentos de impuestos y recortes de gasto público, todas ellas políticas que contradecían sus iniciativas anteriores. Como la industria seguía nacionalizada y los comunistas se mantenían en el Gobierno, la nueva austeridad apenas logró restaurar la confianza del capital. Ante la perspectiva de nuevas devaluaciones y fugas de capital, en 1983 Mitterrand abandonó por completo su cruzada socialista y adoptó una política de *rigueur* [rigor], basada en la estabilidad de precios y la austeridad fiscal sobre la política socialista interna. Para la primavera de 1984, los comunistas ya no formaban parte del Gobierno, y Mitterrand promovía una modernización de la economía francesa al estilo

296 Thomas Rodney Chistofferson, *The French Socialists in Power, 1981-1986: From Autogestion to Cohabitation*, Newark, University of Delaware Press, 1991, cap. 2.

297 Levinson, *Extraordinary Time*, pp. 204-208; Judt, *Postwar*, pp. 551-554.

estadounidense[298]. Durante el resto de la década, el Gobierno se sumó a la ola de privatizaciones que asolaba Occidente y lideró la ofensiva global para eliminar los controles de capital nacionales y liberalizar las finanzas más allá de los confines estatales[299].

Por lo tanto, podemos concluir que, aunque el tamaño del estado del bienestar en Occidente se mantuvo casi inalterado durante la década de los ochenta, su significado e implicaciones en las sociedades occidentales cambiaron de manera radical. El estado del bienestar de la posguerra había emergido como parte de un compromiso más amplio de los Gobiernos occidentales para regular la economía, con el objetivo de lograr niveles de vida más altos y una distribución más equitativa de la riqueza en sus sociedades. Sin embargo, su persistencia en la década de los ochenta se debía, en parte, a la reducción de sus ambiciones. El alto desempleo o el estancamiento de los ingresos se estaban convirtiendo en problemas crónicos de muchas economías occidentales, y el estado del bienestar se transformó en un cooperador necesario de la política de ruptura de promesas, gracias a que proporcionaba subsistencia a los millones de trabajadores desplazados por la desindustrialización. En países como Gran Bretaña, el Gobierno incluso alentaba activamente a personas sanas a solicitar prestaciones por incapacidad para mantenerlas fuera de las estadísticas de desempleo[300]. Junto a la disminución de la capacidad o la voluntad de los Gobiernos para aumentar los salarios y garantizar el empleo, también mermó la confianza de los ciudadanos en la habilidad del Estado para dirigir la economía hacia objetivos justos y prósperos. Como señaló Tony Judt, la década de los ochenta vio en el mundo occidental un «desmoronamiento acumulativo» de la premisa de posguerra de que «el Estado activista era una condición necesaria para el crecimiento económico y la mejora social»[301]. Los Gobiernos

298 Judt, *Postwar*, p. 554.

299 Rawi Abdelal, *Capital Rules: The Construction of Global Finance*, Cambridge, Massachusetts, Harvard University Press, 2007, en particular el cap. 4.

300 Levinson, *Extraordinary Time*, p. 196.

301 Judt, *Postwar*, p. 558.

occidentales, que habían sido arquitectos fiables de la igualdad y el progreso, se convirtieron en gestores de los costes humanos de la reestructuración económica.

* * * *

En ningún país fueron más evidentes el estancamiento del tamaño del Estado y la disminución de las expectativas gubernamentales que en Estados Unidos. A pesar de su retórica asertiva sobre la necesidad de reducir la presencia del Gobierno en la vida de los estadounidenses, Ronald Reagan no logró disminuir el tamaño del Estado. «La verdadera revolución Reagan nunca tuvo una oportunidad», escribió en 1986 David Stockman, el primer director de presupuesto de Reagan, en sus memorias *El triunfo de la política: Cómo fracasó la Revolución Reagan*. Lo que comenzó como un movimiento «basado en ideas» para crear un «Gobierno minimalista» terminó siendo «un ejercicio involuntario de economía de comida gratis», afirmó Stockman. Los recortes de impuestos de Reagan y el aumento del gasto militar, sumados a la incapacidad gubernamental para reducir el gasto interno, «desencadenaron [un] colapso fiscal masivo (...) en la economía nacional y mundial»[302]. La «Revolución Reagan» fue «una revolución a medias (...) y un desastre fiscal»[303].

Las opiniones del director de presupuesto no siempre habían sido tan pesimistas. David Stockman irrumpió en la escena política estadounidense a finales de los años setenta como un ferviente defensor de la economía de la oferta, asumiendo el cargo de director de presupuesto de Reagan con la firme intención de recortar impuestos y reducir el tamaño del Estado. Un principio central, al menos en la retórica de la economía de la oferta, era que el dinero perdido por el Estado en los recortes de impuestos se recuperaría al estimular el crecimiento económico. En la primera previsión presupuestaria de la campaña presidencial de Reagan, en agosto de 1980, Stockman

302 David A. Stockman, *The Triumph of Politics: How the Reagan Revolution Failed*, Nueva York, Harper & Row, 1986, p. 8.

303 *Ibid.*, p. 265.

pareció demostrar este principio, proyectando un superávit presupuestario para 1985. Estas proyecciones incluían el plan de Reagan de reducir los tipos del impuesto sobre la renta el 30 %, un aumento anual del siete por ciento en el gasto militar y ningún recorte significativo en las prestaciones sociales. Más tarde, Stockman calificaría estas proyecciones de «ni lógicas, ni cuidadosas, ni precisas», pero lograron un milagro presupuestario debido al efecto dramático de la inflación en los ingresos fiscales a través del «*bracket creep*» [la deformación o distorsión de las escalas de impuestos]. A medida que la inflación de la década de 1970 aumentaba los ingresos de los estadounidenses, también los empujaba hacia nuevos tramos impositivos, lo que les llevaba a pagar una mayor proporción de sus ingresos en impuestos[304]. Críticos como Jimmy Carter y George H. W. Bush, en las primarias republicanas, calificaron el programa de Reagan de «economía vudú» que inflaría el déficit. Pero, con una inflación de dos dígitos, el equipo de Reagan presentó proyecciones para refutar estas acusaciones. Lo más importante es que cuanto más se decía el equipo de Reagan a sí mismo y al país que podían reducir los impuestos, aumentar el gasto militar y equilibrar el presupuesto, más creían realmente que tal combinación era posible[305]. Reagan declaró en su discurso inaugural que los déficits acumulados eran insostenibles, y lanzó la pregunta de por qué la nación no estaría sujeta a las mismas limitaciones financieras que los individuos. Al comienzo del discurso afirmó que «durante décadas hemos acumulado déficit tras déficit, hipotecando nuestro futuro y el futuro de nuestros hijos por la conveniencia temporal del presente». Y dijo que los «ciudadanos normales podemos, pidiendo prestado, vivir por encima de nuestras posibilidades, pero solo durante un periodo de tiempo limitado. ¿Por qué deberíamos pensar entonces que, colectivamente, como nación, no estamos sujetos a esa misma limitación?»[306].

304 *Ibid.*, p. 67.

305 *Ibid.*, p. 60.

306 «First Inaugural Address of Ronald Reagan», 20 de enero de 1981, Yale Law School, Lillian Goldman Law Library, *The Avalon Project*, consultado el 5 de junio de 2021, https://avalon.law. yale.edu/20th_century/reagan1.asp.

Antes de 1981, había pocas razones para dudar de esta limitación. Sin embargo, los acontecimientos del primer mandato de Reagan cambiarían esta perspectiva. El cambio comenzó con Volcker. A medida que los tipos de interés de la Reserva Federal aumentaban, el motor de liquidez de la década de los setenta se detuvo, y la inflación entró en un rápido declive: pasó del 13,5 % en 1980 al 3,9 % en 1982. El motor económico que había sustentado las previsiones de Stockman desapareció con suma rapidez.

El Congreso aprobó la Ley de Impuestos para la Recuperación Económica (ERTA), que incluía una reducción del 25 % en los impuestos sobre la renta, un significativo recorte en los impuestos sobre las ganancias de capital y una gran disminución en los corporativos mediante la aplicación de cambios en las normas de depreciación. Junto con las innovaciones financieras de Wall Street, como la creación de la obligación hipotecaria garantizada, la ERTA generó dos condiciones económicas definitorias de la acumulación financiera de Reagan: un ambiente extremadamente favorable para las inversiones de deuda y un déficit sin precedentes en los ingresos fiscales federales. Evaluándolo en retrospectiva, el equipo económico de Reagan estimó que la ERTA redujo el tipo impositivo efectivo sobre el capital el 50 %[307], y la Oficina de Gestión y Presupuesto calculó que la ERTA generó una pérdida acumulada de ingresos federales de casi 1,5 billones de dólares en la década de los ochenta[308].

La disminución en los ingresos fiscales solo se hizo evidente una vez que los altísimos tipos de interés de Volcker tuvieron un efecto sorprendentemente rápido en la inflación. Así, con la inflación en descenso, los funcionarios estadounidenses elaboraron nuevas proyecciones presupuestarias en el otoño de 1981, basadas en cifras más modestas de inflación y crecimiento económico.

307 La ERTA favoreció la inversión en deuda frente a la inversión en capital mucho más de lo que pretendían inicialmente los autores de la ley. La estimación del 50 % procede de *1989 Economic Report of the President*, Washington D. C., United States Government Printing Office, 1989, p. 87.

308 Cálculo basado en las cifras en dólares corrientes que figuran en el cuadro 4.5 de James Poterba, «Federal Budget Policy in the 1980s», en Feldstein (ed.), *American Economic Policy in the 1980s*, p. 248.

Se sorprendieron al descubrir que la política fiscal recién promulgada produciría, en palabras de Stockman, «déficits hasta donde alcanza la vista». Estas nuevas proyecciones eran «aterradoras», según recuerda Stockman. «Mostraron tinta roja acumulada durante cinco años de más de setecientos mil millones de dólares. Eso suponía casi tanta deuda nacional como la que había acumulado Estados Unidos durante doscientos años. Simplemente te dejaba sin aliento. Ningún funcionario gubernamental había visto jamás algo así»[309]. En su diario, Reagan calificó las nuevas proyecciones de déficit de «bomba» y expresaba su sorpresa al reconocer que «la inflación es un impuesto». Para diciembre de 1981, ya se había resignado al hecho de que «nosotros, que íbamos a equilibrar el presupuesto, nos enfrentamos a los mayores déficits presupuestarios de la historia»[310].

La pregunta que estaba en mente de todos durante el otoño de 1981 era cómo podrían financiarse estos déficits. En una economía nacional cerrada, la teoría económica sostenía que los déficits presupuestarios del Gobierno perjudicarían la economía al «desplazar» la inversión privada, incrementar las tasas de interés y frenar el crecimiento económico. Nada menos que una autoridad como el propio Volcker se aferraba firmemente a esta posición, y la mayoría de los economistas de la Administración se mostraban de acuerdo con ella[311]. Larry Kudlow, entonces economista del personal del Consejo de Asesores Económicos, concluyó a principios de 1982: «El excesivo endeudamiento federal y los préstamos con asistencia federal competirán con las demandas privadas, absorbiendo recursos de capital muy necesarios y generando presiones adicionales al alza en los tipos de interés»[312].

309 Stockman, *Triumph of Politics*, p. 343.

310 Reagan, 17 de octubre de 1981, en Douglas Brinkley (ed.), *The Reagan Diaries*, Nueva York, HarperCollins, 2007, p. 44.

311 Declaración de Paul Volcker, presidente de la Junta de Gobernadores del Sistema de la Reserva Federal ante el Comité de Presupuesto, Senado de Estado Unidos, 16 de septiembre de 1981, carpeta «Federal Reserve Board Paul Volcker (4 of 7)», caja 15, Subject File, Martin Anderson Files, RRPL.

312 Lawrence Kudlow, Memorándum para el Consejo de Asuntos Económicos, «Financial and Economic Update (Executive Summary)», 21 de enero de 1982, caja 19, WHORM Subject File, Federal Government Organization, Cabinet Councils, RRPL.

Lo que estaba en juego para la presidencia de Reagan no podía tener mayor alcance. Si los enormes déficits creados por los recortes de impuestos y el aumento del gasto militar en su primer año hubieran desplazado la inversión nacional y ahogado la recuperación económica en los tres años siguientes, los efectos políticos habrían sido devastadores. Reagan habría tenido que revertir sus logros políticos, subiendo los impuestos y recortando el gasto militar, o buscar la reelección en 1984 con la economía en recesión. Si la teoría económica tradicional se hubiera mantenido a principios de los años ochenta, la Revolución Reagan habría desaparecido del panorama político estadounidense, y la expansión militar habría sido un breve destello en el largo conflicto de la Guerra Fría.

Sin embargo, a principios de los años ochenta, la economía mundial daba señales de que la Revolución Reagan podía ser algo más que un golpe de suerte. Los flujos internacionales de capital estaban aumentando, y había indicios de que Estados Unidos ocupaba una posición única en la economía mundial para aprovechar estos flujos en su beneficio de forma duradera. Los Gobiernos se habían enfrentado durante mucho tiempo a la disyuntiva entre armas y mantequilla, pero quizás con la ayuda del capital mundial, Estados Unidos podría superar esa disyuntiva de manera permanente.

En realidad, nadie podía estar seguro de ello. Pero, durante el verano de 1981, algunos miembros de la Administración Reagan se mostraban ansiosos por averiguarlo. En el mes de junio, se creó el Grupo de Trabajo del Consejo de Ministros sobre Inversión Internacional para revisar la política estadounidense hacia la inversión extranjera, considerada «una fuente importante y en rápido crecimiento de capital para la economía estadounidense»[313]. Para el otoño de ese año, el presidente del Consejo de Asesores Económicos indicaba que «los flujos de capital extranjero podrían ser útiles

313 Memorándum para el secretario del Tesoro *et al.*, «The Cabinet Council on Economic Affairs Working Group on International Investment», 17 de junio de 1981, carpeta «Cabinet Council on Economic Affairs June 1981», caja OA7424, James Burnham Files, RRPL.

para aliviar las presiones financieras del déficit en los mercados nacionales»[314]. Sin embargo, esto quedaba lejos de ser una certeza, y expertos de todo el espectro político y económico dudaban de su viabilidad[315]. En diciembre de 1981, William Niskanen, del equipo económico de Reagan, sugirió que «la oportunidad de importar capital» podría salvar la economía de los daños del déficit, ante miembros del American Enterprise Institute pero estos rechazaron la plausibilidad de entradas netas de capital significativas[316].

A lo largo de 1982, mientras la economía se sumergía en la recesión más profunda desde la posguerra, se mantuvo latente la cuestión del papel del capital extranjero en la financiación de los déficits estadounidenses. En este contexto económico sombrío, existía poco riesgo de que la deuda pública desplazara la inversión privada, ya que había poca inversión privada. El debate público se centró en el futuro. El reconocimiento generalizado de que la ERTA conduciría a déficits sin precedentes generó intensos debates políticos en 1982 y esfuerzos parciales para cerrar la brecha fiscal, incluyendo la Ley de Equidad y Responsabilidad Fiscal de 1982 (TEFRA)[317]. Aunque hubo mucha consternación, estos esfuerzos dejaron el panorama a largo plazo esencialmente inalterado: continuos déficits presupuestarios y por cuenta corriente.

Algo tenía que cambiar. En 1983, los funcionarios de la Administración Reagan comenzaron a darse cuenta de que eran las viejas reglas de la economía, y no sus políticas, las que había que cambiar. A lo largo del año, aceptaron tímidamente que el nuevo

314 Murray Weidenbaum, «The United States and the World Economy», 16 de septiembre de 1981, carpeta «Cabinet Council on Economic Affairs September 1981», caja OA7424, James Burnham Files, RRPL.

315 Henry Kaufman y Paul Volcker son dos de los más destacados escépticos. Véase Paul Volcker, «The Twin Deficits», *Challenge* 26 (marzo/abril de 1984) 4-9; y Henry Kaufman, *Interest Rates, Markets, and the New Financial World*, Nueva York, Times, 1986.

316 William A. Niskanen, *Reaganomics: An Insider's Account of the Policies and the People*, Nueva York, Oxford University Press, 1988, p. 110.

317 También siguieron la Ley de Reducción del Déficit de 1984 y la Ley de Reforma Fiscal de 1986. «Parciales» es la caracterización de James Poterba en «Federal Budget Policy in the 1980s», p. 250.

sistema financiero globalizado les permitiría pedir prestado capital extranjero en cantidades mucho mayores de lo que nadie había imaginado. En 1982, Estados Unidos tuvo un déficit por cuenta corriente de ocho mil millones de dólares y se esperaba que en 1983 alcanzara los 25.000 millones. Esto significaba que el país, que había sido un exportador de capital durante la mayor parte del periodo de posguerra, se había convertido en un importador neto de capital. Los altos tipos de interés de Volcker y los recortes fiscales de Reagan, junto con la disciplina laboral y los déficits presupuestarios, habían creado condiciones atractivas para el capital, atrayendo inversiones extranjeras a los mercados estadounidenses.

El resultado fue el llamado superdólar. Desde su punto más bajo, en el otoño de 1978, el dólar experimentó un rápido y constante ascenso hasta 1985[318]. El superdólar fue un arma de doble filo para la economía estadounidense. Para muchos economistas, exportadores y trabajadores de todo el país, el ascenso del dólar fue una tendencia preocupante porque hacía que los bienes extranjeros fueran más baratos dentro de Estados Unidos y sacaba del mercado a las exportaciones estadounidenses debido a sus altos precios. Cuanto más subía el dólar, más trabajadores estadounidenses perdían sus empleos, mayor era la presión a la baja sobre los salarios y más empresas quebraban. Pero para los tenedores de capital y consumidores, un dólar en ascenso significaba mayores retornos, más acceso a capital prestado y bienes más baratos. Y para el Gobierno, el dólar en ascenso permitió a los funcionarios estadounidenses resolver sus problemas fiscales sin necesidad de aumentar impuestos o recortar gastos para equilibrar el presupuesto. Las entradas de capital extranjero transformaron las duras restricciones presupuestarias de la teoría económica tradicional en un valiente nuevo mundo sin restricciones presupuestarias en absoluto. Martin Feldstein, uno

318 De julio de 1980 a marzo de 1985, el dólar se apreció el 18,1 % frente al yen japonés, el 94,5 % frente al marco alemán y el 122,6 % frente a la libra esterlina. Harold James, *International Monetary Cooperation since Bretton Woods*, Nueva York, Oxford University Press, 1996, p. 419.

de los economistas más influyentes de la Administración Reagan, señaló en un memorando interno en la primavera de 1983 que la subida del dólar funcionaba como una «válvula de seguridad», reduciendo las presiones inflacionistas dentro del país. Estados Unidos podía usar esta válvula de seguridad porque el dólar se había convertido en «un activo para inversores internacionales». Con la política de tipos de interés de Volcker, que restauraba la confianza en la capacidad estadounidense para disciplinar a los trabajadores y consumidores, los inversores extranjeros buscaban activos en dólares debido al papel central de la moneda en el comercio y las finanzas internacionales. Feldstein concluyó que la Administración no necesitaba preocuparse a corto plazo por la tendencia del país a depender del capital extranjero. «Un país no puede esperar seguir teniendo un déficit por cuenta corriente para siempre», escribió. «Pero ¿por qué deberíamos esperar o desear un equilibrio de la cuenta corriente todos los años?»[319].

El secretario del Tesoro Donald Reagan estaba de acuerdo. En el verano de 1983, estableció varios grupos de trabajo en la Administración para estudiar los flujos internacionales de capital, así como los déficits comerciales y por cuenta corriente del país[320]. Los estudios resultantes abrazaron con cautela la nueva realidad. «Tradicionalmente se pensaba que la cuenta corriente impulsaba las transacciones internacionales», señalaban los funcionarios en septiembre de 1983. «Sin embargo, actualmente, parece que la cuenta de capital es la fuerza motriz, con extranjeros buscando invertir en Estados Unidos. Al cambiar sus monedas por dólares, el valor del dólar se incrementa». Los inversores extranjeros buscaban los mercados financieros estadounidenses por la «reducción de la inflación» en Estados Unidos y porque eran «los más grandes y líquidos del mundo». Esto dejó a Estados Unidos en una posición

319 Martin Feldstein, Memorándum para el Consejo del Gabinete de Asuntos Económicos, «Is the Dollar Overvalued?», 8 de abril de 1983, OA10700, William Poole Papers, RRPL.

320 Roger B. Porter, «Economic Policy Study Number 9: Economic Impact of International Trade», 30 de junio de 1983, carpeta «Cabinet Council on Economic Affairs, July 1984 (1)», caja OA10700, William Poole Papers, RRPL.

internacional excepcionalmente buena. Los funcionarios sugerían que «si es cierto que el resto del mundo está buscando intencionalmente a Estados Unidos como un lugar para inversiones de capital, podría haber un impacto beneficioso en los mercados de crédito y de acciones estadounidenses y un complemento valioso para el ahorro doméstico»[321].

Volcker y sus colegas de la Reserva Federal sabían que jugaban un papel crucial al facilitar el acceso de la nación al capital extranjero. Los miembros destacados de la Reserva Federal en los años ochenta admitieron más tarde que atraer capital extranjero a Estados Unidos era clave en sus decisiones. El vicepresidente Preston Martin explicó: «Necesitamos tipos suficientemente altos para atraer capital. Todos debemos considerar seriamente la financiación pública». El gobernador Charles Partee coincidía con él: «Mantenemos nuestros tipos de interés por encima de los tipos de los extranjeros precisamente para atraer inversores a Estados Unidos»[322]. Los inversores japoneses tenían una gran relevancia. Martin explicaba cómo la Reserva Federal establecía tipos de interés altos para atraer capital japonés, planteando a sus colegas la siguiente pregunta: «¿Cómo reaccionan los japoneses a estos nuevos bonos a treinta años? Lo que importa es si los japoneses están comprando. Si es así, no necesitamos subir los tipos»[323].

La combinación de los altos tipos de interés de Volcker y los déficits de Reagan tuvo como consecuencia una masiva acumulación financiera en Estados Unidos: 85.000 millones de dólares de capital extranjero neto entraron en el país en 1983, seguidos de 103.000 en 1984, 129.000 en 1985 y 221.000 en 1986. El déficit presupuestario federal durante esos años fluctuó entre 208.000 millones de dólares en 1983 y 221.000 en 1986, por lo que al final

321 Robert Dederick, Memorándum para el Consejo del Gabinete de Asuntos Económicos, «Report of the CCEA Working Group on the Economic Impact of International Trade», 26 de septiembre de 1983, carpeta «Cabinet Council on Economic Affairs, October 1983 (1)», caja OA10700, William Poole Papers, RRPL.

322 William Greider, *Secrets of the Temple: How the Federal Reserve Runs the Country*, Nueva York, Simon & Schuster, 1987, p. 561.

323 Greider, *Secrets*, p. 561.

de este periodo las entradas de capital extranjero cubrían directa o indirectamente toda la deuda del Gobierno federal[324].

A principios de 1984, la economía estadounidense estaba en auge y la inflación bajo control. Sin embargo, el cambio no ocurrió como Reagan había previsto. En lugar de derrotar la inflación equilibrando el presupuesto y recortando gastos, la Administración había incrementado el déficit federal y descubierto una forma inesperada de financiar tanto el gasto militar como social de Estados Unidos con capital extranjero. Los dos fenómenos económicos que las políticas de oferta debían fomentar —el aumento del ahorro y la inversión— no se materializaron; al contrario, empeoraron[325]. De hecho, un economista de la Administración señaló a principios de 1984 que «los grandes flujos de fondos extranjeros hacia Estados Unidos habían ayudado a financiar nuestros déficits presupuestarios federales y aliviado parcialmente la presión sobre los tipos de interés nacionales». Esto implicaba que «la continuación de las tendencias actuales» transformaría a «Estados Unidos en una nación deudora en la economía internacional» por primera vez desde 1914[326]. Estas tendencias continuaron, y en 1986, el país se convirtió en el mayor deudor del mundo[327]. El capital extranjero estaba sosteniendo la renovada prosperidad interna de Estados Unidos y su proyección de poder en el exterior, una tendencia que ha continuado hasta la actualidad (Figura 4.3).

El resurgimiento de la economía estadounidense en la década de los ochenta también marcó una profunda desigualdad en la distribución de la riqueza. El poderoso estímulo de altos tipos de

324 Greta R. Krippner, *Capitalizing on Crisis: The Political Origins of the Rise of Finance*, Cambridge, Massachusetts, Harvard University Press, 2011, pp.189, n.º 34.

325 Robert G. Dederick, «Report of the CCEA Working Group on the Economic Impact of International Trade», 26 de septiembre de 1983, carpeta «Cabinet Council on Economic Affairs, October 1983 (1)», c OA10700, William Poole Papers, RRPL.

326 Sidney Jones, «Report of the CCEA Working Group on the Economic Impact of International Trade: Macro Economic Policy Options», 24 de enero de 1984, OA10700, William Poole Papers, RRPL.

327 Stuart Auerbach, «U.S. Becomes World's No. 1 Debtor Nation», *The Washington Post*, 25 de junio de 1986, G01.

interés, bajos impuestos, entradas de capital y el auge en los precios de los activos convirtieron ese periodo en una década explosiva para los ricos del país: el 10 % más rico de los estadounidenses vio como crecía su participación en la renta total del país hasta el 16 %; el uno por ciento más rico aumentó su participación el 43 %; y el 0,1 % más rico vio aumentar su participación el 71 %. Comenzaba en la sociedad estadounidense una redistribución a largo plazo de la renta hacia los más ricos, con la cuota del uno por ciento más rico de la renta nacional total, que aumentó el 10 % en 1980 hasta el 23,5 % poco antes de la crisis financiera de 2008[328].

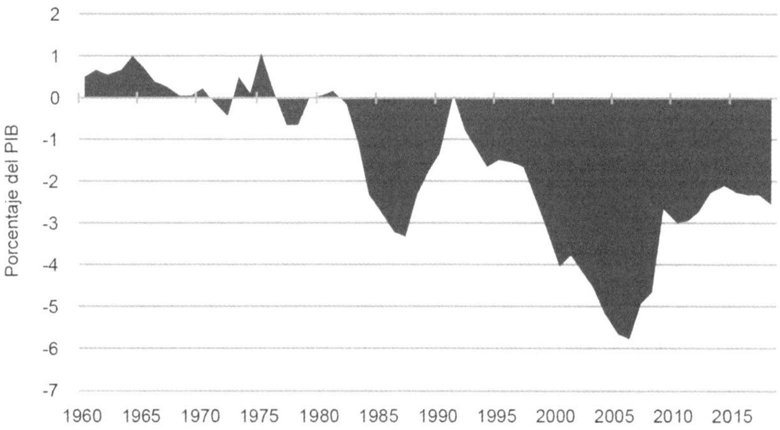

Figura 4.3. **Balanza por cuenta corriente de Estados Unidos en porcentaje del PIB.** Fuentes: Banco de la Reserva Federal de Saint Louis y Perspectivas de la Economía Mundial del FMI.

Así, los menos afortunados fueron, en efecto, menos afortunados. Los salarios se estancaron, la seguridad en el empleo disminuyó y ocupaciones enteras prácticamente desaparecieron del panorama laboral estadounidense. En lugar del contrato social de posguerra, que prometía ingresos crecientes, seguridad laboral y pleno empleo, a los estadounidenses de clase media y trabajadora se les presentó

328 Calculado a partir de las series de datos de la tabla S8.2, «Top Income and Wage Shares in the US, 1900-2010», en Piketty, *Capital in the Twenty-First Century*, disponible en http://piketty.pse.ens.fr/files/capital21c/en/xls/.

un nuevo acuerdo: un estilo de vida de consumo alimentado por la deuda, el cual abrazaron con sorprendente entusiasmo. Los préstamos al consumo pendientes se duplicaron durante la década de los ochenta, y dos tercios de los hogares estadounidenses tenían una tarjeta de crédito para finales de siglo[329]. Las importaciones baratas, el aumento de los precios de la vivienda y el acceso a diversos tipos de crédito se convirtieron en los nuevos pilares de un modo de vida más precario.

* * * *

El hecho de que la economía estadounidense no sufriera los efectos del desplazamiento no significaba que eso no estuviera ocurriendo en otra parte. Cuando el capital comenzó a fluir hacia Estados Unidos a principios de la década de los ochenta, los Gobiernos de todo el mundo, que se habían endeudado fuertemente en los mercados mundiales de capital en la década anterior, de repente se encontraron con dificultades para mantener su solvencia. El sistema de reciclaje de petrodólares que había alimentado la economía mundial durante casi una década se detuvo. La salida acumulada de capital de los países del G7 de 46.800 millones de dólares en los setenta se convirtió en una entrada acumulada de 347.400 millones en la década siguiente[330]. Es estrictamente cierto en la teoría y no del todo cierto en la práctica que las cuentas corrientes internacionales deben equilibrarse a nivel global. La financiación internacional en la década de 1980 fue newtoniana: cada acción producía una reacción igual y opuesta. La reacción igual y opuesta al aumento financiero de Reagan fue la crisis de

329 Estadística de duplicación del crédito al consumo de Louis Hyman, *Debtor Nation: The History of America in Red Ink*, Princeton, Nueva Jersey, Princeton University Press, 2011, p. 223, figura 7.3. La información sobre que «dos tercios de los hogares estadounidenses tenían una tarjeta de crédito está extraída de Louis Hyman, *Borrow: A History of America in Red Ink*, Nueva York, Vintage, 2012, p. 226.

330 Giovanni Arrighi, «The World Economy and the Cold War, 1970-1990», en *The Cambridge History of the Cold War*, vol. 3, Melvyn P. Leffier y Odd Arne Westad (eds.), Cambridge, Cambridge University Press, 2010, pp. 23-44.

deuda soberana que llegó a dominar la economía política global a lo largo de la década. La crisis de la deuda otorgó poder a los prestamistas sobre los prestatarios en la economía mundial, y como Estados Unidos controlaba al prestamista de última instancia —el FMI—, el Gobierno estadounidense adquirió una posición especialmente poderosa durante la crisis. La potente combinación de la acumulación financiera de Reagan y la diplomacia financiera de su Administración durante la crisis deshizo las relaciones de interdependencia económica que habían definido la década de los setenta y abrió poderosos puntos de influencia estadounidense sobre el resto del mundo.

La primera señal de crisis vino, como era habitual en la última década de la Guerra Fría, de Polonia. La crisis polaca estaba estrechamente vinculada a la evolución del sistema financiero mundial. Desde la perspectiva de los poseedores de capital global, los acontecimientos de 1981 en Varsovia y Washington iban en direcciones opuestas. Mientras los banqueros comerciales observaban el éxito creciente de Volcker a la hora de derrotar la inflación y disciplinar la economía estadounidense, también veían al Gobierno polaco luchando por hacer lo mismo al otro lado del telón de acero. Observaban cómo Reagan despedía a los controladores aéreos con rapidez y contando con el apoyo popular, mientras que Solidaridad en Polonia se resistía cada vez más a los intentos del Gobierno comunista de intercambiar austeridad interna por reforma política limitada. Y mientras veían cómo los recortes fiscales de Reagan generaban una nueva y masiva demanda de capital en Estados Unidos a finales de año, también veían que Wojciech Jaruzelski declaraba la ley marcial en Polonia el 13 de diciembre de 1981, con su país en bancarrota *de facto*.

El resultado fue una reevaluación del sistema de préstamos soberanos que había sostenido a Gobiernos de países comunistas y en vías de desarrollo desde la crisis de 1973. En mayo de 1982, *Euromoney* publicó que «los euromercados están viviendo un cambio fundamental. La era de los Gobiernos prestatarios, principal sostén de los préstamos bancarios internacionales en los años setenta, está llegando a su fin». Los banqueros informaron de que «la situación económica de Europa del Este [había provocado] un cambio de actitud» entre los bancos hacia el mercado de préstamos soberanos[331].

Al alejarse de sus clientes estatales anteriores, los bancos estaban sembrando inadvertidamente las semillas de su propia posible destrucción. La disminución de los préstamos soberanos no se tradujo en una reducción de la deuda soberana. En 1982, la deuda de los países no pertenecientes a la OCDE ascendía a 600.000 millones de dólares, una cantidad más que suficiente para hundir el sistema financiero mundial si los deudores incumplían sus pagos[332]. Esto significaba que el sistema financiero occidental era completamente interdependiente de los deudores del mundo en desarrollo y del bloque comunista. La posibilidad de impago se volvió más realista en agosto de 1982, cuando las autoridades mexicanas informaron a la comunidad financiera internacional que el país ya no podía pagar sus deudas. Argentina y Brasil anunciaron lo mismo poco después, y para en otoño el mundo se dirigía hacia la peor crisis financiera desde la Gran Depresión.

Para los funcionarios del Gobierno estadounidense, la Reserva Federal y el FMI, pronto se hizo evidente que resolver la crisis requeriría grandes cantidades de dos cosas: ajuste estructural por parte de los prestatarios y más dinero por parte de los prestamistas. El ajuste estructural, término que los funcionarios soviéticos llamaron *strukturnaya perestroika*, implicaba una serie de políticas con un objetivo primordial: convertir a un país deudor en exportador neto de capital e iniciar el proceso de pago de la deuda. Esto suponía que los países deudores debían devaluar sus monedas, eliminar controles de divisas, reducir sus déficits presupuestarios públicos, aumentar los tipos de interés nacionales, privatizar

331 Peter Field, «The Shunning of the Sovereign Borrower», *Euromoney*, mayo de 1982, pp. 27, 30.

332 Memorando del Consejo Nacional de Inteligencia, «Implications of the LDC Debt Problem», octubre de 1982, CREST, CIA Online Reading Room, consultado el 5 de noviembre de 2018, https:// www.cia.gov/library/readingroom/document/ciardp85m00363r001302940047-6.

industrias estatales, reducir aranceles de importación, eliminar controles de precios y salarios, reforzar leyes de quiebra y eliminar barreras a la inversión extranjera. Estas medidas apuntaban en una dirección: el disciplinamiento económico. Los funcionarios occidentales creían que para resolver la crisis de la deuda soberana, los países deudores tendrían que aplicar políticas de austeridad.

Sin embargo, el disciplinamiento por sí solo no sería suficiente. La ruptura de promesas llevaría tiempo, pero las deudas debían pagarse rápidamente para evitar una crisis financiera global. Los bancos contabilizaban los préstamos soberanos como activos, pero si los deudores dejaban de pagar, esos préstamos se convertirían en morosos, obligando a los bancos a anotarlos como pérdidas, lo cual podría desencadenar una depresión económica mundial. Si los deudores incumplían con sus deudas y esos préstamos soberanos se convertían en «incobrables», los bancos tendrían que registrarlos como pérdidas en sus balances. Por lo tanto, uno o varios incumplimientos soberanos tenían el potencial de convertir miles de millones de dólares en activos bancarios en miles de millones de dólares en pérdidas prácticamente de la noche a la mañana. Y si eso sucedía, no era difícil imaginar la inminente llegada de una depresión económica al mundo capitalista.

Deshacer esta interdependencia requeriría tiempo. Los bancos necesitarían años para acumular reservas capaces de absorber el impacto de anular sus carteras de préstamos soberanos. Para ganar tiempo, los prestatarios necesitaban más dinero. Solo el nuevo capital de bancos occidentales, Gobiernos y organizaciones internacionales permitiría a los países deudores seguir pagando sus deudas. Y solo si esos países continuaban pagando, los bancos podían mantener sus préstamos soberanos como activos. En resumen, a menos que los países deudores recibieran nuevo capital para pagar sus deudas vencidas, el sistema financiero podría colapsar en una espiral de impagos, amortización de pérdidas y quiebras bancarias. Por lo tanto, los funcionarios occidentales también entendieron que ellos —y los bancos comerciales, cuya reticencia a seguir prestando dinero había precipitado la crisis— tendrían que proveer a los deudores de una nueva ronda de capital para pagar las deudas antiguas[333].

Las instituciones financieras occidentales y la Administración Reagan adoptaron rápidamente este doble enfoque de austeridad e inyección de capital al inicio de la crisis. De hecho, los miembros de la Administración empezaron a planificar esta estrategia en la primavera de 1982, cuando comenzaron a surgir los primeros signos de problemas. En ese momento, la Reserva Federal comenzó a proponer aumentar significativamente la base de capital del FMI (su cuota). La Administración Reagan apoyó esta propuesta porque, como apuntó un funcionario del NSC en abril de 1982, «aunque la mayoría de los países vulnerables han implementado programas de estabilización austeros, probablemente pasarán entre cuatro y diez años hasta que los grandes ajustes económicos necesarios puedan reducir o eliminar sus necesidades de préstamo»[334].

Mientras tanto, era necesario inyectar nuevo capital en el sistema financiero internacional. Los bancos centrales occidentales iniciaron este proceso con un préstamo a México de 1.850 millones de dólares del Banco de Pagos Internacionales poco después de que el país se declarara insolvente, y el Tesoro de Estados Unidos, siguió con otros dos mil millones de dólares en créditos y apoyo financiero. Tanto los bancos centrales como el Departamento del Tesoro condicionaron su ayuda financiera a que México negociara un programa de ajuste con el FMI. Por ello, en noviembre de 1982, el FMI y el Gobierno mexicano firmaron un acuerdo trienal que otorgaba a México 3.700 millones de dólares a cambio de un plan económico que reduciría significativamente los déficits presupuestarios y por cuenta corriente hasta 1985. El nuevo capital gubernamental y la austeridad impuesta a los deudores iban de la

333 William Clark, Memorándum para el Grupo de la Cumbre de la Casa Blanca, «Give-and-Take Session with the President», 21 de abril de 1983, carpeta «Economic Summit Meeting Notes», caja OA9811, Martin Feldstein Papers, RRPL.

334 Roger W. Robinson a Norman A. Bailey, «Comments Related to Federal Reserve Staff Paper on IMF date 4/5/82 for Meeting of International Monetary Group on 4/20/82», carpeta «International Finance 4/20/1982-11/16/82», RAC caja 3, Roger Robinson Papers, RRPL.

mano. Pero el FMI, la Reserva Federal y el Tesoro estadounidense también querían asegurarse de que los bancos comerciales aportaran su parte para sostener el sistema financiero. Así, cuando el FMI acordó las condiciones del rescate en noviembre, su director gerente, Jacques de Larosière, sorprendió a los bancos al obligarlos a complementar la financiación pública con cinco mil millones de dólares adicionales de su propio capital[335]. Esta combinación de elementos fundamentales —préstamos puente de bancos centrales y Gobiernos y negociación de un programa de ajuste estructural del FMI, entre otros— se convirtió en la fórmula estándar para abordar las numerosas crisis de deuda nacional que sacudieron la economía mundial durante la década siguiente[336].

Con esta fórmula estándar en mano, la Administración Reagan, el FMI y la Reserva Federal continuaron fortaleciendo su influencia mientras ganaban tiempo para reducir la interdependencia en el sistema financiero internacional. El desafío consistía en crear suficiente liquidez nueva para evitar impagos soberanos y quiebras bancarias sin desencadenar nuevas presiones inflacionistas en la economía mundial. Así, el programa de Volcker de altos tipos de interés en Estados Unidos estaba íntimamente ligado a la gestión de la Fed y el FMI de las crisis de deuda en el extranjero. Desde el otoño de 1982, Volcker y la Reserva Federal comenzaron a moderar los altos tipos de interés de los dos años anteriores para inyectar algo de liquidez al sistema financiero. Durante 1983, funcionarios de la Administración y el propio Reagan presionaron al Congreso para que aumentara la financiación estadounidense al FMI. A pesar de la oposición de aquellos que argumentaban que esa medida solo rescataría a los grandes bancos que habían hecho préstamos

335 James, *International Monetary Cooperation*, cap. 12, donde se relata con gran detalle la crisis de la deuda latinoamericana. En el otoño de 1982 se firmaron con Argentina y Brasil paquetes muy similares de ayuda del FMI, financiación de bancos comerciales y Gobiernos, y ajuste estructural interno.

336 Sobre el resumen de la estrategia de Estados Unidos en materia de deuda, véase Christopher Hicks, «IG-IEP on International Debt», 15 de agosto de 1984, carpeta «Interagency Group on International Economic Policy (IG-IEP) on International Debt», caja OA10699, William Poole Papers, RRPL.

imprudentes, el Congreso aprobó una ampliación significativa de la financiación del FMI en el otoño de 1983[337]. No sería la última vez que el Gobierno estadounidense rescataría a Wall Street frente a la resistencia de Main Street, bajo la creencia de que los bancos eran «demasiado grandes para caer».

En el Sur Global, las crisis de deuda generaron nuevas crisis de deuda a medida que los bancos retiraban sus préstamos a los prestatarios soberanos. Para finales de 1984, solo dos países latinoamericanos —Colombia y Paraguay— no habían reestructurado su deuda, y en total, treinta países en todo el mundo estaban atrasados en el pago de sus deudas y solicitaban ayuda al FMI —y, por extensión, a Estados Unidos—. Cada día que pasaba, los bancos occidentales eran capaces de reservar más fondos para amortiguar posibles pérdidas de sus préstamos extranjeros, y a medida que lo hacían, disminuía la interdependencia de la década de los setenta y el apalancamiento del Gobierno estadounidense aumentaba en la misma medida. Al mismo tiempo que el sistema financiero occidental se aislaba de la amenaza de impagos soberanos, los funcionarios estadounidenses comprendieron que ahora tenían todas las cartas en sus manos. Como reconoció descaradamente el secretario del Tesoro Regan en noviembre de 1982, durante una reunión del Consejo de Seguridad Nacional, los países deudores «buscarían nuestra ayuda». La pregunta era: «¿Qué es lo que queremos a cambio?»[338].

Lo que querían era ajuste estructural y austeridad, y eso es precisamente lo que consiguieron en la década de los ochenta. La Administración Reagan y el FMI fueron reestructurando las economías de los países del Sur Global. Mientras en Estados Unidos se enfrentaban a déficits presupuestarios sin precedentes y el país se convertía en el mayor prestatario del mundo, su Departamento del Tesoro y el FMI exigían que los países prestatarios del mundo en desarrollo actuaran de manera diferente. Se impusieron

337 «Reagan Thanks Democrats», *The New York Times*, 25 de octubre de 1983, D1.

338 Minutes of National Security Council Meeting, 23 de noviembre de 1982, NSC00067, NSC Executive Secretariat Meeting Files, RRPL.

drásticos recortes presupuestarios, junto a medidas de austeridad, y se rechazó la intervención estatal en la economía. La pobreza y los trastornos económicos se dispararon en los países deudores, y la austeridad generó resistencia política. La mayoría de los Gobiernos que se enfrentaron a crisis de deuda no sobrevivieron, y una ola de cambios políticos siguió a la estela de la deuda. En América Latina, las dictaduras militares y los gobernantes autoritarios que habían sobrevivido a la década de los setenta mediante deudas en los mercados mundiales de capitales colapsaron en los ochenta[339]. En su lugar, funcionarios estadounidenses, el FMI y funcionarios domésticos dentro de los países deudores se inclinaron por celebrar elecciones democráticas como medio para construir apoyo popular y legitimidad para la austeridad. Como advirtió una publicación empresarial brasileña mientras el país enfrentaba una crisis económica, «los nubarrones que se acumulan en el horizonte (...) solo se disiparán con un Gobierno auténtico y democrático». En toda la región fueron muchos los que compartían esta opinión y, a lo largo de la década de los ochenta, América Latina experimentó una ola de democratización directamente vinculada a la crisis de deuda soberana de la región. Al igual que en la Gran Bretaña de Thatcher y en los Estados Unidos de Reagan, los Gobiernos en el Sur Global que habían recibido un sello de legitimidad democrática encontraron más fácil romper promesas, así que la democracia electoral y la crisis de deuda avanzaron de la mano a través de la economía global[340].

En 1985, la economía mundial había experimentado una dramática reestructuración desde que Paul Volcker asumió su cargo en la Reserva Federal seis años antes. Estados Unidos había recuperado su posición dominante en la economía mundial, y la Administración

339 Hal Brands, *Latin America's Cold War*, Cambridge, Massachusetts, Harvard University Press, 2010, p. 233.

340 Brands, *Latin America's Cold War*, p. 224. Véase también James, *International Monetary Cooperation*, p. 386; Barbara Stallings y Robert Kaufman (eds.), *Debt and Democracy in Latin America*, Boulder, Colorado, Westview Press, 1989; Samuel Huntington, *The Third Wave: Democratization in the Late Twentieth Century*, Norman, University of Oklahoma Press, 1991 y Peter H. Smith, *Democracy in Latin America: Political Change in Comparative Perspective*, Nueva York, Oxford University Press, 2011.

Reagan había descubierto una forma inesperada de renovar el crecimiento económico y proyectar poder en el extranjero con un suministro aparentemente inagotable de capital extranjero. El *shock* de Volcker había impuesto la política de romper promesas tanto en Estados Unidos como en un mundo resistente, pero la acumulación financiera de Reagan permitió rápidamente a Estados Unidos redactar un nuevo contrato social financiado con capital extranjero prestado. Al ganar tiempo para que los bancos se aislaran de los impagos durante los primeros años de la crisis de la deuda soberana, la Administración Reagan y el FMI deshicieron la interdependencia financiera de la década de los setenta y establecieron nuevos puntos de influencia estadounidense sobre los deudores en la economía mundial.

A pesar de todo, el conflicto de la Guerra Fría entre el Este y el Oeste persistió, aunque no estuvo aislado de los efectos de la perestroika capitalista. La Administración Reagan comenzó teniendo una aguda percepción de la debilidad económica del bloque comunista y un fuerte deseo de explotar esa debilidad geopolíticamente. Si la perestroika capitalista no hubiera reestructurado la economía mundial a principios de la década de los ochenta, es probable que este deseo hubiera sido infructuoso. Pero, dado que el *shock* de Volcker, la expansión financiera de Reagan y la crisis de la deuda soberana transformaron radicalmente la economía mundial en favor de Estados Unidos, Reagan y su Administración pudieron librar una eficaz Guerra Fría económica contra el bloque soviético a principios de los ochenta, preparando el terreno para la perestroika socialista que estaba por llegar.

La Guerra Fría económica

«Estábamos siendo asediados», declaró a *Euromoney* János Fekete, un banquero húngaro, en 1982, refiriéndose al destino de su país[341]. En medio de la intensificación de las tensiones de la Guerra Fría, a principios de la década de los ochenta, se puede excusar a Fekete por usar ese lenguaje para describir las políticas militares de Ronald Reagan. El nuevo presidente de Estados Unidos había hecho campaña con un fuerte anticomunismo y había iniciado una expansiva modernización del Ejército. Tanto Estados Unidos como la Unión Soviética habían desarrollado una nueva generación de armas nucleares de alcance intermedio —los euromisiles—, capaces de iniciar una Tercera Guerra Mundial en menos de diez minutos. Las tensiones de la Guerra Fría estaban en su punto más alto desde la década de 1960, y la posibilidad de un conflicto entre superpotencias parecía cada vez más real.

Pero el ataque al que se refería Fekete no era militar, y sus atacantes no estaban relacionados con Estados Unidos, sino que eran los bancos centrales de Libia, Irán e Irak, cuya arma era el dinero. A finales de 1981, cada uno había retirado entre doscientos y trescientos millones de dólares en divisas fuertes, depositadas en Budapest, provocando una corrida bancaria contra el Banco Nacional Húngaro. Pronto, instituciones financieras de todos los rincones del mundo comenzaron a retirar su dinero del bloque comunista en su totalidad. Como señaló *Euromoney*, «la puerta al euromercado se había cerrado para el Comecon, de manera tranquila, educada, pero firme. En algún momento durante el invierno,

341 Padraic Fallon y David Sheriff, «The Betrayal of Eastern Europe», *Euromoney*, septiembre de 1982, p. 21.

bancos de todo el mundo habían (...) decidido (...) que deseaban reducir su exposición al Comecon tanto como fuera posible»[342]. Para la primavera de 1982, los bancos extranjeros habían retirado 1.100 millones de dólares de Hungría, dejando al país con solo 374 millones de dólares para enfrentar sus crecientes pagos de deuda[343]. A Fekete le costó digerir la injusticia que el sistema financiero global había infligido a su país: «Fuimos atacados sin ninguna razón»[344].

Sin embargo, eran muchas razones por las cuales los tenedores de capital internacional atacaron a Hungría y al resto del mundo comunista en la primavera de 1982. La corrida bancaria en Budapest fue solo una parte de una Guerra Fría económica más amplia a principios de los ochenta, con el telón de fondo de la perestroika capitalista. Desde la crisis polaca de 1980 hasta el ascenso al poder de Mijaíl Gorbachov en la Unión Soviética en 1985, las superpotencias retomaron su competencia militar y recurrieron a la energía y las finanzas para influir en aliados y adversarios.

Esta nueva Guerra Fría económica tenía tres componentes. Primero, ante crecientes problemas económicos internos y crisis geopolíticas, los líderes soviéticos decidieron aligerar la carga del imperio, incluso si eso significaba arriesgarse a perderlo. La crisis polaca fue decisiva en este sentido. En el crisol de la crisis, los líderes soviéticos decidieron que no invadirían Polonia para aplastar a Solidaridad e incluso expresaron su disposición a aceptar que liderara un Gobierno en Varsovia. En otras palabras, decidieron derogar la Doctrina Brézhnev, su política de larga data de que intervendrían en los asuntos de los aliados para «proteger» al socialismo de enemigos tanto extranjeros como domésticos. Al mismo tiempo, en reconocimiento de los crecientes límites de sus capacidades materiales, redujeron los recursos energéticos que entregaban al resto de Europa del Este. Los Gobiernos aliados

342 Fallon y Sheriff, «Betrayal», p. 22.

343 L. A. Whittome al director gerente, 21 de diciembre de 1981, archivo 3, caja 29, European Department Immediate Files (EDIF), Archivos del Fondo Monetario Internacional (FMI), Washington D. C.

344 Fallon and Sheriff, «Betrayal», p. 24.

de la región protestaron, indignados por la decisión soviética y advirtieron que los recortes los dejarían peligrosamente expuestos a la presión financiera y política occidental. Pero los líderes soviéticos se mantuvieron firmes en su convicción de que los intereses de la economía doméstica soviética eran más importantes que la estabilidad política de sus aliados. Fue una revisión histórica del interés nacional soviético con profundos efectos en la última década de la Guerra Fría.

En segundo lugar, al asumir el cargo, la Administración Reagan era muy consciente de los crecientes límites de las capacidades materiales de los soviéticos y se propuso exacerbarlos. Reagan y su equipo intentaron presionar a los líderes soviéticos para que eligieran entre las tres demandas que competían por sus recursos menguantes: su Ejército, sus aliados y su propia población. A través de la escalada militar que llevaba su nombre, Reagan intentó forzarlos a elegir entre continuar la carrera armamentística o mantener el apoyo a sus aliados y a su pueblo. Además, mediante una campaña coordinada para limitar el acceso soviético a los mercados financieros occidentales y restringir las ventas de energía soviética en el mercado mundial, el Gobierno estadounidense quiso cortar el acceso del Kremlin a la riqueza energética y financiera que financiara sus compromisos militares, diplomáticos e internos. En esencia, se trataba de obligar a Moscú a enfrentarse a la política de ruptura de promesas.

Esta estrategia produjo resultados mixtos. La expansión militar tuvo el efecto deseado en la toma de decisiones soviética cuando Gorbachov comenzó a buscar acuerdos de control de armamentos en términos estadounidenses, a mediados de los años ochenta, con el objetivo de liberar recursos para la economía civil del país. Sin embargo, los esfuerzos de la Administración Reagan para restringir el acceso soviético a los mercados financieros y a la riqueza energética fueron un fracaso rotundo. Los aliados de Estados Unidos en Europa y Asia rechazaron firmemente los planes de Washington de restringir el acceso del bloque comunista a los mercados de capitales y continuaron comprando energía soviética a cambio de miles de millones de dólares en divisas fuertes. A nivel de diplomacia y política, los esfuerzos de Estados Unidos en materia energética y financiera generaron más rencor transatlántico que resultados concretos.

No obstante, como Fekete describió con indignación, para el bloque del Este siguió restringido el acceso a los mercados internacionales de capital y, a principios de los años ochenta, los soviéticos se vieron obligados a elegir entre su ejército, sus aliados y su propio pueblo. Mientras la Administración Reagan llevaba a cabo su infructuosa campaña para restringir la entrada del bloque comunista a los mercados mundiales de capital, las fuerzas principales de la perestroika capitalista —el «*shock* Volcker» y la expansión financiera de Reagan— estaban lográndolo por sí solas. El sistema financiero internacional atacó al mundo comunista por la misma razón que lo había hecho antes a los países deudores del Sur Global: los altos tipos de interés y los déficits presupuestarios de Estados Unidos comenzaron a monopolizar el capital mundial, dejando poco para los demás. Y aunque el Gobierno estadounidense no logró limitar las ventas de energía de Moscú en el mercado mundial, los problemas económicos internos de los soviéticos les obligaron a enfrentarse a la disyuntiva de romper las promesas hechas a sus militares, aliados o ciudadanos.

El resultado fue una tormenta perfecta de crisis que condujo al tercer rasgo constitutivo de la Guerra Fría económica: los rescates de Europa del Este. La disminución de la energía subvencionada por la Unión Soviética y la escasez de capital mundial dejaron a los países deudores de la región sin capacidad para pagar sus deudas y en busca de salvavidas. Una y otra vez, se dirigieron a la Unión Soviética pidiendo ayuda, pero esta rechazó dársela. A principios de la década de los ochenta, fueron los Gobiernos y las instituciones occidentales quienes rescataron a estos países de sus dificultades financieras. Estos rescates señalaron un cambio dramático en el equilibrio de poder de la Guerra Fría. Si a lo largo de la década de 1970 Europa del Este había estado dentro de la esfera de influencia económica de la Unión Soviética, como postulaba la «teoría del paraguas» de los banqueros, desde principios de la década siguiente y en adelante, la región pasó a estar bajo el paraguas económico de Occidente. Desde ese momento y en el futuro, fueron los Gobiernos e instituciones occidentales quienes proporcionaron ayuda económica decisiva a la región, y los responsables políticos de Washington y Bonn incluyeron condiciones a su apoyo. Esta condicionalidad, con el tiempo, proporcionaría a Occidente una poderosa herramienta para forzar a los líderes comunistas de Europa del Este a enfrentarse a la política de romper promesas.

* * * *

En la década de los setenta, la economía soviética se estancó. Tras un crecimiento económico promedio del 5,2 % de 1966 a 1970 y del 3,7 % de 1971 a 1975, se ralentizó hasta un anémico 0,8 % en 1979. Tres malas cosechas consecutivas obligaron al Kremlin a comprar grandes cantidades de grano en el mercado mundial. A finales de la década, Moscú tuvo que importar entre 3.000 y 4.000 millones de dólares de grano anuales con el único objetivo de mantener el nivel de vida de sus ciudadanos. Para pagar esta creciente factura, los líderes soviéticos confiaron en el aumento simultáneo de su producción energética y los precios del mercado mundial, exportando petróleo y gas natural a cambio de divisas fuertes. Los ingresos soviéticos por exportación de petróleo y gas natural pasaron de 444 millones de dólares en 1970 a 3.600 millones en 1975 y a 11.000 millones en 1979[345]. Sin embargo, tuvieron que enfrentarse a desafíos geográficos y tecnológicos: habían explotado todo el petróleo de fácil acceso y el crecimiento futuro tendría que venir de regiones más difíciles[346]. La rápida expansión de la industria soviética del gas natural compensó, en

345 Estas cifras proceden del *Handbook of Economic Statistics*, 1983, de la Agencia Central de Inteligencia, Washington D. C., Agencia Central de Inteligencia, 1983, p. 68, tabla 47.

346 Véase Thane Gustafson, *Crisis Amid Plenty: The Politics of Soviet Energy under Brezhnev and Gorbachev*, Princeton, Nueva Jersey, Princeton University Press, 1989, cap. III, p. 3.

parte, el estancamiento del petróleo, pero la industria petrolera seguía siendo mucho mayor, por lo que sus problemas eran cada vez más evidentes.

A diferencia de la primera crisis de 1973, la segunda crisis del petróleo de 1979 fue una espada de doble filo para Moscú. Aunque el aumento del 150 % en los precios mundiales del petróleo incrementó el valor de las exportaciones soviéticas de energía, también exacerbó el tamaño de la subvención energética que la Unión Soviética proporcionaba a sus aliados. De hecho, el volumen de las subvenciones soviéticas a la energía alcanzó su punto álgido a finales de los setenta y principios de los ochenta (Figura 5.1). Los problemas combinados de costos crecientes de extracción, demanda aumentada de Europa del Este y mayores subvenciones para el suministro de energía se tradujeron en una carga económica abrumadora para Moscú[347].

Si los aliados de los soviéticos en Europa presentaban un desafío estructural a largo plazo, sus nuevos enemigos en Afganistán constituían una amenaza inmediata y debilitante. Cuando el politburó autorizó, con reluctancia, la invasión de Afganistán en diciembre de 1979, destinó treinta mil soldados a lo que se esperaba que fuera una campaña rápida y fácil para derrocar al Gobierno y reemplazarlo por un Gobierno socialista leal. Los eventos rápidamente desafiaron las expectativas. Desde casi su llegada al país, el Ejército soviético se encontró con la resistencia generalizada de amplios sectores de la sociedad afgana y una insurgencia despiadada, que se haría conocida en todo el mundo como los muyahidines. En un año, Moscú había comprometido 115.000 tropas y gastado en torno a 2,7 mil millones en operaciones militares, pero el conflicto se estancó y no se veía el final[348].

347 Yakov Feygin, «Reforming the Cold War State: Economic Thought, Internationalization, and the Politics of Soviet Reform, 1955-1985», Publicly Accessible Penn Dissertations, 2017, p. 308.

348 Memorándum para que conste en acta, «The Dollar Costs of Soviet Military Involvement in Afghanistan», 12 de junio de 1981, CIA Online Reading Room, consultado el 14 de marzo de 2019, https:// www.cia.gov/library/readingroom/docs/CIARDP96R01136R003100080030-5.pdf.

En medio de estas condiciones sombrías y este oscuro horizonte, el estallido de la crisis en Polonia, en agosto de 1980, fue un acontecimiento particularmente inoportuno. Al principio, los funcionarios soviéticos estaban dispuestos a asumir la carga tradicional de apoyar a un aliado en un momento de necesidad. «Debemos prestar toda la ayuda económica posible para permitir a los polacos superar este difícil momento —afirmó Brézhnev a sus colegas del politburó en octubre de 1980—. Por muy costoso que sea, debemos hacerlo»[349]. Siguiendo la convicción del secretario general, los funcionarios soviéticos prepararon varios paquetes de ayuda durante el otoño de 1980 y principios de 1981; en total, ascendieron a unos 4.000 millones de dólares en forma de energía, materias primas y alimentos, además de aplazamientos de deuda y ayuda en divisas[350].

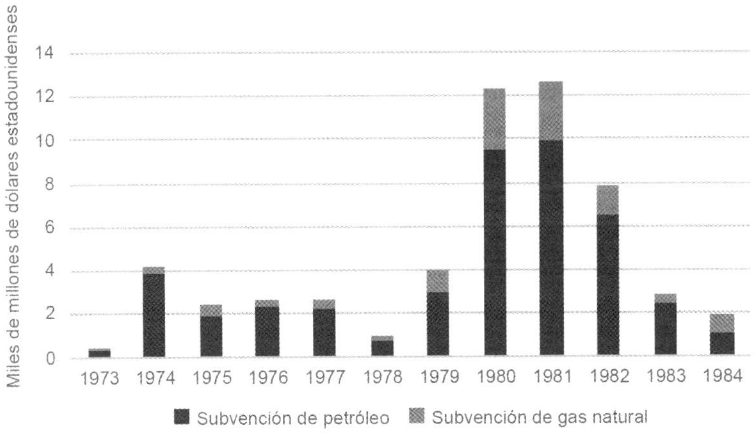

Figura 5.1. **Estimación de la subvención anual soviética a los precios del petróleo y el gas natural.** Fuentes: «Übersicht über die Preisentwicklung für Erdöl ab 1972», sin fecha pero de 1985, DE/1/58747, BArch Lichterfelde, y PlanEcon, Inc., Soviet and East European Energy Databank (Washington D. C.: PlanEcon, Inc., 1986).

349 Documento 3, «Sesión del Politburó del CC del PCUS», 31 de octubre de 1980, en Mark Kramer (ed.), «Soviet Deliberations during the Polish Crisis, 1980-1981», documento de trabajo especial n.º 1, Cold War International History Project, 57.

350 El nivel exacto es difícil de evaluar, pero 4.000 millones de dólares es la cifra mencionada por Brézhnev en su reunión con Kania y Jaruzelski en agosto de 1981. Véase el Documento 16, «Information about Cde. L. I. Brezhnev's Meeting with Cdes. S. Kania y W. Jaruzelski», 22 de agosto de 1981, en Kramer, «Soviet Deliberations», p. 135.

Sin embargo, una y otra vez, se toparon con los límites de sus capacidades materiales, lo que les llevó a reconsiderar en profundidad el papel que jugaba Europa del Este en el interés nacional de su país. La primera limitación se hizo más evidente en octubre de 1980, cuando Polonia solicitó al Kremlin un aumento de su apoyo en petróleo y divisas para afrontar los pagos de su creciente deuda con Occidente. El politburó acordó prestarle ayuda, pero con la condición de que reduciría las entregas de petróleo a otros países del bloque el año siguiente[351]. Sencillamente, la economía soviética no tenía a qué recurrir. Aunque los aliados no se mostraban del todo satisfechos, lo aceptaron, al entender que los recortes eran una medida temporal que se levantaría una vez que los líderes polacos hubieran controlado la «contrarrevolución» de Solidaridad. Con los ingresos adicionales obtenidos de las ventas de petróleo en el mercado mundial, los funcionarios soviéticos lograron mantener al Gobierno polaco a flote durante el invierno de 1980-1981.

Pero, mientras, seguían advirtiendo y lamentando los límites, las cargas y los costos de oportunidad de apoyar a su aliado. A finales de marzo de 1981, en el punto álgido de la crisis de Bydgoszcz y con el temor tanto en Polonia como en Occidente de una posible intervención militar soviética, los funcionarios de Moscú estaban más preocupados por las finanzas que por las armas. Ivan Arkhipov, primer viceministro a cargo de asuntos económicos, informó al politburó que sus ministerios no podían cumplir con todas las demandas polacas de materias primas, ya que era «simplemente imposible darles más». Los polacos habían solicitado otros setecientos millones de dólares para el servicio de su deuda con Occidente, pero, como dijo Arkhipov, la URSS no podía «reunir tal suma». Las constantes solicitudes empezaban a agobiar incluso a los internacionalistas socialistas más fervientes. El ministro de Asuntos Exteriores, Andrei Gromyko, se quejó de que los polacos no «valoraban adecuadamente los suministros

351 Documento 2, «Sesión del Politburó del CC del PCUS», 29 de octubre de 1980, en Kramer, «Soviet Deliberations», pp. 52-53.

de materias primas de la Unión Soviética». Esto llevó a Arkhipov a destacar la enorme oportunidad perdida por los soviéticos al suministrar petróleo subvencionado a sus aliados: «Suministramos a Polonia trece millones de toneladas de petróleo a noventa rublos la tonelada. Teniendo en cuenta que el precio mundial por tonelada es de 170 rublos, estamos recibiendo de los polacos ochenta rublos menos por tonelada. Podríamos vender todo ese petróleo por divisas fuertes y las ganancias serían enormes»[352].

Eso mismo ocurría con el petróleo que Moscú proporcionaba al resto del bloque. En la primavera y el verano de 1981, los líderes soviéticos concluyeron que la carga de estos suministros era demasiado pesada y decidieron reequilibrar las relaciones económicas socialistas a su favor. Durante demasiado tiempo, la economía soviética había sufrido en aras de la estabilidad de sus aliados, y había llegado el momento de priorizar sus propios intereses económicos. El petróleo era clave en el apoyo soviético al resto de países del Este, por lo que también sería central en el reajuste económico. Como ya habían comunicado a los líderes del bloque a finales de los setenta, los soviéticos no podían seguir aumentando las entregas anuales de petróleo en los años ochenta. Ahora, en 1981, les comunicaron a sus aliados que tendrían que reducir significativamente las entregas anuales de petróleo en los años venideros. Consciente de la importancia del petróleo para la estabilidad económica y política de los países del bloque, el Kremlin trabajó durante todo el verano para preparar a sus aliados para esta terrible noticia.

Las reuniones anuales de verano de Brézhnev en Crimea con los líderes del bloque del Este eran la ocasión perfecta para establecer las bases de un nuevo enfoque. «El desarrollo económico de nuestros aliados es crucial, pero creemos que la salud económica de nuestro propio país es igualmente vital», le dijo el secretario general a Erich Honecker en agosto. La ayuda soviética a Europa del Este

352 Documento 38, «Transcript of CPSU CC Politburo Meeting», 26 de marzo de 1981, en *From Solidarity to Martial Law: The Polish Crisis of 1980-1981*, Andrzej Paczkowski y Malcolm Byrne (eds.), Budapest, Central European University Press, 2007, pp. 234-235.

no estaba logrando un equilibrio adecuado entre estos intereses esenciales. «Nuestros economistas (...) —explicó Brézhnev— han calculado que el beneficio directo para los países hermanos de nuestras importaciones de combustible y materias primas en los últimos cinco años asciende a quince mil millones de rublos, y se espera que alcance casi los treinta mil millones en los próximos cinco años». La economía soviética no podía soportar esa «enorme suma». Brézhnev prometió hacer todo lo posible para apoyar el desarrollo económico de la RDA, pero también expresó su «seria preocupación» por la posibilidad de que la URSS no pudiera cumplir con sus compromisos energéticos en los años siguientes[353].

Cuatro semanas después, Brézhnev confirmó que sus temores se habían materializado. En cartas enviadas a Berlín Oriental, Budapest, Praga y Sofía, informó de que las industrias energéticas soviéticas no alcanzarían sus objetivos de producción y que el politburó había decidido recortar los suministros de energía al resto del bloque en los años venideros. Trató de explicar tanto la carga del Kremlin como sus limitaciones: «Como bien saben —le escribió a Honecker—, suministramos a los Estados miembros europeos del CMEA [Consejo de Asistencia Económica Mutua] más de 72 millones de toneladas de crudo al año, siete millones de toneladas de productos petrolíferos y 29.000 millones de metros cúbicos de gas», a lo que habría que añadir carbón, coque y energía eléctrica. «También saben que nos vemos obligados a vender cantidades significativas de crudo y productos derivados a países capitalistas para obtener divisas necesarias para la compra de cereales y alimentos». Con la agricultura soviética al borde de su tercera mala cosecha consecutiva, los funcionarios de Moscú concluyeron que se veían obligados a vender en el mercado mundial parte del petróleo inicialmente destinado a Europa del Este, con el fin de asegurar las divisas necesarias para continuar sus masivas importaciones de grano. Los compromisos del Kremlin con sus aliados y con su

353 «Niederschrift über das Treffen zwischen Genossen L. I. Breshnew und Genossen E. Honecker am 3. August 1981 auf der Krim. August 1981 auf der Krim», DY 30/11853, SAPMO.

propio pueblo habían entrado en conflicto directo, y Brézhnev se había decantado por el pueblo soviético. Imploró la comprensión de los aliados: «Te ruego, Erich [Honecker], que comprendas que la situación actual nos obliga a tomar esta medida»[354].

Ninguno de los aliados recibió bien la noticia, pero Honecker estaba especialmente disgustado. Incluso el más leve recorte en las entregas de petróleo soviético, le escribió a Brézhnev, «socavaría los cimientos de la existencia de la República Democrática Alemana». Cuando Konstantin Rusakov, miembro del politburó soviético, visitó Berlín Oriental para calmar los temores de los alemanes orientales, Honecker fue directo al grano: la reducción del petróleo llevaría la austeridad a la RDA, lo cual, con la potente economía de Alemania Occidental justo al lado, suponía algo sencillamente inaceptable[355]. Las reducciones de petróleo representaban un revés tan monumental que «la estabilidad de la RDA ya no está garantizada», le dijo a su homólogo soviético. Los burócratas soviéticos habían anunciado que la reducción supondría dos millones de toneladas menos de petróleo al año para la RDA —una disminución de diecinueve a diecisiete millones de toneladas anuales—, y esta cifra adquirió rápidamente un significado político y social en la mente de Honecker: «Le ruego que le pregunte al camarada Leonid Ilich Brézhnev si merece la pena desestabilizar la RDA y destruir la confianza de nuestro pueblo en la dirección del partido y del Estado por dos millones de toneladas de petróleo», concluyó con amargura[356].

Rusakov llegó a Berlín Oriental con un arsenal de respuestas preparadas. Recordó al líder de Alemania Oriental que la Unión Soviética estaba «casi en el último lugar en comparación con el nivel de vida del resto de países socialistas». Ya no era posible justificar ante el pueblo soviético por qué debían sacrificarse por

354 Breznhev a Honecker, 31 de agosto de 1981, DE/1/58682, BArch Lichterfelde.

355 Citado en Hans-Hermann Hertle, Der *Fall der Mauer: Die unbeabsichtige Selbstauflösung des SED-Staates*, Opladen, Alemania, Westdeutscher Verlag, 1999, p. 47.

356 «Niederschrift über das Gespräch des Generalsekretärs des ZK der SED, Genossen Erich Honecker, mit dem Sekretär des ZK der KPdSU, Genossen Konstantin Vikorowisch Russakow, am 21 Oktober 1981», 21 de octubre de 1981, DY 30/23379, SAPMO, p. 80.

otros países socialistas: «Si tenemos que apretarnos aún más el cinturón, nuestra gente podría preguntarnos: ¿qué ocurre con los países socialistas hermanos? ¿Por qué debe el pueblo soviético permanecer siempre en una posición tan desfavorable?». Pero había más. La URSS también tenía la responsabilidad de proporcionar seguridad militar a todas las naciones del bloque socialista, lo que significaba que la austeridad en la Unión Soviética no solo amenazaba «el nivel de vida de la población, sino también la capacidad de sus fuerzas armadas»[357]. Los líderes soviéticos no eran insensibles a las dificultades de Europa del Este —según Rusakov, Brézhnev había «llorado» al firmar las cartas que anunciaban los recortes—, pero era hora de recordar que la URSS había ayudado muchas veces en el pasado a estas naciones cuando enfrentaban problemas. «Ahora pedimos ayuda a todos —afirmó Rusakov—, no hay otra forma de hacerlo»[358]. Tras su regreso a Moscú, el Kremlin procedió a hacer los recortes energéticos, a pesar de las protestas de sus aliados. Como veremos en las páginas que siguen, la decisión tuvo importantes implicaciones para las relaciones financieras y políticas de los aliados con Occidente y, por ende, para el control de la Unión Soviética sobre su esfera de influencia.

En este contexto de creciente tensión material, la cuestión de una intervención militar en Polonia siguió siendo un tema central en las deliberaciones soviéticas hasta la primavera de 1981. Durante los tensos primeros meses de la crisis, Brézhnev y otros líderes del Pacto de Varsovia estuvieron cerca de autorizar una invasión conjunta de Polonia en diciembre de 1980, antes de optar por dar más tiempo a los dirigentes polacos para que resolvieran la situación por sí mismos. Durante la crisis de Bydgoszcz, en marzo de 1981, los líderes soviéticos volvieron a insinuar a los polacos que estaban a punto de invadir el país, aunque nunca lo consideraron seriamente[359]. En abril, continuaron manteniendo

357 «Niederschrift über das Gespräch des Generalsekretärs», p. 82.

358 «Niederschrift über das Gespräch des Generalsekretärs», p. 67.

359 Matthew J. Ouimet, *The Rise and Fall of the Brezhnev Doctrine in Soviet Foreign Policy*, Chapel Hill, University of North Carolina Press, 2003, pp. 182-183.

reuniones intimidantes con los líderes polacos, con el objetivo de que la posibilidad de una invasión soviética inminente los incitara a tomar medidas decisivas[360].

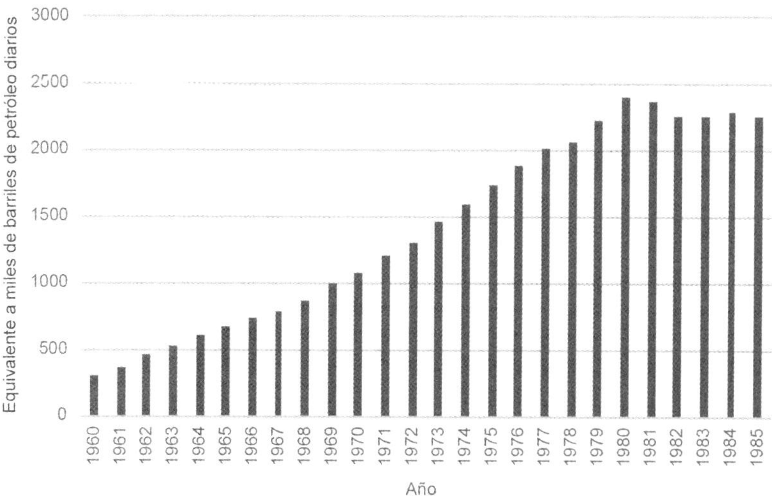

Figura 5.2. **Exportaciones soviéticas de energía a los llamados Seis de la CMEA: Alemania Oriental, Hungría, Polonia, Checoslovaquia, Bulgaria y Rumanía.** Fuente: PlanEcon, Inc., Soviet and East European Energy Databank, Vol. II, Tabla «USSR-Primary Energy Balance», U-3.

Pero ¿era realmente así? Durante la primavera, ni siquiera los propios líderes soviéticos estaban seguros de si intervenir militarmente en Polonia era lo adecuado. Esta incertidumbre se disipó en junio de 1981, cuando los dirigentes políticos y militares soviéticos se reunieron para tomar una decisión definitiva. En dos reuniones separadas, tanto el Estado Mayor como el politburó concluyeron que la carga de una intervención sería demasiado pesada. Factores como el amplio apoyo popular a Solidaridad en Polonia, las dificultades en la guerra de Afganistán, los problemas económicos internos y la amenaza de sanciones paralizantes por

360 Documento 43, «Transcript of CPSU CC Politburo Meeting», 9 de abril de 1981, en Paczkowski y Byrne, *From Solidarity to Martial Law*, pp. 259-264.

parte de Occidente llevaron a los líderes soviéticos a concluir que la intervención militar no beneficiaría los intereses nacionales de la URSS. Mijaíl Súslov, el principal ideólogo del partido y uno de los conservadores más influyentes, lo expresó así de claro: «Bajo ninguna circunstancia, incluso si los líderes polacos lo solicitan, enviaremos tropas soviéticas y de otros países a Polonia (...) sería una catástrofe para Polonia y, sí, para la Unión Soviética»[361]. Para mantener la ilusión de presión militar, los líderes soviéticos no informaron a sus homólogos polacos de esta decisión, pero internamente las cartas estaban echadas. Fueran cuales fueran las circunstancias, las tropas soviéticas no entrarían en Polonia[362].

Una vez descartada la intervención militar, la URSS centró su influencia en Polonia principalmente en el ámbito económico[363]. Los funcionarios soviéticos intentaron usar la ayuda económica como una herramienta de coacción para forzar a los líderes polacos a imponer la ley marcial. Dado que Polonia estaba excluida de los mercados mundiales de capital, y los soviéticos no podían satisfacer todas sus necesidades financieras, Polonia dependía del apoyo económico de Occidente para obtener las divisas necesarias para sus importaciones de grano y el servicio de la deuda. Por lo tanto, debían considerar la posición de Occidente al tratar con Solidaridad[364]. Los funcionarios polacos mantenían un contacto

361 Citado en Ouimet, *Rise and Fall of the Brezhnev Doctrine*, p. 202. Vojtech Mastny proporciona un calendario ligeramente diferente para esta decisión, situándola en abril de 1981, en su «The Soviet Non-Invasion of Poland in 1980/81 and the End of the Cold War», documento de trabajo n.º 23, septiembre de 1998, Cold War International History Project.

362 Ouimet, *Rise and Fall of the Brezhnev Doctrine*, cap. 6.

363 Cita del Documento 56, «Report to HSWP CC Politburo with Verbatim Transcript of July 21 Telephone Conversation between Kania and Brezhnev», en Paczkowski y Byrne, *From Solidarity to Martial Law*, p. 317. Para otras referencias a mensajes soviéticos similares, véase Kramer, «Soviet Deliberations», pp. 18-20.

364 Para pruebas de la deuda que afectaba a las acciones internas hacia Solidaridad, véase el Documento 26, «Protocolo de reunión de los principales miembros de Aktiv del Ministerio del Interior», en Paczkowski y Byrne, *From Solidarity to Martial Law*, p. 171. Para las conversaciones con funcionarios soviéticos, véase el Documento 60, «Information on Brezhnev Meeting with Kania and Jaruzelski on August 14, 1981», en Paczkowski y Byrne, *From Solidarity to Martial Law*, p. 342.

constante con diplomáticos occidentales sobre la posibilidad de recibir más ayuda económica y, en Washington, el Consejo de Seguridad Nacional incluso comenzó a considerar un paquete de ayuda multimillonario de varios años[365].

Sin embargo, estaba claro que si los líderes polacos reprimían a Solidaridad no recibirían la ayuda occidental. Así, mientras el general Jaruzelski preparaba su plan para aplicar la ley marcial, condicionó su implementación a un aumento en la ayuda soviética para compensar el déficit occidental que, a ciencia cierta, traería consigo. El 7 de diciembre de 1981, seis días antes de declarar la ley marcial, Jaruzelski le comunicó a Brézhnev por teléfono que «necesitaba asegurarse de la ayuda económica [soviética]» antes de tomar una decisión[366]. Brézhnev respondió enviando al presidente del Comité de Planificación Estatal, Nikolai Baibakov, a Varsovia, quien regresó con una extensa lista de necesidades que sumaban unos 1.400 millones de rublos. Esto, unido a la ayuda ya prevista para 1982, elevaría la cifra total a 4.400 millones de rublos. Baibakov informó a sus camaradas que solo podrían satisfacer la solicitud polaca tomando recursos «de las reservas estatales o limitando los suministros a los mercados domésticos». Para empeorar las cosas, Jaruzelski había retrasado la fecha de implementación de la ley marcial e insinuó que únicamente la aplicaría si podía contar con el apoyo militar soviético. En el último momento, la cuestión de la intervención militar se había reabierto y la responsabilidad de derrotar la «contrarrevolución» de Solidaridad parecía haber recaído de nuevo sobre el Kremlin[367].

Los líderes soviéticos, sin embargo, se mantuvieron firmes en su postura. A diferencia de las intervenciones de 1953, 1956 y 1968, se comprometieron a dar prioridad a los asuntos internos de la

365 Véase mi artículo «Fugitive Leverage: Commercial Banks, Sovereign Debt, and Cold War Crisis in Poland, 1980-1982», *Enterprise & Society*, vol. 18, n.º 1, marzo de 2017, pp. 72-107.

366 Wojciech Jaruzelski, *Mein Leben für Polen: Erinnerungen*, Múnich, Piper, 1993, p. 426.

367 Documento 81, «Transcript of CPSU CC Politburo Meeting», 10 de diciembre de 1981, en Paczkowski y Byrne, *From Solidarity to Martial Law*, p. 449.

Unión Soviética sobre los del bloque socialista en su conjunto. Yuri Andrópov, el experimentado jefe del KGB y futuro secretario general del partido, hizo una declaración decisiva que reflejó el consenso del politburó:

> Jaruzelski insiste en sus demandas económicas y condiciona la implementación de la Operación X [ley marcial] a nuestra ayuda económica; y (...) sugiere, aunque de manera indirecta, la necesidad de ayuda militar. Respecto a la ayuda económica, obviamente será difícil satisfacer sus requerimientos a la escala que solicitan. Parece que algo hay que hacer [pero] no planeamos enviar tropas a Polonia. Esa es la posición correcta, y debemos mantenerla hasta el final. No sé cómo terminarán las cosas en Polonia, pero incluso si cae bajo el control de Solidaridad, así será. Nuestro principal interés debe ser nuestro propio país y el fortalecimiento de la Unión Soviética. Esa es nuestra línea de acción principal[368].

Con estas palabras, la Doctrina Brézhnev quedó descartada. Tras más de tres décadas sosteniendo que la estabilidad de los Gobiernos socialistas de Europa del Este era un interés nacional para la Unión Soviética, los líderes soviéticos habían aceptado la posibilidad de un cambio de gobierno socialista para concentrarse en su propio desarrollo interno. Aunque estaban dispuestos a ofrecer ayuda económica limitada a su aliado en tiempos difíciles, incluso esa disposición se puso en duda, debido a la decisión más amplia de reducir los suministros energéticos a otros aliados en la región. El peso de la carga del imperio era excesivo, y los líderes soviéticos estaban comprometidos a liberarse de ella, independientemente de los costes y riesgos políticos[369].

* * * *

368 Paczkowski y Byrne, *From Solidarity to Martial Law*, p. 450.

369 Ouimet, *The Rise and Fall of the Brezhnev Doctrine*, especialmente caps. 6, 7 y conclusión.

La imposición de la ley marcial en Polonia eclipsó la significativa revisión de los intereses nacionales soviéticos a ojos del mundo. En Washington, no fue interpretada como una señal de repliegue soviético, sino como un augurio de una renovada agresión soviética. Al enterarse, Ronald Reagan escribió en su diario: «Nuestra información indica que [la represión] fue dirigida y ordenada por los soviéticos. Si es así, y creo que lo es, la situación es sumamente grave»[370]. Mientras los tanques se posicionaban en las calles de Varsovia y miles de miembros de Solidaridad eran arrestados, el presidente estadounidense y su equipo comenzaron a debatir qué respuesta sería apropiada dada la gravedad de los acontecimientos. Lo hicieron dentro del contexto de sus prolongados esfuerzos por desarrollar una estrategia estadounidense más agresiva hacia la Unión Soviética y el bloque comunista en general. Reagan había ascendido a la presidencia como un crítico estridente de la *détente* entre superpotencias de la década de los setenta.

Para Reagan, los esfuerzos diplomáticos destinados a mejorar las relaciones Este-Oeste y estabilizar la Guerra Fría solo habían debilitado militarmente a Occidente, proporcionado apoyo económico al bloque comunista y ofrecido a Moscú una cobertura diplomática para expandir su influencia en el extranjero y continuar su expansión militar interna sin temor a represalias occidentales. Con la idea de emplear todas las herramientas del poder estadounidense, tanto duro como blando, Reagan asumió la presidencia con el propósito de revertir lo que consideraba como una década de declive relativo estadounidense y avance subvencionado soviético.

La estrategia emergente se alineaba con la dinámica de una Guerra Fría «privatizada». Aunque la Administración Reagan no usó este término, su enfoque para la Guerra Fría se basó en la premisa de que el acceso de los Estados a «armas y mantequilla» dependía cada vez más de la economía y la energía. El presidente y su Gabinete entendieron que los Gobiernos comunistas, especialmente el soviético, dependían de la economía y la energía para financiar

370 Douglas Brinkley (ed.), *The Reagan Diaries*, Nueva York, Harper Collins, 2007, p. 55.

sus promesas tanto a nivel nacional como internacional. Creían que podrían usar las herramientas de gobernanza estadounidenses para forzar al mundo comunista a enfrentarse a la disyuntiva de romper promesas. Si los líderes soviéticos tenían que elegir entre tres demandas competitivas por sus recursos cada vez más limitados —su Ejército, sus aliados y sus ciudadanos— los funcionarios estadounidenses confiaban en que, eventualmente, optarían por sus propios ciudadanos en lugar de por las armas y los aliados.

Esta estrategia tuvo su mayor impacto en el ámbito militar. Reagan cumplió rápidamente su promesa de campaña de aumentar significativamente el gasto militar. Aunque fue Jimmy Carter quien comenzó a incrementarlo después de la invasión soviética de Afganistán, Reagan lo amplió y aceleró de manera considerable. El presupuesto de defensa de Estados Unidos se incrementó en más del 40 % entre 1980 y 1986, y el Pentágono desarrolló una nueva generación de armamento convencional y nuclear. Los bombarderos B-1 y B-2, el misil balístico intercontinental MX, los submarinos nucleares Trident y sus misiles Trident II, los cazas F-117 Stealth y los helicópteros Apache se convirtieron en piedras angulares de una fuerza de combate global más avanzada tecnológicamente[371].

Estas armas no solo estaban destinadas a fines de seguridad real y a restaurar la influencia estratégica que Reagan creía perdida durante la década de distensión, sino que también cumplían una función económica crítica, al incitar a la Unión Soviética a una nueva ronda en la carrera armamentística que no podía permitirse. En 1981, las agencias de inteligencia estadounidenses habían concluido que la economía soviética se había «deteriorado hasta el punto de que, si los gastos militares continuaban aumentando como en el pasado, quedarían pocos recursos para elevar el nivel de vida»[372].

371 Cifra en dólares constantes citada en Hal Brands, *Making the Unipolar Moment: U.S. Foreign Policy and the Rise of the Post-Cold War Order*, Ithaca, Nueva York, Cornell University Press, 2016, p. 76.

372 Special Intelligence Estimate, «Dependence of Soviet Military Power on Economic Relations with the West», 17 de noviembre de 1981, en *Foreign Relations of the United States (FRUS) 1981-1988*, vol. 3, Washington D. C., United States Government Publishing Office, p. 352.

Reagan y su Gabinete se propusieron agravar este dilema de Moscú entre armas y mantequilla, destinando la plena capacidad económica de Estados Unidos a la modernización militar. Para los funcionarios estadounidenses, la carrera armamentística era, en última instancia, una competición más económica que militar. Como declaró Reagan a finales de 1981, el objetivo de la modernización militar era «amenazar a los soviéticos con nuestra capacidad de gastar más que ellos, algo que sabían que podíamos hacer si queríamos. Una vez establecido esto, podríamos invitarlos soviéticos a unirse a nosotros para reducir el nivel de armamento de ambas partes»[373].

Para la Administración Reagan, el aspecto crucial era el tiempo. Demostrar la capacidad de Estados Unidos para mantener un gasto militar sostenido requeriría años, por lo que, al asumir el cargo, no sintieron urgencia en entablar de inmediato negociaciones sobre control de armamento con los soviéticos. Tras la invasión soviética de Afganistán, Jimmy Carter había retirado el segundo Tratado de Limitación de Armas Estratégicas (SALT II) del Senado, y Reagan no vio razón para reintroducirlo. Además, el presidente estadounidense reafirmó la decisión de la OTAN de 1979, conocida como la «doble vía», de desplegar nuevas fuerzas nucleares de alcance intermedio (INF) en Europa antes de 1983, mientras negociaba con Moscú sobre las limitaciones de las INF. Reagan imprimió su propio sello a este proceso en noviembre de 1981, cuando propuso cancelar el despliegue de nuevos misiles intermedios estadounidenses si los soviéticos retiraban aquellos que ya habían instalado, una propuesta a la que denominaron la «opción cero». Muchos defensores del control de armas acusaron al presidente de proponer de manera intencionada algo irrealizable para que Estados Unidos pudiera proceder con los despliegues cuando los soviéticos rechazaran, inevitablemente, la oferta. Pero Reagan mantenía desde hacía tiempo la convicción de la irracionalidad e inhumanidad últimas de las armas nucleares, y asumió

373 Citado en Brands, *Making the Unipolar Moment*, p. 75.

el cargo con el sincero convencimiento de reducirlas algún día y, eventualmente, eliminarlas por completo. Esto motivó su decisión de descartar el concepto de negociaciones del Tratado de Limitación de Armas Estratégicas (SALT), que había dominado la agenda de control de armas en la década de los setenta, en favor de las negociaciones del Tratado de Reducción de Armas Estratégicas (START), iniciadas en 1982.

Mientras tanto, Reagan no tenía prisa por llegar a un acuerdo precipitado o intrascendente de control de armamentos con el Kremlin. Cuanto más tiempo tuviera para aumentar su poderío militar para presionar los recursos soviéticos, más inclinado estaría Moscú a negociar en términos estadounidenses. Si los soviéticos «vieran que Estados Unidos tenía la voluntad y determinación de aumentar sus defensas tanto como fuera necesario», le dijo a Margaret Thatcher en 1983, «la actitud soviética podría cambiar porque sabían que no podrían mantener el ritmo»[374].

El planteamiento económico de Reagan hacia la expansión militar y su firme convencimiento sobre la abolición nuclear convergieron en 1983 en el anuncio de la Iniciativa de Defensa Estratégica (SDI, por sus siglas en inglés). Rápidamente denominada «Guerra de las Galaxias» por sus críticos, tenía como objetivo dejar obsoleta la amenaza nuclear soviética mediante el desarrollo de un escudo antimisiles capaz de derribar armas nucleares soviéticas entrantes. Reagan declaró que tenía la «esperanza personal» de que la SDI «pusiera fin a la guerra nuclear», pero la mayoría de sus asesores la consideraban una extensión de un esfuerzo más amplio para llevar al Kremlin a la sumisión a través del gasto[375]. El programa contaría con todas las fortalezas de Estados Unidos: tecnología, investigación y desarrollo y, lo más importante, dinero. Y a los soviéticos les costaría mantener ese ritmo. «La SDI nos da una gran ventaja sobre la Unión Soviética», comentó Reagan al Consejo de Seguridad Nacional (NSC, por sus siglas en inglés), opinión que

374 Citado en Brands, *Making the Unipolar Moment*, p. 87.

375 Robert Service, *The End of the Cold War: 1985-1991*, Londres, Macmillan, 2015, p. 45.

compartían sus asesores[376]. En un mundo donde Moscú ya estaba luchando para alimentar a su gente y, al mismo tiempo, combatir la Guerra Fría contrarrestar el intento estadounidense de ganar la ventaja a través de defensas estratégicas era un desafío presupuestario que el Kremlin difícilmente podría permitirse.

Los efectos de la SDI no serían inmediatos. Los funcionarios de la Administración Reagan comprendieron que solo representaría un desafío real para la Unión Soviética si se mantenía durante varios años; por lo tanto, no se podía confiar en ella para llevar inmediatamente a los soviéticos a la mesa de negociaciones. Sin embargo, lo que sí podía tener un impacto inmediato en la toma de decisiones del Kremlin era su acceso a divisas fuertes a través de los mercados energéticos y financieros. Mientras esperaban que su despliegue militar restableciera el equilibrio estratégico y pusiera a prueba los recursos soviéticos, los funcionarios de Reagan se centraron en la energía y las finanzas como medios para paralizar a su adversario. «El periodo de vulnerabilidad militar estadounidense», le escribió el consejero de Seguridad Nacional, Richard Allen, a Reagan, en noviembre de 1981, «podría compensarse explotando las vulnerabilidades económicas y sociales del bloque soviético». Limitando su acceso a divisas fuertes, se complicarían sus decisiones civiles frente a las militares y aumentaría la probabilidad de disturbios internos en los países satélite[377].

Estas no eran simples especulaciones. A principios de la década de los ochenta, las agencias de inteligencia estadounidenses suministraron informes detallados sobre el deterioro de la situación económica soviética. Mientras Moscú se enfrentaba a reacciones adversas de sus aliados por los recortes en los suministros energéticos anunciados en otoño de 1981, la CIA entregó un informe a la Administración Reagan que predecía que los crecientes problemas

376 Reunión del Grupo de Planificación de la Seguridad Nacional, 5 de diciembre de 1984, NSPG 0101, Biblioteca Presidencial Ronald Reagan (RRPL).

377 Memorándum de Allen a Reagan, «Economic/Financial Situation of the Soviet Union and Eastern Europe Countries», 18 de noviembre de 1981, en FRUS 1981-1988, vol. 3, p. 362.

económicos obligarían al Kremlin a tomar decisiones «cada vez más difíciles y políticamente dolorosas»[378]. Después de que en 1977 se proyectara con excesivo entusiasmo que la producción de petróleo soviético alcanzaría su punto máximo a principios de la década de los ochenta, ahora la CIA preveía una producción estancada hasta mediados de esa misma década, a la que seguiría un declive. Aunque el crecimiento de la producción de gas natural lo compensaría, los analistas sabían, al igual que los planificadores soviéticos en Moscú, que sería una compensación parcial. Algo que empeoraría las cosas para Moscú, es la bajada de los precios de la energía en los años ochenta, después de los años de crecimiento explosivo en la década anterior[379].

Para los funcionarios de inteligencia, estas tendencias estructurales significaban que los países occidentales podrían tener un impacto real en el comportamiento soviético restringiendo el acceso de Moscú al crédito y no comprando su energía. «La disponibilidad reducida de divisas fuertes y energía —concluyó la CIA en 1982— dificultaría aún más las decisiones que Moscú debe tomar entre sus prioridades clave de la década de los ochenta: sostener el crecimiento en programas militares, alimentar a la población, modernizar la economía civil, apoyar a sus clientes de Europa del Este y expandir (o mantener) sus compromisos en el extranjero»[380]. La situación económica soviética era tan mala, y sus implicaciones políticas tan agudas, que los funcionarios de inteligencia llegaron a dictaminar, a principios de los ochenta, que «una nueva dirección para mediados de la década sentirá una mayor presión a la hora de reducir el crecimiento de los gastos de defensa en favor de liberar mano de obra, capital y materiales, recursos necesarios de manera urgente en sectores civiles clave». El mundo aún no

378 «El estado de la economía soviética y el papel del comercio Este-Oeste», 26 de octubre de 1981, en FRUS 1981-1988, vol. 3, p. 342.

379 «The Impact of Credit Restrictions on Soviet Trade and the Soviet Economy», 21 de abril de 1982, carpeta «Buckley Mission Apr 1982-Present [1983] [6 of 10]», RAC caja 5, Norman Bailey Papers, RRPL.

380 Special National Intelligence Estimate, «The Soviet Gas Pipeline in Perspective», 21 de septiembre de 1982, en FRUS 1981-1988, vol. 3, p. 706.

conocía el nombre de Mijaíl Gorbachov, pero los funcionarios de inteligencia estadounidenses creían que pronto podría emerger una figura como él[381].

Esta información fue bien recibida por la Administración Reagan. Presentaba una conclusión clara, además de una pregunta importante: «La economía soviética tiene problemas», como observó William Casey, director de la CIA; «la cuestión es si queremos que empeore aún más»[382]. Durante el primer año de Reagan en el cargo, en medio de la crisis polaca, los altos funcionarios debatían cómo combatir a la Unión Soviética en el terreno político dañándola en el económico[383].

El principal desafío que debía afrontar la Administración Reagan era el nuevo gasoducto masivo que los europeos occidentales estaban construyendo para aumentar las entregas de gas natural soviético a Europa. Desde la década de 1970, empresas y bancos europeos, liderados por Alemania Occidental, habían participado en proyectos de gasoductos que incrementaran las importaciones de gas natural soviético. Este comercio energético se había convertido en un pilar de la distensión europea y de la Ostpolitik alemana. Incluso cuando la distensión entre la URSS y Estados Unidos decayó a finales de los setenta, continuaron las negociaciones para un nuevo gasoducto siberiano, culminando en un acuerdo en 1981. Para ambas partes, este nuevo gasoducto tenía una inmensa significación política y económica. Políticamente, era la piedra angular de los intentos de los Gobiernos de Europa occidental de mantener viva la *détente* en Europa, incluso mientras esta se evaporaba

381 Intelligence Assessment Prepared by the Central Intelligence Agency, «Can the Soviets Stand Down Militarily?», julio de 1982, en FRUS 1981-1988, vol. 3, 652. En «The Impact of Credit Restrictions», RRPL, pp. 48-49, se llega a una conclusión similar, aunque más provisional.

382 Acta de una reunión del Consejo de Seguridad Nacional, 16 de octubre de 1981, en FRUS 1981-1988, vol. 3, p. 322.

383 El debate interno de la Administración sobre una política formal para implicar a la Unión Soviética se prolongó hasta enero de 1983, cuando Reagan aprobó la Directiva 75 sobre «Decisiones de seguridad nacional», un documento estratégico fundamentalpara su Gobierno. Para el texto de la directiva, véase FRUS 1981-1988, vol. 3, p. 861.

entre las superpotencias. Económicamente, se esperaba que el gasoducto duplicara las entregas anuales de gas natural soviético a Europa occidental y proporcionara a Moscú seis mil millones de dólares adicionales al año en divisas fuertes cuando entrara en funcionamiento en 1984. Todo lo relativo al gasoducto parecía desastroso para una Administración Reagan decidida a terminar con la interdependencia económica de la *détente* y disminuir las ganancias en divisas fuertes de los soviéticos[384].

La pregunta que se hacían en Washington era si Estados Unidos debería arriesgarse a romper con sus aliados europeos, con la esperanza de asestar un golpe decisivo a las perspectivas económicas de Moscú. Los defensores de paralizar el gasoducto en el Departamento de Defensa y la CIA creían que los beneficios potenciales superaban con creces los riesgos. Liderado por el secretario de Defensa Casper Weinberger, este grupo consideraba la prevención de la construcción del gasoducto como una necesidad estratégica, equiparable al aumento militar estadounidense: «El gasoducto es tan importante, en términos militares, como un avión», le dijo Weinberger al NSC[385]. Todo intento de presionar las decisiones soviéticas sobre la asignación de recursos tendría poco sentido si Washington permitiera la construcción de un gasoducto que aliviaría esas restricciones al entregar a los soviéticos miles de millones de dólares cada año en ventas de energía[386].

El secretario de Estado Alexander Haig lideró la posición contraria. Aunque compartía el deseo de Weinberger de debilitar económicamente a la Unión Soviética, creía que los Gobiernos de Europa occidental verían cualquier intento de detener el gasoducto

384 Stephan Kieninger, *The Diplomacy of Détente: Cooperative Security Policies from Helmut Schmidt to George Schultz*, Londres, Routledge, 2018, p. 109, y «Energy and Economic Evaluation of the Soviet-West European Natural Gas Pipeline Project», 7 de octubre de 1982, caja 28, carpeta «October-December 1982», Soviet Flashpoints Collection, National Security Archive, Washington D. C.

385 Acta de una reunión del Consejo de Seguridad Nacional, 4 de febrero de 1982, en FRUS 1981- 1988, vol. 3, p. 482.

386 «Respuesta a la NSSD 11-82: U.S. Relations with the USSR», 6 de diciembre de 1982, en FRUS 1981-1988, vol. 3, p. 820.

como un ataque a su soberanía. Además, no estaba en absoluto convencido de que el Gobierno estadounidense tuviera la potestad de impedir su construcción. Los bancos y las compañías europeas contaban con capital y tecnología suficiente para construir el gasoducto sin la participación de Estados Unidos, por lo que Haig no tenía claro que imponer sanciones tuviera un efecto real. A lo largo de 1981, estos dos polos libraron una encarnizada batalla burocrática dentro de la Administración Reagan para determinar el sentido de la política estadounidense.

La declaración de ley marcial en Polonia por Jaruzelski inclinó la balanza hacia Weinberger. El Gobierno de Estados Unidos interpretó que las acciones de Jaruzelski estaban dirigidas por los soviéticos y se centró en debilitar tanto a Varsovia como a Moscú. A finales de 1981, Reagan anunció sanciones contra Polonia y prohibió la participación estadounidense en el oleoducto siberiano. Sin embargo, esta decisión dejaba un asunto importante sin resolver, ya que, como quedó claro a principios de 1982, la cuestión clave era si las sanciones de Reagan al gasoducto se aplicaban «extraterritorialmente»; es decir, a las subsidiarias y los licenciatarios estadounidenses en Europa que estaban realmente involucrados en la construcción del gasoducto. En un mundo de corporaciones multinacionales y acuerdos de concesión de licencias tecnológicas complejos, prohibir la participación de empresas en el territorio de Estados Unidos tenía un impacto limitado. La Administración pronto se dio cuenta de que la clave estaba en la extraterritorialidad de las sanciones: si no se aplicaban a las filiales estadounidenses en Europa, serían ineficaces; si se aplicaban, forzarían a los europeos a detener el oleoducto contra su voluntad[387].

Reconociendo la ira política que desataría en Europa una medida de extraterritorialidad de las sanciones, Reagan retrasó su decisión y, en su lugar, lanzó una iniciativa diplomática para restringir el acceso de Moscú a los mercados internacionales de capital. Si los

387 Las reuniones clave del NSC sobre esta cuestión tuvieron lugar el 4 y el 26 de febrero de 1982. Véase FRUS 1981-1988, vol. 3, pp. 481-484, 490-495.

europeos no estaban dispuestos a cortar sus vínculos energéticos con Moscú, tal vez aceptarían limitar su acceso al crédito. En marzo de 1982, Reagan envió al diplomático James Buckley a las capitales de Europa occidental en busca de apoyo para poner en marcha esta iniciativa de debilitar la posición del Kremlin en divisas fuertes. Aunque no se explicitó, el mensaje era claro: si los europeos restringían el acceso soviético al crédito, Estados Unidos no extendería sus sanciones a las filiales y concesionarios estadounidenses en Europa.

Los funcionarios europeos recibieron cortésmente a Buckley, pero rechazaron de manera firme y consistente sus súplicas[388]. Reaccionaron haciendo hincapié en la hipocresía de Estados Unidos al pedir a Europa que suspendiera sus lazos energéticos con Moscú, mientras ellos seguían vendiendo grano a Moscú. El verano anterior, Reagan había derogado el embargo de grano que impuso Jimmy Carter a la Unión Soviética después de la invasión afgana, y en los meses siguientes a la aplicación de la ley marcial en Polonia, no se mencionó la posibilidad de reinstaurar las restricciones. Si la Casa Blanca estaba tan empeñada en perjudicar a Moscú, concluyeron los líderes europeos, quizás debería limitar su actividad comercial con los soviéticos antes de pedirle a Europa que lo hiciera[389]. A su regreso, Buckley se mostraba optimista e informó al NSC que había percibido que existía una opinión creciente en Europa sobre que «el dinero fácil ayuda a la URSS a resolver sus problemas críticos», pero estaba claro que nadie al otro lado del Atlántico compartía el deseo urgente de Washington de usar las finanzas o la energía como armas en la cada vez más fría Guerra Fría[390].

Esto dejaba a Reagan en una posición difícil. Desde la declaración de ley marcial en diciembre de 1981, había dicho al mundo que utilizaría las herramientas de la diplomacia económica para castigar a los soviéticos y polacos por lo que consideraba su agresión

388 Memorándum de conversación, «Debrief of Under Secretary Buckley's Trip to Europe», 25 de marzo de 1982, en FRUS 1981-1988, vol. 3, p. 505.

389 Citas de Kieninger, *Diplomacy of Détente*, p. 113, y párrafo basado en el cap. III, p. 3.

390 Memorándum de conversación, «Debrief of under Secretary Buckley», p. 506.

compartida contra Solidaridad. Y sin embargo, en 1982, al llegar la primavera a Washington, la ley marcial permanecía vigente, Lech Wałęsa continuaba en prisión y el acceso de Moscú a la riqueza energética y los mercados de capital parecía seguir su curso sin impedimentos. Si su Administración permitía que las sanciones al gasoducto permanecieran sin efecto *y* no lograba restringir el acceso de Moscú al crédito, como le dijo Reagan al NSC, Estados Unidos «perdería toda credibilidad». No solo eso, sino que se perdería también una oportunidad de oro para debilitar al Kremlin cuando más vulnerable era: «La Unión Soviética está económicamente contra las cuerdas. Este es el momento de castigarlos»[391].

Reagan decidió actuar. Durante la cumbre del G7 en Versalles, en junio de 1982, los diplomáticos estadounidenses y europeos intentaron llegar a un compromiso sobre los controles de crédito, pero Reagan quedó insatisfecho. En un discurso ante el Parlamento británico, expuso su visión de la crisis económica en la Unión Soviética: «En un sentido irónico, Karl Marx tenía razón, pues asistimos hoy a una gran crisis revolucionaria, una crisis en la que las exigencias del orden económico entran en conflicto directo con las del orden político. Pero la crisis no se está produciendo en el Occidente libre y no marxista, sino en el hogar del marxismo-leninismo, la Unión Soviética». Rebosante de confianza en la superioridad moral y material del capitalismo democrático, concluyó: «La marcha de la libertad y la democracia (...) dejará al marxismo-leninismo en las cenizas de la historia»[392]. A su regreso a Washington, anunció que las sanciones estadounidenses al gasoducto siberiano se aplicarían a las subsidiarias estadounidenses y a los licenciatarios en Europa. Si la Unión Soviética estaba en una «gran crisis revolucionaria», debido a su pésima economía, Reagan había decidido que Occidente debería empujarla hacia una revolución total.

Solo había un problema: no funcionó. Las únicas revueltas que causaron las sanciones ampliadas al gasoducto se produjeron dentro

391 Acta de la reunión del Consejo de Seguridad Nacional, 24 de mayo de 1982, en FRUS 1981-1988, vol. 3, p. 563.

392 Citado en la nota del editor, FRUS 1981-1988, vol. 3, pp. 572-573.

del Gobierno de Estados Unidos y entre sus aliados. Reagan no había consultado al secretario de Estado Haig antes de tomar su decisión, y este renunció de inmediato. Y como Reagan aplicó las sanciones a pesar de las reservas de sus aliados europeos, estos se rebelaron y pronto desafiaron la orden estadounidense. A medida que avanzaba el verano, comenzaron la construcción del gasoducto ignorando las sanciones. Reagan llegó a lamentar la disputa transatlántica que había causado, y cuando nombró a George Schultz como nuevo secretario de Estado, en julio de 1982, le encargó encontrar la manera de quedar bien y cerrar la crisis diplomática. En la primera de las muchas y delicadas rondas de diplomacia que se realizaron durante su mandato en Foggy Bottom, Schultz logró que los europeos acordaran cambios cosméticos y futuras consultas sobre sus políticas de crédito y energía, a cambio, en noviembre de 1982 Washington derogó las sanciones al gasoducto. A todas luces, la política económica Este-Oeste volvió a ser como siempre había sido[393].

Sin embargo, bajo la superficie, se estaban produciendo transformaciones importantes. Los cambios estructurales en la economía global consiguieron justo lo que la diplomacia de Reagan no pudo. El «*shock* Volcker» y la acumulación financiera de Reagan negaron al mundo comunista más capital del que Reagan jamás podría haber soñado restringir a través de canales diplomáticos, y el declive a largo plazo en los precios globales de la energía, que había comenzado en 1980, debilitó la riqueza energética soviética mucho más de lo que jamás hubieran logrado las sanciones al gasoducto.

Los efectos macro de esta historia pueden verse en la Figura 5.3. Después de incurrir en déficits de cuenta corriente sustanciales en la década de 1970, el bloque comunista comenzó a registrar superávits de cuenta corriente significativos en la década siguiente. Esto significaba que, tras haber sido un importador de capital sustancial durante la mayor parte de la década de 1970, el mundo comunista —al igual que el Sur Global— se convirtió en

393 Directiva de Seguridad Nacional 66, 29 de noviembre de 1982, en FRUS 1981-1988, vol. 3, p. 812.

exportador de capital en la década de 1980, cuando la acumulación financiera de Reagan comenzó a monopolizar el capital mundial. Después de importar un total neto de 40,5 mil millones de dólares estadounidenses desde 1973 a 1981, la Unión Soviética y Europa del Este exportaron un total neto de 31,2 mil millones entre 1982 y 1989. La misma amplia transición en los flujos de capital global que permitió a Estados Unidos borrar su elección entre armas y mantequilla en la década de 1980 endureció significativamente esa misma elección para el mundo comunista[394].

El año decisivo fue 1982. En el mismo momento en que la Administración Reagan intentaba, sin éxito, restringir por la vía diplomática el acceso comunista a la riqueza energética y los mercados de capital, el curso inesperado de su política económica doméstica —la potente combinación de altas tasas de interés y masivos recortes de impuestos— estaba logrando el mismo resultado en una magnitud mucho mayor de lo esperado por cualquier miembro del Consejo de Seguridad Nacional.

Lo que el «*shock* Volcker» y la expansión financiera de Reagan hicieron con los flujos de capital las fuerzas del mercado lo replicaron en el ámbito energético. Tras la crisis del petróleo de 1973, las sociedades capitalistas se esforzaron por conservar energía y desarrollar nuevas fuentes energéticas. Estos esfuerzos colectivos comenzaron a rendir sus frutos a principios de los ochenta. Tras alcanzar un pico de 39,50 dólares por barril en el verano de 1980, los precios del petróleo experimentaron una caída sostenida durante casi una década, llegando a 13,50 dólares por barril en el otoño de 1988[395]. Esta caída, marcada por un desplome en el otoño de 1985, conocido como «el contragolpe», privó a los países exportadores de petróleo, incluyendo a la Unión Soviética, de ingresos de miles de millones de dólares anuales en divisas fuertes.

394 Cálculos del autor a partir del cuadro C.10 del apéndice del «Estudio Económico de Europa en 1990-1991», Ginebra, Naciones Unidas, 1991, p. 249.

395 Véanse los ensayos de Duccio Basosi, Giuliano Garavini y Massimiliano Trentin (eds.), Counter-Shock: *The Oil Counterrevolution of the 1980s*, Londres, Tauris, 2018.

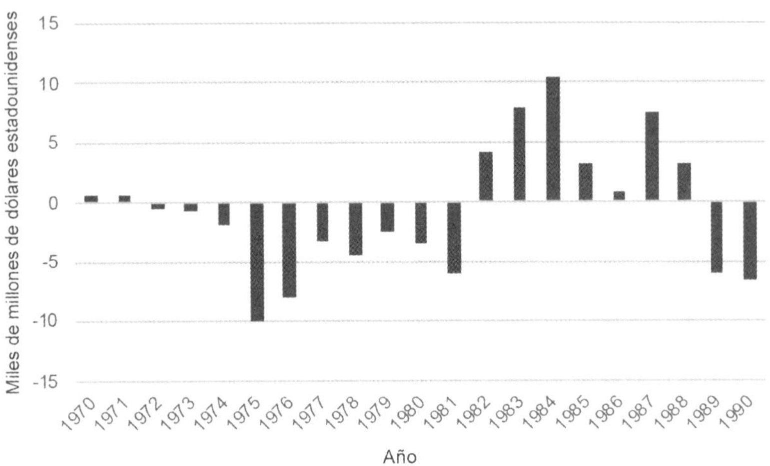

Figura 5.3. **La balanza por cuenta corriente colectiva de la Unión Soviética y los Seis países de la CMEA. Un valor negativo significa una importación neta anual de capital, y un valor positivo, una exportación neta anual de capital.** Fuentes: Apéndice tabla C.10 en Naciones Unidas, Comisión Económica para Europa, «Estudio Económico de Europa en 1990-1991», p. 249.

La combinación de estas dos transformaciones históricas —en los flujos de capital y los precios de la energía— tuvo un profundo impacto en el bloque comunista. En los primeros años de la década de 1980, las tendencias favorables en los mercados mundiales de capital y energía, que habían beneficiado al bloque en los años setenta, se evaporaron y fueron reemplazadas por tendencias adversas. De la misma manera que los mercados de capital y energía habían *ayudado* al bloque comunista en los setenta, en la década siguiente lo perjudicaron. Viéndolo en retrospectiva, podemos concluir que las capacidades materiales del bloque del Este alcanzaron su punto máximo en 1980 y nunca volvieron a recuperarse. Mediante el «*shock* Volcker» y la expansión financiera de Reagan, los responsables políticos estadounidenses jugaron un papel significativo en esta transformación histórica, aunque no se dieron cuenta de cómo lo estaban haciendo.

* * * *

Para los Gobiernos de Europa del Este, estas transformaciones estructurales no se manifestaron bajo la forma de cambios graduales en tendencias a largo plazo, sino como crisis agudas con profundas consecuencias políticas y económicas. Las señales de alarma comenzaron a sonar las semanas previas a que Jaruzelski declarara la ley marcial en Polonia. Diez días antes de que los tanques entraran en Varsovia, Alexander Schalck-Golodkowski, el enigmático líder del Kommerzielle Koordinierung (KoKo), de Alemania Oriental, encargado de obtener divisas para las arcas del Estado, informó a sus superiores que los bancos extranjeros habían comenzado a retirar sus depósitos a corto plazo del banco estatal a un ritmo alarmante. «[Para] evitar la insolvencia de la RDA», escribió, el país tendría que tomar medidas extraordinarias con el fin de reducir las importaciones, aumentar las exportaciones y obtener acceso a más divisas[396]. Simultáneamente, los bancos centrales de Libia, Irán e Irak comenzaron a retirarse del Banco Nacional Húngaro, y pronto todo el bloque se encontró bajo el ataque del sistema financiero internacional[397]. Para principios de 1982, la huida de divisas era tan severa que incluso Checoslovaquia, que había acumulado poca deuda en los años setenta, se enfrentaba a la insolvencia[398].

Los funcionarios comunistas interpretaron la fuga de capitales como un ataque coordinado de Occidente en represalia por la declaración de ley marcial en Polonia. Los esfuerzos diplomáticos de Reagan para detener el oleoducto siberiano y coordinar restricciones crediticias occidentales reforzaron esta creencia. «La política de confrontación estadounidense —escribió Schalck a Honecker en marzo de 1982— ha llevado en las últimas semanas a la imposición de un boicot total de crédito (...) el enemigo ahora está concentrando todos sus esfuerzos en lograr rápidamente la

396 Schlack a Mittag, 1 de diciembre de 1981, DY 3023/981, SAPMO, 322-324.

397 L. A. Whittome al director gerente y al subdirector gerente, 21 de diciembre de 1981, caja 29, fila 3, EDIF, Country Files (CF), FMI.

398 Gerhard Schmitz, «Information zu Meinungen sowjetische Genossen über die Frage der Verschuldung sozialistischer Länder in konvertierbaren Devisen», 3 de marzo de 1982, DY 3023/982, SAPMO, p. 32.

insolvencia de la República Democrática Alemana»[399]. Vladimir Alkhimov, presidente del banco estatal soviético Gosbank, se hizo eco de la opinión de su homólogo de Alemania Oriental en una reunión del bloque en abril, e informó a sus camaradas de que «Estados Unidos está llevando a cabo actualmente una guerra de divisas integral contra los países socialistas. El objetivo es organizar la insolvencia de los países socialistas»[400].

Sin embargo, ya hemos visto que la diplomacia económica de Reagan en respuesta a la ley marcial fracasó en todos los frentes. Aunque ciertamente intentó utilizar la energía y las finanzas para debilitar a la Unión Soviética, sus aliados no compartían sus objetivos y rechazaron continuadamente sus esfuerzos. En lugar de ser la Administración de Reagan, quienes lanzaron el asalto financiero al mundo comunista fueron, en palabras de un funcionario del FMI, «un par de cientos de banqueros presa del pánico» de bancos comerciales y centrales de todo el mundo[401]. Lo hicieron no por animosidad a la Guerra Fría —después de todo, habían prestado dinero alegremente a países comunistas durante más de una década—, sino, más bien, por la preocupación inquietante por sus balances. Como explicó un grupo de banqueros comerciales durante una reunión con funcionarios polacos y occidentales, «no se puede pedir a los bancos occidentales que hagan juicios políticos y sociales. La comunidad financiera debe preocuparse únicamente por problemas económicos». Los banqueros reaccionaron al contexto político de la Guerra Fría, pero no les importaba la lucha de Occidente contra el comunismo. Solo estaban interesados en la «estabilidad y previsibilidad», y la crisis en Polonia había demostrado que el mundo comunista era incapaz de asegurar ninguna de los dos. La retórica belicosa de Reagan tras la ley marcial no hizo más que añadir incertidumbre sobre el futuro de las relaciones económicas Este-Oeste. Los bancos «permanecen como

399 Schalck a Honecker, 5 de marzo de 1982, DY 3023/982, SAPMO, p. 33.

400 Horst Kaminsky a Günter Mittag, 8 de abril de 1982, DY 3023/982, SAPMO, p. 84.

401 L. A. Whittome al director gerente en funciones, 2 de noviembre de 1981, caja 57, fila 3, EUR Country Files, FMI.

financieros, con responsabilidades hacia sus accionistas», insistieron los banqueros durante aquella reunión. «No son agencias políticas ni sociales». El comunismo se había convertido en una mala apuesta, y los bancos querían llevar su dinero a otros lugares.

Incluso si los funcionarios comunistas se equivocaron sobre la fuente última del ataque, no había duda sobre su efecto final: la amenaza de una bancarrota inminente. Los funcionarios financieros comunistas elaboraban periódicamente proyecciones de las necesidades y los recursos futuros en divisas de su país, que se desvanecieron rápidamente, a medida que cientos de millones de dólares huían del bloque en los primeros meses de 1982. En Alemania Oriental, por ejemplo, Schalck hizo números y llegó a la conclusión de que había un déficit de financiación de 1.500 millones de marco valuta (unos setecientos millones de dólares) en la primera mitad del año que no podría cubrirse con nuevos créditos de bancos occidentales «debido al boicot crediticio». Informó a los dirigentes de que podría utilizar las reservas de divisas del Estado para cubrir el déficit hasta junio, pero declaró que el día en que el país se quedaría sin dinero estaba a la vista: «Al final del segundo trimestre, no habrá más créditos disponibles y tendremos que declarar la insolvencia de la RDA a los bancos capitalistas»[402].

Solo una inyección milagrosa de nuevo capital podría frustrar el inexorable camino hacia la insolvencia, y solo un país del bloque socialista era capaz de hacer que se produjera ese milagro: la Unión Soviética. Mientras sus países perdían capital a principios de 1982, los funcionarios financieros de Europa del Este se dirigieron a Moscú con la esperanza de recibir refuerzos financieros. Tras los recortes petroleros del verano anterior, sabían que la concesión de nueva ayuda económica era improbable, pero esperaban que la gravedad de la situación cambiara los cálculos del Kremlin.

No fue así. Los líderes soviéticos, ya estirando sus recursos al máximo para apoyar a Jaruzelski en Polonia tras la ley marcial,

402 «Zur Entwicklung der Zahlungsbilanz im 1. Halbjahr 1982», adjunto a Schalck a Mittag, 4 de marzo de 1982, DY 3023/982, SAPMO, pp. 19-21.

admitieron que no tenían capacidad para proporcionar ayuda. En marzo de 1982, altos funcionarios financieros soviéticos comunicaron a sus homólogos del bloque que «la URSS ya no puede intervenir»[403]. Un mes después, cuando Reagan intensificó sus esfuerzos para restringir el acceso comunista a los mercados de capitales, los soviéticos reconocieron la necesidad de una respuesta coordinada del bloque, pero se abstuvieron de prometer ayuda adicional, conscientes de que solo avivaría falsas esperanzas. «Algunos lo verían como paternalismo», dijo Alkhimov, el presidente de Gosbank, «y todos los países vendrían con la expectativa de que la Unión Soviética proporcionará ayuda financiera, lo cual no es posible»[404]. En lo que acabaría siendo una clara tendencia durante la década de los ochenta, los funcionarios de Europa del Este regresaron a casa sin obtener ayuda, obligados a enfrentar sus crisis financieras por sí mismos.

Los Gobiernos comunistas de Europa del Este se encontraron con opciones tan limitadas como desalentadoras. Declararse insolventes era una posibilidad teórica, pero el ejemplo de Polonia había mostrado los riesgos de admitir públicamente la incapacidad de pagar deudas. Desde que Varsovia declaró su insolvencia, a principios de 1981, había dejado de recibir préstamos nuevos, excepto para cubrir necesidades esenciales, como el grano. La financiación occidental para inversiones de capital que podrían mejorar la economía había cesado de fluir en dirección a la capital polaca.

Una opción más radical era coordinar un impago en todo el bloque, esperando dañar el sistema financiero occidental y obtener así cierta influencia sobre los bancos. Al igual que los deudores del Sur Global, en 1982 el bloque del Este vivía una situación de destrucción mutua asegurada con sus acreedores occidentales. La deuda comunista era de tal magnitud en los balances de los bancos occidentales, particularmente los alemanes, que muchos podrían

403 Gerhard Schmitz, «Information zu Meinungen sowjetische Genossen über die Frage der Verschuldung sozialistischer Länder in konvertierbaren Devisen», 3 de marzo de 1982, DY3023/982, SAPMO, pp. 28-31.

404 Kaminsky a Mittag, 8 de abril de 1982, DY3023/982, SAPMO, p. 90.

haberse declarado insolventes si se hubieran visto obligados a reconocer las deudas comunistas como pérdidas[405]. Sin embargo, no existen pruebas de que los comunistas consideraran siquiera remotamente la posibilidad de declarar un impago colectivo[406]. Algunos funcionarios de política financiera occidentales temían esta posibilidad, pero la mayoría concluyó que era poco probable, porque, como escribió un banquero de un banco central británico, «superar el impago le llevaría décadas a la Comecon»[407]. Los líderes comunistas parecían compartir esta opinión, por lo que llegaron a la conclusión de que debían evitar la insolvencia a toda costa.

Para mantener su solvencia, los Gobiernos comunistas de Europa del Este tuvieron que enfrentarse a dos opciones desagradables, pero, de alguna manera, inevitables: imponer austeridad en sus países o buscar ayuda occidental. Cada elección conllevaba riesgos significativos. Cuanta más austeridad imponían los Gobiernos comunistas a su población, mayor era el riesgo de desencadenar otra crisis polaca. La ayuda occidental disminuiría este riesgo al proporcionar una nueva infusión de capital y reabrir el acceso a los mercados de capital globales. Pero suponía el peligro añadido de rendir la soberanía nacional a los enemigos ideológicos y geopolíticos del bloque comunista. La elección entre la austeridad y la ayuda occidental era, pues, una cuestión de decidir qué riesgo —la inestabilidad doméstica o la pérdida de soberanía internacional— era el menos malo. Cada Gobierno de la región abordó esta elección de manera diferente durante la década de 1980. Hungría, Polonia y Alemania Oriental optaron por buscar una ayuda occidental mayor para minimizar el riesgo de la austeridad, mientras que

405 W. J. E. Charles, «The International Banking System: The Effect of an Eastern Bloc Default», 21 de enero de 1980, 3A143/1, Bank of England (BoE) Archives, Londres, Reino Unido.

406 No he encontrado ningún caso en el que un funcionario comunista haya planteado siquiera la idea de una suspensión de pagos colectiva como una posibilidad remota a tener en cuenta.

407 P. J. Bull, «June EDC Paper: Poland», 5 de junio de 1980, 3A143/2, Archivos del BdE. Para ampliar el debate entre los bancos centrales occidentales sobre los peligros y la probabilidad de un impago comunista, ya sea como países individuales o como bloque, véanse los demás expedientes de 3A143/1-3A143/7 en los Archivos del BdE.

Rumania eligió el camino de la austeridad draconiana y mantener su soberanía. Pero, en cada caso, las distintas decisiones gubernamentales estuvieron impulsadas por la opinión que les merecía una institución: el Fondo Monetario Internacional.

A primera vista, el FMI representaba todo lo que el comunismo rechazaba del capitalismo. Era la encarnación institucional del poder de clase capitalista y, en general, pretendía imponer una perestroika capitalista a las economías deudoras[408]. Sin embargo, en un contexto de escasez financiera, el FMI también ofrecía dinero y disposición para compartirlo. Con el capital extranjero huyendo y sin respuesta de Moscú a las solicitudes de ayuda, surgió un intenso debate dentro del bloque sobre las ventajas y desventajas de acudir al FMI.

Hungría fue muy proactiva en este sentido. János Fekete llevaba una década coqueteando con el Fondo, desde los primeros días de la *détente*, para sentar las bases de una posible membresía[409], mientras que su primer ministro, János Kádár, siempre había rechazado dar el paso final debido a la resistencia soviética. Desde que Stalin declaró, a principios de la posguerra, que el FMI era un instrumento del imperialismo occidental, el Kremlin había mantenido la prohibición permanente a que cualquier miembro del bloque comunista se adhiriera al Fondo, y solo los Estados socialistas inconformistas como la Yugoslavia de Tito (miembro desde 1945) y la Rumanía de Ceaușescu (miembro desde 1972) se habían atrevido a desafiar al Kremlin[410]. Los recortes petroleros del verano de 1981 provocaron un cambio en la mentalidad de Kádár. Al enterarse de los recortes, autorizó a Fekete a seguir adelante con las negociaciones finales de adhesión. Y, en un signo

408 Para declaraciones ejemplares de este punto de vista desde la perspectiva soviética, véase «Mezhdunarodnyi valiutnyi fond i sotsialisticheskie strany», 11 de noviembre de 1983, Archivo Estatal Ruso de Economía (RGAE), f. 2324, o. 33, d. 406, y «Usloviia kreditovaniia zapadom razvivai- ushchikhsia stran progressivnoi orientatsii», 20 de marzo de 1987, RGAE, f. 2324, o. 33, d. 640.

409 Véanse los expedientes de la caja 29, Expediente 2, Expedientes inmediatos del Departamento Europeo, Expedientes por países, FMI.

410 Polonia se convirtió en miembro del FMI en 1946, pero se retiró en 1950 bajo la presión de la Unión Soviética.

importante de cómo los recortes energéticos habían disminuido el poder político de Moscú dentro del bloque, no pidió permiso a los líderes soviéticos, sino que simplemente les informó de su decisión una vez tomada[411].

Aunque al Kremlin no le gustó la insubordinación, poco pudo hacer al respecto. «El FMI es un instrumento bajo la influencia de las fuerzas agresivas de Estados Unidos», dijo Alkhimov en una reunión de funcionarios del bloque en la primavera de 1982. En su opinión, tratar de resolver sus problemas financieros a través del Fondo resultaría «ilusorio», porque a Estados Unidos únicamente le interesaba que los países socialistas declararan su «insolvencia». Los húngaros discreparon. No solo creían que el FMI no estaba interesado en que los países socialistas se declararan insolventes, sino también que era, de hecho, la única manera de que los países socialistas evitaran la insolvencia y la austeridad extrema que esta conllevaría. El director del Banco Nacional Húngaro informó a sus camaradas que la elección a la que se enfrentaba el politburó de Budapest no podía ser más clara. La dirección del partido tenía que «reducir drásticamente el nivel de vida o intentar obtener más préstamos del FMI. Han optado por esto último»[412].

Las instituciones financieras occidentales recompensaron a Hungría por su decisión. Entre 1982 y 1984, Occidente proporcionó a Budapest el rescate financiero que los soviéticos ya no podían ofrecerle. La primera inyección de 210 millones de dólares llegó entre marzo y abril de 1982 a través del Banco de Pagos Internacionales (BPI), una institución que era como una suerte de banco central de los bancos centrales. Fekete usó estos fondos para contrarrestar la fuga de capitales de Libia, Irak e Irán, y mantuvo a Hungría solvente hasta el verano por los pelos. Bajo la presión del FMI y los Gobiernos occidentales, los bancos comerciales

411 Roger Gough, *A Good Comrade: J.nos K.d.r, Communism and Hungary*, Londres, Tauris, 2006, p. 214. Véase también «Information über den Beitritt der UVR zum Internation- alen Währungsfonds und zur Internationalen Bank für Wiederaubau und Entwicklung», 11 de noviembre de 1982, DE/1/58682, BArch Lichterfelde.

412 Kaminsky a Mittag, 8 de abril de 1982, DY3023/982, SAPMO, p. 89.

intervinieron en agosto con un nuevo préstamo sindicado[413]. En diciembre, Hungría firmó su primer acuerdo de financiación a corto plazo con el FMI, recibiendo alrededor de quinientos millones de dólares[414]. Con el FMI a bordo, la confianza bancaria en Budapest se recuperó temporalmente en 1983. Cuando esta confianza empezó a debilitarse a finales de año, el FMI intervino de nuevo, en enero de 1984, con una inyección de 450 millones de dólares[415]. Al unirse al FMI, Hungría también se incorporó al Banco Mundial, y recibió más de setecientos millones de dólares en préstamos entre 1982 y 1985[416]. En total, las instituciones occidentales destinaron casi dos mil millones de dólares en ayudar a Budapest en su momento de mayor necesidad económica. Mientras las tensiones entre Moscú y Washington se intensificaban, pocas personas se daban cuenta de que las instituciones financieras occidentales estaban completando discretamente el primer rescate de un país de Europa del Este, y cambiando de forma sutil el equilibrio de poder en la Guerra Fría.

Durante todo ese tiempo, una única pregunta dominaba las negociaciones de Hungría con el FMI. De hecho, ese interrogante definiría la última década de la existencia del Estado comunista: ¿cuánta austeridad podría aceptar pacíficamente el pueblo húngaro sin rebelarse contra su Gobierno? El BIS, el FMI y el Banco Mundial aliviaron a Budapest de la presión de austeridad más extrema que provocaría la insolvencia, pero no la eliminaron por completo. Como en cualquier otro lugar, el objetivo principal del FMI en Hungría era convertir al país en un exportador neto de

413 L. A. Whittome al Director Gerente, 2 de junio de 1982, Caja 29, Expediente 3, EDIF, CF, FMI.

414 «Reunión del Directorio Ejecutivo del FMI», 8 de diciembre de 1982, EBM/82/157-12/8/82, consultado el 18 de abril de 2019, https://archivescatalog.imf.org/Details/ArchiveExecutive/125000218.

415 Véase «Press Release: Hungary Stand-By Agreement», 13 de enero de 1984, consultado el 24 de abril de 2019, https://archivescatalog.imf.org/Details/ArchiveExecutive/125073812.

416 Cálculos del autor a partir de la base de datos del historial de proyectos del Banco Mundial, consultada el 29 de abril de 2019, http://projects.worldbank.org/search?lang=en&searchTerm=&countrycode_exact=HU.

capital —en términos financieros, crear un superávit en cuenta corriente— para que el país pudiera comenzar a pagar sus deudas, lo que requeriría la imposición de disciplina doméstica. Entonces, la esencia de una relación con el FMI radicaba en encontrar un equilibrio entre la austeridad y el ajuste que quería el Fondo y la estabilidad doméstica que necesitaba el Gobierno.

La negociación de este equilibrio fue un proceso con enormes implicaciones políticas, por lo que la relación de Hungría con el FMI giró en última instancia en torno a cuestiones de poder político interno. En sus conversaciones con Budapest, los funcionarios del FMI propusieron varias formas de lograr lo que era, en esencia, la política de romper promesas: aumentos de precios, recortes de subvenciones, cierre de empresas deficitarias, reducción del déficit presupuestario estatal y devaluación de la moneda nacional[417]. Cada una de estas políticas conllevaba el riesgo de malestar interno, y fue con este criterio político con el que los dirigentes húngaros decidieron qué medidas podían aplicar y a cuáles se resistirían. El Gobierno «tenía que reflexionar sobre las implicaciones sociopolíticas» de cada una de las exigencias del FMI, según declaró al Fondo József Marjai, viceprimer ministro encargado de la economía húngara, allá por 1982. Los dirigentes «no querían poner en peligro la estabilidad política. Querían elegir las políticas contra las que hubiera una menor oposición social[418].

En el caso de Hungría, esto significaba que el Gobierno era reacio a reducir su apoyo financiero para la vivienda, el transporte y los precios al consumidor, pero estaba dispuesto a devaluar el forinto, reducir la inversión empresarial y mantener bajos los salarios de los trabajadores[419]. Estas medidas bastaron para cerrar dos acuerdos de financiación a corto plazo con el FMI entre finales

417 «Hungary-Membership Mission, Minutes of Meeting n.º 1», 25 de noviembre de 1981, caja 30, documento 1, EDIF, CF, IMF.

418 P. de Fontenay, Memorándum para expedientes, «Reunión del 28 de septiembre con el Sr. Marjai», 29 de septiembre de 1982, caja 29, Expediente 4, EDIF, CF, FMI.

419 H. B. Junz al director gerente, 16 de mayo de 1983, caja 30, archivo 3, EDIF, CF, FMI, p. 82.

de 1982 y principios de 1984. Sin embargo, impidieron que se llegara a un acuerdo a largo plazo que habría proporcionado mayores sumas de dinero[420]. El Fondo estaba dispuesto a financiar las reformas económicas de Hungría, pero los líderes húngaros se resistieron a aceptar plenamente las implicaciones políticas de un disciplinamiento económico estricto[421].

Más tarde, en la primavera de 1984, Kádár rechazó continuar con la política de romper promesas. «Créanme», dijo, dirigiéndose al Comité Central del partido en abril de 1984, «no podemos existir con un crecimiento del 0,5 % en el ingreso nacional, y este no puede ganarse el apoyo de las masas»[422]. En lugar de aplicar la austeridad del FMI, ordenó un retorno al crecimiento de entre el 2,5 y el tres por ciento que había prevalecido en la década de los setenta, y le pidió a Fekete que encontrara la manera de hacerlo posible. Afortunadamente para ellos, los dos acuerdos con el FMI y la financiación del Banco Mundial habían sido suficientes para restablecer la solvencia crediticia de Hungría, y el país pudo volver a sus antiguas prácticas de endeudamiento[423]. Con la llegada de 1985 al Danubio, la buena vida había regresado a Hungría. Todo lo que quedaba por ver era cuánto tiempo permitirían los mercados de capital globales que durara.

Los acontecimientos se desarrollaron de manera muy diferente en Berlín Este, sobre todo porque los líderes de Alemania Oriental tenían una visión muy distinta del FMI. Mientras que los húngaros veían al Fondo como una fuente importante, aunque problemática, de capital, los líderes de Alemania Oriental lo veían como nada menos que una amenaza existencial para la la RDA. «Ser o no ser, esa era la cuestión», escribió Alexander Schalck en sus memorias,

420 «Briefing Paper-1984 Mid-Term Review and Possible Use of Fund Resources», 30 de marzo de 1984, caja 31, Documento 4, EDIF, CF, FMI.

421 «Hungary-Staff Visit, Minutes of Meeting», 11 de septiembre de 1984, caja 31, Documento 4, EDIF, CF, FMI.

422 Citado en Attila Mong, *Kádár Hitele*, Budapest, Libri, 2012, p. 238.

423 L. G. Manison, «Recovery of Lending to Eastern Europe», 13 de julio de 1984, caja 21, Documento 2, EUR Department Fonds, Country/Country Desk Files, FMI.

en referencia al destino de su país a principios de la década de 1980. «No queríamos exponer el socialismo a los dictados del Fondo Monetario Internacional»[424]. Tanto durante la Guerra Fría como después, se consideraba evidente que Alemania Oriental dependía en lo financiero de Alemania Occidental. Esta dependencia era real, pero también era una elección[425]. Los líderes de la República Democrática Alemana eligieron aumentar su dependencia de Bonn, a finales de la Guerra Fría, para evitar tener que tratar con el FMI. Al igual que sucedía en Hungría, mantener la solvencia en la RDA requería alguna combinación de austeridad doméstica y ayuda extranjera, y la ayuda de la República Federal era preferible, de largo, a la del FMI porque llegaba con unas condiciones radicalmente diferentes.

El FMI, como hemos visto, buscaba imponer políticas de austeridad a las economías deudoras para convertirlas en exportadoras netas de capital. Contrastando con esta dinámica, Alemania del Oeste no pretendía reformar la economía de Alemania del Este, sino más bien abrir sus fronteras. La Ostpolitik se basaba en la idea de que un mayor flujo de bienes, personas e información a través de la frontera «intraalemana» promovería un continente europeo más pacífico —e, incluso, eventualmente, reunificar al pueblo alemán—. Por tanto, Bonn condicionó su ayuda al incremento de los flujos transfronterizos. La elección entre el FMI y la RFA implicaba determinar qué condición —la austeridad impuesta por el FMI o una frontera alemana más abierta— representaba una mayor amenaza para la estabilidad y legitimidad del Estado de Alemania Oriental. Esta elección entre abrir las fronteras o imponer austeridad definiría el último decenio de la RDA.

Los líderes de Alemania Oriental se mostraban reacios a la idea de unas fronteras más porosas. Eran ellos, al fin y al cabo, quienes

424 Alexander Schalck-Golodkowski, *Deutsche-Deutsche Erinnerungen*, Reinbek, Alemania, Rowohlt, 2000, p. 285.

425 El Gobierno de Alemania Oriental impuso una austeridad muy limitada a principios de la década de 1980, manteniendo constantes los niveles de vida en 1982 y 1983. Véase Matthias Judt, *Das Be- reich Kommerzielle Koordinierung: Das DDR-Wirtschaftsimperium des Alexander Schalck-Golodkowski-Mythos und Realität*, Berlín, Ch. Links Verlag, 2013, pp. 166-171.

habían construido el Muro de Berlín para eliminar la permeabilidad de la frontera. Aún así, consideraban que las políticas de austeridad suponía una alternativa aun peor. Durante la última década de la Guerra Fría, optaron en varias ocasiones por aumentar la permeabilidad de sus fronteras y evitar así imponer austeridad interna. A pesar de haber erigido el símbolo más infame de seguridad fronteriza, estaban dispuestos a sacrificar esa seguridad para no verse obligados a romper promesas internas.

En la década de los ochenta, las consecuencias de esta elección se fueron manifestando de manera gradual, pero influyeron en la forma en que Occidente llevó a cabo los rescates financieros a la RDA. Mientras Fekete negociaba con el FMI para intercambiar financiación por austeridad interna en Hungría, Alemania Oriental negociaba con la RFA un intercambio de marcos alemanes occidentales por una mayor apertura en la frontera. Por orden de Honecker, Schalck se apresuró a dejar clara la aversión de la RDA a la austeridad. Cualquier crédito «debe llegar sin condiciones como las emitidas por (...) el Fondo Monetario Internacional», le dijo a su interlocutor de Alemania Occidental, Franz Josef Strauß, en una de sus primeras reuniones. La RDA no se había unido al Fondo, precisamente, porque «eso significaría bajar el nivel de vida». En cambio, podría ofrecer a la RFA dos concesiones que simplificarían, en cierto modo, los viajes intraalemanes y humanizarían la frontera alemana militarizada un: los escolares de Alemania Occidental ya no tendrían que hacer el pago mínimo en divisas fuertes requerido para entrar en la RDA, y el Gobierno de Alemania Oriental desmantelaría los salvajes dispositivos automáticos de disparo que poblaban su lado de la frontera[426].

Franz Josef Strauß, líder del partido conservador de Baviera y destacado protagonista de la Guerra Fría en Alemania Occidental, estaba dispuesto a aceptar concesiones modestas de Alemania Oriental para alcanzar objetivos más amplios. Su intención era dar

426 A. Schalck, «Niederschrift über das am 25.05.1983 zwischen dem Vorsitzenden der CSU, F.J. Strauß, und Genossen Schalck in Spöck/Chiemsee geführten Gespräches», 25 de mayo de 1983, DL/226/1137, BArch Lichterfelde.

estabilidad a la RDA durante un periodo de creciente tensión en la Guerra Fría y, como él mismo dijo más tarde, hacer que «la RDA dependiera del marco alemán como un adicto de la heroína»[427]. Esto llevó a la concesión a Alemania Oriental de dos préstamos de mil millones de marcos —conocidos como los *Milliardenkredite*— en 1983 y 1984. Oficialmente, los alemanes occidentales no impusieron condiciones, pero cuando la RDA eliminó el requisito de cambio mínimo para los niños a finales de 1983 y desmanteló el último de los dispositivos automáticos de disparo a finales de 1984, todos, tanto del lado occidental como del oriental del telón de acero, sabían cuál era la razón[428].

Eliminar algunas armas a lo largo de una frontera ya fuertemente militarizada y permitir que los niños entren en la RDA gratis puede no parecer mucho a cambio de dos mil millones de marcos alemanes, y en términos concretos, no lo fue. Pero, simbólicamente, los préstamos y sus concesiones tenían una enorme importancia. Primero, al igual que la participación del FMI en Hungría, los *Milliardenkredite* mostraron a los mercados de capital globales que la RDA tenía un nuevo y muy rico prestamista: la República Federal. En la búsqueda de «estabilidad y previsibilidad» de los bancos pocos países podrían igualar la sólida credibilidad de la potencia alemana occidental, y esto inmediatamente repercutió en el acceso de Berlín Este al capital. Apenas un mes después del anuncio del primer préstamo, Schalck ya estaba escribiendo a Honecker que «se había relajado el entorno de negociación» entre el banco estatal de Alemania Oriental y los bancos extranjeros. El jefe de KoKo estaba tan confiado en que los préstamos de mil millones de marcos alterarían la disposición de los bancos a prestar dinero a la RDA que ni siquiera los usó para pagar la deuda del

427 Matthias Judt, KoKo: *Mythos und Realität: Das Imperium des Alexander Schalck-Golodkowski*, Berlín, Berolina, 2015, p. 158.

428 Stephan Kieninger, «Freer Movement in Return for Cash: Franz Josef Strauß, Alexander Schalck-Golodkowski, and the *Milliardenkredite* for the GDR, 1983-1984», en *New Perspectives on the End of the Cold War: Unexpected Transformations?*, Bernhard Blumenau, Jussi Hanhimäki y Barbara Zanchetta (eds.), Londres, Routledge, 2018.

país, sino que los depositó en las cuentas bancarias extranjeras de KoKo, en previsión de futuras necesidades[429].

Al igual que en Hungría, este retorno a la solvencia crediticia en los mercados internacionales permitió a los líderes de la RDA volver a la política de hacer promesas en casa. La austeridad y todos sus desafíos podían aplazarse una vez más. La importancia diplomática de los préstamos no fue menos profunda. Los *Milliardenkredite* cimentaron los términos sobre los cuales descansaría la futura relación intraalemana: dado que la RDA era reacia a intercambiar ayuda financiera por austeridad doméstica, en su lugar negociaría sobre aumentos en el movimiento de personas a través de la frontera alemana.

Por supuesto, estos préstamos no fueron bien recibidos en Moscú. El Kremlin los interpretó como un signo de que Occidente estaba llenando, una vez más, el vacío material en Europa del Este creado por la disminución de los recursos soviéticos[430]. Los líderes soviéticos eran conscientes del significado político de la dependencia creciente de su aliado de Alemania Occidental. Konstantin Chernenko, el tercer secretario general de la Unión Soviética en tres años, expresó en 1984 ante Honecker que estos préstamos suponían una «dependencia financiera adicional de la RDA respecto a la RFA» y fortalecían la influencia de Bonn sobre Berlín Este[431]. Si Alemania Occidental se convertía en el protector financiero de la RDA, existía la preocupación sobre qué tipo de concesiones podría exigir a cambio de su ayuda.

Existía una forma de que el Kremlin evitara esta amenazante perspectiva: revocar los recortes energéticos de principios de los

429 Judt, *KoKo*, p. 164.

430 Los soviéticos no estaban completamente dispuestos, o eran incapaces de ayudar, a la RDA. A principios de 1982, Schalck ideó un plan de arbitraje para comprar petróleo extra a Moscú utilizando divisas fuertes con un plazo de pago de noventa días, revenderlo en el mercado mundial y utilizar los fondos para cubrir las deudas de la RDA durante los noventa días de retraso. Véase Judt, *KoKo*, cap. 2.

431 «Niederschrift über das Treffen zwischen Genossen Erich Honecker und Genossen Konstantin Ustinowitsch Tschernenko am 17 August 1984», 17 de agosto de 1984, DY30/2380, SAPMO, p. 107.

años ochenta e incrementarlos durante el resto de la década. Pero, al igual que Brézhnev y Andropov, Chernenko lo consideraba materialmente imposible y estratégicamente imprudente: «Entendemos la importancia del petróleo soviético y los productos petroleros para los países miembros del [Comecon]», declaró ante el politburó en 1984. «Aquí deberíamos ayudarlos, pero solo de acuerdo a nuestras capacidades. Estas son tales que, posiblemente, lo máximo que podemos hacer [para el Plan Quinquenal 1986-1990] es mantener los suministros al nivel de 1985»[432]. Así, el Kremlin tuvo que atribuir a sus propias limitaciones materiales la creciente dependencia de Occidente de sus aliados. Honecker había advertido previamente a Brézhnev que los recortes petroleros podrían desestabilizar el bloque, y los rescates financieros eran simplemente intentos de los líderes del Este para evitar esa inestabilidad.

Los rescates financieros a los países del bloque del Este fueron el resultado de cambios profundos y numerosos en el mundo desde el comienzo de la década de los ochenta. La economía mundial y la Guerra Fría experimentaron transformaciones radicales, marcadas por la segunda crisis del petróleo, la puesta en marcha del «*shock* Volcker» y la invasión soviética de Afganistán en 1979. Estos acontecimientos desencadenaron cambios dramáticos en los mercados mundiales de energía y de capitales, repercutiendo directamente en el equilibrio material e ideológico de poder durante la Guerra Fría. La combinación del «*shock* Volcker» y la expansión financiera de Reagan había descapitalizado al mundo comunista, mientras que liberaba a Estados Unidos de sus limitaciones materiales previas. Ronald Reagan aprovechó estos nuevos recursos para fortalecer el poderío militar estadounidense, desafiando la capacidad de la Unión Soviética para igualar su acumulación armamentística. La crisis polaca y la revolución de Thatcher demostraron que el capitalismo democrático podía generar un Estado más fuerte y legítimo que el socialismo autoritario, inmersos en la época de las promesas rotas.

432 «Zasedanie politbiuro TsK KPSS 23 maya 1984 goda», 23 de mayo de 1984, f. 89, o. 42, Archivos Hoover.

Reagan y Thatcher introdujeron el lenguaje de la autosuficiencia neoliberal para convertir en virtud ideológica la disciplina impuesta por el Gobierno. Los responsables políticos occidentales manejaron con habilidad la perestroika capitalista para deshacer la interdependencia económica de la década de los setenta, creando un mundo donde los acreedores occidentales —como el FMI, el Tesoro estadounidense o la RFA— ejercían una influencia desmesurada sobre las numerosas naciones deudoras del Sur Global y el bloque comunista.

Se suponía que la Unión Soviética era la fuente material e ideológica de oposición a este giro mundial hacia la ruptura de promesas. Resistir las presiones disciplinarias del capitalismo había sido su misión fundacional y seguía siendo su razón de ser. Pero sus propios fallos materiales, sobre todo en los sectores de la energía y la agricultura, le habían privado de los recursos necesarios para montar una resistencia efectiva, y su ideología de autoritarismo socialista la había legado la promesa de controlar cada aspecto del Estado, la economía y la sociedad. La crisis polaca había dejado al descubierto los riesgos de romper promesas en una dictadura del proletariado, especialmente cuando los proletarios ya no creían en el sistema. La caída de los precios mundiales de la energía, iniciada en 1980, exacerbó los problemas internos del Kremlin y lo enfrentó a la difícil decisión de financiar a sus aliados, al ejército o a su propio pueblo. Las crisis financieras en Polonia, Hungría y Alemania Oriental mostraron los límites del apoyo soviético a sus aliados europeos, pero no resolvieron la elección soviética entre armas y mantequilla. Mientras el Kremlin pasaba por tres ancianos secretarios generales —Brézhnev, Andropov y Chernenko—, la respuesta soviética a esta nueva era de promesas rotas seguía sin definirse. Sería tarea de su sucesor —Mijaíl Gorbachov— trazar un nuevo rumbo. En la víspera de su elección, el 10 de marzo de 1985, incluso Gorbachov no sabía dónde llevaría ese nuevo camino. Lo único que tenía claro era la necesidad de un cambio, como le dijo a su esposa aquella noche: «No podemos seguir viviendo así»[433].

433 William Taubman, *Gorbachev: His Life and Times*, Nueva York, Simon & Schuster, 2017, p. 209.

Parte II

El fin de la Guerra Fría

La perestroika socialista

Durante la mayor parte de su vida adulta, Abel Aganbegyan se mantuvo al margen de la alta sociedad de la Unión Soviética. Como director del Instituto de Economía y Organización Industrial de Novosibirsk, en Siberia, desde 1964, empleó su agudo intelecto y su prolífica escritura para instar a sus superiores en Moscú a reformar el sistema económico soviético. A tres mil kilómetros de la capital, Aganbegyan convirtió el Instituto de Novosibirsk en un crisol de ideas económicas revolucionarias, desafiando las tradiciones marxistas-leninistas que regían el pensamiento oficial. Sin embargo, a principios de la década de los ochenta, sus esfuerzos parecían haber dado pocos frutos, salvo enfrentamientos con los conservadores del partido, quienes rechazaban sistemáticamente sus propuestas de cambio[434].

En 1985, la llegada al poder de Mijaíl Gorbachov cambió su destino. El nuevo secretario general sacó a Aganbegyan del ostracismo, y para finales de los años 80, se había convertido en uno de los principales promotores de la perestroika, el audaz proyecto de reforma que había capturado la atención mundial. Tanto en el Este como en el Oeste, la gente se preguntaba qué era realmente la perestroika, y correspondió a asesores como Aganbegyan ofrecer una explicación. En su libro de 1989, *Moving the Mountain: Inside the Perestroika Revolution* [Mover la montaña: Dentro de la revolución de la perestroika], escribió que «el problema central del nuevo sistema económico [era] hacer que la gente se interesara por los resultados de su trabajo [e] inculcar (...) un sentido

434 Robert English, *Russia and the Idea of the West: Gorbachev, Intellectuals, and the End of the Cold War*, Nueva York, Columbia University Press, 2000.

de responsabilidad personal». A lo largo de sus setenta años de existencia, la Unión Soviética no había logrado establecer «un sistema efectivo de incentivos y responsabilidad individual», y el objetivo final de la perestroika era crearlo. Esto sonaba a algo digno de Ronald Reagan o Margaret Thatcher, y Aganbegyan era consciente de la similitud con la experiencia capitalista: «Si me preguntasen mi opinión sobre las nuevas políticas del Gobierno conservador [en el Reino Unido], a menudo calificadas como thatcherismo, en general, tendría que calificarlas positivamente». Aganbegyan consideraba que Thatcher había llevado a cabo la «reconstrucción, o perestroika, por así decirlo, de la economía británica», por lo que veía muchas similitudes entre los desafíos en Londres y los suyos propios en Moscú[435].

Gorbachov compartía la visión de su asesor sobre los paralelismos entre las experiencias capitalista y comunista en la década de los ochenta, que es de lo que trata este capítulo. La perestroika era una ideología de disciplinamiento económico que buscaba alcanzar objetivos parecidos a los de las doctrinas neoliberales contemporáneas. Al intentar generar un auge económico mediante la reducción significativa del papel del Estado en la economía y la sociedad soviéticas, la perestroika era, de hecho, una versión socialista de la economía de oferta. Al igual que las doctrinas neoliberales en el mundo capitalista, buscaba disciplinar el contrato social soviético de la posguerra, caracterizado por el pleno empleo, precios estables y una fuerte intervención estatal en la economía[436]. En resumen, era la vía socialista para romper promesas.

A diferencia del neoliberalismo occidental, la perestroika fracasó rotundamente porque los líderes soviéticos no lograron implementar el aspecto central de su nueva ideología: imponer disciplinamiento económico al pueblo. A pesar de reconocer que era necesario

435 Abel Aganbegyan, *Moving the Mountain: Inside the Perestroika Revolution*, Londres, Bantam Press, 1989, pp. 65-66.

436 Linda J. Cook, *The Soviet Social Contract and Why It Failed: Welfare Policy and Workers' Politics from Brezhnev to Yeltsin*, Cambridge, Massachusetts, Harvard University Press, 1993.

hacerlo, evitaron consistentemente aplicar medidas duras como el aumento de precios, quiebras y desempleo, temiendo la reacción política interna[437]. Gorbachov intentó ganar apoyo popular para enfrentar las dificultades de la reforma económica, democratizando el sistema político soviético y reformando la ideología comunista para incluir un contrato social más estricto. Sin embargo, pronto se vio incapaz de desafiar la voluntad popular y el legado ideológico del marxismo-leninismo. A diferencia de Reagan y Thatcher, no pudo apoyarse en una tradición ideológica liberal que valorase el individualismo y considerase el disciplinamiento económico una virtud. El resultado fue una economía que distaba de ser disciplinada: en los cuatro años desde la llegada de Gorbachov al poder en 1985 hasta los acontecimientos revolucionarios de 1989-1990, la economía soviética cayó en un caos inflacionario, los líderes políticos pasaron a ser tremendamente impopulares y peligrosamente dependientes del capital extranjero.

Este giro hacia la dependencia jugó un papel crucial en el final de la Guerra Fría, debilitando de manera significativa la capacidad de la Unión Soviética de proyectar poder e influencia globalmente. Mientras Gorbachov intentaba romper promesas en el interior del país, también buscaba hacerlo en el ámbito internacional. Como se ha visto, a principios de los ochenta, tanto la carga material que suponían sus aliados para la Unión Soviética sobre como la carrera armamentística se habían vuelto insostenibles, y el nuevo secretario general inició urgentemente una búsqueda para aliviar ambas. El resultado fue su «nuevo pensamiento» en política exterior soviética y una serie de eventos que sacudieron el mundo: la derogación explícita de la Doctrina Brézhnev en Europa del Este, una campaña diplomática para eliminar todas las armas nucleares, la firma del Tratado sobre Fuerzas Nucleares de Alcance Intermedio (INF, por sus siglas en inglés) y la retirada unilateral de las fuerzas soviéticas de Europa. Para 1989, con la agitación revolucionaria

437 Chris Miller lo explica especialmente bien en *The Struggle to Save the Soviet Economy: Mikhail Gorbachev and the Collapse of the USSR*, Chapel Hill, University of North Carolina Press, 2016.

recorriendo el mundo, la Unión Soviética estaba al borde de la bancarrota, lo que redujo drásticamente la capacidad del Kremlin para frenar o detener los cambios en Europa.

* * * *

El viraje hacia un contrato social soviético más austero no empezó con Gorbachov. Ya en la década de los sesenta, el primer ministro soviético Alexei Kosygin había implementado una serie de reformas económicas con el objetivo de reducir la intervención gubernamental en la economía, incrementar la autonomía, la producción y la rentabilidad de las empresas, y motivar a los trabajadores a ser más productivos, vinculando los salarios al rendimiento. Sin embargo, estas reformas se toparon con una fuerte resistencia por parte del partido y la burocracia gubernamental y, hacia finales de la década, se disolvieron en el aparato administrativo estatal. El secretario general Leonid Brézhnev contribuyó a sepultar los esfuerzos de Kosygin, utilizando durante sus más de diez años de mandato la retórica burocrática y la riqueza petrolera de los años setenta para suprimir cualquier intento de reformar la economía soviética hacia un modelo más disciplinado[438].

La combinación de la crisis económica de principios de los ochenta y la muerte de Brézhnev, en noviembre de 1982, reabrieron la posibilidad de una reforma económica significativa. Al igual que en los países capitalistas, el empeoramiento de los resultados económicos impulsó la búsqueda de un «nuevo pensamiento» en economía y política, y muchas de las ideas que Gorbachov promovería a finales de los ochenta ya se debatían en los niveles más altos del partido y del Gobierno a principios de la década.

El núcleo de la reforma consistía en orientar el país hacia un crecimiento económico intensivo: lograr más rendimiento con menos insumos aumentando la productividad. La economía soviética se había basado en un modelo de crecimiento extensivo,

438 Stephen Kotkin, *Armageddon Averted: The Soviet Collapse, 1970-2000*, Oxford, Oxford University Press, 2001, cap. 1.

que implicaba añadir cada vez más tierra, trabajo y capital a la producción económica para generar mayores cantidades de productos. Sin embargo, dado que el crecimiento de estos insumos se desaceleró entre finales de los setenta y principios de los ochenta, el desafío para los planificadores económicos soviéticos se convirtió en diseñar una economía que creciera por eficiencia y no por cantidad de recursos. Aunque reacios a admitirlo públicamente, los planificadores soviéticos entendieron que el crecimiento intensivo requeriría forzar a los trabajadores y empresas soviéticas a ser más productivos. Como escribió Aganbegyan, el país «no había encontrado el mecanismo para asegurar que la gente estuviera altamente motivada en condiciones socialistas»[439]. Encaminarlo hacia el crecimiento intensivo exigiría hallar ese mecanismo.

El capitalismo contaba con cuatro incentivos extremadamente poderosos que motivaban a trabajadores y empresas a preocuparse por su producción: la ganancia privada, la posibilidad de quiebra empresarial, la desigualdad salarial y el desempleo. La fuerza de estos incentivos se transmitía en la economía a través de un sistema de precios flexibles y basados en el mercado. En el capitalismo, todo —tierra, trabajo y capital— tenía un precio que, en gran medida, se ajustaba a los cambios en la oferta y la demanda. Más aún, cuando el precio de algo como el petróleo, la mano de obra o el crédito subía, los agentes económicos tenían un incentivo para usar menos de ese recurso, promoviendo así la eficiencia a través de precios flexibles[440].

Estos cuatro estímulos y el sistema de precios flexibles que los regulaba eran la base de las economías capitalistas, pero tradicionalmente habían sido considerados anatema en la teoría y práctica comunistas. Los comunistas veían la ganancia privada, la quiebra empresarial, la desigualdad salarial extrema y el desempleo obrero

439 Aganbegyan, *Moving the Mountain*, p. 68.

440 Este apartado trata de las economías capitalistas en su tipo ideal. Las economías capitalistas no cumplen ni cumplieron este tipo ideal, ya que siempre estuvieron, y lo siguen estando, impregnadas por el comportamiento oligopolístico. Véase János Kornai, «"Hard" and "Soft" Budget Constraint», *Acta Oeconomica* 25, no. ¾, 1980, pp. 231-245.

como pilares de la explotación capitalista, y los habían eliminado de sus sociedades. Los Estados comunistas se apropiaban de la mayoría de las ganancias empresariales, sostenían a empresas deficitarias para evitar su quiebra, igualaban los salarios entre trabajadores de bajo y alto rendimiento y garantizaban el derecho al empleo para todos los ciudadanos. En vez de permitir que los precios fluctuaran según la oferta y la demanda, los Gobiernos comunistas los fijaban buscando liberar a sus economías de lo que consideraban la tendencia crónica del capitalismo hacia la inestabilidad y la crisis. En resumen, ninguno de los estímulos que fomentaban el crecimiento y la eficiencia en el capitalismo estaban presentes en las economías comunistas, ya que la promesa fundacional del comunismo había sido proteger a los trabajadores de la explotación capitalista.

Los reformistas soviéticos decidieron que era necesario reintroducir estos estímulos, de ahí que la década de los ochenta fuera testigo de una serie de intentos cada vez más radicales para conseguirlo. Estos esfuerzos comenzaron bajo el liderazgo de Yuri Andrópov, mentor de Gorbachov en el partido[441]. Tras suceder a Brézhnev como secretario general, Andrópov hizo de la mejora económica su principal prioridad. Fiel a su pasado como jefe del KGB, primero intentó solucionar el estancamiento económico mediante la disciplina de la variedad soviética tradicional, de arriba hacia abajo: penas más severas por absentismo laboral y embriaguez, mayores castigos para la criminalidad y una campaña contra el despilfarro y la corrupción en el partido[442]. Sin embargo, incluso mientras aplicaba estas medidas tradicionales, Andrópov autorizó a Gorbachov, entonces una estrella en ascenso en el politburó, y a Nikolái Ryzhkov, un joven político del partido que sería primer ministro bajo Gorbachov, a realizar un análisis exhaustivo de los

441 Nikolai Ryzhkov, *Desiat' let velikikh potriasenii*, Moscú, Assotsiatsiia «Kniga Prosveshchenie Miloserdie», 1995, p. 42.

442 Memorando de trabajo, «Soveshchanie sekretarei TsK KPSS», 18 de enero de 1983, caja 25, Reel 17, Dmitry Volkogonov Papers (DVP), Hoover Institution Archives (HIA), Stanford, California. Véase también Robert Service, *The End of the Cold War, 1985-1991*, Nueva York, Public Affairs, 2015, cap. 5.

problemas económicos del país y a buscar soluciones innovadoras entre sus principales economistas[443].

La primera reforma que los líderes soviéticos consideraron, y que sería un dilema constante tanto para los Gobiernos comunistas previos como para la perestroika, fue el aumento de precios. En 1982, la burocracia gubernamental y del partido había preparado una serie de propuestas de incremento de precios para la aprobación del secretario general. Con la muerte de Brézhnev, la decisión recayó en Andrópov. A pesar de que Gorbachov y Ryzhkov entendieron las razones económicas para implementar estos aumentos, aconsejaron a Andrópov que se abstuviera, debido a las complicaciones políticas que implicarían. Como sus colegas en Varsovia, Budapest y Berlín Este, temían posibles disturbios y, siguiendo su recomendación, Andrópov descartó el plan de aumento de precios[444]. Este fue solo el primero de otros muchos momentos de la década de los ochenta en los que los líderes soviéticos evitarían reformas disciplinarias por sus potenciales consecuencias políticas.

Lo mismo sucedió con otras tres reformas clave: la autonomía empresarial, la «racionalización» de la mano de obra y el recorte del gasto social. Estos términos eran los empleados por el comunismo para referirse a la ganancia, la bancarrota, el desempleo y el bienestar, y durante la era de Andrópov los funcionarios soviéticos comenzaron a debatir estas ideas con mayor frecuencia y urgencia. El programa económico del partido de 1983 se comprometía a duplicar la productividad de la economía en las dos siguientes décadas y a expandir «la autonomía económica de las asociaciones y empresas [para] mejorar la eficiencia y calidad de la producción»[445]. Un año después, un documento de estrategia económica, encargado por Gorbachov y Ryzhkov, promovía la

443 Ryzhkov, *Desiat' let*, pp. 42-47.

444 Para dos versiones ligeramente diferentes de este episodio de subida de precios, véase Mijaíll Gorbachov, *Zhizn' I reformy*, vol. 1, Moscú, Novosti, 1995, pp. 234-235, y Valentin Pavlov, *Upushchen li shans? Finansovi kliuch k rynku*, Moscú, Terra, 1995, pp. 69-72.

445 «Ekonomicheskaia strategiia partii», 14 de julio de 1983, Archivo de la Fundación Gorbachov (GFA), Moscú, Rusia, f. 14574, o. 5, d. 1.

creación de incentivos para que las empresas operaran «con menos trabajadores»[446]. Según algunas estimaciones, entre quince y veinte millones de trabajadores excedentes sobrecargaban una economía ya hinchada, y sería necesario eliminarlos del proceso productivo para lograr un crecimiento intensivo[447].

Producir con menos trabajadores implicaría, a su vez, que cada trabajador restante trabajara más y de manera más productiva. Al discutir formas de motivar a la fuerza laboral, los argumentos de los funcionarios soviéticos sonaban sorprendentemente similares a sus adversarios neoliberales del otro lado del telón de acero. «El socialismo no es filantropía colectiva», escribió un alto cargo económico del Gosplán a Gorbachov a principios de 1984. «Entre los economistas, es cada vez más común la opinión de que la provisión gratuita de bienes [como vivienda, educación y sanidad] debilita los incentivos para trabajar». En lugar de ofrecer estas prestaciones gratuitamente a los trabajadores, los economistas argumentaban que «cualquier persona capaz, en una sociedad socialista, debería ganarse sus bienes con su trabajo»[448]. Ronald Reagan o Margaret Thatcher no podrían haber expresado mejor sus propias opiniones sobre las sociedades capitalistas de la posguerra.

Revisar el contrato social era un desafío ideológico y político considerable, así que Andrópov avanzó con cautela en la implementación de cambios fundamentales. Autorizó a un número limitado de empresas a experimentar con la independencia del plan estatal y la «autofinanciación»; es decir, operar sin subvenciones estatales. Los resultados iniciales en estas nuevas condiciones fueron positivos —la productividad aumentó y los costos disminuyeron—, pero la salud frágil de los líderes soviéticos impidió la continuación de las reformas. Solo quince meses después de asumir el cargo, Andrópov

446 E. I. Kapustin, «Problemy ratsional'nogo ispol'zovaniia trudovykh resursov», 13 de agosto de 1984, GFA, f. 5, o. 1, d. 15011.

447 V. N. Kirichenko, «O nekotoryx predposylkakh obespecheniia dinamichnogo razvitiia ekonomiki strany i dal'neishego sotsial'nogo progressa», 30 de enero de 1984, GFA, f. 5, o. 1, d. 14912.

448 Kirichenko, «O nekotoryx predposylkakh obespecheniia».

falleció en febrero de 1984 y fue reemplazado por Konstantin Chernenko, un miembro de la vieja guardia. Aún más enfermo que Andrópov desde el inicio de su mandato, Chernenko solo duró trece meses en el cargo; murió en marzo de 1985. Aunque Gorbachov, Ryzhkov y sus aliados reformistas lograron continuar trabajando, aunque con muchas limitaciones, bajo la debilitada supervisión de Chernenko, las reformas sistémicas quedaban fuera de su alcance[449].

La llegada de Gorbachov a la secretaría general pretendía cambiar esta situación. Lo eligieron los líderes del partido por encima de opciones más conservadoras y veteranas, precisamente porque anhelaban un cambio respecto al estancamiento impuesto por Brézhnev[450]. Su elección supuso un primer paso hacia el «nuevo pensamiento» soviético, que buscaba soluciones novedosas a los persistentes problemas internos e internacionales. «¡Parece que por fin tenemos un líder!», exclamó el ministro de Defensa Sergei Sokolov a Sergei Akhromeev, jefe del Estado Mayor, poco después de la ascenso de Gorbachov al poder[451]. Aunque ambos tendrían más tarde desacuerdos significativos con su nuevo líder, lo acogieron como un símbolo de cambio largamente esperado. Gorbachov, por su parte, estaba convencido de que el cambio era necesario, pero no tenía un programa radical o específico para implementarlo[452]. Su visión crítica sobre los tres últimos líderes ancianos del país lo llevó a creer que su mera presencia en el poder, y algunos ajustes menores al sistema, impulsarían al país hacia nuevos escenarios[453].

Durante sus dos primeros años en el cargo, Gorbachov introdujo dos términos —*uskorenie* [aceleración] y perestroika

449 Ryzhkov, *Desiat' let*, p. 59.

450 Service, *End of the Cold War*, p. 111.

451 S. F. Akhromeev y G. M. Kornienko, *Glazami marshala i diplomata*, Moscú, Mezhdunarodnye Otnosheniia, 1992, p. 35.

452 Anatoly Chernyaev, *My Six Years with Gorbachev*, University Park, Pennsylvania State University Press, 2000, p. 22. Nótese que este libro se publicó utilizando la transliteración «Anatoly Chernyaev», por lo que se ha mantenido esa ortografía en las notas de este libro.

453 Anders Aslund, *Gorbachev's Struggle for Economic Reform: The Soviet Reform Process, 1985-1988*, Ithaca, Cornell University Press, 1991, p. 68.

[reestructuración]— en su agenda. La llenó con una serie de medidas que aumentaran la inversión, vincularan más directamente los salarios de los trabajadores con la calidad de su trabajo y mejoraran la calidad de los productos soviéticos a través de una supervisión gubernamental más estricta. Ninguna de estas medidas fue radical, ni efectiva. Aunque en retrospectiva es fácil asociar a Gorbachov con los cambios fundamentales de sus últimos años, lo cierto es que hasta finales de 1986 hizo poco en el ámbito interno para desmantelar el sistema heredado[454].

Durante los primeros dieciocho meses de Gorbachov en el poder, tres eventos —una tradicional campaña de disciplinamiento económico y dos sucesos fuera de su control— alteraron dramáticamente la salud fiscal y financiera de la Unión Soviética, llevando a los líderes a buscar soluciones radicales a finales de 1986. El primero de estos eventos fue la fallida campaña antialcohol de Gorbachov, lanzada en mayo de 1985. Como escribió un comentarista, se trató de «una campaña disciplinaria *old school* de pleno derecho» que buscaba aumentar la productividad de los trabajadores disminuyendo su acceso al alcohol. Aunque con esta medida se buscaba aumentar la productividad de los trabajadores al reducir su acceso al alcohol[455], no logró disuadir a los ciudadanos soviéticos de beber, pero sí creó un gran déficit en el presupuesto estatal al disminuir significativamente los ingresos fiscales derivados de la venta de alcohol.

A finales de 1985, el precio mundial del petróleo cayó drásticamente. Para marzo de 1986, había descendido a dos tercios de su valor respecto al otoño anterior, lo que resultó en una disminución de nueve mil millones de rublos en los ingresos de exportación de Moscú en la primera mitad de 1986, y un aumento de cuatro mil millones de dólares en la deuda externa del país[456]. Ryzhkov, ahora primer ministro y responsable de la economía, redirigió

454 Aslund, *Gorbachev's Struggle*, cap. 3.

455 Aslund, *Gorbachev's Struggle*, p. 78.

456 Anatolii Cherniaev (ed.), *V Politbiuro TsK KPSS: Po zapisiam Anatoliia Cherniaeva, Vadima Medvedeva, Georgiia Shakhnazarova*, Moscú, Alpina, 2006, p. 66.

petróleo del mercado nacional al internacional para mitigar las pérdidas gubernamentales, pero esto redujo la energía disponible para la producción nacional y prohibió la importación de bienes de consumo occidentales para incentivar a los trabajadores soviéticos a ser más productivos[457].

El tercer suceso fue el desastre nuclear de Chernóbil, el 26 de abril de 1986, el peor accidente nuclear en tiempos de paz de la historia. Chernóbil fue una catástrofe de dimensiones múltiples —humana, ecológica e ideológica—, pero tuvo un profundo impacto económico en el Estado soviético, con costes estimados en tres mil millones de rublos poco más de un mes después del accidente, cifra que seguiría creciendo[458].

Con estos contratiempos acumulándose, para el otoño de 1986, Gorbachov y sus colegas del politburó se enfrentaban a una crisis creciente. El 30 de octubre, Gorbachov informó a sus colegas de que el país había perdido trece mil millones de rublos en 1985, debido a la caída de los precios de las exportaciones de energía. Las importaciones habían disminuido de veinticuatro mil a trece mil millones de rublos en los últimos dos años, un hecho sin precedentes en la historia del país. «Nunca antes en la historia del país ha sucedido esto», lamentó Gorbachov. Yegor Ligachev, quien pronto lideraría la resistencia conservadora a Gorbachov, solo podía estar de acuerdo: «La economía financiera del país está en una situación muy difícil, por decir lo menos», dijo. Gorbachov atribuyó la crisis al hecho de que había «más dinero que bienes en el país», dejando a las personas con un «interés debilitado por el trabajo». Todos los esfuerzos de reforma económica se habían destinado, desde principios de la década de los ochenta, a motivar a los trabajadores soviéticos, pero ahora las circunstancias conspiraban para hacer de ellos la fuerza laboral menos motivada en la historia del país. Como concluyó Gorbachov, «la situación nos tiene atrapados».

457 Tabla H.1 en Fondo Monetario Internacional, *A Study of the Soviet Economy*, vol. 1, Washington D. C., Fondo Monetario Internacional, 1991, p. 109.

458 Cherniaev (ed.), V Politburó TsK KPSS, p. 50.

En un momento de crisis, el líder soviético compartió con sus camaradas convicciones que definirían su política tanto exterior como interior. Sobre la perestroika, afirmó que «lo principal es no retroceder, no vacilar, sin importar lo difíciles» que fueran las tareas. Donde otros podrían haber retrocedido, él se comprometía a avanzar. Con la profundización de la reforma interna, veía necesario para la recuperación económica del país reducir sus compromisos internacionales. «Debemos ser extremadamente cuidadosos en materia de ayuda a otros países», advirtió, recalcando que no deberían hacerse «promesas a nadie». También señaló que el gasto militar era demasiado alto y paralizaba la economía nacional: «La peculiaridad de este plan quinquenal es que es necesario combinar "armas y mantequilla", lo que es difícil, muy difícil»[459]. Antes de poder recortar el gasto militar, sabía que tendría que aliviar las tensiones de la Guerra Fría.

* * * *

«La perestroika habría sido imposible sin (...) la creación de unas condiciones internacionales propicias», escribió Gorbachov en sus memorias[460]. Desde su primer día en el cargo, esta fue una idea central. Su política exterior estaba diseñada para apoyar sus planes internos, que exigían una desescalada de la Guerra Fría, una reducción de la carrera armamentística nuclear y una liberación de las cargas del imperio. No era el único que pensaba así. Sectores importantes del partido, de la política exterior y de la élite militar reconocían la creciente brecha entre las capacidades capitalistas y las comunistas, y apoyaban los esfuerzos de Gorbachov para liberar al país de estas obligaciones[461].

459 Todas las citas precedentes proceden de Cherniaev (ed.), *V Politburo TsK KPSS*, pp. 102-105.

460 Mikhail Gorbachev, *Memoirs*, Nueva York, Doubleday, 1996, p. 401.

461 Véase Anatoly Dobrynin, *In Confidence: Moscow's Ambassador to Six Cold War Presidents*, Seattle, University of Washington Press, 2015, p. 570. Akhromeev y Kornienko, *Glazami marshala i diplomata*, vol. 36, y Pavel Palazchenkel, *The Memoirs of a Soviet Interpreter*, University Park, Pennsylvania State University Press, 1997, p. 81.

Los sucesos de la primera mitad de la década de 1980 habían cambiado definitivamente el equilibrio de poder entre la Unión Soviética y Estados Unidos. La potente combinación del «*shock* Volcker», el fortalecimiento financiero y militar de Reagan, y la caída de la producción de petróleo soviético y de los precios mundiales del petróleo habían creado dos bloques con capacidades materiales y perspectivas económicas muy diferentes. Reagan había resuelto la disyuntiva entre armas y mantequilla para Estados Unidos, a través del endeudamiento masivo en el extranjero, y algunos funcionarios soviéticos concluyeron que las ilimitadas capacidades materiales de Estados Unidos fortalecerían la posición negociadora de la Administración Reagan en el control de armamentos. Según un informe de 1987 del influyente Instituto de Estados Unidos y Canadá de la Academia Rusa de la Ciencias, «se puede suponer que las consideraciones de ahorro no serán un factor en los próximos años que afecte significativamente la posición actual de liderazgo de Estados Unidos en el campo de la limitación de armamento»[462].

Para los soviéticos, en cambio, el ahorro de costes era la base de su impulso hacia el control armamentístico. Moscú podía endeudarse y, de hecho lo hacía, en los mercados internacionales de capital, pero ningún país, especialmente el principal Estado anticapitalista del mundo, podía igualar la ventaja que obtenía Estados Unidos de su posición central en las finanzas capitalistas mundiales. Si el Kremlin deseaba igualar a Washington dedicando aún más recursos a su ya enorme complejo militar-industrial, tendría que sacrificar inversión en su economía civil y reducir el nivel de vida del pueblo soviético.

Basándose en estas consideraciones estructurales, Gorbachov estableció el objetivo principal de su política exterior: evitar una nueva fase en la carrera armamentística nuclear. El líder soviético hablaba a menudo de la importancia del «factor humano» en su

462 A. A. Kokoshin, «Finansirovanie voennykh prigotovlenii SShA v 1986-1992 gg.», 27 de mayo de 1987, Achive of the Russian Academy of Sciences (ARAN), f. 2021, o. 2, d. 40, pp. 117-125.

diplomacia de superpotencias con Reagan, y los expertos han tendido a seguir su ejemplo, argumentando que la relación personal entre los dos líderes fue crucial para lograr los acuerdos de control de armas nucleares en los últimos años de la Guerra Fría[463]. Aunque la amable relación entre ambos líderes fue importante, los documentos históricos muestran que los avances en control de armas a finales de los años ochenta se debieron a concesiones soviéticas motivadas por el deseo del Kremlin de reducir la carga militar sobre su economía. «Estamos al límite de nuestras capacidades», admitió Gorbachov ante el politburó en octubre de 1986, enfatizando que «la tarea más importante [era] prevenir una nueva fase de la carrera armamentística»[464]. Una nueva fase significaría «una pérdida en todas partes», especialmente en términos de «desgaste de nuestra economía», algo que consideraba inaceptable. «Si se impone una segunda fase de la carrera [armamentística], ¡perderemos!», advirtió[465]. Con un nuevo equipo de asesores en política exterior, que incluía al reformista georgiano Eduard Shevardnadze como ministro de Asuntos Exteriores, Gorbachov abordó el control de armas nucleares desde su primer día en el cargo con una mezcla de brillantez táctica, innovación ideológica y retórica apasionada.

El primer gran paso lo dio en Ginebra, Suiza. En noviembre de 1985, Reagan y Gorbachov se reunieron en un castillo del siglo XVIII, junto al lago Lemán, para evaluar sus posiciones y presentar sus primeras propuestas. Gorbachov, en un patrón que se repetiría —y se volvería cada vez más insostenible— en su diplomacia pública, negó vehementemente que la economía soviética tuviera problemas graves y rechazó la idea de que la acumulación militar de Reagan pudiera forzar una capitulación soviética. Ambas partes acordaron la necesidad de hacer reducciones drásticas en

463 Véase, por ejemplo, James Graham Wilson, *The Triumph of Improvisation: Gorbachev's Adaptability, Reagan's Engagement, and the End of the Cold War*, Ithaca, Cornell University Press, 2014.

464 Citado en Vladislav M. Zubok, *A Failed Empire: The Soviet Union in the Cold War from Stalin to Gorbachev*, Chapel Hill, University of North Carolina Press, 2009, p. 307.

465 Cherniaev (ed.), *V Politbiuro TsK KPSS*, pp. 86-87.

armas nucleares estratégicas, pero Gorbachov se mantuvo firme frente a Reagan en que no aceptaría reducir las defensas soviéticas mientras Reagan continuara con su Iniciativa de Defensa Estratégica (SDI). Al día siguiente, Reagan propuso formalmente reducir hasta el 50 % los arsenales nucleares ofensivos de ambas partes así como implantar recortes en otras categorías de armas. Gorbachov estuvo de acuerdo, pero solo si Reagan se comprometía a abandonar la SDI. Como Reagan no accedió, la conferencia terminó sin acuerdos concretos[466].

Consciente de que la diplomacia personal no era suficiente para persuadir a Reagan, Gorbachov decidió intentar ejercer presión mediante audaces propuestas públicas. Asesorado por el jefe del Estado Mayor soviético, Sergey Akhromeyev, en enero de 1986 Gorbachov lanzó una propuesta para eliminar todas las armas nucleares para el año 2000. La Administración Reagan rechazó la propuesta, a pesar de que la idea acaparó los titulares en todo el mundo, argumentando que ignoraba la enorme ventaja soviética en fuerzas militares convencionales en Europa, no trataba independientemente los misiles nucleares de alcance intermedio desplegados por los soviéticos en Europa desde finales de los setenta y continuaba exigiendo que los arsenales nucleares británico y francés se incluyeran en las reducciones mutuas. Estos aspectos habían sido puntos muertos en las negociaciones de desarme desde principios de los años ochenta.

En su desesperación por lograr progresos, Gorbachov cedió. Durante la primavera y el verano de 1986, en un contexto de caída de los precios del petróleo, evaporación de los ingresos fiscales del alcohol y demostración de los costos y consecuencias de Chernóbil, Gorbachov equiparó el dramatismo de su llamamiento público a la abolición nuclear con una serie de concesiones concretas. Aceptó que los arsenales británico y francés no fueran incluidos. Las fuerzas convencionales podrían considerarse parte de una reducción general y de un equilibrio de las fuerzas armadas de

466 Para un resumen, véase Service, *End of the Cold War*, cap. 14.

ambos bloques. Era crucial que la investigación de laboratorio sobre la SDI continuase, siempre y cuando los estadounidenses se abstuvieran de realizar pruebas y despliegues externos[467]. Para Gorbachov, la lógica detrás de estos movimientos era clara: «Si no cedemos en algunas cuestiones específicas, quizás incluso importantes, si no nos apartamos de las posiciones que hemos mantenido durante mucho tiempo, al final perderemos», advirtió al politburó. «Nos veremos envueltos en una carrera armamentística que no podremos sostener. Perderemos, porque ya estamos al límite de nuestras capacidades»[468].

La serie de concesiones de Gorbachov condujo a la cumbre en Reikiavik, Islandia, entre él y Reagan en octubre de 1986. Antes de dejar Moscú, Gorbachov delineó su estrategia ante el politburó: «A Estados Unidos le interesa mantener las negociaciones en punto muerto mientras la carrera armamentística sobrecarga nuestra economía. Por lo tanto, necesitamos un gran avance»[469]. Llegó a Islandia con una propuesta audaz: reducir, de manera inmediata, a la mitad las armas nucleares estratégicas de ambas partes y eliminar todos los misiles de alcance intermedio en Europa. Los estadounidenses quedaron impresionados por la amplitud de las concesiones soviéticas. Durante los dos días que duró la cumbre, las partes estuvieron al borde de alcanzar un acuerdo para eliminar *todas* sus armas nucleares en la próxima década, pero, una vez más, la SDI de Reagan fue el obstáculo. Reagan no estaba dispuesto a renunciar de forma permanente al derecho de desplegar el sistema de defensa antimisiles, y Gorbachov tampoco renunciaría a todas las armas nucleares soviéticas sin esa garantía[470]. La cumbre terminó con ambas partes sorprendidas por lo cerca que habían estado de cerrar un acuerdo, y frustradas por los obstáculos que les impidieron alcanzarlo.

467 Service, *End of the Cold War*, caps. 17 y 18.

468 Quoted in Chernyaev, *My Six Years*, p. 84.

469 Cherniaev (ed.), *V Politbiuro TsK KPSS*, p. 86.

470 Véase Service, *End of the Cold War*, cap. 20.

Tres semanas después, el 30 de octubre, se reunió el politburó y reconoció unánimemente que la economía estaba «en una situación calamitosa», lamentando «la necesidad de combinar "armas y mantequilla"»[471]. La experiencia de Reikiavik les mostró que, para liberarse de la carga de las armas y producir más mantequilla, tendrían que estar dispuestos a hacer más concesiones en las negociaciones internacionales en los años venideros.

* * * *

Mientras avanzaba en sus esfuerzos para poner fin a la carrera armamentística con Estados Unidos, Gorbachov también buscaba aliviar el peso del imperio soviético en Europa del Este. Las entregas subvencionadas de energía, que habían causado tanto malestar silencioso entre Moscú y sus aliados desde 1973, eran particularmente problemáticas para Gorbachov. Como expresó al politburó el 14 de agosto de 1986, el papel imperial de la Unión Soviética había convertido al país en una suerte de «mano de obra esclava», obligada a extraer materias primas y suministrarlas a otros países[472]. La solución más evidente —cambiar al sistema de precios de mercado y liquidar el comercio dentro del Comecon en divisas fuertes— era clara, pero, desde los años setenta, todos los líderes soviéticos sabían que hacerlo probablemente colapsaría su imperio e influencia en Europa del Este. La baja calidad de los productos del bloque quedaría expuesta, y el precio relativo del petróleo soviético aumentaría de manera drástica, devastando las economías de los países satélites. Gorbachov reconoció que obligar a los países del bloque a «pagar en divisas fuertes sería catastrófico para ellos»[473].

471 Cherniaev (ed.), *V Politbiuro TsK KPSS*, p. 103.

472 Cherniaev (ed.), *V Politbiuro TsK KPSS*, p. 77.

473 «Document No. 9: Notes of CC CPSU Politburo Session, January 29, 1987», en Thomas Blanton, Svetlana Savranskaya y Vladislav Zubok (eds.), *Masterpieces of History: The Peaceful End of the Cold War in Europe, 1989*, Nueva York, Central European University Press, 2010, pp. 241-243.

Sin embargo, se necesitaba un nuevo enfoque con respecto al papel de Moscú en el bloque socialista. Al igual que en otras áreas de su política, el «nuevo pensamiento» de Gorbachov para Europa del Este surgía, en parte, de su creencia genuina en la primacía de los «intereses humanos compartidos [sobre los] intereses de clase», su respeto por los derechos humanos y su rechazo general a los antiguos y violentos métodos de gobernanza soviéticos. Pero las bases fundamentales de su nueva política se originaban en las realidades económicas: Moscú impulsaría gradualmente al bloque hacia un comercio mutuamente beneficioso y no proporcionaría más ayuda económica. Además, derogaría oficialmente la Doctrina Brézhnev y respetaría la soberanía de los países del bloque, ya que no podía seguir soportando la carga del imperio.

Gorbachov fue directo al informar a sus aliados sobre los cambios inminentes. En su primera reunión del Comité Consultivo Político, el órgano de gobierno más alto del Pacto de Varsovia, en octubre de 1985, les dijo a sus aliados: «Las posibilidades de que la Unión Soviética suministre materias primas a cambio de productos terminados de otros países están agotadas». A partir de ese momento, los líderes soviéticos cumplirían con sus «obligaciones» económicas, pero también buscarían un «comercio exterior equilibrado» en el bloque[474]. En lugar del intercambio subvencionado de materias primas, la integración económica mutuamente beneficiosa sería el nuevo enfoque.

De un modo similar a otras áreas de políticas públicas, la caída de los precios del petróleo a finales de 1985 complicó esta transición para la Unión Soviética. Así como el promedio de cinco años hizo que el precio del petróleo dentro del bloque aumentara más lentamente que el precio mundial cuando los precios del petróleo estaban subiendo, ahora también ralentizó su caída. A precios nominales, esto aumentó el valor de Europa del Este para la Unión Soviética al hacer que las exportaciones de petróleo al bloque

474 «Niederschrift über das Treffen der Generalsekretäre und Ersten Sekretäre der Zentralkomitees der Bruderparteien der Teilnehmerstaaten des Warschauer Vertrages am 23. Octubre de 1985 en Sofía», DY 30/2352, SAPMO, pp. 103-109.

fueran más valiosas que aquellas al mercado mundial. Pero los precios reales contaban una historia diferente. El precio de venta promedio de un barril de petróleo soviético dentro del bloque en 1987 era de veintidós rublos por barril. Al tipo de cambio oficial dólar/rublo, esto valoraba el petróleo en 32 dólares el barril, el 74 % más que el precio del mercado mundial. Pero, dado que el mundo valoraba el rublo mucho menos de lo que lo hacía la Unión Soviética, el tipo de cambio real dólar/rublo era infinitamente más bajo que el tipo de cambio oficial y, por lo tanto, el precio del petróleo también era considerablemente menor. Al tipo de cambio de mercado de sesenta centavos de dólar por rublo, el petróleo soviético costaba solo doce dólares el barril, una ganga en comparación con el precio del mercado mundial de diecisiete dólares. A la vez que los precios se mantuvieron bajos a finales de la década de los ochenta, el precio del Comecon también siguió cayendo, alcanzando aproximadamente diez dólares el barril, en 1988, a tipos de cambio de mercado[475]. La disminución del precio al tipo de cambio oficial significó que la Unión Soviética incurrió en déficits comerciales anuales con sus aliados a finales de la década de 1980. Estos déficits, de manera bastante absurda, presionaron a los funcionarios soviéticos para aumentar las exportaciones al bloque, incluso cuando cada uno de los funcionarios comunistas sabía que la Unión Soviética ya estaba proporcionando más recursos al bloque de lo que jamás lo harían a precios del mercado mundial. Un cambio al comercio en moneda fuerte habría resuelto este problema, pero los funcionarios soviéticos eran demasiado conscientes de las graves consecuencias políticas de tal movimiento.

No hace falta decir que al liderazgo soviético no le complacían estas dinámicas perversas, y en 1986 comenzaron a expresar su frustración. En agosto de ese año, Gorbachov les dijo a sus colegas que habían «perdido el rumbo» en las relaciones económicas con el bloque y que «ahora tenían que sanear este desastre»[476].

475 «Soviet Energy Trade During 1986-87», *PlanEcon* 4, n.º 28, 15 de julio de 1988, p. 5.
476 Cherniaev (ed.), *V Politbiuro TsK KPSS*, p. 77.

Los problemas de deuda del bloque con Occidente se cernían como nubarrones sobre tales consideraciones. Mientras los polacos trabajaban para unirse al FMI en el verano de 1986, Gorbachov percibía peligro, pero se sentía impotente para detenerlo. «Si no mantenemos a Polonia, no podremos mantener a la RDA» le dijo al politburó. «Nos quejamos de la relación de los polacos con el FMI. Pero ¿qué pueden hacer? La deuda es de treinta mil millones de dólares»[477]. Para octubre, Ryzhkov estaba preocupado pero resignado a la inacción. El bloque «se arrastraba hacia Occidente, hacia una trampa». En Polonia, «todos pueden ver lo que ha ocurrido allí. Hungría está al límite. Bulgaria se detuvo frente a un precipicio. Los salvamos nosotros». La Unión Soviética estaba ofreciendo «una salida; su integración», dijo, pero solo quieren «electrónica [y] delicadezas» de Occidente, mientras «nosotros seguimos apoyándolos con carbón, petróleo [y] metal»[478].

Esta dinámica económica condujo a una nueva forma de pensar en política. En 1986, Gorbachov empezó a abogar por dejar que los países del bloque resolvieran sus problemas por sí mismos, sin importar las consecuencias políticas. En julio, anunció ante el politburó: «Lo que ocurría antes no podía continuar. Los métodos que se utilizaron en Checoslovaquia [en 1968] y Hungría [en 1956] ya no sirven; ¡no funcionarán!». La economía era ahora «el factor más importante». La influencia de los soviéticos «solo podía ser ideológica, ¡solo a través del ejemplo! Todo lo demás es una ilusión». Ya no podían utilizar «métodos administrativos de liderazgo [porque] este tipo de "liderazgo" (...) significaría cargar con ellos a nuestras espaldas»[479].

Aligerar la pesada losa del imperialismo se convirtió en el tema principal de una reunión de los jefes de Estado de los países del Comecon, celebrada en Moscú los días 10 y 11 de noviembre de 1986. Gorbachov llegó dispuesto a amonestar a sus aliados por

477 *Ibid*, p. 69.

478 *Ibid*, p. 93.

479 «Document n.º 7: Notes of CC CPSU Politburo Session», 3 de julio de 1986, en *Masterpieces of History*, pp. 234-235.

depender del crédito occidental para el crecimiento económico: «Era falso pensar que los problemas de nuestros países podrían resolverse mediante el uso generalizado de préstamos y tecnología [de Occidente]»[480]. «Vivíamos del crédito», continuó, dirigiéndose a los allí reunidos. «En los últimos diez o quince años, el consumo ha crecido más rápido que la productividad laboral en muchos países, lo que significa que la renta [nacional] simplemente ha sido "devorada"». Reconoció la importancia de «la esfera social» en las sociedades comunistas que había sido «creada en interés de los trabajadores». Pero el socialismo no podía seguir prometiendo más de lo que realmente podía cumplir. El problema de vivir a crédito, explicó a sus colegas, era que «tarde o temprano hay que pagarlo»[481].

Gorbachov informó a sus camaradas de que Moscú no cubriría la factura de la deuda cuando esta venciera. Habló en detalle de la carga soviética, señalando que los gastos necesarios «para mantener el equilibrio militar-estratégico con el imperialismo» no eran «pequeños» y que «nueve décimas partes de ellos los cubría la Unión Soviética». En el ámbito de la energía y las materias primas, «los suministros soviéticos (...) satisfacen casi por completo las necesidades de los países hermanos». La carga imperial de armas, energía y ayuda limitaba «las posibilidades de resolver los problemas sociales y elevar el nivel de vida» dentro de la Unión Soviética[482]. En el momento álgido de la crisis polaca, Andrópov había llegado a la conclusión de que los dirigentes soviéticos debían preocuparse por el desarrollo de su propio país por encima de todos los demás, y Gorbachov estaba poniendo en práctica este principio.

La presión económica llevó a Gorbachov a un enfoque novedoso en política. Informó a sus camaradas que el politburó soviético

480 «Niederschrift über das Treffen der führenden Repräsentanten der Bruderparteien sozialistischer Länder des RGW am 10. und 11. November 1986 in Moskau November 1986 in Moskau», 10-11 de noviembre de 1986, DY 30/2358, SAPMO, pp. 5-6.

481 «Rede des Genossen Mikhail Gorbatschow», 10 de noviembre de 1986, DY 30/2359, SAPMO, 8-46, en p. 14.

482 «Niederschrift über das Treffen der führenden Repräsentanten der Bruderparteien sozialistischer Länder des RGW am 10. und 11. November 1986 in Moskau November 1986 in Moskau», 10-11 de noviembre de 1986, DY 30/2358, SAPMO, pp. 18-20.

había decidido basar «todo el sistema de relaciones políticas entre los países socialistas en la igualdad y el beneficio mutuo». Las nuevas «reglas indispensables» para las relaciones entre países socialistas serían la independencia de cada uno, el derecho a tomar decisiones soberanas sobre su propio desarrollo y la responsabilidad ante su pueblo. Crucialmente, ningún país «reclamaría ahora un papel especial en la comunidad socialista»[483].

La Doctrina Brézhnev, que prácticamente había muerto en Polonia, estaba ahora, ya sí, oficialmente desechada. Al describir la reunión al politburó, Gorbachov enfatizó que se había «abierto el camino para una reconstrucción radical de la colaboración dentro de la comunidad, basada en la autosuficiencia»[484]. Los días de intervenir en el extranjero para proteger el socialismo habían terminado, y esto beneficiaba enormemente a la Unión Soviética. «Lo necesitamos. Nos interesa no cargar con la responsabilidad de lo que ocurre, o podría ocurrir, allí[485], afirmó dos meses después.

La respuesta al cuándo y el porqué de la derogación de la Doctrina Brézhnev tiene implicaciones importantes. En contra de la opinión de que su derogación se debió exclusivamente al compromiso de Gorbachov con la autodeterminación, la democracia, la no violencia y los derechos humanos, está claro que la decisión fue el resultado de una larga campaña de la dirección colectiva soviética para liberarse de la carga material del imperio[486]. La política de no intervención en el bloque del Este no solo encajaba con los ideales de Gorbachov para la glásnost y la perestroika dentro de la Unión Soviética, sino que también se alineaba con una comprensión económica de los intereses nacionales soviéticos que había evolucionado desde la crisis del petróleo de 1973. De

483 «Niederschrift über das Treffen», SAPMO, 11.

484 «Documento 8: Transcripción de la sesión del Politburó del PCUS, 13 de noviembre de 1986», en *Masterpieces of History*, pp. 236-240.

485 «Document No. 9: Notes of CC CPSU Politburo Session, January 29, 1987», en *Masterpieces of History*, pp. 241-243.

486 Véase, por ejemplo, Jacques Lévesque, «The East European Revolutions of 1989», en *The Cambridge History of the Cold War*, vol. 3, Melvyn P. Leffier y Odd Arne Westad (eds.), Cambridge, Cambridge University Press, 2010.

hecho, combinado con la decisión de Andrópov de descartar la posibilidad de una intervención militar en Polonia en 1981, es posible concluir que, por razones económicas únicamente, la mayoría de los líderes soviéticos en la posición de Gorbachov habrían retirado a la Unión Soviética de su responsabilidad de «proteger» el socialismo para mediados de los años ochenta[487]. Los estudios sobre este tema han asumido durante mucho tiempo que, sin la excepcional visión del mundo de Gorbachov, las revoluciones de 1989 no habrían sido posibles porque la Unión Soviética habría intervenido para detenerlas[488]. A mediados de los años ochenta, fue la política de intervención en Europa del Este, no la de la no intervención, la que resultaba difícil de justificar para los dirigentes soviéticos. Continuando el trabajo iniciado por sus predecesores, Gorbachov retiró a la Unión Soviética de su papel de liderazgo en el bloque socialista para concentrarse en mejorar la prosperidad material de los ciudadanos soviéticos en casa.

Lo mismo se aplicó a la guerra en Afganistán. Gorbachov hizo del fin de la guerra una prioridad y recibió el apoyo de los conservadores del partido y de las fuerzas armadas. En el otoño de 1985, dentro del politburó, llamó a una retirada rápida de los efectivos soviéticos y no escuchó objeciones del ministro de Defensa Sokolov, quien había liderado la invasión soviética, o de Andréi Gromyko, uno de los primeros defensores de la invasión. Para 1986, la retirada se había convertido en un tema de consenso dentro de la cúpula soviética. En junio, cuando el politburó acordó retirar ocho mil tropas del conflicto, Gromyko declaró: «Esta no es nuestra guerra», y Gorbachov mantuvo que «el final no debe parecer una derrota vergonzosa». Se propusieron planes para retirar las tropas soviéticas de Afganistán durante los próximos dos años y, al consentir la retirada, Gromyko admitió que la invasión fue un

487 Incluso el destacado conservador Yegor Ligachov dijo, en referencia a la decisión de dejar libertad a Europa del Este: «Tomamos esa decisión en 1985, 1986 (...) Ya teníamos el ejemplo de Afganistán ante nosotros»; David Remnick, *Lenin's Tomb: The Last Days of the Soviet Union*, Nueva York, Random House, 1993, p. 234.

488 Véanse los influyentes relatos de Archie Brown, *The Gorbachev Factor*, Oxford, Oxford University Press, 1997, y Lévesque, «East European Revolutions».

error. Toda la cúpula ahora coincidía en que la guerra se había convertido en un drenaje insostenible de recursos soviéticos y las fuerzas armadas necesitaban regresar a casa[489].

****

Las tropas regresaron a un país sumido en una crisis financiera que se aceleraba sin tregua. El déficit presupuestario alcanzó el 6,2 % del PIB en 1986, financiado enteramente por «préstamos» de los ahorros de los ciudadanos soviéticos en el banco estatal soviético[490]. En realidad, esto significaba imprimir rublos y monetizar el déficit, una receta infalible para la inflación y, en el sistema soviético de precios fijos, escasez generalizada de bienes básicos. Para la primavera de 1987, el ministro de Economía informó al politburó de que la situación financiera del país había «alcanzado un punto de crisis». Las pérdidas del presupuesto estatal por la disminución en las ventas de alcohol y el precio del petróleo ahora sumaban treinta mil millones de rublos, y las subvenciones estatales para alimentos pronto alcanzarían los cien mil millones de rublos[491]. El Gobierno pagaba casi un tercio del costo de cada barra de pan, más de la mitad del costo de cada galón de leche, el 40 % del costo de la mantequilla y el 70 % del de cada kilo de carne[492].

Las promesas del Estado a los consumidores eran solo una cara de la moneda. Sus promesas a los productores —la vasta red de empresas estatales, las granjas colectivas y el complejo militar-industrial— eran la otra cara. Gorbachov se mostró crítico con estas últimas: «Durante los últimos quince años, entre el 25 % y el 30 % de las empresas no habían cumplido sus objetivos de

489 Citas de Cherniaev (ed.), *V Politbiuro TsK KPSS*, p. 59. Véase también Service, *End of the Cold War*, pp. 105, 150, 330-331. La guerra continuó durante dos años más, mientras el Kremlin buscaba una salida negociada del conflicto. Las últimas tropas soviéticas abandonaron Afganistán en febrero de 1989.

490 FMI, *A Study of the Soviet Economy*, p. 22.

491 Cherniaev (ed.), *V Politbiuro TsK KPSS*, p. 169.

492 Chernyaev, *My Six Years*, pp. 108-109. FMI, *A Study of the Soviet Economy*, vol. 2, p. 14.

ingresos, aunque continuaban operando gracias al Estado»[493]. El hecho de que el Estado soviético no quisiera llevar a la quiebra a las empresas no rentables y garantizara el pleno empleo significaba que pocos trabajadores eran despedidos. Las empresas «van a la quiebra», reiteró Vitali Vorotnikov, miembro del politburó, «y el Estado se hace cargo de ellas y las mantiene a flote»[494].

El Estado soviético sufría una crisis fiscal y financiera, y Gorbachov buscó refugio en el radicalismo. «No hay alternativa a la perestroika», solía decir a sus camaradas, con palabras que recordaban a las de Margaret Thatcher[495]. En la primera mitad de 1987, transformó la perestroika en una campaña de «reforma radical» de la economía. La reforma se basaba en una piedra angular que, por sus implicaciones sociales, políticas e ideológicas, se insinuaba vagamente: romper promesas. Al romper las promesas del Estado soviético a los consumidores, trabajadores y productores del país, Gorbachov esperaba incorporar los estímulos del capitalismo en el sistema socialista. «La cuestión principal en la teoría y la práctica del socialismo —declaró a los altos dirigentes del país en junio de 1987— es cómo, sobre una base socialista, crear estímulos más poderosos para el progreso económico, científico, técnico y social que bajo el capitalismo»[496].

Los principales economistas de la perestroika plantearon el reto en términos más contundentes: «Hay mucha gente que recibe más de lo que da a la sociedad», dijo Abel Aganbegyan en 1987. «En las condiciones de la perestroika (...) se les pide que se "ganen" su sustento»[497]. Otro economista destacado, Nikolai Šmelev, fue aún más lejos: según él, como escribió en la primavera de 1987,

493 *Ibid.*, *Six Years*, p. 109.

494 Cherniaev, (ed.), *V Politbiuro TsK KPSS*, p. 169.

495 Ryzhkov, *Desyat' let*, p. 80.

496 «Discurso de Gorbachov ante el Pleno del Comité Central de junio», en *Foreign Broadcast Information Service, Soviet and Central Asia* (FBIS-SOV), FBIS-SOV-87-123, 26 de junio de 1987, R28.

497 Abel Aganbegyan, «People and Economics», Ogonyok, julio y agosto de 1987, en *Gorbachev and Glasnost: Viewpoints from the Soviet Press*, Isaac J. Tarasulo (ed.), Lanham, MD, Rowman & Littlefield, 1989, p. 94.

«la certidumbre parasitaria de los ciudadanos soviéticos sobre el trabajo garantizado» era la fuente de todos los males del país. La perestroika debía sustituir la «coerción administrativa» del Estado por la «coerción económica» del mercado[498]. La receta se hacía eco de lo que Reagan y Thatcher estaban haciendo en el mundo capitalista, y un año más tarde, Šmelev destiló su pensamiento en unos términos que ambos habrían apoyado de todo corazón: «Debemos enseñar a nuestro pueblo a comprender que todo lo que es económicamente ineficiente es inmoral, así como lo contrario: que la eficiencia es moralidad»[499].

Los reformistas esperaban que la eficiencia moral fuera la pieza central de la reforma económica de Gorbachov: la Ley de Empresas Estatales de 1987. Esta ley estipulaba que, a partir de 1988, todas las empresas soviéticas se independizarían del Estado. La independencia tenía como objetivo activar los «poderosos estímulos» de las economías de mercado, permitiendo a las empresas retener sus beneficios y operar sin subvenciones estatales. Como señaló el primer ministro Ryzhkov, la «idea central» de la ley era satisfacer las demandas de la economía nacional «al menor coste posible». Las empresas, al conservar sus beneficios, tendrían «un interés económico» en asegurar los «mayores beneficios» y el «máximo rendimiento» de su capital[500]. Gorbachov abordó el tema de los salarios: «Los salarios reales de cada trabajador deberían depender estrechamente [de la productividad y] no deberían estar restringidos por ningún límite». Esas eran las zanahorias, pero también había indicios de palos. Si una empresa fallaba repetidamente a la hora de mantener la solvencia, «sería posible plantear la cuestión de la reorganización o la terminación de la actividad de la empresa». Y, a medida que las empresas se volvieran más

498 Nikolai Shmelev, «Advances and Debts», *Novy Mir*, n.º 6, 1987, en *Gorbachev and Glasnost*, p. 83.

499 Šmelev, «New Worries», *Novy Mir*, n.º 4, abril de 1988, en *Gorbachev and Glasnost*, p. 124.

500 Discurso de Ryzhkov al Soviet Supremo, «Sobre la reestructuración de la gestión de la economía nacional en la fase actual del desarrollo económico del país», *Pravda*, 30 de junio de 1987, traducido en FBIS-SOV-87-126, R6 y R10.

eficientes, «la escala en la que se liberan trabajadores crecerá de manera considerable». La ganancia privada, la quiebra corporativa, la desigualdad salarial y la movilidad laboral ahora estaban en el horizonte del socialismo[501].

Gorbachov era consciente de que estas reformas romperían muchas de las promesas del Estado socialista y anticipaba resistencia. Los ciudadanos temían la pérdida de empleo, de ingresos y de seguridad, mientras que a la amplia burocracia estatal y del partido le preocupaba perder el control sobre la economía. Estos grupos podrían obstaculizar potencialmente la perestroika si se resistían a aplicar sus reformas económicas. Por lo tanto, Gorbachov sabía que, para implementar estos cambios, tendría que superar la resistencia tanto de la sociedad como del Estado.

Lo que hizo fue utilizar la glásnost y la democratización como herramientas clave para impulsar sus reformas económicas. Al principio, estas medidas iban dirigidas a aumentar la democracia socialista, como, por ejemplo, ampliando el control de los trabajadores sobre las empresas y organizando elecciones competitivas a nivel local dentro del partido, además de permitir una mayor libertad de prensa. Sin embargo, en 1988, ante la agudización de la crisis económica y la falta de consolidación de las reformas, Gorbachov trascendió los límites de la democracia socialista y adoptó elecciones competitivas a nivel nacional, que se anunciaron en la Decimonovena Conferencia de Todo el Partido de la Unión.

Esta decisión no fue promovida por un idealismo utópico, sino por un cálculo político pragmático. De hecho, la democracia y la libertad de expresión se valoraban en la Unión Soviético por su potencial coercitivo. Alexander Yakovlev, la fuerza impulsora de la democratización en el politburó, escribió a sus colegas: «A veces se da un malentendido: cuando la gente habla de democracia, presuponen alguna noción amorfa, como la liberalización (...) Sin embargo, en realidad, la democracia es disciplina (...) y el

501 Discurso de Gorbachov, Pleno de junio, en FBIS-SOV-87-123, 26 de junio de 1987, R33.

desarrollo de la autodisciplina»[502]. Gorbachov se hizo eco de las palabras de su responsable ideológico: «Nos hemos embarcado en el camino de la democracia», le comunicó al politburó en junio de 1987, porque «proporciona el mayor control sobre el poder»[503]. En un primer momento, se centró en la democratización de las empresas y del partido comunista, pero en sus memorias, reveló que aplicó ese razonamiento para avanzar hacia una democracia electoral plena. Recordó un artículo publicado en la prensa soviética en 1989 que argumentaba que una reforma económica radical solo podía implementarse bajo «el escudo confiable de un fuerte poder autoritario». Como explica en sus memorias: «Para mi círculo y para mí, este argumento no fue una revelación. No éramos tan ingenuos como para no reconocer [que] las transformaciones significativas solo podían llevarse a cabo [con] un firme control de las riendas del poder». Sabía que necesitaría poder político «para superar la oposición inevitable a las reformas propuestas», y el máximo poder se encontraba en la glásnost y la política democrática[504].

El discurso de Gorbachov en el Pleno del Comité Central, en enero de 1987, marcó un cambio radical en la política soviética. Anunció una expansión significativa de la glásnost, incluyendo la libertad de expresión y la introducción de elecciones en las empresas y entre los candidatos del PCUS a nivel local. «Creemos que la electividad, lejos de socavar la autoridad del líder, por el contrario, la realza», le dijo al liderazgo del partido. El sistema soviético siempre se había construido sobre el «control "desde arriba"», dijo, pero ahora era «de importancia fundamental [aumentar el] control "desde abajo"»[505]. Si la democracia hacía que los gerentes de las empresas, los jefes locales del partido y, eventualmente, todo

502 Yakovlev, «Text of Presentation at the CC CPSU Politburo Session», 28 de septiembre de 1987, en «Perestroika in the Soviet Union 30 Years On», National Security Archive Electronic Briefing Book n.º 504, 11 de marzo de 2015, consultado el 4 de diciembre de 2016, http://nsarchive.gwu.edu/NSAEBB/NSAEBB504/,1.

503 Cherniaev (ed.), *V Politbiuro TsK KPSS*, p. 198.

504 Gorbachov, *Memoirs*, p. 315.

505 *Daily Report*, 28 de enero de 1987, en FBIS-SOV-87-018, R20.

el Gobierno y la cúpula del partido fueran responsables ante la población, el escrutinio público obligaría a estas autoridades a implementar la reforma económica.

Entonces, sobre el papel, las reformas políticas y económicas de 1987 parecían estar bien posicionadas para imponer exitosamente la política de romper promesas. La democracia obligaría a las empresas soviéticas a implementar la Ley de Empresas Estatales y, a su vez, esta ley obligaría a las empresas y trabajadores soviéticos a ser más productivos. El disciplinamiento económico del mercado moderaría el contrato social soviético, y la economía sería relanzada en el anhelado camino del crecimiento intensivo.

Sin embargo, en la práctica, estas reformas fracasaron. La Ley de Empresas Estatales, al permitir que las empresas retuvieran la mayor parte de sus beneficios, resultó ser un masivo recorte fiscal de oferta. La contribución promedio de las empresas al Estado cayó del 63 % en 1986 al 40 % en 1989[506]. Los ingresos estatales se desplomaron del 47 % del PIB en 1985 al 41 % en 1989. El déficit presupuestario se disparó del 6,2 % del PIB en 1986 al 11 % en 1988 y al 9,5 % en 1989[507]. En lugar de imponer disciplina, las reformas de Gorbachov eliminaron las restricciones presupuestarias del antiguo sistema de comando, dejando la economía sin ninguna restricción fiscal efectiva.

¿Cómo una reforma que pretendía imponer disciplinamiento económico terminó eliminándolo por completo? ¿Por qué los esfuerzos de Gorbachov por romper promesas fracasaron, mientras que los de sus adversarios capitalistas prosperaron? Las respuestas yacen en la ideología comunista, la política de la perestroika y los entresijos del sistema financiero soviético. Cada uno de estos elementos complicó los intentos de Gorbachov por imponer el disciplinamiento económico, y en conjunto, representaron un obstáculo insuperable para él.

506 Cálculos del autor a partir de las líneas 4 y 5 de la tabla D.6 del FMI, *A Study of the Soviet Economy*, p. 99.

507 Las cifras de 1989 son estimaciones de funcionarios soviéticos recogidas por el FMI en 1991. Tabla II.2.3 en FMI, *A Study of the Soviet Economy*, p. 55.

Durante la perestroika, Gorbachov se encontró atrapado en una intensa tensión ideológica: debía balancear la defensa de la disciplina del mercado y la preservación de los valores socialistas. A diferencia de Thatcher y Reagan, quienes se enorgullecían de su lucha contra el socialismo en todas sus formas, incluso los reformistas soviéticos más radicales, entre 1987 y 1988, no buscaban destruir el socialismo, sino reinventarlo. A pesar de su deseo de incorporar ciertos mecanismos coercitivos del capitalismo, seguían preocupados por las consecuencias sociales y las implicaciones ideológicas de su búsqueda de eficiencia. La convicción inquebrantable de Thatcher en la superioridad moral del capitalismo neoliberal la impulsó a perseverar, a pesar de que sus políticas se tradujeron en la pérdida de empleos para cientos de miles de trabajadores británicos. Para ella, la eficiencia y la moralidad eran una sola. Pero reformistas soviéticos como Aganbegyan no compartían esa certeza. Incluso al elogiar las acciones de Thatcher en Gran Bretaña, Aganbegyan mantenía la creencia de que la perestroika debía lograr sus metas sin generar desempleo en la Unión Soviética. Lo contrario, pensaba, sería una traición el compromiso fundamental del socialismo con la clase trabajadora: «Como país donde el poder reside en los trabajadores, es lógico que deseemos evitar el desempleo»[508]. Esta convicción se extendía hasta el politburó: «Los extranjeros (...) están muy interesados en cómo manejaremos el desempleo, que es inevitable durante la perestroika», les dijo Gorbachov a sus camaradas en 1987. «Sabemos cómo han resuelto este problema ellos; ¿cómo lo haremos nosotros?»[509]. Según Gorbachov, Thatcher y otros líderes capitalistas que «también estaban implementando su propia perestroika [actuaron] con severidad y brusquedad, al estilo capitalista, sin preocuparse por el impacto en los trabajadores». La perestroika soviética debía ser distinta, basada en «ideas diferentes, pero tampoco podemos mostrarnos cobardes», advirtió Gorbachov[510].

508 Aganbegyan, *Moving the Mountain*, p. 70.

509 Cherniaev (ed.), *V Politbiuro TsK KPSS*, p. 187.

510 *Ibid.*, p. 180.

El dilema de mantenerse firme sin abandonar las «ideas diferentes» del socialismo fue un rompecabezas que Gorbachov nunca logró resolver.

La perestroika intensificó la renuencia ideológica de los reformistas a seguir políticas disciplinarias rigurosas. Mientras Gorbachov dependiera del apoyo de las masas soviéticas para ejercer control «desde abajo» sobre la terca burocracia estatal y del partido, no podía arriesgarse a perder su favor. Esto convirtió la tarea de disciplinar el contrato social soviético en un desafío político de una dimensión sin precedentes. Por ejemplo, reformar el estricto sistema de precios fijos era vital económicamente para la perestroika, pero se tornó políticamente inviable: «El tema de los precios es fundamental, de principio —expresó Gorbachov al politburó en mayo de 1987—. Si no se aborda, no habrá autofinanciación, y la perestroika fracasará». Sin embargo, tan pronto como reconoció la necesidad económica de ajustar los precios, lamentó sus repercusiones políticas. Si los líderes anunciaran una reforma de precios, advirtió, se desataría un tumulto y la gente se cuestionaría: ¿Por qué necesitamos todo esto?»[511]. Desde que aconsejó a Andrópov evitar aumentar los precios a principios de los ochenta, Gorbachov sabía que elevarlos era la manera más rápida para un líder soviético de perder el apoyo popular. Los últimos años de la década de los ochenta no fueron una excepción. «¡No toquen los precios!» se convirtió en el lema de la oposición democrática[512].

Como consecuencia de su dilema ideológico y sus preocupaciones políticas, los partidarios de la perestroika se convencieron de que las reformas podrían ser socialmente indoloras. Esta postura era coherente en lo ideológico y sensata en lo político, pero económicamente catastrófica. Gorbachov señaló al politburó, que lo «más importante» de la cuestión de una posible reforma de precios era que «no debilitara el nivel de vida»[513]. Los documentos de la

511 Cherniaev (ed.), *V Politbiuro TsK KPSS*, pp. 184-185.

512 Gorbachev, *Memoirs*, p. 235.

513 Cherniaev (ed.),*V Politbiuro TsK KPSS*, p. 187.

Ley de Empresas Estatales indicaban, de manera contradictoria, que los precios deberían «limitar los costos», pero también que «el cambio en los precios minoristas no debía reducir el nivel de vida de los trabajadores»[514]. De forma similar, el partido anunció que la ley «motivaría a las empresas a reducir su exceso de personal sin crear desempleo»[515]. El objetivo del crecimiento intensivo era producir más con menos recursos, incluyendo menos trabajadores, por lo que un desempleo significativo era prácticamente inevitable, si se aplicaba realmente el disciplinamiento económico. Sin embargo, esto nunca ocurrió, y la liberalización de los precios y el desempleo no se materializó hasta la llegada de Boris Yeltsin al poder, en la Rusia ya independiente, en 1992.

Gorbachov no fue el único líder durante la Guerra Fría que implementó un significativo recorte de impuestos y exacerbó el déficit presupuestario de su país. Ronald Reagan había hecho algo muy similar en Estados Unidos. Al igual que su homólogo ruso, el presidente estadounidense también enfrentó, en muchos sentidos, la resistencia ideológica y política de su nación hacia el disciplinamiento económico. Sin embargo, Reagan se vio beneficiado por la estricta política monetaria de Paul Volcker, que mitigó las consecuencias inflacionarias de sus políticas. Gorbachov no contó con un aliado similar. Además de la ideología comunista y la política de perestroika, el sistema financiero soviético jugó un papel crucial en el fracaso de su empeño por imponer disciplina. A diferencia de los países capitalistas, donde la estabilización de precios se convirtió en una prioridad política durante la década de los ochenta, el Gobierno soviético no mostró disposición ni capacidad para utilizar la política monetaria para controlar la oferta monetaria del país. En cambio, al hacer líquidos los activos empresariales con las reformas de 1987, se eliminó inesperadamente el control gubernamental sobre la oferta monetaria, desencadenando una avalancha de liquidez. Vladímir Kriuchkov, jefe del KGB, identificó

514 «Basic Provisions for Radical Restructuring of Economic Management», *Pravda*, 27 de junio de 1987, traducido en FBIS-SOV-87-125, R11-12.

515 «Tesis del pleno», 29 de junio de 1987, FBIS-SOV-87-125, R10.

el problema en la primavera de 1990, señalando que «el principal culpable» de los problemas económicos era la conversión de grandes cantidades de fondos anteriormente ilíquidos —meras cifras en libros contables— en dinero en efectivo, poniendo en circulación «cientos de miles de millones de rublos de "dinero malo" —dinero no respaldado por bienes—en el sistema»[516]. Por tanto, las reformas económicas de Gorbachov no solo otorgaron a las empresas soviéticas un cheque en blanco, sino que también les permitieron cobrar cheques antiguos acumulados en los años de la economía planificada.

El resultado fue una inflación desenfrenada. Los activos financieros de las empresas aumentaron hasta la impresionante cifra del 32,6 % en 1987 y otro 22,5 % en 1988[517], mientras que el gasto total de las empresas se disparó de 243.000 millones de rublos en 1987 a 462.000 millones de rublos en 1989[518]. El crecimiento anual de los ingresos se aceleró, pasando del cuatro por ciento en 1987 al 13 % en 1989. Las reformas de 1987 desencadenaron una locomotora monetaria fuera de control en la economía soviética, poniendo en riesgo la popularidad interna de la perestroika y paralizando la capacidad del Estado para proyectar su poder en el exterior.

* * * *

Como cuenta en sus memorias Anatoly Chernyaev, asistente de Gorbachov, este «siempre evaluaba cada acción o iniciativa significativa desde dos ángulos: el interno y el externo». Así, mientras radicalizaba su reforma interna, «también enfrentaba el desafío de reducir la carrera armamentística y reconsiderar el papel del complejo militar-industrial en el sistema soviético, especialmente

516 Memorando de conversación, Robert Gates y V. I. Kryuchkov, 9 de febrero de 1990, carpeta «Gorbachev (Dobrynin) Sensitive July-December 1990 [1]», OA/ID 91128-001, Special Separate USSR Notes Files, Gorbachev Files, Brent Scowcroft Collection, George H.W. Bush Presidential Library.

517 «URSS: Financial Assets of Enterprises, 1980-1990», cuadro K7 en FMI, «A Study of the Soviet Economy», p. 131.

518 FMI, «A Study of the Soviet Economy», p. 98, cuadro D5.

su impacto en la economía nacional»[519]. Los recortes en el ejército solo eran posibles en una esfera global más amigable, por lo que, en 1987, Gorbachov emprendió una gira internacional en la que construir las condiciones necesarias para llevar a cabo dichos recortes. A través de un discurso idealista y una diplomacia personal osada, buscó nuevos métodos para mantener la posición internacional de la Unión Soviética, que anteriormente dependía del poder militar.

Su primera acción fue lanzar una campaña interna para reformar la doctrina de defensa soviética. La reducción del complejo militar-industrial no se justificaba mientras la Unión Soviética se aferrara al principio de paridad estratégica en armamento con Estados Unidos, un pilar de su política de defensa desde los años cincuenta. «Los estadounidenses claramente quieren arrastrarnos a otra carrera armamentística. Apuestan por nuestro agotamiento militar (...) Así que la idea de un soldado aquí, un soldado allá, ellos tienen una bala, nosotros tenemos una bala, no funciona para nosotros»[520], afirmó Gorbachov en mayo de 1987. En lugar de buscar paridad estratégica, instó a los líderes a adoptar la doctrina de suficiencia estratégica: la Unión Soviética no necesitaba igualar el arsenal estadounidense, solo requería fuerzas suficientes para disuadir a Estados Unidos de un ataque.

En el ejército soviético eran muchos los que se resistían a este cambio, pero un incidente inesperado, ocurrido el 27 de mayo de 1987, favoreció la iniciativa de Gorbachov. Ese día, el adolescente alemán Mathias Rust voló un pequeño avión desde Helsinki hasta la Plaza Roja de Moscú, evadiendo la detección militar soviética, lo que proporcionó a Gorbachov la oportunidad perfecta para reorganizar la jerarquía de defensa nacional. Obligó a su ministro de Defensa, Sokolov, a renunciar y orquestó la jubilación de cientos de oficiales en todas las ramas de las fuerzas armadas. El nuevo ministro, Dmitri Yazov, nombrado personalmente por Gorbachov, debía su posición al secretario general. Desde entonces, el Ministerio

519 Chernyaev, *My Six Years*, p. 192.

520 «Document n.º 12: Notes of CC CPSU Politburo Session» 16 de abril de 1987, en *Masterpieces of History*, pp. 249-252, citado en p. 251.

de Defensa y las fuerzas armadas tuvieron dificultades para resistir la transición hacia una política de suficiencia estratégica[521].

La transición a la suficiencia estratégica se produjo en paralelo a un cambio en la postura soviética respecto al control de armas nucleares. Tras la cumbre de Reikiavik, en octubre de 1986, los líderes soviéticos se vieron en la típica situación de necesitar hacer más concesiones para avanzar. Desde su declaración de enero de 1986, donde Gorbachov expresó su aspiración a un mundo sin armas nucleares para el año 2000, había buscado un acuerdo global que regulara todas las armas nucleares. Sin embargo, esta estrategia fracasó en Reikiavik, como hemos visto, debido a la renuencia estadounidense a abandonar la SDI. A principios de 1987, un grupo mixto de reformistas y conservadores, incluyendo a Shevardnadze y Yakovlev, así como a Ligachev y Sokolov, propuso separar las negociaciones sobre la SDI y las armas nucleares estratégicas de largo alcance de las conversaciones sobre las Fuerzas Nucleares de Alcance Intermedio (INF, por sus siglas en inglés) en Europa. Además, sugirieron apoyar la «opción cero» en las negociaciones sobre las INF para eliminar todas las armas nucleares intermedias de Europa[522], una concesión significativa a la Administración Reagan, que había propuesto separar estos temas e introducido la idea de la «opción cero» en 1981, pensando que la Unión Soviética nunca la aceptaría.

Al contrario de lo que muchos historiadores han afirmado, al inicio Gorbachov se mostró reacio a abandonar su enfoque global[523]. Pero frente a una economía nacional en dificultades y sin señales de flexibilización por parte de los estadounidenses, finalmente llegó a un acuerdo con otros miembros del politburó sobre la necesidad

521 Service, *End of the Cold War*, pp. 246-247.

522 «Postanovlenie TsK KPSS, O nashei dal'neishei takticheskoi linii v otnoshenii peregovorov s SShA po voprosam iadernykh i kosmicheskikh vooruzhenii», 20 de febrero de 1987, Vitalii Leonidovich Kataev Papers, caja 5, carpeta 24, HIA, y Cherniaev (ed.), V Politbiuro TsK KPSS, pp. 151-152.

523 Véase, por ejemplo, Wilson, *Triumph of Improvisation*, pp. 123-124, y Andrei Grachev, Gorbachev's Gamble: *Soviet Foreign Policy and the End of the Cold War*, Cambridge, Cambridge University Press, 2008, pp. 93-100.

de impulsar las negociaciones de control de armamentos. Pronto emitió una declaración dirigida a Occidente, proponiendo la eliminación de todos los misiles intermedios en Europa, sin vincularlo a la SDI ni a limitaciones en armas estratégicas. En un gesto adicional de flexibilidad, su declaración criticaba el futuro despliegue de la SDI, pero no se oponía a la investigación y prueba del programa[524].

Los estadounidenses se mostraron más que satisfechos con las concesiones soviéticas y continuaron exigiendo más. En abril de 1987, el secretario de Estado, George Schultz, viajó a Moscú para negociar con Gorbachov la recién desvinculada opción INF cero. Su visita coincidió con una semana muy delicada, en la que el ministro de Economía soviético informó al politburó que la situación financiera del país «había llegado a un punto crítico»[525]. Ante la urgencia de alcanzar un acuerdo que permitiera recortar el presupuesto de defensa, Gorbachov accedió a tres demandas clave de Estados Unidos para el tratado INF: extender el acuerdo al Asia soviética y darle así un alcance global, incluir armas nucleares de corto alcance y aceptar un régimen de inspecciones intrusivas para su verificación. Esto llevó a un acuerdo sobre la estructura básica del tratado, y se planificó que Reagan y Gorbachov lo firmaran en diciembre en una cumbre bilateral en Washington[526].

Mientras buscaba una salida a la confrontación nuclear entre las superpotencias, Gorbachov creía que Europa occidental era clave en su estrategia diplomática para asegurar la posición internacional de la Unión Soviética[527]. Durante años, los líderes soviéticos habían intentado dividir a Europa occidental de Estados Unidos a través de ofensivas de paz. Con el auge de los movimientos pacifistas y de

524 Estas dinámicas internas soviéticas sobre la decisión de desvincular el paquete de control de armamentos se analizan mejor en Service, *End of the Cold War*, cap. 22.

525 Cherniaev (ed.), *V Politbiuro TsK KPSS*, p. 169.

526 «Memorandum of Conversation between M.S. Gorbachev and US Secretary of State George Schultz,» 14 de abril de 1987, en Svetlana Savranskaya y Thomas Blanton (eds.), «The INF Treaty and the Washington Summit: Twenty Years Later», National Security Archive Electronic Briefing Book No. 238, consultado el 15 de diciembre de 2016, https://nsarchive2.gwu.edu/ NSAEBB/NSAEBB238/index.htm.

527 Cherniaev (ed.), *V Politbiuro TsK KPSS*, p. 160.

desarme en Europa occidental durante los años ochenta, parecía el momento oportuno para tener éxito. Pero, primero, era necesario cambiar la percepción sobre la Unión Soviética de los europeos occidentales, y pasar de suponer una amenaza a convertirse en un pilar de la paz. Había una «guerra de ideas» entre las superpotencias por los corazones y las mentes de los europeos occidentales, dijo Gorbachov al politburó en marzo de 1987, añadiendo que una derrota significaría «perderlo todo»[528].

Su concepto de una «casa común europea» se presentó como la solución para ganar esta batalla ideológica. Gorbachov había mencionado por primera vez esta idea en un discurso ante el Parlamento británico en 1984, pero tomó nueva relevancia como «casa común europea» durante su visita a Checoslovaquia en abril de 1987: «Nos oponemos firmemente a la división del continente en bloques militares enfrentados», declaró en Praga[529]. Combinado con los audaces movimientos soviéticos en el control de armamentos, este llamamiento a superar la división militar de Europa logró cambiar la percepción occidental sobre la Unión Soviética. Para el verano de 1987, la popularidad de Gorbachov en Occidente se había convertido en una fuerza política por sí misma; a finales de año, la revista *Time* lo nombró «Hombre del año».

Sin embargo, las realidades materiales del imperio soviético seguían intactas. Mientras Gorbachov promovía abiertamente la idea de una casa común europea en Praga, en privado les decía a los líderes checoslovacos: «no llevaremos a cabo nuestra perestroika a costa de ustedes. Pero tampoco esperen vivir a nuestra costa»[530]. Más tarde, ese mismo año, enfatizó ante sus colegas del Kremlin que la Unión Soviética no podía ejercer «presión, ni la más mínima manifestación de un trato desigual (...) Cada partido debe resolver sus problemas por sí mismo»[531]. Esto incluía

528 Cherniaev (ed.), *V Politbiuro TsK KPSS*, p. 161.

529 Citado en Milan Svec, «The Prague Spring: 20 Years Later» *Foreign Affairs* 66, n.º 4, primavera 1988, p. 990.

530 Cherniaev (ed.), *V Politbiuro TsK KPSS*, p. 166.

531 *Ibid.*, p. 274.

el apoyo económico, que, como reiteró a sus aliados, la Unión Soviética no estaba en posición de proporcionar. «Jaruzelski espera mucha ayuda en cooperación económica», comentó tras reunirse con los aliados del bloque en las celebraciones del septuagésimo aniversario de la Revolución de Octubre. Zhivkov [de Bulgaria] también la espera»[532].

La Unión Soviética no tenía nada más que ofrecer. El 9 de octubre de 1987, Ryzhkov presentó al politburó un panorama económico sombrío. Entre 1985 y 1987, los ingresos anuales del país en divisas fuertes derivados de las exportaciones cayeron de 25.000 millones de dólares a 17.000 millones, a pesar de haber aumentado cada año la cantidad de mercancías, incluido el petróleo, destinadas a la exportación en lugar de al mercado interno. Los ingresos por comercio exterior se redujeron de 66.000 millones de rublos en 1985 a 52.000 millones en 1987. El déficit presupuestario estatal alcanzó los 84.000 millones de rublos[533]. Estas cifras no solo imposibilitaban el apoyo a los aliados en Europa del Este, sino que también subrayaban la necesidad primordial de la política exterior soviética de reducir el gasto militar: «Si mantenemos el nivel actual de gasto en defensa, no podremos mejorar la industria ni garantizar la prosperidad del pueblo (...) Debemos reducirlo», dijo Ryzhkov al politburó una semana antes de presentar su lúgubre informe[534].

Para lograr la reducción del gasto militar, era esencial finalizar el Tratado INF. En el otoño de 1987, el equipo negociador soviético realizó otra concesión significativa para que progresaran las negociaciones. Reconocieron formalmente que la Unión Soviética poseía más armas nucleares de corto y medio alcance en Europa que Estados Unidos y, por lo tanto, tendría que desmantelar más armas que los estadounidenses para alcanzar la «opción cero». Estos «recortes asimétricos» habían sido un punto de fricción para

532 Cherniaev (ed.), *V Politbiuro TsK KPSS*, p. 275.

533 *Ibid.*, p. 242.

534 *Ibid.*, p. 230.

el Kremlin durante mucho tiempo, pero las circunstancias actuales exigían que los soviéticos cedieran. En octubre, Gorbachov intentó por última vez vincular su asistencia a la cumbre de Washington con la disposición estadounidense de negociar sobre la SDI, pero después de que Schultz rechazara esta demanda, el líder soviético abandonó definitivamente la idea de vincular ambos temas. Apenas un año después de que la cumbre de Reikiavik se rompiera por la cuestión de la SDI, Gorbachov se dirigiría a la próxima cumbre con la SDI fuera de la agenda de negociación[535].

La firma del Tratado INF en Washington, el 8 de diciembre de ese año, marcó un hito histórico y representó hasta entonces el mayor logro en la estrategia de Gorbachov para asegurar la posición internacional de la Unión Soviética a través de la diplomacia en lugar del poderío militar. El mandatario soviético declaró públicamente que el tratado subrayaba la importancia del «factor humano» en la construcción de confianza entre adversarios[536]. Aunque muchas horas de diplomacia personal contribuyeron al acuerdo, sus raíces se extendían más allá de las salas de negociación. Los líderes soviéticos habían establecido una relación crucial entre la disminución de la carga militar del país y el fortalecimiento de su economía nacional, realizando varias concesiones hacia este fin. En el tratado definitivo, la Unión Soviética acordó desmantelar 1.846 misiles de corto y medio alcance, en comparación con los 846 que se comprometió a eliminar Estados Unidos[537]. Gorbachov tuvo que aceptar estas diferencias asimétricas para lograr con éxito la transición hacia una reducción militar en un tratado de superpotencias y para transformar la imagen internacional de la Unión Soviética de ser una amenaza a un agente de paz.

* * * *

535 Service, *End of the Cold War*, pp. 277-289.

536 Service, *End of the Cold War*, pp. s287, 291.

537 Andrei Grachev, «Gorbachov y el "nuevo pensamiento político"», en *The Revolutions of 1989: A Handbook*, ed. Wolfgang Mueller et al., Viena, Verlag der Osterreichischen Akademie der Wissenshaften, 2015, p. 41n14.

Un año más tarde, el 7 de diciembre de 1988, Gorbachov se dirigió a la Asamblea General de las Naciones Unidas para presentar una atrevida y novedosa de un orden mundial pacífico. «La fuerza y la amenaza de usarla ya no pueden, ni deben, ser instrumentos de la política exterior», proclamó. «La libertad de elección es un principio universal que no debe tener excepciones». También reconoció que el sistema internacional seguiría estando marcado por la «rivalidad entre diferentes sistemas socioeconómicos y políticos», pero expresó el deseo de la Unión Soviética de transformar esta rivalidad en «una competencia sensata dentro de un entorno de respeto por la libertad de elección y el equilibrio de intereses». Para avanzar hacia este objetivo, anunció que Moscú reduciría unilateralmente sus fuerzas armadas en medio millón de personas en los siguientes dos años, retiraría seis divisiones de tanques del bloque del Este y disminuiría su presencia militar allí en cincuenta mil soldados y cinco mil tanques[538].

El mundo occidental lo consideró un discurso revolucionario. Representaba una insinuación —que, en retrospectiva, parece evidente, pero que en aquel momento se recibió con cierta ingenuidad— de que la Unión Soviética ya no aspiraba a controlar el destino político y económico de las naciones dentro de su esfera de influencia. Redefinir el viejo antagonismo entre los mundos capitalista y socialista como una competencia razonable basada en el respeto a la libertad de elección era algo totalmente ajeno a la Guerra Fría tradicional. De hecho, parecía que Gorbachov estaba anunciando su fin.

Y esa era precisamente su intención. Al preparar el discurso, había expresado su deseo de que sus palabras fueran la «anti-Fulton», contrarrestando la declaración de Winston Churchill en 1946, en Fulton, Missouri, donde afirmó que un telón de acero había caído sobre Europa, dividiéndola en dos. Este discurso fue

538 «Address by Mikhail Gorbachev at the UN General Assembly Session (Excerpts)», 7 de diciembre de 1988, History and Public Policy Program Digital Archive, CWIHP Archive, consultado el 30 de octubre de 2021, http://digitalarchive.wilsoncenter.org/document/116224.

la culminación de la estrategia de Gorbachov de usar una visión audaz y una retórica idealista para mantener la posición internacional que la Unión Soviética había logrado hasta entonces a través del poder militar.

A lo largo de 1988, la idea de reducir las cargas del imperio soviético cobró fuerza dentro del politburó, y la adoptaron miembros de ambos bandos del creciente debate sobre el rumbo interno de la perestroika. Para junio, en vísperas de la XIX Conferencia de Todos los Partidos de la Unión, incluso el conservador Andrei Gromyko había llegado a ver la salida de la carrera armamentística como una necesidad nacional: «Nuestra decisión de producir más y más armas nucleares durante todo el periodo de posguerra fue un error absoluto. Se gastaron decenas de miles de millones en estos juguetes». Su colega conservador, Vitaly Vorotnikov era de la misma opinión: «Nos dejamos arrastrar a la carrera armamentística y nos encontramos al borde de la catástrofe (...). La culpa es nuestra». Gorbachov aprovechó este ambiente para impulsar su nuevo enfoque. «¿Es nuestro objetivo superar al mundo en niveles de armamento: cañón por cañón, avión por avión?— preguntó—. Si es así, introduzcamos cartillas de racionamiento para los alimentos, convirtamos el país en un campo militar y sigamos en esta carrera sin fin». Con la economía soviética ya paralizada por la escasez, esta perspectiva no era bien recibida por nadie[539].

Al avanzar el año, la disyuntiva entre economía doméstica y carga militar se afianzó en la mente del politburó, como reflejó la preparación del discurso de Gorbachov ante Naciones Unidas. Creía en una visión radical y no violenta de las relaciones internacionales; una visión que esperaba materializar retirando las tropas soviéticas de Europa del Este. Sin embargo, no fue eso lo que convenció a los miembros menos idealistas del politburó, sino la deteriorada situación económica nacional, que exigía una reducción del gasto militar. En la reunión del politburó del 3 de noviembre

539 «Document n.º 26: Notes of CC CPSU Politburo Session», 20 de junio de 1988, en *Master-pieces of History*, pp. 286-287.

de 1988, Gorbachov argumentó: «Nuestros gastos militares son 2,5 veces mayores que los de Estados Unidos. Ningún país en el mundo (...) gasta tanto per cápita en el sector militar». Frente a un déficit presupuestario creciente y ciudadanos luchando por obtener alimentos y bienes básicos, esta realidad pesaba enormemente. Ryzhkov advirtió que, a menos que se retiraran las tropas de Europa del Este, podrían despedirse de cualquier mejora en el nivel de vida: «No importa qué Gobierno tome el poder, no resolverá este problema». Al percibir consenso, Gorbachov propuso anunciar recortes unilaterales en las fuerzas armadas en su discurso en la ONU. Todos estuvieron de acuerdo, y él concluyó: «La razón principal por la que hacemos esto es la perestroika (...). Sin reducciones en el ejército y en el complejo industrial-militar, no podremos enfrentar las tareas de la perestroika»[540].

Tras regresar de las Naciones Unidas, un mes después, convocó otra reunión del politburó para evaluar el discurso y la futura trayectoria de la perestroika. Yegor Ligachev, su principal oponente conservador, respaldó la política de desarme unilateral, pero desde una perspectiva de economía política: «El desarme es nuestra necesidad primordial. Hemos impuesto una carga tan pesada con el presupuesto militar que será difícil realizar cambios drásticos en la economía». En sintonía con la glásnost, muchos miembros del politburó sugirieron comunicar al mundo que los problemas económicos nacionales habían precipitado los recortes militares. No obstante, Gorbachov no estaba de acuerdo. «Guardamos este secreto por una razón —explicó—. Si ahora admitimos que no podemos desarrollar una política económica y social a largo plazo sin estos recortes unilaterales (...) podría invalidar el impacto del discurso en las Naciones Unidas». Era consciente de que el idealismo del discurso perdería su efecto si se revelaba que estaba motivado por necesidades materiales[541]. Por el momento, tanto en

540 Chernyaev, *My Six Years*, pp. 194-195.

541 Todas las palabras entre paréntesis fueron añadidas por el traductor en «Document n.º 35, Transcript of CC CPSU Politburo Session» 27 y 28 de diciembre, 1988, en *Masterpieces of History*, pp. 332-340.

el Este como en el Oeste, el idealismo del discurso se consideraba revolucionario. Si la Unión Soviética pretendía mantener su estatus de superpotencia durante un periodo de repliegue, Gorbachov sabía que ni él ni el país podían permitirse perder ese reconocimiento.

También era crucial mantener la buena consideración de sus aliados en Europa del Este. Desde que los reprendió por «vivir a crédito» y lamentó la magnitud de las entregas de petróleo soviético en noviembre de 1986, en los debates sobre la región Gorbachov había señalado repetidamente los problemas del petróleo y la deuda. En una reunión del politburó, en marzo de 1988, recordó al exlíder polaco Edward Gierek, quien había intentado impulsar el desarrollo en la década de los setenta endeudándose con Occidente: «¿Sobre qué se sustentaba? Sobre créditos de Occidente y sobre nuestro combustible barato. Lo mismo sucede con Hungría». Mirando al futuro, Gorbachov insistió en que las relaciones económicas dentro del bloque debían cambiar: «No podemos seguir siendo para ellos un proveedor de recursos baratos indefinidamente»[542].

En el otoño de 1988 ya se había hecho evidente la llegada de una crisis económica general en el bloque socialista era inminente[543]. En el mes de octubre, Georgy Shaknazarov, asesor de Gorbachov para Europa del Este, envió un memorándum urgente a su jefe, delineando los problemas que se avecinaban: «Hay crecientes señales de que problemas similares están afectando cada vez más a nuestros países hermanos (…). [En el pasado,] siempre que uno de ellos enfrentaba una crisis, teníamos que intervenir con enormes sacrificios materiales, políticos e incluso humanos [ahora] cualquier idea de "apagar" las crisis por medios militares debe ser totalmente descartada». Incluso los antiguos líderes parecían haberse dado cuenta de esto, particularmente en relación con Polonia. De todos modos, las nuevas crisis eran, principalmente,

542 «Document n.º 19: Notes of CC CPSU Politburo Session», 10 de marzo de 1988, en *Masterpieces of History*, pp. 265-267.

543 Y. V. Ponomarev, «O valyutno-finansovom polozhenii sotsialisticheskikh stran», 24 de noviembre de 1988, Russian State Archive of the Economy (RGAE), f. 2324, o. 33, d. 696.

financieras. «Debemos considerar cómo actuaremos si uno o incluso varios países caen simultáneamente en la bancarrota», continuó Shaknazarov, señalando que algunos países estaban al borde de la insolvencia monetaria. La posibilidad de quiebra planteaba varias preguntas críticas: «¿Pueden los países socialistas recuperarse sin ayuda occidental? ¿Cuál será el costo de esa ayuda? ¿Hasta qué punto deberíamos fomentar o tolerar esta dirección de eventos? ¿Qué interés tenemos en mantener la presencia de tropas soviéticas en varios países aliados, con la excepción de la RDA?»[544].

El anuncio de Gorbachov en la ONU sobre la retirada de tropas de Europa del Este comenzó a abordar esta última cuestión. Las respuestas a las demás preguntas empezarían a surgir a principios de 1989. En enero de ese año, Gorbachov se dirigió con estas palabras al politburó: «Camaradas, estamos a punto de enfrentar situaciones muy serias, ya que no podemos darles [a los países de Europa del Este] más de lo que les estamos dando». No encontró oposición entre sus colegas a la idea de que la Unión Soviética había llegado a sus límites materiales. Pero, si no se proporcionaba más apoyo económico y tecnológico, advirtió Gorbachov, «se producirá una ruptura y nos abandonarán». Mientras las poblaciones y los políticos de todo el bloque oriental se cuestionaban hasta dónde podían presionar a Moscú sin provocar una represión severa, Gorbachov les dijo a sus colegas: «Los pueblos de estos países se preguntarán qué hará el PCUS, qué tipo de restricción usará para mantener a nuestros países bajo control. No se dan cuenta de que, si tiran más fuerte de esa restricción, se romperá». En lugar de la antigua política de dominación a través de la subvención económica, Gorbachov afirmó que era hora de cambiar las relaciones con Europa del Este hacia un modelo de mercado. Al hacerlo, reconoció que el Kremlin «rompería la norma establecida de mantenerlos atados a nosotros solo a

544 «Document 1: Georgy Shakhnazarov›s Preparatory Notes for Mikhail Gorbachev for the Meeting of the Politburo», 6 de octubre de 1988, en *The End of the Cold War, Cold War International History Project Bulletin*, n.º 12/13, otoño/invierno 2001, p. 15.

través de recursos energéticos»[545]. Para abordar en profundidad la creciente crisis del bloque, solicitó una serie de informes a las principales instituciones de política exterior del Estado soviético.

El informe del Comité Central abordó la inminente crisis en Europa del Este desde una perspectiva económica. Los autores señalaron que los Gobiernos del bloque oriental sufrían «una falta de legitimidad [y] el factor económico, la capacidad de un país para integrarse y adaptarse a la economía mundial, se había convertido en su principal prioridad». Dado que los partidos gobernantes carecían de legitimidad, ya no podían «gobernar de la manera tradicional» y estaban intentando orquestar una «transición suave hacia la democratización (...) bajo la dirección de los partidos gobernantes». El informe planteaba la cuestión de cómo la Unión Soviética debería influir bajo estas condiciones precarias, concluyendo que «los métodos autoritarios y la presión directa han perdido claramente su efectividad [incluso] ante un fuerte deterioro en uno de los países (...) es muy improbable que pudiéramos recurrir a los métodos de 1956 y 1968, tanto por una cuestión de principios como por las inaceptables consecuencias»[546].

El análisis del Instituto de Economía del Sistema Socialista Mundial, redactado por su director, Oleg Bogomolov, coincidía con el del Comité Central. Bogomolov sostenía que el Gobierno soviético se enfrentaba a un «dilema» entre «obstaculizar la evolución» hacia economías socialistas de mercado y un Gobierno representativo en Europa del Este y «adaptarse y desarrollar políticas aceptando la probabilidad e incluso la inevitabilidad de este proceso». La respuesta de Bogomolov era inequívoca: «Intentar frustrar las tendencias emergentes (...) sería malgastar medios y recursos en una causa claramente fútil». Mantener el *statu quo* «sería una carga excesiva para nuestra economía». Por otro lado,

545 «Document No. 39: Report from Mikhail Gorbachev to the CC CPSU Politburo regarding His Meeting with the Trilateral Commission», 21 de enero de 1989, en *Masterpieces of History*, pp. 349-351.

546 Documento nº 41: Memorándum del Departamento Internacional del CC PCUS, «Sobre una estrategia para las relaciones con los países socialistas europeos», febrero de 1989, en *Masterpieces of History*, pp. 353-364.

si la Unión Soviética permitía que sus aliados del bloque del Este se reformaran, «la carga económica sobre la URSS se aliviaría». En resumen, Bogomolov advirtió que en los países donde la Unión Soviética interviniera, «inevitablemente se establecerían regímenes cuasi dictatoriales que continuarían agotando los recursos materiales de la Unión Soviética»[547].

Para Gorbachov, estos informes reafirmaron una serie de convicciones que se habían ido fortaleciendo con el tiempo. El 3 de marzo de 1989, al dirigirse a los embajadores soviéticos en los Estados del bloque oriental, enfatizó: «¡No impongan nada a nadie! (...) Rechazamos el uso de la fuerza en todos los aspectos de nuestras políticas». Siguiendo la «línea principal», establecida por su mentor Andrópov casi una década antes, Gorbachov les dijo que ahora la dirección «pensaría en nuestro propio pueblo», en lugar de asumir «toda la responsabilidad» por el destino de los Gobiernos satélites de Europa del Este[548]. Ese mismo mes, un grupo de altos funcionarios liderados por Shevardnadze y Yazov confirmó que el Kremlin no tenía ninguna obligación legal, bajo el Pacto de Varsovia, de defender a sus aliados de la inestabilidad interna o la revolución[549].

En julio, en un discurso ante el Consejo de Europa en Estrasburgo, Gorbachov articuló el nuevo interés nacional soviético dentro de un apasionado llamamiento internacionalista a favor de un hogar común europeo: «El orden social y político en algunos países específicos ha cambiado en el pasado y puede cambiar también en el futuro. Pero esto es un asunto que compete exclusivamente a los pueblos y a su elección. Cualquier interferencia en los asuntos internos, cualquier intento de limitar la soberanía de los Estados

547 «Documento 42: Memorándum del Instituto Bogomolov, "Cambios en Europa del Este y su impacto en la URSS"», febrero de 1989, en *Masterpieces of History*, pp. 365-381.

548 «Document No. 51: Notes of Mikhail Gorbachev's Meeting with Soviet Ambassadors to Socialist Countries», 3 de marzo de 1989, en *Masterpieces of History*, pp. 414-417.

549 E. Shevardnadze, D. Yazov y V. Kamenstev, «Tovarishu Gorbachevu M.S.», 25 de marzo de 1989, Kataev Papers, Caja 13, Carpeta 14, HIA.

—ya sean amigos, aliados o cualquier otro— es inadmisible»[550]. La Doctrina Brézhnev, aunque había sido abandonada en la práctica en 1981, y entre los aliados socialistas desde 1986, ahora se había revocado oficialmente ante el mundo entero.

En los próximos capítulos, exploraremos la transformación política en Europa del Este a finales de los años ochenta, que fue el resultado de un conflicto transnacional entre bancos y Gobiernos occidentales, los Gobiernos de Europa del Este y los pueblos de estas naciones, sobre quién debía asumir los costes de las políticas de ajuste económico. En este conflicto, la dirección soviética solo mantuvo el poder en la medida en que estaba dispuesta a brindar ayuda económica a sus aliados o a intervenir militarmente, ambas con sus propios costes económicos significativos. Siguiendo la política exterior iniciada por Andrópov durante la crisis polaca, Gorbachov y sus colegas del politburó no estaban dispuestos a adoptar ninguna de estas opciones. Impulsados por el deseo de liberarse de las cargas de un imperio heredado, observaron con desapego cómo una ola de ajuste económico, disfrazada de revolución política, inundaba las naciones que antes consideraban satélites. Contrariamente a la memoria histórica prevalente, esta ola no se originó en el mundo socialista con la perestroika, sino en la economía global con la crisis del petróleo de 1973 y la deuda soberana subsiguiente. A mediados de la década de los ochenta, ya había afectado a gran parte del mundo capitalista y estaba superando el telón de acero que separaba Oriente de Occidente. Pronto barrería por completo las divisiones presentes en Europa.

550 «"Europa como hogar común" Discurso pronunciado por Mijaíl Gorbachov ante el Consejo de Europa (Estrasburgo, 6 de julio de 1989)», Making the History of 1989, Roy Rosenzweig Center for History and New Media, consultado el 10 de diciembre de 2016, https://chnm.gmu.edu/1989/archive/files/gorbachev-speech-7-6-89_e3ccb87237.pdf.

Tiempos de política extraordinaria

Cinco años después del colapso del comunismo en Polonia, el arquitecto de la recuperación del país deseaba compartir su método con el mundo. Leszek Balcerowicz, quien fue ministro de Economía en el primer Gobierno poscomunista de Solidaridad y creador del homónimo «Plan Balcerowicz», aplicó una «terapia de choque» para convertir la economía planificada comunista de Polonia en una economía de mercado a finales de 1989 y 1990. Esta terapia implicó medidas drásticas como aumentos significativos de precios, recortes presupuestarios, incrementos en los tipos de interés, quiebras y desempleo. A pesar de los temores de muchos políticos, tanto dentro como fuera del Gobierno polaco, de una posible rebelión popular frente a estas severas medidas económicas, no se dio una reacción masiva. Si bien hubo resistencia, los polacos mayoritariamente aceptaron con resignación estoica la abrupta introducción de la economía capitalista global por parte del Gobierno de Solidaridad.

En un artículo de 1994, Balcerowicz se dispuso a explicar el porqué de este éxito. Según él, la clave residía en el «período de política extraordinaria» que siguió al colapso del comunismo. En tales momentos históricos, un «cambio político significativo [genera un] estado especial en la psicología colectiva», incrementando la predisposición ciudadana a aceptar medidas económicas radicales. Durante estos periodos, «tanto los líderes como la gente corriente tienden más a pensar y actuar en función del bien común». Esta disposición genera «oportunidades políticas» para que los Gobiernos implementen reformas que, en otras circunstancias, serían extremadamente impopulares. En resumen, los periodos de política extraordinaria brindan a los Gobiernos un «capital político» único que pueden utilizar para aplicar políticas de ruptura de promesas.

La conexión entre la política extraordinaria y el disciplinamiento económico era lo suficientemente fuerte como para que Balcerowicz se sintiera cómodo proporcionando un modelo general de su relación (Figura 7.1). La variable clave, definida como el «nivel de disposición social para aceptar medidas económicas radicales», disminuía drásticamente una vez que la política retornaba a la «normalidad». Por ello, era crucial aprovechar el periodo de política extraordinaria para implementar políticas impopulares. El primer Gobierno poscomunista de Solidaridad lo hizo, sin provocar una gran reacción popular[551].

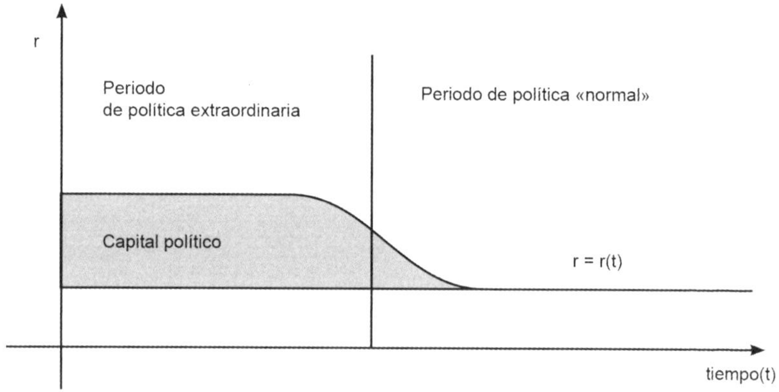

Figura 7.1. **El periodo de la política extraordinaria.** Fuente: Gráfico de Leszek Balcerowicz, en «Understanding Postcommunist Transitions», *Journal of Democracy* 5, n.º 4, 1994, pp. 75-89, figura 1, National Endowment for Democracy y John Hopkins University Press. Reproducido con el permiso de John Hopkins University Press.

Los últimos comunistas polacos no habían tenido tanta suerte. El orden político que presidían era cualquier cosa menos extraordinario, y el capital político que alguna vez tuvieron se había

551 Leszek Balcerowicz, «Understanding Postcommunist Transitions», *Journal of Democracy*, vol. 5, n.º 4, octubre de 1994, pp. 75-89, citas en pp. 84-85.

dilapidado en los ciclos de agitación social y represión estatal que habían definido la década de 1970 y los primeros años ochenta. Sin embargo, el reto de los comunistas era el mismo que el de Balcerowicz. Habían pasado sus últimos días intentando responder a las mismas preguntas que se plantearon al primer Gobierno de Solidaridad: ¿cómo podían conseguir que el pueblo polaco aceptara medidas económicas radicales e impopulares? y ¿cómo podían imponer la política de romper promesas? Su respuesta fue también una política extraordinaria: el acuerdo de la mesa redonda de abril de 1989. La mesa redonda polaca fue el primer paso en el colapso del comunismo y las revoluciones de 1989, pero su propósito original era dotar al Gobierno comunista de legitimidad política para que pudiera imponer la política de romper promesas.

A finales de la década de los ochenta, el Estado polaco debía a sus acreedores internacionales 39.000 millones de dólares y estaba a merced de los Gobiernos, bancos e instituciones internacionales occidentales. Estas entidades ejercían lo que podríamos llamar «el poder de la omisión»: retenían los considerables recursos de los Gobiernos occidentales y de los mercados financieros mundiales hasta que las condiciones políticas y económicas sobre el terreno se ajustaran a sus exigencias económicas y políticas. Los bancos capitalistas y las instituciones internacionales, encabezadas por el Fondo Monetario Internacional, exigieron que el Gobierno comunista impusiera una perestroika capitalista a la sociedad polaca. Los Gobiernos occidentales, encabezados por Estados Unidos, también exigieron que el Gobierno emprendiera dicha perestroika sin recurrir a la violencia ni a la renovación de la ley marcial. Occidente exigió, en resumen, que se rompieran las promesas en Polonia, y que esta ruptura fuera pacífica.

Tras años de disturbios provocados por la austeridad, el líder polaco Wojciech Jaruzelski y sus cuadros dirigentes llegaron a la conclusión, a principios de los ochenta, de que solo podrían cumplir estas exigencias si conseguían el amplio apoyo de la sociedad polaca. Por ello, a partir de los primeros días de la aplicación de la ley marcial, emprendieron una serie de iniciativas políticas destinadas a recuperar el apoyo popular. Al principio, se trataba de alteraciones manifiestamente cosméticas que hicieron poco por cambiar la estructura del poder político. Pero, a medida que la crisis económica se agravaba durante el resto de la década y la necesidad de apoyo popular crecía en igual medida, Jaruzelski adoptó medidas cada vez más radicales para legitimar el Gobierno de los comunistas, implicando a las dos instituciones más populares de Polonia: la Iglesia católica y, finalmente, Solidaridad. Al igual que los acreedores occidentales, la Iglesia y Solidaridad ejercieron su propio poder de omisión: podían negarse a respaldar cualquier propuesta gubernamental de reforma económica que no trajera consigo un verdadero cambio político a Polonia.

La interacción de estas presiones externas e internas llevó a los Acuerdos de la Mesa Redonda y al eventual colapso del comunismo en Polonia. A menudo, los académicos han tendido a minimizar el papel de las fuerzas económicas y los actores occidentales en las revoluciones de 1989, pero este capítulo ofrece una visión bastante diferente[552]. Al forzar a los líderes polacos a afrontar políticas de cambio drástico, funcionarios occidentales, especialmente aquellos en la Casa Blanca y el FMI en Washington, jugaron un papel crucial en el final del comunismo en Polonia y, por extensión, en el impulso de las revoluciones de 1989. Aunque la búsqueda de estas políticas de cambio en Polonia no fue una estrategia deliberada de cambio de régimen por parte de Occidente, el resultado fue ese. Jaruzelski no comenzó el proceso de la Mesa Redonda únicamente para cumplir con las condiciones occidentales, pero sin estas presiones no habría necesitado romper promesas, lo que a su vez le obligó a buscar la aprobación de la Iglesia, Solidaridad y, finalmente, de la sociedad polaca.

552 Dos ejemplos son Timothy Garton Ash, «The Year of Truth», en *The Revolutions of 1989*, Vladimir Tismaneanu (ed.), Londres, Routledge, 1999; Gregory F. Domber, *Empowering Revolution: a Vladimir Tismaneanu*, Londres, Routledge, 1999, y Gregory F. Domber, *Empowering Revolution: America, Poland, and the End of the Cold War*, Chapel Hill, University of North Carolina Press, 2014.

Por lo tanto, la revolución polaca de 1989 fue el resultado de un complejo enfrentamiento entre los líderes comunistas, el pueblo polaco y las instituciones occidentales. Este conflicto buscaba definir hasta qué punto debía ser extraordinaria la política en Polonia para que su pueblo aceptara las políticas de ajuste económico y para que Occidente liberara al país de sus ataduras financieras. Al final, tanto el pueblo polaco como Occidente no se conformaron con menos que la capitulación total del Estado comunista.

* * * *

Mucho antes de que se discutiera la convocatoria de mesas redondas y elecciones democráticas en Varsovia, los líderes comunistas polacos ya eran plenamente conscientes de que la economía sería la clave de su futuro político: «Tres cuartas partes de los problemas políticos de Polonia desaparecerían —le dijo Mieczysław Rakowski a un diplomático británico en 1984— si se pudieran restaurar los niveles de vida polacos de 1979. Para cualquiera que gobierne Polonia, los problemas primarios son económicos. Todos los demás son secundarios»[553]. Durante la ley marcial, el Gobierno había controlado los peores aspectos inflacionarios de la crisis de 1980-1981, con severos recortes presupuestarios y aumentos de precios, restableciendo una cierta estabilidad económica, aunque no necesariamente prosperidad. Tanto el Gobierno como la oposición entendían que el verdadero crecimiento económico solo se retomaría con el acceso a capital, tecnología y materias primas occidentales[554].

Buscar apoyo en el bloque oriental resultaba cada vez menos viable. Tras la imposición de la ley marcial, Moscú prometió mayor asistencia económica a Jaruzelski, pero, en la práctica, esta ayuda fue mínima. En 1982, el Ministerio de Comercio Exterior polaco concluyó que los recursos necesarios para sustituir las importaciones occidentales, sencillamente, «no estaban disponibles en

553 Citado en Domber, *Empowering Revolution*, p. 136.

554 Citas y cifras en *Ibid.*, pp. 136, 139.

los países del Comecon»[555]. Jaruzelski continuó solicitando más apoyo económico a los líderes soviéticos durante la década de los ochenta, pero solo recibió críticas ideológicas sobre su gestión de la sociedad[556].

Los bancos capitalistas occidentales mostraron incluso menos interés en apoyar a Polonia que el Kremlin. El anuncio del Gobierno polaco, en 1981, de su necesidad de reestructurar su deuda generó entre los bancos una «profunda sospecha» sobre las perspectivas económicas del país[557]. La mayoría trató de reducir su exposición en Polonia, registrando sus préstamos como pérdidas y buscando oportunidades más rentables en otros lugares. Como comentó un banquero estadounidense en 1985, la estrategia bancaria para Polonia se centraba en «sacar del país tanto efectivo como fuera posible»[558]. Esto llevó a la creación de cuatro acuerdos de reestructuración de deuda entre las instituciones bancarias y el Gobierno polaco entre 1982 y 1985. En cada acuerdo, los bancos reprogramaron el 95 % del capital del préstamo, pero se aseguraron los pagos puntuales de los intereses. Este arreglo los benefició, pero perjudicó enormemente a Polonia. Mientras los bancos recibían una reducción anual en los pagos de intereses, Varsovia se hundía más profundamente en una trampa de deuda, ya que cada nuevo acuerdo simplemente añadía los pagos de deuda vencidos a futuras obligaciones[559]. Así, aunque la deuda del país pasó de 24.000 a 39.000 millones de dólares desde 1981 a 1989, Polonia prácticamente no

555 W. Allen Holmes al Secretario de Estado, «Poland: Effectiveness of Economic Sanctions», 28 de mayo de 1982, Archivo May-June 1982, caja 27, Soviet Flashpoints Collection (SFC), National Security Archive (NSA), Washington D. C.

556 Para un ejemplo de este tipo de intercambio, véase «Zasedanie Politbiuro TsK KPSS», 26 de abril de 1984, caja 25, Reel 17, Dmitry Volkogonov Papers, Hoover Institution, Stanford, CA.

557 L. A. Whittome, Memorandum for Files, «Poland, 25 de marzo de 1985, caja 36, documento «Poland 330-Meetings with Banks 1981-1989», Country/Country Desk Files, Country Files (CF), Archivos del FMI, Washington D. C.

558 Paul McCarthy, «Poland: The Long Road Back to Creditworthiness», 21 de julio de 1986, expediente «Poland-corresp. and memos 1986 (Jan.-Sept)», caja 60, EUR Country Files, Archivos del FMI.

559 «Poland-Debt Restructuring», sin fecha, caja 60, expediente Poland corresp. and memos 1986 (Jan.-Sept)», EUR Country Files, Archivos del FMI, Washington D. C.

recibió nuevo capital de Occidente durante la década de los ochenta.

La única opción viable que tenía el país para reconquistar el favor de los bancos era alcanzar un acuerdo con el Fondo Monetario Internacional. Como sucedía con otros deudores soberanos en la economía mundial durante la década de los ochenta, las instituciones bancarias condicionaban cualquier nuevo compromiso con Varsovia a la firma de un acuerdo con el Fondo. Esta situación colocó al FMI, y a los Gobiernos occidentales que lo respaldaban, en una posición de gran poder.

La Administración de Reagan pretendía utilizar este poder para lograr objetivos tanto políticos como económicos. Después de la imposición de la ley marcial, los funcionarios estadounidenses acordaron rápidamente que bloquear la solicitud pendiente de Polonia para reintegrarse al FMI sería clave en su estrategia de sanciones contra Varsovia. Además, decidieron que perseguirían tres metas políticas en el país: el fin de la ley marcial, la liberación de todos los presos políticos y el inicio de un diálogo nacional entre el Gobierno, la Iglesia católica y Solidaridad. Mientras que Jaruzelski no diera estos pasos, el equipo de Reagan se comprometió a mantener aislada a Varsovia del sistema financiero internacional. Utilizando el veto del FMI, suspendiendo créditos gubernamentales a través de la OTAN y postergando indefinidamente las negociaciones de reestructuración de la deuda polaca con los Gobiernos occidentales, Washington se aseguró de que Varsovia no restableciera relaciones normales con el sistema financiero mundial hasta que cumpliera con las demandas políticas de Occidente[560].

Pero eso no era todo. En medio de la creciente crisis de la deuda soberana, no bastaría con solo cumplir las condiciones políticas. Para aliviar la deuda y recuperar el acceso a los mercados financieros, la Administración Reagan dejó claro que Polonia también tendría que cumplir con las normas globales del Departamento del Tesoro a la hora de tratar con naciones deudoras morosas. Según la Directiva de Decisión de Seguridad Nacional 54, la política del

560 Domber, *Empowering Revolution*, pp. 40-41.

Gobierno Reagan sobre Europa del Este, «consiste en aliviar la deuda solo cuando sea necesario como medida financiera para garantizar su reembolso, y cuando el país deudor se embarque en un programa de estabilización económica/financiera diseñado para rectificar la posición financiera del país». Tales programas serían supervisados por el FMI, y naciones como Polonia no recibirían un trato preferencial por el hecho de demostrar su liberalización política interna o su independencia de Moscú. Los «objetivos políticos y de seguridad» se tendrían en cuenta al determinar el apoyo estadounidense a las operaciones del FMI en la región pero, finalmente, las prioridades económicas y financieras serían «las primeras, entre otros criterios de decisión»[561].

Así, la política de la Administración Reagan hacia Polonia incorporó dos niveles de condicionalidad, ambos dependientes del Fondo. Primero, Washington condicionó la reincorporación de Polonia al FMI a que Varsovia cumpliera con condiciones políticas específicas, como poner fin a la ley marcial y liberar a los presos políticos. Pero el simple hecho de ingresar en el FMI no garantizaría automáticamente a Varsovia el acceso a los recursos del Fondo. Para ello, el Gobierno polaco tendría que llegar a un acuerdo de financiación con el Fondo, lo que implicaría cumplir con sus exigentes demandas de austeridad y ajuste estructural.

La Administración estadounidense entendía claramente que estos dos niveles de condicionalidad convertían al FMI en su punto de influencia más significativo sobre Polonia. Un miembro del Consejo de Seguridad Nacional (NSC) evaluó que la membresía en el FMI era el principal activo negociador de Occidente que realmente interesaba a los polacos, ya que ofrecía la «promesa de divisas fuertes». Así, Occidente tendría la capacidad de «utilizarlo para presionar a los polacos a reformar [su] economía». Además, dado que conceder la entrada al FMI sería una «concesión importante»,

561 National Security Decision Directive 54, «United States Policy toward Eastern Europe», 2 de septiembre de 1982, Ronald Reagan Presidential Library (RRPL), consultado el 20 de abril de 2018. https://www.reaganlibrary.gov/sites/default/files/archives/reference/scanned-nsdds/nsdd54.pdf.

Estados Unidos también podría «vincular consideraciones políticas» al levantamiento de su veto al FMI[562]. William Clark, consejero del NSC, coincidía en que la participación del FMI en Polonia podría «acelerar las reformas liberalizadoras que tuvieran un efecto positivo en los derechos humanos», manteniendo al mismo tiempo un «carácter neutral»[563]. Los funcionarios estadounidenses no se hacían ilusiones sobre que la intervención del FMI sería rápida o fácil, pero, manteniendo a Polonia aislada del sistema financiero mundial, esperaban alterar con el tiempo la estrategia de los líderes comunistas de Varsovia[564].

Sin embargo, hay pocas evidencias de que estas extensas condiciones impuestas por Estados Unidos influyeran en las decisiones inmediatas de Jaruzelski después de la ley marcial. El Gobierno polaco participó activamente en la hostilidad mutua que definió la relación polaco-estadounidense a principios de los ochenta. Los funcionarios de Varsovia vieron pocas razones para ceder ante la presión occidental mientras que las reformas económicas posteriores a la ley marcial estabilizaban con éxito el país[565].

Jaruzelski y su círculo compartían con los políticos de Washington dos creencias fundamentales: era necesario reconciliarse con el pueblo polaco para encontrar nuevas fuentes de legitimidad después de la ley marcial, y era imprescindible introducir gradualmente reformas de mercado en la economía. Sin embargo, las formas específicas de reconciliación, legitimación y reforma de mercado que los funcionarios polacos consideraban a principios de los ochenta diferían significativamente de la visión de Washington. Por ejemplo, estaban convencidos de que no volverían a negociar

562 Walt Raymond a Paula Dobriansky, 16 de abril de 1983, expediente «Poland-Strategy EE», RAC caja 4, Paula Dobriansky Files, RRPL.

563 William Clark a George Schultz, «Poland: Next Steps», sin fecha, pero finales de marzo o principios de abril de 1983, Expediente «Poland-Strategy EE», RAC caja 4, Paula Dobriansky Files, RRPL.

564 «Poland: Implications of IMF Membership», memorándum de inteligencia sin autor, 24 de agosto de 1984, expediente «Poland-IMF (1)», RAC caja 3, Paula Dobriansky Files, RRPL, pp. 10-11.

565 Domber, *Empowering Revolution*, pp. 74-80.

con Solidaridad y creían que no podían implementar las formas más extremas de ajuste estructural que el FMI exigía. Pero eran conscientes de que tampoco podían gobernar indefinidamente bajo el régimen opresivo de la ley marcial y un sistema económico estancado de planificación centralizada. El desafío era encontrar un equilibrio en la reforma política y económica que satisficiera tanto a los Gobiernos occidentales como al pueblo polaco, para que ambos perdonaran la ley marcial y se restableciera una cierta normalidad. A lo largo del resto de la década, los líderes polacos emprendieron iniciativas políticas y económicas cada vez más audaces en busca de este punto de inflexión.

Los primeros intentos de reconciliación por parte del Gobierno polaco fueron claramente autointeresados y no convencieron a nadie de que el Partido Obrero Unificado Polaco (PZPR) estuviera realmente comprometido con la reforma. En los meses posteriores a la instauración de la ley marcial, el PZPR creó el Movimiento Patriótico de Renacimiento Nacional (PRON), una organización que incluía partidos minoritarios en el Parlamento, con el fin de simular una coalición gobernante. Después de declarar a Solidaridad ilegal, en octubre de 1982, el Gobierno estableció una red de sindicatos patrocinados por el Estado —la Alianza de Sindicatos de toda Polonia (OPZZ)—, con el objetivo de aparentar una representación independiente de los trabajadores[566]. En noviembre de 1982, Jaruzelski se reunió con el líder de la Iglesia católica polaca, el cardenal Józef Glemp, y acordaron un intercambio informal: el Gobierno permitiría la visita del Papa Juan Pablo II a Polonia en 1983 a cambio de que la Iglesia criticara las sanciones occidentales y alentara al pueblo polaco a no ir a la huelga. Ambos cumplieron su parte del acuerdo, y la visita papal se programó para junio de 1983. Finalmente, a finales de 1982, el Gobierno dio un paso más hacia la normalidad, al suspender, aunque no abolir, la ley marcial.

Estos pasos iniciales hacia la reconciliación sentaron las bases para un periodo de negociación entre el Gobierno, la Iglesia y

566 Domber, *Empowering Revolution*, p. 75.

Occidente. Tras la exitosa visita del papa, el Gobierno abolió la ley marcial en julio. Presionada por sus aliados europeos para reiniciar las negociaciones de reestructuración de la deuda, la Administración Reagan anunció que las retomaría si el Gobierno polaco avanzaba en la liberación de todos los presos políticos restantes. La Iglesia hizo la misma demanda a nivel nacional, y a principios de 1984, el Gobierno, deseoso de recuperar la confianza social, estaba «ansioso por resolver el problema de los presos»[567].

Sin embargo, Jaruzelski quería a cambio un alivio de las sanciones. Por lo tanto, a lo largo de 1984, los Gobiernos de Estados Unidos y Polonia negociaron una serie de acuerdos por los que se liberó a todos los presos políticos restantes como contrapartida de poner fin a muchas sanciones estadounidenses y, lo que es más importante, levantar su veto en el FMI[568]. Aunque algunos disidentes de Solidaridad fueron detenidos más adelante, para principios de 1985 se había cumplido momentáneamente la primera fase de la condicionalidad impuesta por Estados Unidos. Bajo la combinación de presiones nacionales e internacionales, Jaruzelski había levantado la ley marcial y liberado a todos los presos políticos. Como contraparte, la Administración Reagan había accedido a facilitar el acceso de Polonia al FMI. Con esto, se iniciaba la etapa más desafiante: ajustar la sociedad polaca a las demandas del capital mundial.

* * * *

Cuando Polonia se reincorporó al FMI, en junio de 1986, rápidamente se hizo evidente que el Fondo y el Gobierno polaco se encaminaban «hacia un choque»[569]. La fuente de la colisión

567 El emisario polaco Adam Schaff citado en Domber, *Empowering Revolution*, p. 123.

568 Domber, *Empowering Revolution*, pp. 123-127.

569 Jan Vanous en Stanislaw Gomulka, «Polish Economy in the 1980s and the International Monetary Fund's Reform and Policy Options», 15 de septiembre de 1985, caja 59, documento 3, EUR Country Files, Archivos del FMI, Washington D. C.

residía en las direcciones, fundamentalmente diferentes, en las que el FMI y el Gobierno polaco querían que fluyera el capital a través de las fronteras de Polonia. Como en todo país deudor, el objetivo fundacional del FMI en Polonia era convertir al país en un exportador neto de capital, o, en términos económicos, producir un superávit en la cuenta corriente del país. Para ello, el Fondo se propuso impulsar al Gobierno polaco a que implementara un programa de ajuste estructural y austeridad. En un país donde la austeridad había provocado crisis políticas en 1970, 1976 y 1980, esto auguraba agitación política. Por lo tanto, las demandas económicas del Fondo llevaron a la cúpula comunista de Polonia a asumir un desafío político: para conseguir un acuerdo con el Fondo, tendrían que llegar a un acuerdo con la población polaca. Los términos en los que se definirían estos acuerdos marcaron la historia de Polonia desde 1986 hasta 1989.

Los funcionarios del FMI tomaron nota de la tensión entre el capital global y la clase trabajadora polaca en los días posteriores a la reincorporación de Varsovia al Fondo. Hans Schmitt, miembro del FMI, describió el desafío al que se enfrentaban en términos crudos y clarividentes. Para que la austeridad y el ajuste estructural fueran «sostenibles en Polonia», escribió en un informe interno, «deben ser aceptables tanto para los banqueros en el extranjero como para los trabajadores del país. En este momento, los requisitos de cada una de las partes parecen incompatibles». Los bancos y los Gobiernos, en su intento por recuperar sus préstamos, querían establecer condiciones en Polonia que permitieran un flujo sostenible de capital fuera del país. Por su parte, los trabajadores buscaban mejorar su situación después de años de dificultades económicas y querían que el capital fluyera hacia el interior del país. Schmitt explica el porqué de esta diferencia: «Los banqueros necesitan un superávit en la cuenta corriente externa lo suficientemente grande como para garantizar el pago progresivo de la deuda, y un ajuste en la demanda interna (y en los salarios) con la capacidad de para producirlo». Por otro lado, «los trabajadores necesitan un crecimiento mínimo de los salarios (y de la demanda interna) y un déficit de la cuenta corriente externa lo suficientemente grande como para financiar cualquier déficit del PIB que lo sustente». Y el FMI «necesita saber dónde, si es que existe algún lugar, pueden encontrarse las dos cosas» concluyó[570].

El Fondo estaba familiarizado con los intereses del trabajo polaco, porque mantenía una comunicación directa con Solidaridad. La mayoría de los sindicatos de todo el mundo detestaban al FMI y las políticas de ajuste estructural que imponía a sus miembros. Solidaridad compartía esta posición. El sindicato escribió al Fondo en 1985 que «se pronunciaría firmemente contra medidas que conduzcan a la reducción sustancial del consumo, aumentos de precios, congelaciones de salarios reales o deterioro en la asistencia social»[571]. Pero eso no significaba que se opusiera por completo al FMI. Por el contrario, Solidaridad se declaró «probablemente el único sindicato en el mundo» que acogía con satisfacción la membresía de su nación en el FMI porque veía el poder que la condicionalidad del Fondo podría tener para cambiar el *statu quo* político en Varsovia[572]. Por lo tanto, a pesar de sus recelos sobre las políticas económicas del FMI, los líderes de Solidaridad creían que sus objetivos a largo plazo se alineaban con el Fondo. «Solidaridad quisiera ver a Polonia en el FMI», escribió la cúpula, porque «sería más beneficioso para el país estar vinculado con Occidente» que con el bloque comunista[573].

No obstante, continuó el *impasse* entre el trabajo y el capital, y tanto dentro como fuera de Polonia distintos analistas llegaron a

570 Schmitt a Whittome, «Poland-Negotiating a Program», 25 de junio de 1986, caja 60, expediente «Poland-corresp. and memos 1986 (Jan.-Sept)», EUR Country Files, Archivos del FMI, Washington D. C.

571 «Memorandum from the Economic Commission of the Parisian Collective-Solidarite avec Solidarnosc-to Peter Hall and A. Whittome», 17 de septiembre de 1985, Folder «Polish Trade Union "Solidarnosc"», caja 1, Country Files, Central Files, Archivos del FMI, Washington D. C.

572 Memorándum del secretario de Estado a la Embajada de los Estados Unidos en Varsovia, 23 de mayo de 1989, caja 35, expediente «16-30 de mayo de 1989», SFC, NSA.

573 Memorándum de la Comisión Económica del Colectivo parisino, 17 de septiembre de 1985, Archivos del FMI, Washington D. C.

la conclusión de que su resolución requeriría una solución política. Específicamente, legitimidad política en Polonia. En la víspera de la adhesión de su país al Banco Mundial y al FMI, dos financieros estatales polacos advirtieron a sus camaradas que «la experiencia de otros países indica que los programas del FMI a menudo se topan con una firme resistencia social, lo que repetidamente llevó a su discontinuación y una suspensión de las subsiguientes cuotas de préstamo. No debemos permitir tal eventualidad, porque causaría otro colapso de nuestra posición en el mercado financiero internacional y también repercusiones sociopolíticas (a nivel nacional)». Para superar la resistencia de la sociedad, los funcionarios recomendaron que «los acuerdos negociados con el FMI y el Banco Mundial deberían estar sujetos a una amplia consulta, incluso un referéndum, para construir un consenso social alrededor del programa»[574].

Los analistas financieros de Occidente eran de la misma opinión. Paul McCarthy, ejecutivo del Chemical Bank de Nueva York responsable de las relaciones con el bloque del Este, escribió en un artículo solo dos meses después: «Las futuras acciones de los prestamistas occidentales están interrelacionadas con la gestión por parte de Polonia de sus dificultades domésticas. Será poco probable que llegue nuevo dinero hasta que el Gobierno polaco pueda asegurar estabilidad política. Esta no puede garantizarse a menos que el Gobierno pueda reformar fundamentalmente la economía (...) [y esto no será posible] sin el apoyo del pueblo polaco y la fuerza laboral». Aquí es donde el FMI podría desempeñar el papel vital de catalizador. «El FMI tiene una importante ficha de negociación», escribió McCarthy, «que controla la única mercancía que Polonia realmente necesita y es menos capaz de obtener. El Fondo puede proporcionar créditos sustanciales, que llegan hasta los setecientos millones de dólares estadounidenses anuales». Además, «los préstamos del FMI podrían comenzar a atraer nuevos

574 Andrzej Olechowki y Jan Woroniecki, «Notatka w sprawie korzystania przez Polskęze środków MFW i Banku Swiatowego (strategia, procedury, instyucje)», 10 de abril de 1986, Kolekcja Miedzeszyn M10-Sprawy gospodarcze i referendum 1987, caja 6, KC PZPR Files, Hoover Institution.

créditos de bancos y Gobiernos». Pero los acreedores occidentales solo cambiarían su visión una vez que Jaruzelski hubiera ganado la legitimidad popular requerida para la austeridad: «Si Jaruzelski busca reformas sin otorgar derechos a las principales constituyentes, se arriesga al fracaso —concluyó McCarthy—. La reforma significativa requerirá el apoyo del pueblo polaco, ya que serían inevitables más recortes sustanciales en los estándares de vida»[575].

Incluso el FMI comenzó a enfatizar la importancia de la legitimidad popular en sus interacciones con los funcionarios polacos. En una reunión en febrero de 1987, su director gerente, Jacques de Larosière, y el presidente del Banco Nacional de Polonia, Wladysław Baka, debatieron las «dificultades políticas y sociales» que implicaba aplicar la austeridad en Polonia. De Larosière admitió que el Gobierno estaba en una posición difícil, pero mantuvo que tanto los Gobiernos como los bancos occidentales favorecían la austeridad y, por lo tanto, esta necesitaba ser «implementada con audacia (preferiblemente de un solo golpe) [para convencerlos] de que las políticas polacas habían cambiado radicalmente para mejor». Esto no sería fácil, y necesitaba ser «aceptable para la población». Por lo tanto, «sería necesaria cierta preparación de la opinión pública»[576].

La utilización de maniobras políticas destinadas a preparar a la opinión pública ante las dificultades de la reforma económica no era algo nuevo para Jaruzelski. Tras salir de la ley marcial, había intentado realizar actos simbólicos de liberalización política con los que reconstruir la legitimidad interna y la posición internacional del Gobierno polaco. En 1986, con el ascenso de Gorbachov en la Unión Soviética, los comunistas polacos vieron ampliado su margen de maniobra política, aunque, inicialmente, esto no cambió su estrategia con la oposición. Durante 1985 y la primera mitad de 1986, el Gobierno polaco continuó deteniendo

575 Paul McCarthy, «Poland: The Long Road Back to Creditworthiness», 21 de julio de 1986, «Poland-corresp. and memos 1986 (Jan.-Sept)», caja 60, EUR Country Files, Archivos del FMI, Washington D. C.

576 Memorandum for Files, «Poland-Managing Director's Lunch with Professor Baka», 26 de febrero de 1987, caja 24, expediente 1, EUR Division Country Correspondence Files (EUR DCCF), Archivos del FMI, Washington D. C.

a líderes de Solidaridad, lo que fue mal visto tanto por la Iglesia católica polaca como por los Gobiernos occidentales. Esta represión, sumada a las futuras exigencias de austeridad del FMI, llevó a nuevos llamamientos para la liberación de todos los presos políticos antes del verano de 1986[577].

En respuesta a estas presiones, los líderes polacos iniciaron una nueva fase en su búsqueda de un punto de equilibrio que restaurara su legitimidad interna y solvencia internacional. En el verano de 1986, el Gobierno anunció una «segunda fase» de reforma económica, buscando profundizar en la independencia empresarial y la iniciativa individual iniciadas en 1982. Estas reformas, en teoría, coincidían con la visión del FMI para Polonia: se proponían lograr el «equilibrio del mercado» a través de aumentos de precios, reducción de subvenciones, políticas crediticias más estrictas, liquidación de empresas ineficientes y disminución de los controles de precios y divisas. Los funcionarios del Fondo informaron que tenían «bastante simpatía» por los objetivos de estas reformas, pero criticaron los planes gubernamentales por no hacer «prácticamente ninguna mención» a la principal prioridad del Fondo: «los objetivos de balance de pagos»[578]. En otras palabras, la reforma doméstica estaba muy bien, pero si no producía un flujo sostenible de capital fuera del país, el Fondo no estaba interesado en apoyarla. Para producir tal flujo, los funcionarios polacos sabían que tendrían que intensificar sus esfuerzos de austeridad. Aseguraron al Fondo que intentarían reducir las subvenciones en cosas como «carbón, leche y comercio exterior», pero temían las «tensiones sociales en respuesta a los aumentos de precios asociados»[579].

Para abordar las posibles tensiones sociales generadas por las reformas económicas, los líderes polacos complementaron su

577 Domber, *Empowering Revolution*, pp. 155-156.

578 Prust a Whittome, «Poland-Your Meeting and Lunch with Mr. Krowac(EUR DCCF)ki and Colleagues», 28 de abril de 1987, caja 24, expediente 1, EUR Division Country Correspondence Files, Archivos del FMI, Washington D. C.

579 Memorandum for Files, «Poland-Meeting with 3P900L-i3s9ho Delegation to Annual Meetings» 2 de octubre de 1986, caja 24, expediente 1, EUR DCCF, Archivos del FMI, Washington D. C.

«segunda fase» de reformas con una serie de innovaciones políticas. La más notable fue el anuncio de una nueva amnistía general, en septiembre de 1986, que liberó a todos los presos políticos del país. En el documento del politburó que explicaba las razones de esta decisión, los líderes reconocían que el asunto de los presos políticos era un obstáculo para que Polonia aprovechara los frutos del acercamiento de Gorbachov con Europa y Estados Unidos: «La mejora de las relaciones entre las dos superpotencias (...) ha llevado a un aumento significativo en el diálogo Este-Oeste. Sin embargo, Polonia no fue incluida en este proceso. Occidente aplicó tácticas contra nuestro país, que hacen que el progreso en la normalización de las relaciones con Polonia dependa de evaluaciones del desarrollo de nuestra situación [interna]». Mantener a los presos políticos en la cárcel proporcionaría a Occidente más razones para «continuar las restricciones y obstaculizar el desarrollo de relaciones económicas y diplomáticas»[580]. Estas eran restricciones que los líderes polacos no podían permitirse, por lo que, en septiembre de 1986, liberaron a todos los presos políticos.

En un esfuerzo por capitalizar el impulso generado por la amnistía, el Gobierno polaco también expandió el Movimiento Patriótico de Renacimiento Nacional, añadiendo un nuevo Consejo Consultivo, que reuniría a voces independientes y creíbles de la vida pública polaca, desde intelectuales católicos hasta académicos y figuras moderadas de la oposición. El Consejo Consultivo tenía la tarea de asesorar a Jaruzelski sobre cómo «aumentar la confianza» en la sociedad, construir un «acuerdo social», establecer «condiciones para el progreso económico» y desarrollar una «política social actual y con visión de futuro»[581]. Sin embargo, al

580 Documento 1, «Propozycje w sprawie rozszerzenia zakresu stosowania ustawy zdnia 17 lipca 1986 r. o szczególnym postępowaniu wobec sprawców niektórychprzestę pstw», en Antoni Dudek y Andrzej Friszke (eds.), *Polska 1986-1989: Koniec Systemu*, vol. III, Dokumenty, (Varsovia: Trio/ISP PAN, 2002), pp. 14-15.

581 Documento 4, «Pro memoria dla abp. Bronisława Dąbrowskiego z rozmowy Andrzeja Święcickiego, Jerzego Turowicza i Andrzeja Wielowieyskiego z Kazimierzem Barcikows-kim, Stanisławem Cioskiem i Kazimierzem Secomskim w Belwederze 18 paź dziernika 1986 r.», en Dudek y Friske, *Polska 1986-1989*, pp. 25-26.

igual que las reformas económicas de la «segunda fase», el Consejo no logró satisfacer a su principal audiencia, la sociedad polaca, ni logró su principal objetivo: dividir a Solidaridad. Lech Wałęsa criticó la iniciativa, argumentando que el diálogo debía «institucionalizarse, pero no en instituciones ficticias»[582]. Rechazado por Solidaridad y contando con un apoyo tibio por parte de la Iglesia, el Consejo Consultivo se inauguró en diciembre de 1986 sin una gran aprobación social.

A pesar de que las iniciativas políticas internas de Polonia no lograron cambiar significativamente la opinión pública nacional, sí fueron efectivas para conseguir la eliminación de las últimas sanciones estadounidenses. En enero de 1987, John Whitehead, vicesecretario de Estado estadounidense, viajó a Varsovia para las conversaciones bilaterales más importantes desde la ley marcial. Un mes después, el presidente Reagan restableció oficialmente el estatus comercial de nación más favorecida (NMF) para Polonia con Estados Unidos y reabrió el acceso del país a los créditos patrocinados por el Gobierno estadounidense. Jaruzelski, que había criticado durante mucho tiempo el impacto negativo de las sanciones estadounidenses, esperaba que estas medidas reabrieran finalmente el acceso de Polonia a los mercados financieros mundiales.

Sin embargo, tuvo que enfrentarse a la dura realidad de la Guerra Fría en su fase privatizada. La simple derogación de las sanciones estadounidenses no implicaba que los poseedores de capital mundial restablecerían inmediatamente sus relaciones económicas con Varsovia. Para lograrlo, el Gobierno polaco tendría que llegar a un acuerdo con el FMI, implementar medidas de austeridad interna y asegurar una salida sostenible de capital del país. Poco a poco, Jaruzelski comenzó a entender estas nuevas formas de gestión del mundo. «Se podría decir que las sanciones fueron derogadas en el último año», le dijo al líder de Alemania Oriental, Erich Honecker, en septiembre de 1987, pero no es del

582 Citado en Andrzej Paczkowski, *Poland and the Poles*, University Park, Pennsylvania State University Press, 2003, p. 486.

todo así. La restauración de políticas como la NMF estaba bien, pero solo aumentaba los ingresos por exportaciones polacas en unos veinte millones de dólares. Tal suma «no requiere comentarios —le dijo a Honecker—. Esto no es nada».

De manera similar, la restauración de los contactos políticos de Polonia con los Gobiernos occidentales era «importante». Pero las relaciones diplomáticas por sí solas no «ponen el pan en la mesa». Lo único que importaba era la «prohibición de préstamos», y aunque formalmente derogada, «en la práctica, el bloqueo continúa». Mientras la deuda de Polonia con los Gobiernos occidentales permaneciera en mora y el FMI continuara reteniendo su respaldo a las reformas económicas de Polonia, los bancos capitalistas y los Gobiernos occidentales no volverían a abrir sus billeteras. Aunque Estados Unidos había levantado formalmente todas sus sanciones, Jaruzelski declaró que «como antes, se está llevando a cabo una guerra económica contra Polonia»[583].

En Moscú, los superiores de Jaruzelski observaban lo que le sucedía a su aliado, pero se sentían incapaces de intervenir. La magnitud de la deuda polaca reflejaba su impotencia. Anatolii Cherniaev, asesor de política exterior de Gorbachov, le reprochaba a su jefe que «Polonia se aleja y en Moscú no hacemos nada. ¿Qué podemos hacer? Polonia debe 56.000 millones de dólares. ¿Podemos asumir su deuda en nuestra situación económica actual? No. Y si no podemos hacerlo (...), no tenemos influencia»[584].

Aislado por el Kremlin y marginado por la clase trabajadora polaca, Jaruzelski no tuvo otra opción que intensificar su búsqueda de legitimidad política para respaldar la reforma económica y alcanzar un acuerdo con el FMI. En julio de 1987, concedió una entrevista a *The Wall Street Journal* sobre los desafíos que encaraba Polonia. «Como hemos aprendido —dijo— incluso las decisiones

583 Documento 8, «Zapis stenograficzny rozmowy Ericha Honeckera z Wojciechem Jaruzelskim 16 września 1987 r. (fragmenty)», 16 de septiembre de 1987, en Dudek y Friszke, *Polska 1986-1989*, p. 48.

584 Anatolii Chernaiev citado en «Dialogue, The Musgrove Conference, May 1-3, 1998», en *Masterpieces of History*, Svetlana Savranskaya, Thomas Blanton y Vladislav Kiev (eds.), Budapest, Central European University Press, 2010, p. 134.

más bien intencionadas, si no cuentan con el apoyo social, están destinadas al fracaso». Por eso, anunció que estaba considerando convocar un referéndum nacional sobre medidas «dolorosas pero necesarias» para lograr el «equilibrio económico» del país[585]. Jaruzelski buscaba con esta entrevista enviar un mensaje al FMI, demostrando que se estaban realizando esfuerzos para preparar a la opinión pública. En una reunión con representantes del Fondo, justo después de la publicación de la entrevista, un funcionario polaco comentó que el referéndum «ayudaría a reunir apoyo para la ejecución de la reforma económica y las medidas de austeridad», y que la entrevista había sido programada en parte «con la esperanza de establecer un programa con el Fondo»[586].

Para Jaruzelski, en 1987, había razones internas urgentes como para proponer el referéndum. Al igual que había observado Rakowski al principio de la década, Jaruzelski creía que la estabilidad política interna del partido dependía en gran medida del desempeño económico del país. «Si se pudiera mejorar la situación económica, especialmente la situación material de los trabajadores, entonces, no habría ningún problema», le dijo a Honecke[587]. Sin embargo, para 1987, el aparente progreso económico que siguió a la ley marcial comenzaba a desvanecerse. Un informe gubernamental interno, de agosto de 1987, alertaba sobre el «creciente malestar debido a la crisis económica prolongada». Esta situación ofrecía a Solidaridad una oportunidad para resurgir como una fuerza política significativa. Desde su punto de vista, «cualquier acción del Gobierno en la esfera económica podía ser aprovechada por la oposición (...), la plena implementación de la reforma probablemente conduciría a una reducción temporal del poder adquisitivo, despidos, etcétera». Por lo tanto, «el adversario

585 Karen Elliott House, Robert Keatley y Barry Newman, «Jaruzelski Seeks Major Economic Reform», *The Wall Street Journal*, 30 de julio de 1987, p. 18.

586 Jim Prust al Sr. Russo, «Polonia», 31 de julio de 1987, caja 24, expediente 1, EUR DCCF, Archivos del FMI, Washington D. C.

587 Documento 8, «Zapis stenograficzny rozmowy», en Dudek y Friszke, *Polska 1986-1989*, pp. 52-53.

ha llegado a la conclusión de que no tiene que molestarse mucho; es suficiente con sostener un ánimo de ira justificada y esperar y, en el momento adecuado, unirse a la erupción de insatisfacción, como ocurrió en 1980»[588]. Entonces, lo mejor sería anticiparse a la insatisfacción legitimando las reformas económicas.

La visita del vicepresidente estadounidense George H. W. Bush a Varsovia, en septiembre de 1987, subrayó aún más la relación entre la reforma económica y la legitimidad política. Durante sus reuniones con Bush, Jaruzelski enfatizó repetidamente la importancia de obtener un alivio de la deuda, llegar a un acuerdo con el FMI y recibir nuevos créditos en divisas de Occidente[589]. A cambio, Bush recordó a Jaruzelski que la condicionalidad estadounidense seguía siendo doble: política y económica. Polonia tendría que lograr un acuerdo con el FMI para reabrir el acceso a los mercados financieros internacionales, pero únicamente con «pasos concretos hacia la democratización obtendrían una respuesta positiva del Gobierno estadounidense»[590]. En esencia, los polacos tendrían que implementar la austeridad *y* lograr la reconciliación nacional que la Administración Reagan había exigido desde la ley marcial.

El referéndum de Jaruzelski, programado para finales de noviembre, reflejó la presión política y financiera occidental que había motivado al Estado polaco a buscar tanto la legitimidad popular como un mandato para la austeridad. Ambas prioridades se reflejaban directamente en las dos preguntas que planteaba el referéndum al pueblo polaco: ¿estaban a favor de introducir un «modelo polaco de profunda democratización de la vida política con el objetivo de (...) aumentar la participación de los ciudadanos en el gobierno del país»? y ¿estaban a favor de un programa gubernamental completo para una recuperación económica «radical,

588 «A Synthesis of the Domestic Situation and the West's Activity», 28 de agosto de 1987, en «The End of the Cold War», *Cold War International History Project Bulletin*, n.º 12/13, otoño/invierno de 2001, pp. 98-99.

589 Domber, *Empowering Revolution*, pp. 203-204.

590 «Poland: Options for U.S. Policy if the Roundtable is Successful», Condoleezza Rice 1989-1990 Subject Files, Carpeta «Poland-Roundtable», George H. W. Bush Presidential Library (GHWBL), College Station, Texas.

sabiendo que esto requerirá un difícil período de dos a tres años de cambios rápidos»?[591].

Oficialmente, los resultados del referéndum indicaron que los ciudadanos no apoyaban los planes del Gobierno. La mayoría de los votantes que participaron estuvieron a favor, pero debido a que el Gobierno estableció la mayoría basada en todos los votantes potenciales, y muchos se abstuvieron, el referéndum se consideró un fracaso. Jaruzelski salió decepcionado, pero sin caer en el desánimo. Le dijo al Comité Central y a la prensa que el resultado no indicaba que la población estuviera en contra de la reforma. Más bien, señalaba que «una parte significativa e importante de la sociedad [tenía] dudas y temores» sobre el ritmo del cambio. A pesar de esto, las reformas eran «un hecho de la vida» y no se podían evitar, dijo. Así, en lugar de «una reestructuración radical en un solo golpe», la reforma se llevaría a cabo durante tres años, los aumentos de precios serían moderados y al sindicato oficial, el OPZZ, se le permitiría negociar un aumento salarial para sus inscritos. No pasó mucho tiempo antes de que los salarios y los precios polacos compitieran unos con otros hasta la estratosfera[592].

Esto preparó el escenario para el año revolucionario de 1988. El 1 de febrero, los precios de alimentos, alcohol y cigarrillos aumentaron un promedio del 40 %; los precios de la gasolina, el 60 % y los del transporte y alquiler también se incrementaron sustancialmente[593]. Dado que se permitió a los sindicatos estatales negociar un aumento salarial compensatorio, los precios más altos más que imponer la austeridad desencadenaron una espiral inflacionaria. Siempre conscientes de la conexión fundamental entre su destino económico y político, los líderes polacos vieron que

591 Citado en Michał Sieziako, «Kulisy referendum z 29 listopada 1987 r.» Polityka, 28 de noviembre de 2017, consultado el 1 de octubre de 2019, https://www.polityka.pl/tygodnikpolityka /historia/1728812,1,kulisy-referendum-z-29-listopada-1987-r.read.

592 «Jaruzelski Says Reforms "A Necessity" in Poland», 16 de diciembre de 1987, caja 38, expediente «Poland 914-Economic reform 1987 and onwards», Country/Country Desk Files, Central Files, Archivos del FMI, Washington D. C.

593 Antoni Dudek, *Reglamentowana rewolucja: Rozkład dyktatury komunistycznej w Polsce 1988-1990*, Cracovia, Polonia, Wydawn Arcana, 2004, p. 124.

esto era una receta para el desorden político. En marzo de 1988, investigadores del Comité Central realizaron una investigación, notablemente detallada y clarividente, sobre la relación entre la crisis económica y el levantamiento político. Su análisis comenzaba presentando datos que demostraban claramente que el problema del Gobierno comunista con la población polaca era económico más que político (ver tabla 7.1).

Opinión	Situación política				Situación económica			
	1984	1985	1986	1987	1984	1985	1986	1987
Buena	18 %	28 %	35 %	36 %	11 %	12 %	12 %	6 %
Ni buena, ni mala	42 %	38 %	38 %	38 %	45 %	35 %	27 %	24 %
Mala	25 %	15 %	19 %	18 %	38 %	46 %	59 %	69 %

Tabla 7.1. **Investigación sobre la opinión pública polaca.** Adaptado para mayor claridad y traducido del Documento 10, «Información sobre el estado del sentimiento público y las actividades de la oposición durante el primer periodo de la fase n de las reformas», 2 de marzo de 1988, en *Polska 1986-1989: Koniec Systemu*, vol. III, Documentos, Antoni Dudek y Andrzej Friszke (eds.), Varsovia: Trio/ISP PAN, 2002, p. 66.

En ese contexto de pesimismo económico, Solidaridad representaba una amenaza muy particular para el sistema comunista. Los investigadores concluyeron que, dado que los polacos estaban en general satisfechos con la situación política del país, Solidaridad «no era capaz de dirigir una lucha eficaz en el plano de la política y de las reivindicaciones políticas». Pero, se apresuraron a añadir, «surge la pregunta de si la situación socioeconómica, al afectar el estándar de vida de la clase trabajadora, ¿le abre [a Solidaridad] tales oportunidades? Sin duda, estas posibilidades existen». Solidaridad podría «fortalecerse, de hecho, hasta alcanzar dimensiones peligrosas, si son capaces de controlar la insatisfacción con su situación económica existente entre varios grupos»[594]. Los líderes del sindicato compartían la creencia del Comité Central de que su poder derivaba, en última instancia, de los costos sociales de la reforma económica. En febrero de 1988, el líder de Solidaridad, Bronisław Geremek, propuso en una entrevista que el Gobierno entrase en un «pacto anticrisis» con Solidaridad, la Iglesia católica y otras instituciones en las que sí confiaba la sociedad. Y enmarcó la necesidad del pacto por una exigencia económica: «Sin auténticas fuerzas sociales, no se puede lograr un avance en la situación económica del país, declaró en la entrevista»[595]. Ambas partes —el liderazgo comunista y Solidaridad— compartían, por lo tanto, la misma lectura de la situación: la reforma económica traería significativos costos sociales, requeriría legitimidad política doméstica y empoderaría a Solidaridad.

Ante la agitación provocada por la austeridad, Jaruzelski y sus asesores contemplaron la posibilidad de una mayor liberalización política para recuperar la legitimidad interna y la solvencia internacional. En un par de informes de principios de 1988, un grupo de altos funcionarios le sugirió a Jaruzelski que abrazara una mayor liberalización política para limitar la frustración económica de la sociedad y obtener concesiones de deuda de Occidente. Si el partido proporcionaba a «grupos de la oposición moderada una responsabilidad conjunta limitada» y absorbía «los elementos más dóciles de la oposición moderada dentro de nuestra influencia e instituciones», la sociedad se volvería más receptiva a la reforma económica. Esto incluía a Wałęsa. Los asesores propusieron la creación de una nueva cámara del Senado para complementar al Sejm existente, y recomendaron que se le ofreciera al líder de Solidaridad un escaño de alto perfil, e inofensivo, en la nueva cámara. Para asegurarse de que estos cambios cosméticos en las instituciones políticas del país no alteraran el balance de poder real, también propusieron la creación de un fuerte cargo de la presidencia, basado en «el modelo

594 Documento 10, «Informacja o stanie nastrojów społecznych i działalności przeciwnika w pierwszym okresie n etapu reform», 2 de marzo de 1988, en Dudek y Friszke, *Polska 1986-1989*, pp. 78-79.

595 Dudek, *Reglamentowana rewolucja*, pp. 121-122.

francés, o incluso estadounidense», para contrarrestar los movimientos hacia la democracia parlamentaria[596]. Maximizar el poder del partido estaba, como siempre, en lo más alto de sus prioridades.

Los asesores de Jaruzelski comenzaron a adoptar la lógica de la política extraordinaria que Balcerowicz aplicaría durante el primer Gobierno de Solidaridad. Advertían que la sociedad podría interpretar «el aumento de las libertades» asociadas a la democratización como «una señal de debilidad y blandura de las autoridades». Pero no era ese su propósito. Las reformas democráticas estaban destinadas, en cambio, a darle al partido una herramienta que de otro modo carecía: el poder para llevar a cabo una reforma económica impopular. «Una evolución democrática llevada a cabo a un ritmo y alcance apropiados tiene el poder (...) de cumplir el papel de una válvula de seguridad para los ánimos [sociales] (...) solo cuando es un factor que acompaña a acciones radicales, eficientes, efectivas y resueltas en el ámbito económico. De lo contrario, será uno de los motores de la crisis»[597]. En otras palabras, al partido le convendría utilizar el periodo de luna de miel de la reforma política para implementar las partes más socialmente disruptivas de su agenda económica.

Además, los asesores sugerían que debía aprovechar cualquier progreso político interno para presionar a Occidente y pedir un alivio de la deuda: «Antes de que se revele todo este paquete de cambios (...), parecen necesarias conversaciones confidenciales en Washington, y quizás también en las principales capitales de Europa occidental y el Vaticano». «Todo el paquete (junto con Wałęsa) debería ponerse sobre la mesa, y debería haber, al menos, una aprobación tácita para la suspensión de las obligaciones de pago en moneda extranjera de Polonia». También tendría que darse una mejora en «nuestro crédito y otras negociaciones respecto a la cooperación económica con Occidente»[598].

596 Dudek, *Reglamentowana rewolucja*, pp. 127-128.

597 Citado en Dudek, *Reglamentowana rewolucja*, p. 127.

598 Resulta revelador que los asesores no propusieran consultas similares con sus camaradas soviéticos en Moscú. Dudek, *Reglamentowana rewolucja*, pp. 129-130.

Mientras las calles y fábricas del país permanecían en paz durante los primeros meses de 1988, Jaruzelski aún no veía la necesidad de abrazar la arriesgada estrategia de liberalización política. Solo la realidad del descontento social podría cambiar su forma de pensar, y en abril de 1988 esa realidad finalmente llegó. Se convocaron huelgas por todo el país, mientras los trabajadores intentaban mantener sus salarios alineados con los precios. En general, las huelgas eran actos espontáneos de trabajadores que querían defender sus intereses económicos, pero, como se predijo, Solidaridad las utilizó para fortalecer su posición, y algunos trabajadores pidieron la reinstauración del sindicato[599]. A principios de mayo, el Gobierno utilizó los sobornos y la represión para silenciar la ola de huelgas, pero el daño económico estaba hecho. Para junio, se esperaba que los precios y salarios subieran el 55 % y el 60 %, respectivamente. Lejos de disminuir, como el Gobierno esperaba y el FMI exigía, el salario real de los trabajadores polacos estaba aumentando aproximadamente el cinco por ciento[600]. El conflicto entre el capital y el trabajo, anticipado por los funcionarios del FMI que estaban cuando Polonia se unió al Fondo en 1986, ya estaba en marcha, y al principio, los trabajadores polacos mantenían la ventaja.

Políticamente, la situación en Polonia se complicaba aún más. Como habían previsto los funcionarios del Gobierno al inicio del año, tras las huelgas se concluyó que Solidaridad estaba «aprovechando el descontento público con la situación económica y las limitadas perspectivas de mejora para fomentar una crisis política en el país». Esta circunstancia hacía que la implantación de la austeridad fuera especialmente arriesgada, como señaló Alfred Miodowicz, jefe de los sindicatos estatales, en su advertencia a Jaruzelski. El 3 de mayo de 1988 Miodowicz escribió que «continuar con políticas económicas que resultaran en una disminución gradual de los ingresos reales en la economía

599 Documento 12, «Uwagi ekspertów o sytuacji w kraju i wynikających z niej wniosków», 6 de mayo de 1988, en Dudek y Friszke, *Polska 1986-1989*, pp. 86-87.

600 Massimo Russo al Sr. Whittome, «Polonia», 24 de junio de 1988, Caja 24, Expediente 3, EUR DCCF, Archivos del FMI, Washington D. C.

socialista [era] arriesgado tanto desde el punto de vista político como económico»[601].

Era un riesgo, pero dadas las restricciones financieras internacionales de Polonia, era un riesgo que Jaruzelski tenía que asumir. El FMI expresó su decepción al ver que los salarios aumentaban rápidamente y superaban el crecimiento de los precios. Era lo opuesto a las políticas de austeridad que derivarían en una salida sostenida de capitales del país. Durante el verano de 1988, los funcionarios del Fondo cambiaron el tono. En lugar de limitarse a animar al Gobierno a «preparar a la opinión pública», comenzaron a exigir que construyera un «consenso social» en torno a la reforma. El 27 de junio, Michel Camdessus, director gerente del FMI, sugirió al viceprimer ministro polaco, Zdzisław Sadowski, que «una mayor participación popular en la toma de decisiones políticas podría (...) ayudar a reconciliar a la población con los sacrificios necesarios para la estabilización económica»[602].

Esta propuesta solo sirvió para reforzar en la cúpula política polaca la idea de cómo superar la resistencia de la sociedad a la ruptura de promesas. Como recordaría más tarde Jaruzelski, «creo que en ese momento [1988] entendí que únicamente se pueden emprender reformas radicales e imponer decisiones impopulares bajo dos condiciones: en una democracia auténtica y bien establecida o en un Estado totalitario o, al menos, represivo. No éramos ni lo uno ni lo otro»[603]. En la primavera de 1988, la cúpula osciló entre planes para convertirse en uno u otro. El asesor de confianza de Jaruzelski, compañero general militar y ministro del Interior, Czesław Kiszczak, presentó en dos ocasiones sendos planes para dictar el estado de emergencia[604]. Al mismo tiempo,

601 Documento 12, «Uwagi zespołu ekspertów KC PZPR o sytuacji kraju i wynikających z niej wnioskach przesłane członkom kierownictwa PZPR 6 maja 1988 r.», en Dudek y Friszke, *Polska 1986-1989*, p. 89.

602 Memorándum para los archivos, «Poland: MD's Lunch with Mr. Sadowski», 27 de junio de 1988, caja 61, expediente «Poland-corresp + memos June-Sept 1988», EUR Country Files, Archivos del FMI, Washington D. C.

603 Wojciech Jaruzelski, *Erinnerungen: Mein Leben für Polen*, Múnich, Piper, 1993, p. 323.

604 Dudek, *Reglamentowana rewolucja*, pp. 132, 165.

también cobraron impulso los planes para implementar alguna forma de sistema democrático limitado. Tras las huelgas de abril, un equipo de expertos del Comité Central alentó al partido a nombrar un nuevo Gobierno, «basado en la fórmula de un amplio consenso nacional», que abriría un «diálogo con todas las fuerzas constructivas» de la sociedad. Tal Gobierno era necesario porque «la segunda etapa de la reforma, que exige sacrificios sociales y creará problemas sociales (...), requiere un apoyo público para los dirigentes mucho más amplio del que existe actualmente»[605].

Después de las huelgas de abril, Jaruzelski se mostró abierto a la idea de formar un Gobierno de consenso social y reconciliación nacional, pero se mantuvo firmemente en contra de la relegalización de Solidaridad. Esto lo llevó a buscar un socio alternativo que contara con la confianza del pueblo, y la Iglesia católica emergió rápidamente como mejor opción. Durante el verano de 1988, los asesores de Jaruzelski buscaron el apoyo de la Iglesia para sus planes de crear un nuevo Partido Demócrata Cristiano que pudiera servir como una oposición leal al Partido Comunista. Incluso se consideró la posibilidad de nombrar a Wałęsa como presidente de una nueva cámara del Senado, que estaba en proceso de creación. La dirección comunista estaba dispuesta a llegar a un acuerdo, siempre y cuando la Iglesia respaldara un pacto que excluyera a Solidaridad[606].

Esta situación otorgó a la Iglesia una posición de enorme poder, ya que el destino tanto del PZPR como de Solidaridad dependía de su decisión. Si los líderes eclesiásticos apoyaban los planes del Gobierno de introducir pluralismo político sin Solidaridad, era probable que el sindicato tuviera dificultades para continuar creciendo, llevando al país por un camino muy diferente al que tomó en 1989. Sin embargo, sin el apoyo de la Iglesia, el Gobierno no tendría más opción que buscar legitimidad interna negociando directamente con Solidaridad. Al igual que los bancos y Gobiernos

605 Documento 12, «Uwagi zespołu ekspertów KC PZPR o sytuacji kraju i wynikających z niej wnioskach przesłane członkom kierownictwa PZPR 6 maja 1988 r.», en *Polska 1986-1989*, p. 89.

606 Dudek, *Reglamentowana rewolucja*, pp. 147-148.

occidentales, la Iglesia tenía su propio poder de omisión: podía negar su bendición a los líderes comunistas hasta que sus planes se alinearan con las demandas eclesiásticas. La pregunta clave, en el verano de 1988, era si la Iglesia usaría este poder para forzar a los comunistas a negociar directamente con Solidaridad.

La respuesta vino del pueblo polaco. Mientras la Iglesia y el Estado contemplaban la posibilidad de formar un matrimonio de conveniencia, en agosto estalló una nueva ola de huelgas. Trabajadores de todo el país salieron a la calle exigiendo mejores salarios y la restauración de Solidaridad. Esta nueva revuelta de la clase obrera facilitó la decisión de la Iglesia y complicó aún más la situación para los comunistas. El 20 de agosto, Andrzej Stelmachowski, representante de la Iglesia polaca, comunicó a los comunistas que solo ayudarían a poner fin a las huelgas una vez que el partido anunciara su intención de iniciar conversaciones con Wałęsa sobre el pluralismo sindical. Si el partido quería renovar su legitimidad, tendría que enfrentarse directamente a la oposición.

Mientras la Iglesia ejercía presión sobre el PZPR, los soviéticos iban relajando la suya. En julio de 1988, Gorbachov visitó Polonia para una reunión de los líderes del Pacto de Varsovia. Durante un discurso ante los dirigentes polacos, el secretario general soviético abogó por lo que denominó «pluralismo socialista» en las relaciones entre los países socialistas. En una conversación con Rakowski a principios de agosto, el asesor de Gorbachov Georgy Shakhnazarov aclaró lo que esto significaba. En caso de una situación similar a la crisis polaca de principios de los ochenta, dijo, «nosotros (...) no intervendríamos». A la pregunta de Rakowski sobre qué sucedería si Solidaridad llegara al poder, Shakhnazarov respondió que Polonia probablemente adoptaría un estatus similar a la «finlandización» y que «la URSS tendría que aceptarlo»[607].

Estos signos de aquiescencia por parte del Este tuvieron un impacto directo en el pensamiento interno de los líderes comunistas polacos. Los asesores de Jaruzelski le escribieron el 10 de

607 Mieczysław Rakowski, *Dzienniki polityczne, 1987-1990*, Varsovia, Iskry, 2005, p. 213.

agosto que el único activo del Gobierno polaco era «el apoyo soviético», y que este «se debilitaría, o incluso desaparecería tan pronto como se haga evidente la ineficacia de nuestras acciones [en Polonia]». Frente a la pérdida del apoyo soviético y el desafío de la austeridad, los asesores sintieron que el PZPR no tenía más opción que compartir el poder con la oposición lo antes posible «para poder asegurar la posición dominante del Partido Obrero Unificado Polaco en las condiciones de una división de poder exitosa y transformadora»[608]. Compartir el poder hoy para maximizar el poder del partido mañana: este fue el sello distintivo de la política de romper promesas en el bloque del Este. En agosto de 1988, esta lógica se había vuelto ineludible para la dirección comunista de Varsovia, y Jaruzelski estaba dispuesto a adoptarla.

* * * *

El 31 de agosto de 1988, en el octavo aniversario de los Acuerdos de Gdańsk que habían legalizado a Solidaridad, las élites dirigentes y trabajadoras polacas se encontraron nuevamente. El ministro del Interior, Czesław Kiszczak, se reunió con Lech Wałęsa e invitó al líder de Solidaridad a participar en negociaciones para establecer una mesa redonda. En su primer encuentro oficial de exploración, celebrado el 16 de septiembre en Magdalenka, un suburbio de Varsovia, Kiszczak explicó sin tapujos por qué el partido estaba interesado en un compromiso. La mesa redonda podría «abordar y, eventualmente, corregir el modelo económico, asegurando la efectividad de las reformas, alcanzando el equilibrio económico y resolviendo la cuestión de la deuda». Según él, el éxito del programa de reforma económica «dependía de su comprensión y aceptación social». Wałęsa concordó en la necesidad de «salvar al país del colapso», pero estableció sus propias condiciones: «pluralismo sindical y la legalización de Solidaridad»[609].

608 Dudek, *Reglamentowana rewolucja*, p. 162.

609 «Spotkanie Robocze w Magdalence, 16 września 1988 r., godz. 15.15-19:00», en Magdalenka, *Transakcja epoki: Notaki z poufnych spotkań Kiszczak-Wałęsa*, ed. Krzysztof Dubiński, Varsovia, Sylwa, 1990, pp. 19-20.

Estas no eran concesiones que el partido estuviera dispuesto a hacer, y los debates se centraron en la naturaleza del futuro social y político de Polonia.

Como las instituciones occidentales y la Iglesia católica antes, Solidaridad ahora tenía la oportunidad de ejercer su propio poder de omisión. El sindicato solo respaldaría los planes económicos del Gobierno una vez que el partido comunista cumpliera con sus condiciones políticas y legalizara su existencia. Y, al igual que las instituciones occidentales y la Iglesia, Solidaridad enfrentaba la decisión de si aceptaría algo menos que el total cumplimiento de sus demandas antes de apoyar el programa del partido. Durante el otoño de 1988, quedó claro que no estaban dispuestos a hacer concesiones. Solidaridad se mantendría firme, obligando al partido a ceder a todas sus demandas, al igual que hicieron las instituciones occidentales y la Iglesia previamente.

Al principio, la firmeza de Solidaridad parecía no dar frutos. Las conversaciones de Magdalenka se estancaron rápidamente por la cuestión del pluralismo sindical, y daba la impresión de que la propuesta de una mesa redonda estaba en peligro. A finales de septiembre, Mieczysław Rakowski asumió el cargo de primer ministro y anunció su intención de formar un Gobierno de unidad nacional e invitar a miembros de la oposición a unirse al Gabinete. Sin embargo, en un esfuerzo por aumentar la presión sobre el partido para que cediera a las demandas de Solidaridad, todos los miembros de la oposición rechazaron la oferta. Como respuesta, en lugar de buscar un acuerdo con la oposición, Rakowski procedió con una medida drástica: el 31 de octubre ordenó el cierre de los astilleros de Gdańsk, donde nació Solidaridad, alegando falta de rentabilidad.

Este movimiento tenía un significado simbólico profundo. Durante la década de los ochenta, Rakowski había observado con frustración cómo los sucesivos Gobiernos polacos, según su perspectiva, no lograban imponer el disciplinamiento económico necesario. En 1988, se había convertido en un firme defensor dentro del partido de fortalecer y legitimar el poder estatal con el propósito explícito de romper promesas. «Los trabajadores se han convertido en nuestros enemigos —escribió en su diario durante las huelgas de agosto—. Nuestra munición es débil. Toleramos huelgas ilegales». El Gobierno necesitaba «salir de las trincheras» y atacar a la clase trabajadora que se le oponía, le dijo a Jaruzelski dos días después[610]. El cierre de los Astilleros de Gdańsk fue un ataque directo contra Solidaridad. «Me he convencido de que el pueblo quiere democracia, pero también un Estado fuerte», expresó Rakowski a Gorbachov en octubre. No es sorprendente que empezara a ser conocido en algunos círculos como «la Margaret Thatcher polaca»[611].

Como en la Gran Bretaña de Thatcher, en Polonia los sindicatos desempeñaron un papel crucial en la aceptación o resistencia a la política de ruptura de promesas. La diferencia polaca era que existían dos sindicatos nacionales —el OPZZ legal y Solidaridad, ilegal—, luchando por el apoyo de la clase trabajadora. En 1988, Alfred Miodowicz, líder del OPZZ, comprendía que las estrategias del partido de imponer austeridad y comprometer a Solidaridad podrían debilitar su propio poder y perjudicar a la clase trabajadora. Miodowicz, creyendo que Wałęsa era solo un simple electricista, desafió al líder de Solidaridad a un debate en la televisión nacional en noviembre de 1988, con la esperanza de desacreditarlo. Sin embargo, no salió como Miodowicz esperaba. En vez de aparecer como un simplón engreído, Wałęsa mostró la calma y confianza propias de alguien que sabe que la verdad está de su lado. «No haremos feliz a la gente por la fuerza», le dijo Wałęsa a Miodowicz, y a todo el país. «Lo que hay que darle es libertad»[612].

610 Rakowski, *Dzienniki polityczne, 1987-1990*, pp. 218-219.

611 «Informacja z roboczej wizyty w Moskwie Członka Biura Politycznego KC PZPR Prezesa Rady Ministrów Mieczysława F. Rakowskiego (20-21.10.1988 r.)», carpeta «NR 2/49 (2/2)», caja 49, Mieczysław Rakowski Papers, Hoover Institution. En sus memorias, Rakowski describe que muchos periodistas establecieron paralelismos entre él y Thatcher, paralelismos que él rechazó categóricamente. Véase Mieczysław Rakowski, *Es begann in Polen: Der Anfang vom Ende des Ostblocks*, Hamburgo, Hoffman und Campe, 199, pp. 217-219.

612 Extractos del «Debate entre Lech Walesa y Alfred Miodowicz, 30 de noviembre de 1988», «Making the History of 1989», The Roy Rosenzweig Center for History and New Media, George Mason University, consultado el 20 de noviembre de 2019, http://chnm.gmu.edu/1989/ archive/files/walesa-miodowicz-debate_019F3357aa.pdf.

Las encuestas después mostraron que el 68,3 % de los polacos veían a Wałęsa como el ganador, y la legalización de Solidaridad ganó apoyos, pasando del 42 % en agosto de 1988 al 62 % después del debate[613].

Este cambio en la opinión pública también afectó a una persona especialmente relevante: Wojciech Jaruzelski. Antes del debate, Jaruzelski había esperado que la dirección de Solidaridad se integrara en el sistema comunista y compartiera la responsabilidad de la austeridad sin legalizar realmente el sindicato. En las semanas posteriores al debate, se dio cuenta de que resistirse era inútil y comenzó a preparar al partido para la legalización de su enemigo de larga data[614].

La perspectiva de asistencia financiera occidental fue clave para superar la férrea resistencia del aparato del partido. El Comité Central criticó rotundamente a Jaruzelski cuando presentó la idea de legalizar Solidaridad e iniciar una mesa redonda de negociaciones en enero de 1989. En respuesta, el general y sus asesores más cercanos amenazaron con renunciar y salieron abruptamente de la sala. Más calmado, Jaruzelski regresó a la cámara y expuso sus razones para apoyar este paso desagradable: la mesa redonda compraría al Gobierno un periodo de paz social, mejoraría la legitimidad del partido al aumentar la participación popular en las próximas elecciones y desbloquearía la ayuda económica occidental. Sin los «fondos del Oeste, sin estas diversas conexiones, préstamos [y] el aplazamiento de algunos reembolsos, seremos incapaces de impulsar la economía. Simplemente es imposible, y puede que incluso empeore». Incapaz de resistirse a la lógica de Jaruzelski, el Comité Central aprobó el plan para legalizar Solidaridad y abrir la mesa redonda.

Los funcionarios polacos se apresuraron a capitalizar los avances políticos internos para lograr un alivio financiero internacional. Un funcionario del Ministerio de Economía polaco informó al FMI, a principios de febrero de 1989, que «el principal objetivo

613 Dudek, *Reglamentowana rewolucja*, pp. 218-219.

614 *Ibid.*, pp. 221-224.

de las conversaciones de la mesa redonda es ofrecer una concesión política para facilitar la implementación de los planes económicos del Gobierno»[615]. Desde el verano de 1988, el FMI observaba con preocupación la tendencia inflacionista de Polonia, advirtiendo a los funcionarios polacos que se necesitaría más disciplina antes de poder llegar a un acuerdo[616]. Sin embargo, los polacos eran reacios a imponer la austeridad durante la mesa redonda, y el FMI no era optimista sobre la pronta implementación en el país de una política de ruptura de promesas. Los funcionarios del FMI escucharon muchas veces de sus contrapartes polacas que la mesa redonda era «un intento de reunir apoyo social para un programa de reforma económica radical», pero había poca evidencia que lo demostrara[617]. En cambio, los funcionarios del Fondo reconocieron que si ellos o el Gobierno polaco hacían una demanda explícita de «una reducción del "x" por ciento en los ingresos reales», podrían causar el «colapso de las discusiones de la mesa redonda»[618]. Así que, cuando se inició la mesa redonda, en febrero de 1989, el FMI se mantuvo en segundo plano y dejó que las negociaciones siguieran su curso.

El inicio de la mesa redonda en Polonia fue un evento extraordinario y algo surrealista, dada la larga historia de represión estatal en el bloque comunista. La embajada de Estados Unidos en Varsovia observó la ironía de que «un régimen totalitario estaba suplicando la participación de la oposición en el Gobierno, mientras la oposición resistía la presión para involucrarse». Solidaridad era reticente a jugar el juego del Gobierno de cooptar su influencia en la sociedad, consciente de que sería utilizada para legitimar una

615 Jim Prust a Massimo Russo, «Poland-Missions and Visits», 2 de febrero de 1989, caja 61, EUR Country Files, Archivos del FMI, Washington D. C.

616 J. Prust al director gerente y al subdirector gerente, «Poland-Back-to-Office Report on Staff Visit», 10 de noviembre de 1988, carpeta «Poland-corresp. + memos Oct-Dec». 1988, caja 61, EUR CF, Archivos del FMI, Washington D. C.

617 «Poland-Staff Visit, Minutes of Meeting n.º 7», 28 de octubre de 1988, carpeta «Poland-corresp. + memos Oct-Dec. 1988», caja 61, EUR CF, Archivos del FMI, Washington D. C.

618 Jim Prust al Sr. Russo, «Poland: ETR's Comments on Draft Briefing Paper», 6 de marzo de 1989, carpeta «Poland-corresp. + memos Jan.-May 1989», caja 61, EUR CF, Archivos del FMI, Washington D. C.

reforma económica impopular. Sin embargo, el sindicato accedió a los planes del partido porque, como dijo Bronisław Geremek, consideraban las negociaciones como «el precio que tenían que pagar» por su legalización[619].

El sindicato comenzó a asumir su parte en el acuerdo el 9 de febrero de 1989, cuando se inauguró la mesa redonda con una gran sesión plenaria. Las negociaciones se dividieron en tres grupos de trabajo: uno para el pluralismo sindical, otro para las reformas políticas y un tercero para discutir la política social y económica. Antes del inicio de la mesa redonda, Wałęsa y Kiszczak ya habían acordado dos puntos fundamentales que guiarían las negociaciones en los temas sindicales y políticos. Primero, Solidaridad sería legalizada —no *relegalizada*— para evitar que el Gobierno admitiera que la ley marcial había sido un error. Segundo, se celebrarían elecciones parcialmente libres al Sejm, asegurando que el partido mantuviera el control y que Solidaridad obtuviera una representación significativa. Estos acuerdos de alto nivel le dieron a las mesas de sindicato y reforma política el esbozo del acuerdo antes de que comenzaran las conversaciones.

No se llegó a un acuerdo similar en el ámbito económico. A pesar de aceptar la inevitable austeridad futura, Solidaridad buscaba mantener su credibilidad ante los trabajadores polacos. Durante 1988, Miodowicz había posicionado a la OPZZ como el último baluarte de resistencia en la sociedad contra la imposición del capitalismo internacional. Esto representaba una amenaza tanto para el PZPR como para Solidaridad. El Departamento de Estado estadounidense había informado que Miodowicz podría «presentarse como el único verdadero defensor de los derechos de los trabajadores frente a un sistema que promovía la libre empresa y las restricciones salariales»[620]. En los debates de la mesa redonda sobre la reforma económica, tanto representantes del PZPR como

619 Memorandum AmEmbassy Warsaw to SecState, 30 de enero de 1989, caja 35, expediente «Enero de 1989», SFC, NSA.

620 Memorandum AmEmbassy Warsaw to SecState, 30 de enero de 1989, carpeta «Enero de 1989», caja 35, SFC, NSA.

de Solidaridad debían considerar que la OPZZ, a pesar de haber sido un instrumento de manipulación gubernamental, podría ganarse el apoyo de los trabajadores polacos.

Solidaridad defendió la indexación salarial para preservar su credibilidad. Creían que al garantizar que los salarios siguieran el ritmo de los precios, podrían fortalecer su posición como defensores de los trabajadores y evitar «competencias salariales» entre sectores. Tanto el Gobierno como la OPZZ, interesados también en ganarse el apoyo de los trabajadores, no estaban en posición de oponerse directamente a la indexación, por lo que la mesa redonda económica llegó a un acuerdo para indexar los salarios al 80 % de la tasa de inflación[621].

Respecto a otras cuestiones económicas y sociales, se observó que Solidaridad estaba comenzando, aunque de mala gana, a aceptar la política de ruptura de promesas. En 1989, muchos líderes del sindicato consideraban inevitable aceptar finalmente la austeridad y la economía de mercado neoliberal. Un claro indicio de este cambio de pensamiento se vio en la respuesta de Solidaridad a las reformas de los precios y la vivienda. Las subidas de precios eran, por supuesto, el tercer riel de la política en la Polonia comunista, por lo que un representante sindical le dijo a la embajada estadounidense que «asumir la responsabilidad del tema del precio de los alimentos» hacía que la cúpula de Solidaridad estuviera «muy nerviosa». Sin embargo, el oficial dijo que la cúpula también sabía que los precios tendrían que ser liberalizados en cualquier reforma económica final, lo que inevitablemente significaría costos de vida más altos para los ciudadanos polacos. Así, en respuesta a la promoción gubernamental de los efectos benignos de la competencia bajo el capitalismo de mercado, Solidaridad recurrió a la justificación subyacente al estado de bienestar moderno: el uso del gasto gubernamental para suavizar los efectos desgarradores de la transformación del mercado. «Cupones de alimentos», le dijo

621 Memorandum from AmEmbassy to SecState, 15 de febrero de 1989, Carpeta «Febrero de 1989» caja 35, SFC, NSA.

el equipo negociador de Solidaridad a la mesa redonda, deberían acompañar cualquier liberalización de precios.

Dinámicas similares afectaron las negociaciones de la mesa redonda sobre la política de vivienda. La cuestión de la vivienda en Polonia llevaba tiempo siendo un desastre nacional. Debido a los fuertes subsidios gubernamentales, los precios habían dejado de reflejar hacía ya tiempo el valor social y el costo económico de la propiedad. Por lo tanto, las empresas constructoras no tenían incentivos para construir nuevas viviendas a un ritmo más rápido. A finales de la década de los ochenta, los polacos tenían que esperar veinte años para mudarse a un apartamento propio. Tales listas de espera trascendían las diferencias políticas, por lo que todos en la mesa redonda estuvieron de acuerdo en que era necesaria una reforma radical. La solución era tan obvia como dolorosa: subir el precio. Como en tantas otras áreas de la economía, sin embargo, esta solución perjudicaría a millones de ciudadanos polacos y obligaría a Solidaridad a abandonar sus intereses laborales tradicionales. Aleksander Paszynski, el negociador de Solidaridad a cargo de la política de vivienda, señaló las contradicciones de la reforma. Solidaridad tendría que decirle a la sociedad «brutalmente» que la era de la vivienda barata había terminado y, en su lugar, trabajar para proporcionar una «red de seguridad» social. Lamentó que «como sindicalistas, los líderes de Solidaridad apoyan salarios más altos y el mantenimiento de los estándares de vida, pero, como partidarios de la reforma económica, se encuentran respaldando precios y alquileres más altos, incluso si esto lleva a mayores disparidades de ingresos»[622]. Estas eran las contradicciones que enfrentaba Solidaridad en su lento proceso de aceptar la política de ruptura de promesas.

A cambio, por supuesto, el sindicato quería un control político real. «Si vamos a firmar un acuerdo social —dijo Witold Trzeciakowski, representante de Solidaridad en la mesa redonda

622 Memorandum from AmEmbassy Warsaw to SecState, 17 de febrero de 1989, carpeta «Febrero 17-28, 1989», caja 35, SFC, NSA.

económica—, debemos controlar su implementación». Las cuestiones de control social y político finalmente serían decididas en los niveles más altos, así que el 2 de marzo, Wałęsa y Kiszczak se reunieron nuevamente para abordar la forma del acuerdo político final. A cambio del apoyo de Solidaridad a una presidencia fuerte, Kiszczak ofreció la creación de una cámara completamente nueva del Parlamento, el Senado, cuyos cien miembros serían elegidos libremente en elecciones abiertas. Aunque el poder de introducir legislación permanecería en el Sejm, donde el partido mantendría el control, al Senado se le otorgaría poder de «bloqueo» en asuntos económicos, sociales y ambientales. Es más, le daría a Solidaridad la capacidad de participar en la política sin ser cooptada en programas gubernamentales con los que no estaba de acuerdo. La nueva cámara fue una concesión trascendental que satisfizo las demandas más importantes del sindicato, tanto para una voz política independiente como para alguna forma de control sobre la implementación de la reforma[623].

Las negociaciones de la mesa redonda continuaron hasta finales de marzo y no se firmaron oficialmente hasta el 5 de abril, pero la estructura básica del acuerdo final ya estaba fijada. Las elecciones se llevarían a cabo en junio, y el PZPR controlaría el Sejm; el 65 % de los escaños iría al partido y sus aliados, mientras que el otro 35 % sería elegido libremente. El Senado también se elegiría libremente, y el presidente lo elegiría una mayoría de votos de las dos cámaras del Parlamento combinadas. Dado que el Sejm era mucho más grande que el Senado, esto aseguraría que Jaruzelski se convirtiera en presidente. Las elecciones estaban programadas para principios de junio.

A medida que las negociaciones internas avanzaban, los partidos comenzaron a presentar un frente unido de cara al exterior. Solidaridad, inicialmente convencida de que la deuda externa era un problema del Gobierno, llegó a verla como una ventaja en las

623 Memorandum from AmEmbassy Warsaw to SecState, 3 de marzo de 1989, caja 35, carpeta «Del 1 al 15 de marzo de 1989», SFC, NSA.

negociaciones. Por lo tanto, durante la mesa redonda, apoyó un llamamiento conjunto con el Gobierno para aliviar la deuda occidental. En un encuentro a principios de mayo con Thomas Simons, vicesecretario de Estado de Estados Unidos, Jacek Kuroń, líder de Solidaridad, expresó que «los rojos merecen alguna recompensa»[624].

La aparición de este frente unido polaco puso al Gobierno estadounidense en una posición incómoda. Desde la Directiva de Decisión de Seguridad Nacional 54 de Reagan sobre la política hacia Europa del Este, una tensión no resuelta entre la condicionalidad política y económica de Estados Unidos había fermentado bajo la superficie de la política estadounidense. Los funcionarios estadounidenses habían profesado durante mucho tiempo su tanto por las condiciones políticas como económicas, pero sus convicciones nunca fueron realmente puestas a prueba por los eventos en el terreno. Ahora que los signos de progreso político en Polonia eran innegables, los responsables de política estadounidenses se vieron obligados a decidir qué conjunto de condiciones era más importante. ¿Realmente recompensarían, como George H. W. Bush le había dicho a Jaruzelski en 1987, el progreso político en Polonia, incluso si la economía permanecía sin reformar? ¿O se adherirían a los cimientos gemelos de su condicionalidad y solo ofrecerían alivio financiero a Polonia una vez que Varsovia hubiera cumplido con las demandas políticas *y* económicas de Washington? ¿Estaba destinado el inmenso poder de omisión de Estados Unidos a producir una Polonia democrática, una Polonia capitalista, o ambas?

La Administración de George H. W. Bush, en sus primeros meses en 1989, se debatía con estas cuestiones. Condoleezza Rice, miembro del Consejo de Seguridad Nacional, describió la naturaleza del debate en un memorándum interno de marzo. Los sectores políticos y diplomáticos del Gobierno, liderados por el Departamento de Estado y el NSC, defendían la idea de que Estados Unidos debía responder a los avances políticos de la mesa redonda en Polonia

624 SecState to AmEmbassy Warsaw, «Department Meeting with Solidarity Advisor Jacek Kuroń», 3 de mayo de 1989, caja 35, expediente «Mayo 1-15, 1989», SFC, NSA.

con apoyo económico inmediato. Rice se contaba en este grupo. «El presidente prometió al régimen polaco que recompensaríamos la reforma política con flexibilidad económica —escribió—. Ahora exigir primero una reforma económica supondría "mover los postes de la meta". [Además] hemos dicho a todos los países de Europa del Este que la reforma política es una condición previa para la reforma económica, porque los Gobiernos ilegítimos no pueden imponer medidas de austeridad estrictas»[625]. Para agencias como el Departamento de Estado y el NSC, que habían vivido la Guerra Fría y sus condiciones de parálisis política bipolar durante décadas, el cambio político en Polonia era de suma importancia. Ahora creían que la Administración debía usar sus recursos económicos para recompensar la decisión de Polonia de optar por liberalizar política[626].

Los custodios del sistema financiero global en Washington mostraban notables discrepancias. Si la competencia durante décadas en la Guerra Fría había convertido la situación política europea en un enigma para el Departamento de Estado y el NSC, la crisis de deuda soberana de los años ochenta había hecho que los dilemas de la deuda global parecieran igualmente enigmáticos para el Departamento del Tesoro. Así, los oficiales del Tesoro interpretaban los sucesos en Polonia bajo el prisma de la deuda mundial y veían pocas justificaciones para modificar sus políticas globales de cara a las naciones deudoras, con el objetivo de impulsar el progreso político en el contexto de la Guerra Fría. «Los debates sobre una política coherente de deuda global», señalaba un funcionario del NSC en la víspera de concluir la mesa redonda, «sugieren que hay otras regiones de igual relevancia, como América Latina, y que Europa del Este no merece un tratamiento preferencial. La política estadounidense de aquel momento daba más importancia a los

625 Condoleezza Rice a Robert Gates, «DC Meeting on U.S. Policy Options if the Polish Roundtable Succeeds», 29 de marzo de 1989, OA/ID CF00716-014, Condoleezza Rice 1989-1990 Subject Files, GHWBL.

626 Brent Scowcroft, «Meeting with the National Security Council», 4 de abril de 1989, OA/ID 90000-009, NSC Meeting Files, GHWBL.

criterios económicos que a los políticos en asuntos de alivio de deuda (...) y en las prórrogas de crédito»[627]. Desde la perspectiva del Departamento del Tesoro, aunque la mesa redonda representase «un importante avance político», sus reformas económicas «serían probablemente limitadas». Por lo tanto, más allá de la relevancia de Polonia en la Guerra Fría, el Departamento del Tesoro sostenía que Estados Unidos debía «premiar únicamente la reforma económica»[628].

George H. W. Bush terminó compartiendo esta perspectiva. En un discurso en abril de 1989, el nuevo presidente delineó la respuesta de Estados Unidos ante los sorprendentes cambios en Europa del Este, y su plan de acción dejó insatisfechos a los que priorizaban el apoyo a la reforma política. Estados Unidos «facilitaría la cooperación y los contactos directos entre sus empresas y el sector empresarial privado de Polonia», y ejecutaría «programas innovadores de intercambio, educativos, culturales y de formación», declaró Bush. Sin embargo, su Administración no abogaría por una postura indulgente del FMI. «Un acuerdo de crédito debería regirse por las normas habituales del FMI», les indicó a los polacos, porque «la condicionalidad del FMI puede ser una ayuda valiosa para que Polonia implemente las reformas económicas necesarias»[629]. En definitiva, Estados Unidos exigiría tanto democracia como capitalismo a cambio del acceso a los beneficios de los mercados financieros globales. Al final, Polonia debería hacer frente al desafío de cumplir con sus compromisos antes de poder reintegrarse a la economía mundial.

La destacada actuación de Solidaridad en las elecciones de junio complicó al inicio esta situación. El 4 de junio, cuando los polacos

627 Robert Hutchings a Brent Scowcroft, «National Security Council Meeting on Western Europe and Eastern Europe», 3 de abril de 1989, NSC0008a, NSC Meeting Files, GHWBL.

628 Rice a Gates, «DC Meeting on U.S. Policy Options if the Polish Roundtable Succeed», 29 de marzo de 1989, OA/ID CF00716-014, Condoleezza Rice 1989-1990 Subject Files, GHWBL.

629 SecState to AmEmbassy Warsaw, 17 de abril de 1989, caja 35, carpeta «Abril 16-30», SFC, NSA.

fueron a votar, Solidaridad logró una victoria arrolladora en la recién creada cámara del Senado, obteniendo 99 de los cien escaños disponibles. En el Sejm, los candidatos del partido no alcanzaron el umbral requerido del 50 % de los votos necesarios para evitar una segunda vuelta, a pesar de presentarse sin oposición. Aunque el PZPR y sus partidos aliados consiguieron el apoyo necesario para formar Gobierno tras la segunda ronda electoral del 18 de junio, los resultados globales fueron un claro rechazo al PZPR. A finales de mes, Kiszczak, la elección de los comunistas para el cargo de primer ministro, se encontraba incapaz de formar un Gobierno por sí solo, y comenzaron a circular rumores sobre la posible incorporación de Solidaridad en el ejecutivo[630].

Esto puso a la dirección del sindicato frente a la clásica encrucijada de determinar cuánto poder debían exigir a cambio de su participación en el sistema político. El 3 de julio, Adam Michnik ofreció una respuesta valiente en un artículo titulado «Su presidente, nuestro primer ministro», en el que sugerería que se permitiera que Solidaridad formara su propio Gobierno a cambio de la elección de Jaruzelski como presidente. A lo largo de julio, el país debatió intensamente la propuesta de Michnik, mientras el futuro político de la nación estaba en juego. La posibilidad de recibir ayuda financiera de Occidente y el alivio de la deuda jugaron un papel crucial en este debate nacional. Según informó el embajador estadounidense, «uno de los argumentos principales a favor del plan [de Michnik] es la creencia generalizada de que un Gobierno de Solidaridad estaría en una posición más favorable para obtener ayuda económica esencial de Occidente».

Para los líderes de Solidaridad, la prometedora perspectiva de recibir mayor ayuda de Occidente se contraponía con la desalentadora realidad de asumir la responsabilidad de una economía en declive. Durante una reunión crucial, celebrada el 1 de agosto, varios miembros de la dirección expresaron su oposición al plan

630 AmEmbassy Warsaw to SecState, «Continuing Controversy on the «Michnik Plan» 6 de julio de 1989, caja 34, expediente «Poland Cables January-September 1989», SFC, NSA.

de Michnik, precisamente por estas razones. Como argumentó Andrzej Stelmachowski, «si el diagnóstico económico es negativo sería insensato tomar las riendas del Gobierno (...). Si anticipamos un empeoramiento [de la situación], no deberíamos hacernos responsables de ello». Sin embargo, Michnik tenía una visión diferente: «Nos encontramos ante una conjunción internacional, un momento histórico, en el que podemos conseguir algo», afirmó. Instó a sus compañeros a aprovechar esta oportunidad. En lo que respecta a la situación económica, la postura de Michnik era clara: «Estamos obligados a adoptar un [programa], una transición abrupta y directa a la economía de mercado»[631].

* * * *

Finalmente, prevaleció el plan de Michnik. El 24 de agosto, por primera vez desde el comienzo de la Guerra Fría, Tadeusz Mazowiecki se convirtió en el primer ministro no comunista de Polonia, inaugurando un periodo de política excepcional en Varsovia. Balcerowicz, uno de los arquitectos clave, a principios de los ochenta, de la plataforma económica del sindicato antes de la ley marcial, asumió el cargo de ministro de Economía, comprometiéndose rápidamente a implementar un programa de «reforma radical»[632]. Incluso antes de que asumiera oficialmente el cargo, ya había diseñado un plan cuatrimestral para ejecutar todas las características de una política de ruptura de promesas en los primeros días del Gobierno de Mazowiecki[633]. Balcerowicz coincidía con el ministerio en la importancia crítica de la rapidez a la hora de implementar

631 «Minutes of the Meeting of the Presidium of the Citizens› Parliamentary Club» 1 de agosto de 1989, en «The End of the Cold War», Cold War International History Project Bulletin, n.º 12/13, invierno de 2001, pp. 120-121.

632 Jeffrey Sachs, *Poland's Jump to the Market Economy*, Cambridge, Massachusetts, MIT Press, 1993, p. 32.

633 Documento 171, «Projekt harmonogramu działań Rządu na najbliższe miesiące», sin fecha, pero de finales de agosto de 1989, en *Stanisław Gomułka i transformacja polska : dokumenty i analizy 1968-1989*, Stanisław Gomułka. Stanisław Gomułka y Tadeusz Kowalik (eds.), Varsovia, Wydawn. Nauk. Scholar, 2010, pp. 493-495.

la reforma. Como señaló en su artículo de 1994 sobre la política excepcional: «La corta duración del periodo excepcional significa que un programa económico radical, lanzado lo antes posible después del cambio, tiene muchas más posibilidades de ser aceptado que un programa radical tardío o una alternativa menos radical que implemente medidas difíciles —como el aumento de precios, por ejemplo— de manera progresiva y fragmentaria. La medicina amarga es más fácil de tomar en una sola dosis que en varias»[634].

Los jóvenes economistas estadounidenses Jeffrey Sachs y David Lipton estaban plenamente de acuerdo. Tras pasar los años ochenta trabajando con la crisis de deuda soberana en América Latina, llegaron a Polonia en el verano de 1989 para asesorar a Solidaridad en su programa económico. Aunque no usaron el término «política extraordinaria», entendían su lógica y animaron a la dirección de Solidaridad a aprovechar su momento político para implementar los aspectos más impopulares de su programa de reforma económica interna[635].

Sachs y Lipton también alentaron a los líderes de Solidaridad a considerar la «política extraordinaria» en un contexto internacional. Argumentaron que el Gobierno de Mazowiecki no solo representaba un nuevo comienzo para los ciudadanos polacos a nivel interno, sino también el fin de la Guerra Fría en el plano internacional. Instaron a sus homólogos polacos a usar este hecho para exigir un alivio de la deuda a los acreedores occidentales de la nación[636]. El 14 de septiembre, enviaron a Balcerowicz «un borrador de propuesta para sugerir el tipo de documento que usted podría hacer circular entre los Gobiernos occidentales, el FMI y el Banco Mundial». En él, el nuevo Gobierno de Mazowiecki se comprometía a aplicar un drástico programa de choque que incluiría aumentos de precios, reducción de subsidios, austeridad monetaria, liberalización del comercio y privatización de empresas estatales

634 Balcerowicz, «Understanding Postcommunist Transitions», pp. 84-85.

635 Sachs, *Poland's Jump*, p. 33.

636 Jeffrey Sachs, *The End of Poverty: Economic Possibilities for Our Time*, Nueva York, Penguin, 2005, p. 120.

al estilo de la Gran Bretaña de Thatcher. A cambio, exigirían que el FMI aplicara su condicionalidad «con firmeza pero también con imaginación» y que los Gobiernos y bancos occidentales se comprometieran a «una reducción significativa de la carga de la deuda de Polonia»[637]. El 22 de septiembre, Balcerowicz envió a los Gobiernos occidentales, al FMI y al Banco Mundial una copia casi textual del documento Sachs-Lipton para anunciar sus planes económicos. Al recibirlo, los funcionarios del FMI concluyeron que este representaba «una buena base para trabajar con las autoridades»[638].

La Administración Bush llegó rápidamente a la misma conclusión. Después de casi una década de expectativas, a finales de 1989, los acontecimientos en Polonia finalmente se alinearon con las condiciones políticas y económicas impuestas por Estados Unidos. Polonia no solo estaba experimentando una revolución democrática, sino también una transformación capitalista al estilo de la perestroika, y Washington estaba más que dispuesto a brindar su apoyo. El 3 de octubre de 1989, Scowcroft le escribió al presidente Bush: «Hemos dicho en repetidas ocasiones, al igual que nuestros aliados, que Occidente está listo para ayudar a los polacos cuando demuestren su disposición a aceptar reformas duras y dolorosas. El plan de Balcerowicz sugiere que están preparados para ello». Según Scowcroft, los líderes de Solidaridad «han decidido que deben implementar reformas radicales y de choque ahora, aprovechando la luna de miel política del Gobierno de Mazowiecki con el pueblo polaco»[639]. La Administración estadounidense estaba lista para apoyar los esfuerzos del nuevo Gobierno. Durante el otoño de 1989, movilizó a las naciones occidentales para que participaran

637 Jeffrey Sachs y David Lipton a Leszek Balcerowicz, «Preparation of a Document for International Circulation» 14 de septiembre de 1989, caja 62, expediente «Poland-corresp. + memos August-Sept 1989», EUR Country Files, Archivos del FMI, Washington D. C.

638 Massimo Russo al director gerente y al subdirector gerente, «Poland», 25 de septiembre de 1989, caja 62, expediente «Poland-corresp. + memos August-Sept 1989», EUR Country Files, Archivos del FMI, Washington D. C.

639 Brent Scowcroft al Presidente, «NSC Meeting on New Assistance for Poland», 3 de octubre de 1989, OA/ID CF00716-011, Condoleezza Rice 1989-1990 Subject Files, GHWBL.

en un fondo de mil millones de dólares que facilitara la transición de Polonia hacia una moneda convertible y el libre comercio. A principios de 1990, los Gobiernos occidentales acordaron una reestructuración sin precedentes de la deuda polaca, extendiendo el periodo de reembolso a catorce años, más del doble del plazo habitual[640]. Los acuerdos para la reducción de la deuda tardaron más en concretarse, pero, en 1991, los Gobiernos occidentales habían condonado aproximadamente el 50 % de la deuda polaca. Los bancos comerciales siguieron su ejemplo con un paquete propio de reducción de deuda en 1994[641].

Cada paso hacia el alivio financiero internacional estaba vinculado a la implementación por parte de Varsovia de la política de romper promesas a nivel nacional. Durante el otoño de 1989, continuaron las negociaciones entre el Gobierno de Mazowiecki, el FMI y los Gobiernos occidentales sobre los detalles del recién nombrado «plan Balcerowicz». El 28 de diciembre, la Dieta aprobó un paquete de diez leyes destinadas a cumplir con los objetivos del plan y a introducir la economía de mercado en Polonia. En los años siguientes, la política de ruptura de promesas se sintió con toda su intensidad. Los salarios reales cayeron el 30 % y la producción industrial el 25 % en 1990. El desempleo, hasta entonces inexistente, comenzó a escalar a principios de 1990, y alcanzó el 13 % en 1991[642].

A pesar de las dificultades, los antiguos líderes comunistas de Polonia se maravillaban ante las políticas de ajuste económico que Mazowiecki y sus compañeros lograron imponer al pueblo polaco. «Si todavía tuviéramos el poder —escribió con melancolía Rakowski en su diario en octubre de 1989— no habría ni un solo día de paz en el país (...). Una huelga seguiría a otra. ¿Y hoy?

640 Steve Greenhouse, «Poland's Foreign Lenders Accept Unusual Extension of Payments», *The New York Times*, 17 de febrero de 1990, p. 1.

641 Carta a Michel Camdessus, 27 de agosto de 1993, caja 1, expediente «Fund Relations with Commercial Banks», Country Files, Central Files, Archivos del FMI, Washington D. C. Carta a Michel Camdessus, 25 de marzo de 1994, caja 1, expediente 1, «Fund Relations with Commercial Banks», Country Files, Central Files, Archivos del FMI, Washington D. C.

642 Sachs, *Poland's Jump*, pp. 39-40, 48.

Aunque el Gobierno de Mazowiecki esté aplicando una política económica devastadora, no hay huelgas»[643]. Jaruzelski, quien había impuesto a los polacos la decisión posguerra más impopular era de la misma opinión: para la reforma económica, «[el] apoyo social necesario [solo] podía obtenerse en un sistema de democracia parlamentaria». Era el único sistema que podría «soportar el peso de implementar decisiones impopulares»[644].

643 Rakowski, *Dzienniki polityczne, 1987-1990*, p. 555.

644 Jaruzelski citado en Wiktor Osiatynski, «The Roundtable Talks in Poland», en *The Roundtable Talks and the Breakdown of Communism*, Jon Ester (ed.), Chicago, University Chicago Press, 1996, pp. 62-63n7.

La coerción de la solvencia

El 10 de abril de 1987, el equipo de la revista *PlanEcon*, considerada la publicación más autorizada de Occidente sobre las economías comunistas del bloque oriental, informaba a sus lectores de lo siguiente: «Puede que suene cínico, pero no nos alejamos de la realidad al decir que el futuro económico de Hungría no dependerá de lo que se haga en Budapest, sino que se determinará en Tokio. Tenemos serias dudas de que el señor Kádár haya comprendido esto y las consecuencias que implica para la soberanía económica de Hungría». Durante los dos años anteriores, según la revista, los bancos japoneses, inundados de capital excedente de la robusta economía de su país, habían financiado de manera indiscriminada la opulenta política económica interna del gobierno de Kádár. Pero ese tiempo estaba llegando a su fin. Según *PlanEcon*: «Cuando los bancos occidentales al fin se percaten (...) de lo que Hungría está tramando, probablemente cortarán de forma abrupta sus actividades de crédito, desencadenando una grave crisis económica en el país»[645].

Casi tres años después de este agudo análisis, Hungría celebraba sus primeras elecciones democráticas multipartidistas desde el comienzo de la Guerra Fría. Las tensiones financieras mencionadas en las alarmantes predicciones de *PlanEcon* de 1987 estaban estrechamente vinculadas con los significativos cambios políticos que sacudieron a Hungría, Europa y, finalmente, al mundo entero en 1989. En el verano de 1987, los bancos finalmente se dieron cuenta de que la deuda húngara era insostenible, llevando al país a perder su solvencia en los mercados de capital globales. Para recuperar su posición, el Gobierno de Kádár tuvo que acordar

645 *PlanEcon Report* 3, n. 14-15, 10 de abril de 1987, pp. 3, 5.

con el FMI un programa de austeridad y ajuste estructural. Los líderes del partido comunista húngaro, el Partido Socialista Obrero Húngaro (MSZMP), sabían que este plan conllevaría una drástica disminución del nivel de vida de la población y, por tanto, temían que el partido perdiera legitimidad debido a las medidas de austeridad. Por ello, para generar consenso social en torno a la austeridad y el ajuste estructural, el partido inició un proceso de democratización del Estado.

En su relación con Budapest, los actores occidentales —especialmente los financieros— no tenían como objetivo democratizar el país. Al igual que en Polonia, esto habría parecido una meta excesivamente ambiciosa, ya que no había motivos para creer que la Unión Soviética permitiría que Hungría se saliera de su esfera de influencia. Sin embargo, mediante un proceso que se denominó «la coerción de la solvencia», estos actores occidentales jugaron un papel crucial en el impulso de la revolución húngara de 1989, al forzar a sus líderes a afrontar una política de ruptura de promesas. Las naciones occidentales, los bancos capitalistas y el FMI establecieron un estricto conjunto de criterios económicos que el Gobierno húngaro debía cumplir para mantener el acceso a los mercados de crédito occidentales y obtener préstamos del FMI. Dependiendo del capital mundial para sostener su contrato social interno, los funcionarios húngaros no tenían más opción que acatar estas demandas y preparar al país para años de dificultades económicas. Fue esta presión para preparar a la sociedad para el ajuste económico y la austeridad lo que, en última instancia, impulsó a los reformistas húngaros a adoptar la liberalización política y la democracia multipartidista[646].

646 Los estudiosos reconocen desde hace tiempo la naturaleza «negociada» de la revolución húngara de 1989, pero no han establecido una conexión significativa entre este proceso de reforma y la posición financiera internacional del país. Véase Lazlo Borhi, *Dealing with Dictators: The United States, Hungary, and East Central Europe, 1942-1989*, Bloomington: Indiana University Press, 2016, y Rudolf Tökés, *Hungary's Negotiated Revolution: Economic Reform, Social Change, and Political Succession, 1957-1990*, Cambridge, Cambridge University Press, 1996. Este capítulo está muy en deuda con el importante libro de Attila Mong, *Kádár Hitele*, Budapest, Libri, 2012, por sus perspectivas sobre la deuda húngara.

****

En la primavera de 1984, la paciencia de János Kádár con la austeridad impuesta entre 1979 y 1983 se había agotado, ya que creía firmemente que las restricciones impuestas por el partido a la economía nacional habían llegado a ser políticamente peligrosas. En la reunión del Comité Central del 17 de abril, Kádár expresó a sus colegas: «Créanme, camaradas, las dos consignas que más citamos, y en las que más a menudo nos apoyamos —"el contexto económico internacional" y "mantener los logros en el nivel de vida"— ya no son sostenibles». El primer ministro húngaro consideraba que «el deterioro del nivel de vida» había mermado el apoyo popular al Gobierno y veía necesario implementar un nuevo programa económico para recuperar la confianza pública. Kádár estableció como meta para los resultados económicos un aumento del nivel de vida de entre el 2,5 % y el tres por ciento, e instó a los funcionarios del partido a emplear todos los medios necesarios para alcanzar este objetivo[647].

Afortunadamente para Kádár, los cambios económicos y financieros globales, que estaban completamente fuera de su control, propiciaron la viabilidad de sus planes de expansión renovada. Tras el colapso del mercado de préstamos soberanos a principios de los años ochenta, los bancos occidentales se mostraban reacios a arriesgar su propio capital financiando préstamos a deudores soberanos. Esto los llevó a cambiar su método de emisión de deuda, pasando de los préstamos —emitidos directamente por los bancos— a los bonos, que podían ser vendidos a una amplia variedad de inversores. Y un grupo en particular de clientes era el idóneo para estos bonos: los inversores japoneses. Japón, el gigante económico y financiero de la década de los ochenta, cuyas inversores nutrían los mercados mundiales de capital. Desde las casas de inversión de Tokio, los banqueros japoneses invertían en una diversidad de activos, especialmente en Estados Unidos,

647 Citado en Mong, *Kádár Hitele*, p. 238.

desde bonos del Tesoro hasta el Rockefeller Center. Sin embargo, las empresas japonesas generaban tanto dinero exportando sus productos al resto del mundo que ni siquiera la inmensa economía estadounidense podía absorber todo su excedente de capital. Sus bancos debían buscar oportunidades de inversión más allá de Estados Unidos. Entre 1984 y 1987, Hungría, bajo el liderazgo de Kádár, se convirtió en uno de sus destinos favoritos[648].

János Fekete, quien durante largo tiempo fue el vicepresidente del Banco Nacional de Hungría (BNH), supo aprovechar al máximo el interés japonés. A pesar de que los inversores de Nueva York y Londres se mantenían reticentes a comprar bonos húngaros, Fekete utilizó el entusiasmo de Tokio por la deuda de Hungría para satisfacer las demandas políticas de Kádár. En 1985, aseguró al FMI que «no estaba preocupado por la balanza de pagos [porque] Hungría no tenía dificultades para obtener financiamiento a medio y largo plazo»[649].

La cúpula comunista no tardó en transformar el renovado acceso del país al capital extranjero en nuevas promesas internas. Con la llegada del Decimotercer Congreso del Partido, en marzo de 1985, este respaldó un esfuerzo renovado para mejorar el nivel de vida de la población. Mátyás Tímár, gobernador del BNH, explicó más tarde la dinámica del congreso en términos de política de promesas. «Al igual que en Occidente», señaló, las elecciones durante el congreso fueron «acompañadas de promesas. El congreso del partido deseaba presentar una visión optimista y prometió más inversiones y una mejora en los niveles de vida»[650]. A lo largo de 1985, el partido relajó las restricciones a las importaciones occidentales, recurrió al capital japonés para financiarlas y rápidamente

648 Memorandum for Files, «Hungary», 23 de septiembre de 1986, caja 159, expediente 1, European Department Immediate Files, Country Files (EURAI CF), Archivos del FMI, Washington D. C.

649 Memorandum for Files, «Meeting with Mr. J. Fekete, Senior Vice President, National Bank of Hungary» 27 de marzo de 1985, caja 32, expediente 2, EURAI CF, Archivos del FMI, Washington D. C.

650 Acta de la reunión, «Meeting with the President of the NBH», 17 de agosto de 1987, caja 32, expediente 3, EURAI CF, Archivos del FMI, Washington D. C.

deterioró la balanza de pagos. En tan solo tres años, de 1984 a 1987, la deuda externa del país en divisas fuertes casi se duplicó, pasando de 9.400 millones a 18.100 millones de dólares[651].

A pesar del entusiasmo de los líderes por un crecimiento renovado, las señales de alerta eran evidentes, tanto dentro de Hungría como al otro lado del Atlántico. Funcionarios del Banco Nacional de Hungría instaron a Jacques de Larosière, director gerente del FMI, a enfatizar en sus interacciones con los líderes húngaros «que desde una perspectiva externa, la economía estaba lejos de ser un puerto seguro»[652]. En las reuniones anuales del FMI, celebradas en otoño de 1985, los funcionarios del Fondo se esforzaron en dejar claro a Fekete «los riesgos asociados a un reendeudamiento intenso»[653]. Sin embargo, a pesar de su insistencia en «la imprudencia de acumular una gran deuda», Fekete les aseguró que «no sentía presión» por parte de los mercados globales de capital[654]. El equipo de *PlanEcon* criticó duramente esta actitud: «Para complacer al señor Kádár, los banqueros húngaros están respaldando políticas económicas insostenibles y llevando deliberadamente al país cada vez más cerca de una crisis de pagos externos»[655].

Con Fekete susurrándole al oído, Kádár seguía sin estar convencido de que se avecinaba la crisis. En junio de 1986, se dirigió al politburó con estas palabras: «Yo digo, camaradas, que no podemos cambiar la decisión del Congreso, ni el plan quinquenal, ni el plan anual (...). Esas decisiones nos indicaron la dirección correcta (...). Debemos mantener el plan»[656]. Para sorpresa de los responsables de la política financiera, tanto del BNH como del

651 Naciones Unidas, Comisión Económica para Europa, Estudio Económico de Europa, 1991, Ginebra, Naciones Unidas, 1991, p. 250, apéndice cuadro C.11.

652 Memorandum for Files, «Hungary», 26 de abril de 1985, caja 32, expediente 2, EURAI CF, Archivos del FMI, Washington D. C.

653 L. A. Whittome al director gerente, «Hungary», 9 de octubre de 1985, caja 32, expediente 2, EURAI CF, Archivos del FMI, Washington D. C.

654 Memorandum for Files, «Hungary», 10 de octubre de 1986, caja 32, expediente 2, EURAI CF, Archivos del FMI, Washington D. C.

655 *PlanEcon Report* 3, n.º 14-15, 10 de abril de 1987, p. 4.

656 Citas en Mong, *Kádár Hitele*, p. 258.

FMI, los mercados globales continuaron financiando los sueños insostenibles de Kádár durante todo el verano. L. A. Whittome, un alto funcionario del Fondo, se mostraba asombrado: «Es increíble que los bancos estén dispuestos a seguir prestando a Hungría en estas condiciones tan favorables»[657].

Sin embargo, a medida que el verano daba paso al otoño, el empeoramiento de la situación financiera de Hungría llevó a muchos de sus funcionarios destacados a reconocer la necesidad de una reforma económica y política profunda. Károly Grósz, visto por muchos como el posible sucesor de Kádár, evidenció un cambio en su pensamiento durante una entrevista con una pequeña publicación húngara, *Siker*: «Si no cambiamos nuestras condiciones actuales, los retos económico-tecnológicos del mundo nos impondrán cargas cada vez más pesadas». Desde la implementación de lo que llamaron «Nuevo mecanismo económico» en 1968, el partido había sido incapaz de «modernizar la estructura de nuestra economía». Y los últimos dieciocho años de problemas continuos habían demostrado que «no es solo un problema técnico (...) lo es también político».

El problema político identificado por Grósz era, en esencia, la política de romper promesas: «Si valoramos más un rendimiento mayor y mejor, entonces algunos trabajadores ganarán más que otros. Y si penalizamos los rendimientos por debajo del promedio, entonces otros ganarán bastante menos que el trabajador medio. En otras palabras, las diferencias de ingresos se incrementarán considerablemente, una condición que nuestra sociedad todavía tolera con dificultad». Para Grósz, un hombre que «expresó públicamente su admiración por los logros de la señora Thatcher en la revitalización de la economía del Reino Unido», esta resistencia a la desigualdad se originaba dentro de una interpretación errónea de la propia doctrina socialista que el país decía seguir[658].

657 L. A. Whittome al director gerente, 8 de abril de 1986, caja 32, expediente 3, EURAI CF, Archivos del FMI, Washington D. C.

658 «Our Problems and Possibilities: An Interview with Karoly Grósz», traducida e incluida en «Hungary: Interview with Mr. Karoly Grosz», 4 de diciembre de 1986, caja 159, expediente 1, EURAI CF, Archivos del FMI, Washington D. C.

Grósz aclaró que «el marxismo nunca ha aceptado el igualitarismo, sino el principio de igualdad de oportunidades. Este principio reconoce, en todos los aspectos, la posibilidad de una desigualdad considerable (...). La igualdad nunca ha sido ni puede ser una característica del socialismo. Su gran ventaja radica precisamente en su capacidad para ofrecer automáticamente mayores oportunidades a todos que el capitalismo»[659].

La perspectiva de Grósz sobre la doctrina marxista era contemporánea y no era el único en defenderla. Simultáneamente, Imre Pozsgay, un miembro del partido, conocido por su testarudez, que había sido apartado de la cúpula en 1982 y que luego lideró la organización paraguas del partido, el Frente Patriótico Popular (PPF), encargó un informe a un grupo de cincuenta economistas y científicos sociales que analizara las causas de la crisis económica y explorara caminos hacia la reforma. El documento, titulado «Cambio de rumbo y reforma», delineaba las principales ideas económicas reformistas del momento, y representó el primer paso en la estrategia del partido comunista para desarrollar el pluralismo social y político como un medio con el que implementar la política de ruptura de promesas.

El informe comenzaba señalando que «la década de los ochenta, y en particular las experiencias de 1985 y 1986, muestran que la economía húngara está en una situación crítica»[660]. Sus autores argumentaban que la dependencia del país de los obsoletos sistemas de comercio y financiación del Comecon, la inconvertibilidad del forinto —la moneda nacional— y las extensas restricciones gubernamentales a las importaciones habían protegido de forma excesiva a la industria húngara de la competencia global. Si Hungría deseaba recuperarse, el partido y el Gobierno necesitarían cerrar las empresas ineficientes, hacer convertible el forinto, liberalizar las importaciones, reducir los impuestos y subvenciones empresariales,

659 *Ibid.*

660 Citado en Tibor Kovácsy, «Politikai reformtervek Magyarországon-FORDULAT ÉS REFORM», en Magyar Füzetek 18, Válság és reform, consultado el 28 de junio de 2021, https://epa.oszk.hu/02200/02201/00016/pdf/, pp. 91-103, cita en p. 92.

adoptar una política monetaria restrictiva y permitir una mayor desigualdad salarial entre los trabajadores, basada en su productividad. En esencia, los autores del informe creían que el país debía exponerse a las presiones competitivas de la economía mundial y romper las promesas previas que el Estado había hecho a sus ciudadanos.

Este proceso de ajuste estructural —término empleado en el propio informe empleaba (*szerkezeti alkalmazkodas*)— no sería ni rápido ni popular, y tampoco produciría resultados inmediatos. «Una política de reforma sincera y realista no puede prometer un rápido crecimiento económico ni un incremento inmediato del nivel de vida», concluía el documento[661]. «De hecho, debería admitirse abiertamente que incluso podría conllevar pérdidas económicas temporales». Dado que habría «víctimas de las políticas de reforma», era esencial «hacer socialmente aceptable la distribución de las cargas». Para lograrlo, los autores consideraban que las reformas económicas debían estar acompañadas de reformas sociales y políticas que generaran apoyo social al cambio. Reconocían que la implementación del programa de reformas dependería «de acciones fundamentadas en el comportamiento humano», por lo tanto, era crucial «extenderlo a otros aspectos de las relaciones sociales, incluyendo las políticas»[662].

En su enfoque de la reforma económica, el informe «Cambio de rumbo y reforma» parecía haber sido redactado por el propio FMI. No sorprende, entonces, que los funcionarios del Fondo se sintieran satisfechos e impresionados al conocer su contenido económico. Sin embargo, lo que realmente les sorprendió fueron los cambios políticos, sociales y jurídicos que proponía. Un economista del equipo lo calificó de «documento notable» que presentaba «soluciones audaces», ya que «el proceso de reforma se interpretaba tanto como un programa gubernamental como un movimiento social y político». Bajo el sistema político reformado, «los grupos de interés, así como los individuos, participarían de

661 Citado en Kovácsy, «Politikai reformtervek Magyarországon», p. 100.

662 *Ibid.*, p. 94.

manera abierta y democrática en el debate sobre las reformas y, por ende, se identificarían con ellas»[663].

Esta concepción de la política —como un foro social donde los grupos de interés y los individuos expresan sus intereses contrapuestos y buscan consensos— definía la visión de Imre Pozsgay sobre la reforma en Hungría. En un artículo de 1987, titulado «Instituciones políticas y desarrollo social», Pozsgay intentó diagnosticar los problemas económicos del país. Afirmó que para desarrollar una respuesta adecuada, «es necesario analizar (...) nuestro sistema político». Sus investigaciones lo llevaron a «la conclusión de que no es posible explorar las relaciones de intereses, ni tomar decisiones políticas acertadas y necesarias, sin permitir que los intereses emerjan, colisionen y se representen abiertamente». Esto implicaba que «una característica esencial de la democracia socialista es (...) el desarrollo de un sistema de representación de intereses». Pozsgay no estaba abogando por una transición hacia una democracia multipartidista al estilo occidental, algo que vendría más tarde. En su visión de la reforma, el MSZMP mantenía su papel guía en la sociedad. Sin embargo, su idea era que el partido comunista ya no podía asumir o imponer un consenso social en la sociedad. En su lugar, se debía alcanzar el consenso a través del reconocimiento y la representación abiertos de los intereses contrapuestos de la sociedad[664].

Mientras las ideas de reforma política se expandían bajo la supervisión de Pozsgay y el PPF, el deterioro económico del país era innegable para la dirección del partido en el otoño de 1986. En noviembre, el Comité Central convocó una reunión de emergencia de dos días para discutir salidas a la creciente crisis económica. La resolución emitida después de la reunión pedía, eufemísticamente, «estabilizar» —en lugar de elevar— el nivel de vida y un desarrollo

663 George Kopits, Memorandum for Files, «Hungary-Overview of Change and Reform», 26 de marzo de 1987, caja 32, expediente 3, EURAI CF, Archivos del FMI, Washington D. C.

664 Imre Pozsgay, «Political Institutions and Social Development», Tarsadalmi Szemle, n.º 3, 1987, traducido en Joint Publications Research Service-Eastern Europe (JPRS-EER), JPRS-EER-87-060, pp. 41-49.

industrial «selectivo» —en lugar de generalizado—. Detrás de este lenguaje evasivo, había señales claras de que aumentaría la diferenciación salarial, se recortarían los subsidios sociales y las empresas deficitarias dejarían de recibir apoyo del presupuesto estatal. En una entrevista posterior a la reunión, János Hoos, presidente de la Comisión de Planificación, declaró que la reforma económica se «había convertido en una cuestión de vida o muerte», y que su éxito dependía de «la existencia de un consenso en toda la sociedad que respalde este tipo de política económica conflictiva». Por ello, dijo, el Comité Central había decidido ampliar el papel de los órganos del partido y de las organizaciones sociales en la vida económica, ya que la «tarea principal» del partido en la crisis era «establecer las condiciones políticas para llevar a cabo las transformaciones económicas necesarias»[665].

En plena intensificación de la crisis en Budapest, János Kádár decidió buscar apoyo en Moscú. En noviembre de 1986, durante la reunión de líderes del Comecon, Mijaíl Gorbachov puso fin a la Doctrina Brézhnev, indicando a los líderes presentes que ahora debían manejar sus problemas internos por sí mismos. Para dejarlo aún más claro, Gorbachov reforzó su mensaje en una reunión privada con Kádár: «Por ahora, la URSS realmente no puede ofrecer ayuda», le dijo. Los funcionarios soviéticos eran plenamente conscientes de la crisis que se avecinaba en Hungría. Gorbachov le comunicó a Kádár que los analistas soviéticos estimaban que los líderes de Budapest tenían «dos años para encontrar una solución», pero él poco podía hacer para asistirlos. Gorbachov se comprometió a comprar carne y grano húngaros con divisas fuertes, proporcionando un ligero alivio a la balanza de pagos de Budapest, pero Kádár volvió a casa para enfrentar la creciente crisis solo[666].

665 «After the Resolution: Interview with Janos Hoos», Otlet, 4 de diciembre de 1986, traducido en JPRS-EEC-87-024, pp. 20-26.

666 Documento 8, «Transcript of CC CPSU Politburo Session», en *Masterpieces of History: The Peaceful End of the Cold War in Europe*, 1989, ed. Svetlana Savranskaya, Thomas Blanton y Vladislav Zubok, Budapest, Central European University Press, 2010, p. 239.

Si Kádár viajaba hacia el este en busca de apoyo económico, János Fekete lo hacía hacia el oeste en una misión similar. Durante los últimos años de la década de los ochenta, Fekete dio conferencias ante audiencias capitalistas en las que criticó las injusticias de la economía mundial, en particular la acumulación financiera bajo Reagan y las políticas de ajuste estructural del FMI. En las Reuniones Anuales del FMI de 1986, Fekete le dijo a la élite financiera allí reunida que, desde el inicio de la crisis de la deuda mundial a principios de la década de los ochenta, el capital mundial había estado fluyendo en la dirección equivocada: de los países pobres a los ricos, de los países en desarrollo a los desarrollados. «Estamos asistiendo a una transfusión de sangre inversa, con la que los sanos reciben sangre de los enfermos», declaró[667]. En un discurso posterior, Fekete presentó cifras impactantes: «Mientras que entre 1972 y 1982 entraron en los países en desarrollo 147.000 millones de dólares en capital a largo plazo, la tendencia se invirtió entre 1983 y 1987, con una salida de 85.000 millones de dólares de estos países». Según Fekete, lo que el mundo necesitaba era más capital, sin embargo, estaba recibiendo la condicionalidad del FMI: «Los duros programas de ajuste socavan el potencial [de los países] para el crecimiento futuro [y] los superávits de la balanza comercial, conseguidos a través de grandes sacrificios, se utilizan para pagar el servicio de la deuda»[668].

Mientras Fekete pronunciaba estas palabras, en diciembre de 1986, probablemente era consciente de que su propio país se encaminaba hacia una situación similar. La acumulación de deuda entre 1984 y 1986 pudo haber retrasado la implementación de medidas de austeridad interna y ajuste estructural, pero no iba a evitarlas de manera indefinida. A partir de 1987, los mercados comenzarían a presionar a Fekete, Kádár y a las renuentes burocracias

667 Artículo desconocido de un periódico financiero, «Bad Blood», noviembre de 1986, en Caja 159, Expediente 1, EURAI CF, Archivos del FMI.

668 János Fekete, «Proposal for the Solution of the Debt Crisis: A Program for World Economic Recovery», 4-5 de diciembre de 1986, caja 159, expediente 1, EURAI CF, Archivos del FMI, Washington D. C.

del Estado húngaro para que aplicaran unos ajustes internos más estrictos. Esta coacción de la solvencia brindaría a los reformistas del partido la oportunidad de definir un nuevo rumbo económico y político que abandonaría el sistema político y los fundamentos ideológicos que habían dirigido al Estado durante cuatro décadas.

****

En lo que él denominó «la vigésimo cuarta hora de la toma de decisiones en Hungría», Fekete acabó abrazando la causa reformista en febrero de 1987, ya que los mercados comenzaban a perder confianza en su país. Después de haberse resistido a colaborar con el FMI durante gran parte de la década de los ochenta, ahora se acercó al Fondo con la solicitud de un programa de financiación de tres años para apoyar el esfuerzo de Budapest en pro de una transformación estructural fundamental. Los funcionarios del Fondo acogieron con satisfacción el renovado interés del Gobierno húngaro por la reforma, pero informaron a Fekete de que las condiciones que Hungría tendría que cumplir para un programa de tres años serían demasiado severas, dadas las circunstancias del país. Consideraron más apropiado un acuerdo *stand-by* de un año, que proporcionaría a Hungría cierta financiación y, lo que es más importante, indicaría a los mercados financieros globales que el Gobierno se comprometía firmemente con el disciplinamiento económico. Aunque Fekete no estaba satisfecho con el menor monto de financiación que implicaría un acuerdo *stand-by* de un año, tampoco se encontraba en posición de negociar, y extendió una invitación a los funcionarios del Fondo para comenzar las negociaciones en Budapest[669].

Cuando el equipo del Fondo llegó, a mediados de abril, se percató rápidamente de que, aunque sus homólogos húngaros compartían los mismos objetivos a largo plazo, diferían en la manera

669 Memorandum for Files, «Hungary- Meeting with Mr. J. Fekete», 3 de marzo de 1987, caja 32, expediente 3, EURAI CF, Archivos del FMI, Washington D. C.

y rapidez para alcanzarlos. El Fondo y el Gobierno húngaro, cada uno sirviendo a dos amos diferentes —los titulares de capital global y el pueblo húngaro—, entraron en un extenso debate sobre cómo neutralizar la resistencia popular a la austeridad y alinear las políticas con los intereses de las finanzas globales. En su primera reunión con la delegación del FMI, Tímár, el gobernador del BNH, comentó: «No existen grandes diferencias entre el Fondo Monetario Internacional y los líderes húngaros en cuanto a lo que hay que hacer; la discrepancia reside principalmente en el calendario. La estabilidad política en Hungría es crucial». Tímár expresó su preocupación por el hecho de que, «aunque la población aceptara hasta cierto punto los efectos de estas medidas, no debía sobrecargarla». Helen Junz, jefa de la delegación del FMI, comprendía esta inquietud, pero también recordó la necesidad de satisfacer a los mercados financieros mundiales. Según las proyecciones, Hungría necesitaría pedir prestados 3.500 millones de dólares en los mercados internacionales de crédito, entre 1987 y 1988, solo para mantenerse a flote financieramente. «El mercado solo estaría dispuesto a apoyar tales necesidades si se percibe que las políticas económicas están canalizando los recursos de manera eficaz hacia usos productivos», dijo Junz[670].

Era necesario romper las promesas. Durante la semana que duraron las negociaciones, los funcionarios húngaros presentaron a sus interlocutores una amplia gama de planes para recortar subvenciones, aumentar precios, devaluar el forinto, permitir la quiebra de empresas no rentables y reducir drásticamente los déficits presupuestarios y de cuenta corriente. De hecho, esta campaña disciplinaria ya había comenzado. En marzo, el Gobierno había devaluado el forinto el 8 % frente a una canasta de monedas occidentales, lo que hizo más baratas las exportaciones húngaras, pero incrementó el costo de los productos para los consumidores internos. Los nuevos impuestos sobre la renta personal y el valor

670 Minutes of Meeting n.º 2, «Hungary-Staff Visit», 13 de abril de 1987, caja 32, expediente 3, EU- RAI CF, Archivos FMI, Washington D. C.

añadido, que entrarían en vigor el 1 de enero de 1988, elevarían aún más los precios[671]. Los líderes se comprometieron a mantener el déficit por cuenta corriente de 1987 en setecientos millones de dólares, en comparación con los 1.400 de 1986, y el déficit presupuestario estatal en 30.000 millones de forintos, en lugar de los 47.000 millones inicialmente previstos. Si el Fondo quería austeridad y ajuste, los funcionarios húngaros creían que ya estaban en camino, y aseguraron al Fondo que llegarían más medidas[672].

El FMI, sin embargo, no estaba del todo satisfecho. En lugar de un déficit de 30.000 millones de coronas, Junz aspiraba a un déficit de 20.000 millones. Advertía que «la erosión progresiva» del acceso al mercado de capitales debía considerarse «un peligro claro y presente»[673]. Los homólogos húngaros no discrepaban, pero solicitaban paciencia mientras coordinaban la implementación de las reformas económicas en el panorama político nacional. Para «hacer el proceso políticamente más digerible», planeaban «minimizar la apariencia de presión externa»[674]. Primero, el Comité Central aprobaría un programa de reformas en julio. Luego, el Parlamento daría su aprobación en otoño, y en diciembre se podría firmar un acuerdo *stand-by* con el Fondo. Si todo transcurría según lo planeado, entonces se negociaría y se implementaría un nuevo programa de «consolidación» (es decir, de austeridad) de tres años a partir de 1988[675]. Los representantes del Fondo seguían presionando por una

671 «Entrevista con Bela Szikszay, Secretario de Estado y Presidente de la Oficina de Control de Materiales y Precios», *Figyelő*, 2 de julio de 1987, traducido en JPRS-EER-87-145, p. 69.

672 Minutes of Meeting n.º 17, «Hungary Staff Visit» 18 de abril de 1987, caja 32, expediente 3, EU- RAI CF, IMF Archives. El déficit por cuenta corriente de 1986 y la proyección inicial del déficit presupuestario proceden de «Briefing Paper Use of Fund Resources», 20 de noviembre de 1987, caja 33, expediente 1, EURAI CF, Archivos del FMI, Washington D. C.

673 Helen Junz a J. Marjai y J. Fekete, «Staff Visit to Hungary, April 12-18, 1987», 17 de abril de 1987, caja 32, expediente 3, EURAI CF, Archivos del FMI, Washington D. C.

674 Helen Junz al director gerente y al subdirector gerente, «Hungary-Back-to-Office Report-April 12-18, 1987», 28 de abril de 1987, caja 32, expediente 3, EURAI CF, Archivos del FMI, Washington D. C.

675 Acta de la reunión n.º 17, sr. Fekete y sr. Németh, 18 de abril de 1987, caja 32, expediente 3, EURAI CF, Archivos del FMI, Washington D. C.

acción más urgente, pero estaban dispuestos a dejar en manos de sus contrapartes húngaras la mejor manera de establecer las bases políticas para las políticas de ajuste económico que se avecinaban[676].

Tras coordinar sus acciones con el FMI en el ámbito internacional, los funcionarios financieros húngaros se centraron en convencer a la dirección del partido sobre la necesidad de tomar medidas internas. Fekete, ahora plenamente convencido de la urgencia de la reforma, instó a sus subordinados en el banco a compartir su perspectiva: «La situación, al final de mayo, se ha vuelto gravemente amenazante, y es nuestro deber como expertos y miembros comprometidos del partido informar nuestra opinión. Es esencial que los líderes estén conscientes de la situación financiera [de la nación]». El BNS preparó un informe sombrío para el Comité Central, detallando los problemas inminentes. «Creemos que el déficit [previsto] para 1987 de más de mil millones de dólares no será financiable en 1988», señalaba el informe. «Hay un peligro agudo; el tiempo para tomar medidas decisivas se está acortando». Para superar la crisis, el Gobierno «debe llegar a un acuerdo con el FMI en 1987 sobre un crédito contingente adecuado y crear las condiciones políticas y económicas» necesarias para su implementación[677].

Una de estas condiciones era asegurar que los reformistas ocuparan puestos clave dentro del Estado húngaro. En esta línea, Miklós Németh, un tecnócrata de 38 años, fue nombrado jefe del Departamento de Política Económica del Comité Central para dirigir el programa de reformas en rápida expansión. Németh recordaría más tarde que, al aceptar el cargo, «todo el mundo tenía claro que no era posible avanzar en la reforma económica sin cambiar el marco político»[678].

Sin embargo, había una excepción: el hombre en la cúspide. Kádár reconocía la eventualidad de la reforma, pero se mostraba

676 Helen Junz al director gerente y al director gerente adjunto, «Hungary Back-to-Office Report».

677 Citado en Mong, *Kádár Hitele*, p. 269.

678 Citado en András Oplatka, *Németh Miklós: Mert ez az ország érdeke*, Budapest, Helikon, 2014, p. 138.

reacio a aceptar su urgencia. «No creo que estemos cerca del estado de insolvencia», declaró al Comité Central en una reunión de junio de 1987, minimizando la situación: «Gran parte de esto es teatro»[679]. Con el secretario general demorando la ejecución de las acciones, el Comité Central no logró llegar a un consenso sobre un paquete de medidas de reforma y austeridad, y el viceprimer ministro József Marjai expresó a los representantes del Fondo que su «antigua línea de advertencia sobre que los bancos perderían la confianza y dejarían de ser prestamistas netos ya no era creíble»[680].

Para impulsar los debates en Budapest, los funcionarios del FMI decidieron que era necesario aumentar la presión. Ante la comunicación de Marjai, amenazaron con suspender las negociaciones sobre un acuerdo de derecho de giro y cancelar su próxima visita a Budapest, programada para julio. Junz escribió a Fekete: «Creemos que (...) una visita no sería muy productiva. De hecho, podría resultar contraproducente (...). Los mercados podrían reaccionar de forma negativa si se enteran de que hemos iniciado conversaciones sin ningún resultado positivo»[681]. Aunque la carta iba dirigida a Fekete, su verdadero destinatario parecían ser sus superiores, quienes debatían el futuro del país. Una vez más, la nebulosa, pero crucial, «opinión del mercado» se utilizaba como un instrumento para influir en el curso de los debates internos de Hungría.

Los esfuerzos del FMI dieron resultado. A finales de junio, Károly Grósz formó un nuevo Gobierno como primer ministro, y los reformistas del BNS y del Ministerio de Economía recibieron la orden de empezar a efectuar políticas de ajuste económico. El 2 de julio, el Comité Central publicó un nuevo «Programa de Estabilización y Evolución», que trataba en términos serios los orígenes y las implicaciones de la transformación económica nacional ahora necesaria. «En la última década y media», comenzaba el programa,

679 Citado en Mong, *Kádár Hitele*, p. 267.

680 L. A. Whittome a Mr. Rose, «Hungary», 8 de junio de 1987, caja 32, expediente 3, EURAI CF, Archivos del FMI, Washington D. C.

681 Helen Junz a János Fekete, 12 de junio de 1987, caja 32, expediente 3, EURAI CF, Archivos del FMI, Washington D. C.

refiriéndose a la crisis del petróleo de 1973, «la economía mundial ha experimentado cambios radicales». Sin embargo, Hungría «había tardado en adaptarse al cambio de situación». Era el momento de adaptarse, y los resultados no serían fáciles. «Se necesita un periodo de estabilización», proclamaba el programa, durante el cual el país tendría que asumir las «cargas de la reestructuración». El progreso solo llegaría «reduciendo los gastos [y] aumentando la rentabilidad». Era necesario romper con el sistema de «subvenciones inmanejables», y la «actividad deficitaria» no podía seguir «financiándose permanentemente a costa de las empresas rentables». Los salarios deberían determinarse según los resultados, y habría una «restricción temporal del consumo público y privado», es decir, austeridad[682].

Aunque sabían que las reformas no serían populares, los reformistas entendían que necesitaban el apoyo de la población para tener éxito. Por eso, al anunciar las difíciles noticias económicas, el Comité Central también ofreció indicios de buenas noticias políticas. Para respaldar las reformas económicas, el nuevo programa declaraba que sería «esencial desarrollar la democracia socialista y mejorar el funcionamiento del sistema de instituciones políticas». A través de un «amplio (...) sistema de debates sociales», ahora se buscaría la opinión de los ciudadanos húngaros antes de tomar «decisiones políticas y económicas»[683].

Lo irónico era que la decisión fundamental de encaminar al país hacia la austeridad ya se había tomado en respuesta a las demandas del FMI y los titulares de capital global. El 21 de julio, Fekete intentó convencer al Fondo de los méritos del nuevo paquete de reformas, señalando que reducía el gasto estatal en cuatro mil millones de francos. Los precios del aceite de motor y la gasolina

682 Documento 1, «Stellungnahme des Zentralkomitees der Ungarischen Sozialistichen Arbeitspartei bezüglich des Programms der wirtschaftlich-gesellschaftlichen Entfaltung vom 2. Juli 1987», en *Die politisch-diplomatischen Beziehungen in der Wendezeit, 1987-1990*, Andreas Schmidt-Schweizer (ed.), Berlín, De Gruyter Oldenbourg, 2018, pp. 215-227.

683 Documento 1, «Stellungnahme des Zentralkomitees», en *Die politisch-diplomatischen Beziehungen*, p. 226.

habían aumentado dos forintos por litro, y el costo de la energía doméstica se había incrementado en un promedio del 20 %. Los precios de los productos de tabaco habían subido el 20 %, y el precio medio de la harina y los productos de panadería el 19 %[684]. Esperaban que el Fondo y «el mercado» quedaran satisfechos.

Cuando los representantes del FMI regresaron a Budapest en agosto, los húngaros pidieron un respiro de la presión financiera para permitir que sus reformas económicas y políticas emergentes tuvieran efecto. En la primera reunión de la delegación, Fekete compartió las preocupaciones de las autoridades sobre la inestabilidad que podría resultar de actuar demasiado rápido. El Gobierno «tenía que ser cauteloso y evitar (...) sobrepasar los límites de la tolerancia social», dijo. Liquidar demasiadas empresas deficitarias de golpe «podría provocar un enfrentamiento a nivel político». Tímár anticipó «200.000 despidos» en los próximos dos años[685]. Por su parte, Miklós Németh, aunque se mostraba de acuerdo con el Fondo en que se necesitaban más medidas, sostenía que aún «era necesario convencer a la población de que no quedaba otra opción»[686]. Como Thatcher, Volcker, Gorbachov y Jaruzelski ya habían descubierto, convencer a un país de que no hay alternativa a la ruptura de promesas no era tarea fácil.

El Parlamento húngaro otorgó su aprobación al plan de reforma en septiembre, y el viceprimer ministro Marjai presentó las virtudes del plan al FMI, destacando que «cumplía con las demandas de los mercados extranjeros»[687]. Estos, de hecho, estaban siendo cada vez más exigentes. De camino a Budapest, a principios de octubre, Patrick de Fontenay, economista del FMI, escuchó en Londres que había llegado el momento de reconsideración para los

684 János Fekete a Massimo Russo, Patrick de Fontenay y Helen Junz, 21 de julio de 1987, caja 32, expediente 3, EURAI CF, Archivos del FMI, Washington D. C.

685 Minutes of Meetingn.º 2, «Hungary-Staff Visit», 17 de agosto de 1987, caja 32, expediente 3, EURAI CF, Archivos del FMI, Washington D. C.

686 Acta de la reunión n.º 10, «Hungary-Staff Visit», 19 de agosto de 1987, caja 32, expediente 3, EURAI CF, Archivos del FMI, Washington D. C.

687 József Marjai a Michel Camdessus, 24 de septiembre de 1987, caja 32, expediente 3, EURAI CF, Archivos del FMI, Washington D. C.

inversores japoneses. «El papel húngaro no se vendía fácilmente en los mercados», le informaron los banqueros, ya que «los japoneses empezaban a reconsiderar su posición»[688].

En un patrón recurrente durante la Guerra Fría privatizada, esta pérdida de confianza del mercado privado proporcionó a los actores públicos la oportunidad de intervenir de forma decisiva. El mismo día que De Fontenay se enteró de las crecientes dudas de los bancos japoneses, el Gobierno de Alemania Occidental, liderado por Helmut Kohl, anunció un nuevo préstamo estatal a Hungría de mil millones de marcos. Desde finales de 1986, los funcionarios de la RFA habían estado observando con preocupación el deterioro financiero de Budapest y su posible impacto en la reforma húngara. A lo largo de 1987, decidieron que el momento óptimo para finalizar el nuevo *Milliardenkredit* sería cuando pudiera maximizar su apoyo a los reformistas de Budapest[689]. Ese momento llegó cuando el primer ministro Grósz viajó a Bonn en octubre de 1987 para reunirse con líderes políticos y financieros de Alemania Occidental. Como contrapartida implícita por el préstamo, Grósz firmó una declaración comprometiéndose a respetar los derechos de la minoría alemana en Hungría y accedió a la apertura de un nuevo centro cultural alemán en Budapest. Esta declaración supuso una «conmoción» en el bloque del Este y provocó una «sensación» en el mundo financiero global, indicando el creciente poder de Alemania Occidental sobre Hungría. Aunque a los líderes del bloque del Este les desagradara, los titulares de capital mundial se tranquilizaron al saber que el Gobierno húngaro tenía un nuevo patrocinador en Bonn[690]. Al menos por el momento, las finanzas húngaras estaban a salvo bajo el amparo de la República Federal.

Sin embargo, el alivio que proporcionó el apoyo de Alemania Occidental fue solo temporal. A pesar de su generosidad, el Gobierno de Kohl todavía esperaba que Budapest llegara a un acuerdo con

688 P. de Fontenay, Memorandum for Files, «Hungary», 9 de octubre de 1987, caja 32, expediente 3, EURAI CF, Archivos del FMI, Washington D. C.

689 István Horváth, *Die Sonne ging in Ungarn auf*, Múnich, Universitas, 2000, p. 230.

690 Horváth, *Die Sonne ging*, p. 252.

el FMI[691]. Por lo tanto, la tarea de preparar a la sociedad húngara para una mayor austeridad debía continuar. Durante el verano de 1987, marcado por el descontento, Imre Pozsgay trabajaba en construir su visión de democratización de la sociedad y del Estado, alineada con la transformación económica. El 15 de marzo de 1987, Pozsgay habló en un mitin de los emergentes grupos de oposición para conmemorar la revolución nacional contra Austria en 1848; el primer mitin de la oposición legalizado por las autoridades.[692]

En septiembre, el Frente Patriótico Popular (PPF) publicó un «programa de acción» para respaldar el Programa de Estabilización y Evolución que se debatía en el Parlamento. El prefacio del programa declaraba que el PPF, como «institución para el diálogo social [estaba] dispuesto a servir de foro para una actividad política tan amplia como fuera necesaria». Esta ampliación del papel político del PPF se consideraba necesaria para «establecer un consenso»[693]. En la búsqueda de estos objetivos, Pozsgay dio la conferencia inaugural en otoño de 1987, en una reunión en Lakitelek de 150 escritores e intelectuales, para debatir soluciones a la crisis. Este grupo se transformaría en el Foro Democrático Húngaro (MDF), el partido político que ganó las elecciones democráticas de 1990, pero en otoño de 1987 todavía era un grupo de intelectuales con una visión incipiente de reforma y poco sostén popular. Pozsgay buscó aumentar su perfil y, con su apoyo, el grupo emitió «la proclama de Lakitelek» al final de la reunión, en la que se pedía al Gobierno que iniciara un diálogo con la sociedad; la proclama se publicó en uno de los principales periódicos del país, *Magyar Nemzet*, en noviembre.

Aunque la creencia en el pluralismo de los reformistas en el poder para lograr el consenso social era sincera, también existía

691 Documento 6 en Schmidt-Schweizer, Die politisch-diplomatischen Beziehungen, pp. 249-250.

692 «Nuestros deseos pueden hacerse realidad sobre la base del consenso nacional», Magyar Nemzet, 16 de marzo de 1987, traducido en JPRS-EER-87-077, pp. 33-34.

693 «Taking a Stance», *Magyar Nemzet*, 26 de septiembre de 1987, traducido en JPR-SEER- pp. 87-151, citas en pp. 1-2.

una visión más cínica subyacente en su interés por la democratización: como contrapeso a la impopularidad de la austeridad, las autoridades optaron por la liberalización política para reforzar su posición entre el pueblo. Esta fue la explicación de la liberalización más utilizada por los húngaros ante los funcionarios del FMI en Washington. Miklós Németh, por ejemplo, les dijo en 1988 que, dado que «no había margen para ningún aumento del nivel de vida en los próximos tres o cuatro años», las autoridades querían «compensar la presión en el ámbito económico "aumentando la libertad de elección en el ámbito político"»[694]. La ruptura de las promesas era algo difícil de aceptar para la sociedad, y los funcionarios húngaros esperaban que el elixir de la liberalización política facilitara su aceptación.

* * * *

En enero de 1988, tras un complicado proceso, el FMI y el Gobierno húngaro finalmente llegaron a un acuerdo de derecho de giro. A finales de 1987, los funcionarios del Fondo mantuvieron la presión sobre sus homólogos húngaros para que aplicaran un ajuste mayor. Uno de los temas más conflictivos, durante el mes de diciembre, fue el aumento del tipo de interés gubernamental para los préstamos de vivienda, lo cual los húngaros temían que provocara una revuelta política. En repetidas ocasiones, los representantes del Fondo instaron a subir los tipos de interés, y aunque sus homólogos húngaros estaban de acuerdo en principio, se resistían a implementar los cambios en la práctica, argumentando que era «demasiado sensible políticamente»[695]. El primer ministro Grósz expresó su preocupación de que el país pudiera «colapsar bajo sus cargas», y señaló que, a pesar de los esfuerzos gubernamentales

694 Memorandum for Files, «Hungary-Meetings with Mr. Németh, Secretary of the MSZMP Central Committee», 17 de junio de 1988, caja 33, expediente 2, EURAI Country Files, Archivos del FMI, Washington D. C.

695 Memorandum for Files, «Reform of Housing and Housing Finance», 28 de diciembre de 1987, Caja 33, Expediente 1, EURAI CF, FMI.

por preparar a la opinión pública a través de la prensa, «los cambios eran considerables y la población no estaba suficientemente preparada para ellos»[696].

La solución para cerrar la brecha entre las exigencias de ajuste de los acreedores y la resistencia de la población a la austeridad se encontró en la cuenta bancaria del FMI. Los húngaros comunicaron al Fondo que, cuanto mayor fuera el acuerdo de derechos de giro, más fácil sería «justificar ante los políticos húngaros las medidas acordadas»[697]. Por lo tanto, lo que utilizó el FMI para alcanzar sus objetivos fue, precisamente, más dinero. Al incrementar la cantidad del derecho de giro, el Fondo superó la resistencia húngara al paquete de reformas acordado[698]. Y la lista de reformas era considerable: la liberalización del 50 % de los precios, el compromiso de reformar el sistema salarial, la legalización de las sociedades anónimas en 1988, límites al crédito interno emitido por el BNS, un techo al déficit presupuestario y aumentos trimestrales de los tipos de interés de los depósitos bancarios. Además, Budapest se comprometió a realizar una devaluación del forinto del cinco por ciento antes de que el directorio ejecutivo del FMI aprobara el acuerdo en mayo[699]. A cambio, Hungría recibió alrededor de 350 millones de dólares en préstamos del FMI y logró mantener por poco su acceso a los mercados internacionales de crédito[700].

Un fuerte ajuste económico aseguraba un panorama político complicado. Más aún, todos en el bando reformista eran conscientes de que su causa no podría prevalecer definitivamente mientras Kádár permaneciera al mando del partido y del Estado.

696 Memorandum for Files, «Hungary-Meeting with the Prime Minister, Mr. Grosz», 11 de enero de 1988, caja 33, expediente, 1 EURAI CF, Archivos del FMI, Washington D. C.

697 Memorandum for Files, «Hungary- Meeting State Development Institution and Interest Rate Trigger», 12 de enero de 1988, caja 33, expediente, 1 EURAI CF, Archivos del FMI, Washington D. C.

698 P. de Fontenay al director gerente en funciones, «Hungary- Stand-By Arrangement», 25 de enero de 1988, caja 33, expediente, 1 EURAI CF, Archivos del FMI, Washington D. C.

699 P. de Fontenay a Mr. Boorman, «Hungary-Stand-by Arrangement», 11 de febrero de 1988, caja 33, expediente, 1 EURAI CF, Archivos del FMI, Washington D. C.

700 Mong, *Kadar Hitele*, p. 272.

De ahí que, a principios de 1988, Grósz y sus aliados iniciaran una campaña para destituirlo. En una conferencia extradordinaria, llevada a cabo del 20 al 22 de mayo de 1988, el partido retiró a Kádár, eligió a Grósz como su sucesor y llenó el politburó de reformistas como Németh, Pozsgay y Rezső Nyers, el creador del Nuevo mecanismo económico. Al final de la conferencia, el partido se autocriticó por haber eludido el desafío de romper sus promesas. La dirección anterior había «juzgado mal el proceso de cambio en la economía mundial», declararon los nuevos líderes del partido. Habían considerado que los desafíos de «retroceder en la producción ineficiente [y] desmantelar las subvenciones» eran «evitables». Pero ahora, con un nuevo lenguaje que señalaba un cambio trascendental, el partido aseguraba que fomentaría una «economía de mercado socialista» para afrontar los retos de la nación, y promovería un «pluralismo socialista basado en el papel dirigente del partido» para respaldar la implementación del programa de reforma económica[701].

Quedaba por ver qué significaría esta retórica en la práctica. En junio, el Gobierno aprobó una nueva ley de libertad de reunión, diseñada para favorecer la capacidad de los grupos sociales para congregarse y abogar por el cambio. Sin embargo, no se especificó qué grupos ni qué tipo de cambios. La sociedad comenzó a descubrirlo cuando, a finales de junio, miles de personas se reunieron en Budapest por dos razones distintas: para conmemorar el aniversario de la ejecución de Imre Nagy, líder del levantamiento de 1956, y para protestar contra el trato del Gobierno rumano a su minoría húngara. La primera causa representaba una amenaza existencial para la legitimidad del partido gobernante, mientras que la segunda parecía aprovechar el nacionalismo húngaro para aumentar la popularidad del Gobierno. Por tanto, no sorprende que las fuerzas de seguridad reprimieran violentamente la conmemoración de Nagy, pero apoyaran activamente la protesta contra

701 Documento 11, «Stellungnahme der Landeskonferenz der Ungarishen Sozialistichen Arbeiterpartei», 22 de mayo de 1988, en Schmidt-Schweizer, *Die politischdiplomatischen Beziehungen*, pp 290-305.

Rumanía. Esto representaba un pluralismo político escenificado para consumo público. Como observó la embajada de Alemania Occidental, a los húngaros se les habían otorgado «ciertas libertades civiles», pero «dosificadas con precisión» para servir a los propósitos del Estado[702].

Como con cualquier tratamiento, era importante acertar con la dosis de liberalización política y económica para que la Hungría comunista recuperase la salud. Pero, en 1988, esto resultó ser un desafío mayor de lo que los reformistas del partido habían previsto. En el ámbito económico, se esforzaron rápidamente por remodelar la economía nacional para alinearla con los criterios de rendimiento vinculados al acuerdo de derechos de giro con el FMI. En julio, se produjo otra devaluación del forinto y, durante el verano y el otoño, se elaboraron leyes para liberalizar el sistema salarial y legalizar todas las formas de propiedad. Estos esfuerzos culminaron en una nueva Ley de asociaciones, que inició la privatización de la economía húngara y abrió el país a la inversión extranjera a principios de 1989[703]. En otoño de 1988, el Gobierno también anunció planes para eliminar la mitad de las subvenciones estatales a consumidores y productores —aproximadamente 110.000 millones de francos— en los siguientes tres años. La apertura del país a la competencia extranjera a través de la liberalización del comercio estaba en marcha[704].

Sin embargo, los funcionarios húngaros se mostraron más hábiles al hablar de ajustes económicos que al implementarlos de forma efectiva. Como siempre, los efectos secundarios sociales y políticos de la reforma preocupaban a los responsables de políticas en Budapest. Liberalizar los salarios significaba correr el riesgo de inflación, y liberalizar la propiedad, recortar subvenciones y abrir

702 Documento 13, «Bericht der bundesdeutschen Botschaft in Budapest», 6 de julio de 1988, en Schmidt-Schweizer, *Die politisch-diplomatischen Beziehungen*, pp. 316-317.

703 «Hungary-1988 Stand By Review», 1 de julio de 1988, caja 33, expediente, 1 EURAI CF, Archivos del FMI, Washington D. C.

704 G. Belanger al director gerente, «Hungary-Staff Visit», 13 de septiembre de 1988, caja 33, expediente, 1 EURAI CF, Archivos del FMI, Washington D. C.

el país a la competencia extranjera significaba invitar al desempleo masivo. Como le dijo Grósz al FMI durante el verano de 1988, «si las importaciones se liberalizaran, la mitad de la industria húngara colapsaría». Aunque pensaba que «no supondría una gran pérdida» desde un punto de vista económico, «no era algo que se pudiera dejar que sucediera de la noche a la mañana» por razones políticas. Por ello, los funcionarios húngaros fueron cautelosos a la hora de llevar a cabo políticas con consecuencias socialmente disruptivas. En realidad, fueron pocas las empresas obligadas a declararse en quiebra, y el desempleo se mantuvo muy por debajo de las 200.000 personas que muchos temían[705]. Esto protegió a la sociedad húngara de los peores efectos sociales de la transformación económica, pero dejó al FMI insatisfecho e hizo poco por cambiar la trayectoria descendente de la economía. El único cambio sustancial en la realidad económica de 1988 fue el nivel de precios: la inflación aumentó a un ritmo anual del 18 %, mientras que los salarios reales descendieron el 10 %, creando condiciones de deterioro entre la clase trabajadora propicias para la oposición política[706].

A finales de 1988, una creciente lista de partidos políticos de la oposición estaba preparada para capitalizar el descontento de la población en Hungría. Como parte de su intento por fomentar un «pluralismo socialista», el partido en el poder legalizó la formación de nuevos partidos en noviembre de 1988. Las filas de la oposición se llenaron rápidamente. Un año después de su primera reunión en Lakitelek, el Foro Democrático Húngaro se formalizó como partido en otoño de 1988. Al poco tiempo, líderes liberales de la oposición formaron la Alianza de Demócratas Libres, y los «partidos históricos», que solo habían existido nominalmente durante el periodo de Gobierno unipartidista, emergieron de la sombra de los comunistas y comenzaron a establecerse en la escena política. Además, estaba la Liga de Jóvenes Demócratas, conocida

705 P. de Fontenay a Mr. Whittome, «Hungary- Briefing Paper for the Review Mission», 29 de junio de 1988, caja 33, expediente 1, EURAI CF, Archivos del FMI, Washington D. C.

706 G. Belanger al director gerente, «Hungary-First Mid-Term Review», 13 de julio de 1988, caja 33, expediente 1, EURAI CF, Archivos del FMI, Washington D. C.

como Fidesz, un grupo de estudiantes radicales liderados por un joven portavoz, Viktor Orbán. Estos nuevos partidos mostraron poco interés por ser una oposición leal al Estado comunista y aprovecharon el creciente descontento material de la población para construir sus propias bases de poder[707]. Como informó un funcionario del FMI a Washington a finales de 1988, «la liberalización política (...) que inicialmente tenía como objetivo hacer más tolerable la relativa austeridad, ha sacado a la superficie las demandas de diversos grupos e intereses, ante las que el Gobierno está encontrando dificultades mientras busca apoyo popular»[708].

Era evidente que para los líderes húngaros que esperaban utilizar una liberalización política controlada para legitimar la austeridad, la dosis de reforma económica y política aplicada en 1988 no había sido la correcta. El partido no había logrado imponer la austeridad y el ajuste estructural necesarios para reparar la economía nacional o resolver la crisis de deuda del país, y había permitido que la reforma política avanzara mucho más allá de su control. A pesar de los pobres resultados económicos y de una situación política cada vez más confusa, los reformistas eran conscientes de que los peores efectos sociales de la reestructuración económica todavía estaban por llegar[709].

Con futuro cada vez más incierto cerniéndose sobre el país, Károly Grósz comprendió que su carrera política se beneficiaría si dejaba que otro asumiera la responsabilidad de las crecientes dificultades económicas. En noviembre de 1988, dimitió como primer ministro —pero mantuvo su puesto como secretario del partido— y pasó el mando a Miklós Németh. Al asumir el cargo,

707 Tökés, *Hungary's Negotiated Revolution*, pp. 305-314.

708 P. de Fontenay al director gerente en funciones, «Hungary- Staff Visit», 15 de diciembre de 1988, caja 11, expediente «Hungary 1988», Archivos FMI, Washington D. C.

709 Véase el comentario de Németh del 13 de diciembre de 1988 sobre la recuperación de la economía en cuatro años más en «Chronology», en *Political Transition in Hungary, 1989-1990: A Compendium of Declassified Documents and Chronology of Events*, National Security Archive and Cold War International History Project, consultado el 29 de junio de 2021, https://www.wilsoncenter.org/publication/political-transition-hungary-1989-1990.

el joven tecnócrata percibió claramente cuál era su principal tarea. Como declararía más tarde: «Mi trabajo era, sencillamente, salvar al país de la quiebra»[710]. Una de sus primeras decisiones fue eliminar la alambrada del telón de acero que separaba Hungría de Austria, una barrera que impedía a los ciudadanos del Este europeo huir hacia Occidente. Esta medida tendría un impacto profundo en el desenlace de la Guerra Fría, aunque no fue motivada por consideraciones relacionadas con ella. Németh tomó la decisión como parte de un esfuerzo más amplio por limitar las importaciones de divisas y elaborar un presupuesto austero que cumpliera con los requisitos del FMI[711]. A medida que se acercaba 1989, la presión para romper las promesas no solo estaba impulsando el cambio político en Hungría, sino que también influía en el curso de la Guerra Fría en su conjunto.

* * * *

La historia de la transición democrática de Hungría en 1989 es bien conocida y está ampliamente documentada. El 28 de enero, Imre Pozsgay declaró que los acontecimientos de 1956 fueron un levantamiento popular y no una contrarrevolución, como el partido había sostenido durante mucho tiempo. Esto cuestionó inmediatamente la legitimidad del partido, que respondió anunciando su disposición a realizar elecciones multipartidistas controladas, manteniendo aún la esperanza de seguir desempeñando un papel de liderazgo en el país. Para lograrlo, buscó socios entre la oposición con los que formar una posible coalición gubernamental. Sin embargo, al igual que Solidaridad en Polonia, la mayoría de

710 Citado en la película *1989: A Statesman Opens Up*, Anders Ostergaard y Erzsebet Racz (dirs.), Nueva York, Icarus Films, 2014.

711 Németh ha ofrecido esta explicación en varias ocasiones. Para escuchar sus declaraciones en inglés, véase la película *1989: A Statesman Opens Up*. No ha vinculado explícitamente la decisión a la presión del FMI, pero de la documentación se desprende claramente que el presupuesto de 1989 se elaboró bajo la importante presión del FMI. Véase Memorándum para Expedientes, «Hungría: Minutes of the Opening Meeting held at the National Bank of Hungary on February 16, 1989», 2 de marzo de 1989, caja 34, expediente 1, EURAI CF, Archivos del FMI, Washington D. C.

las fuerzas de oposición no tenían interés en legitimar políticas impopulares y se unieron en marzo para formar la que llamaron «Mesa redonda de la oposición» desde la que coordinar sus negociaciones con el partido comunista. Ante la incapacidad de dividir a la oposición, los comunistas tuvieron que negociar con la Mesa redonda de la oposición en la Mesa redonda nacional, desde junio hasta septiembre[712]. Mientras tanto, en las calles crecían las protestas, y se convocó una manifestación el 15 de marzo a la que asistieron cien mil personas exigiendo un cambio político. El fin ideológico del comunismo tuvo lugar el 16 de junio, cuando más de doscientas mil personas asistieron al nuevo entierro de Imre Nagy en Budapest, quien pasó de ser visto como un traidor a ser reconocido como un héroe nacional, tanto por la oposición como por los comunistas reformistas. La veneración de la figura de Nagy también suponía un rechazo al partido, evidenciado por la implosión de los comunistas como fuerza política durante el resto del año. Aunque las disputas sobre detalles retrasaron las elecciones hasta la primavera de 1990, estas fueron completamente libres y de ellas salió el primer Gobierno no comunista de Hungría desde el inicio de la Guerra Fría.

Un análisis histórico que se centra en la «coerción de la solvencia» no desmerece la importancia de las personas o eventos que definieron el año 1989 en Hungría. Sin embargo, revela nuevas causas y consecuencias de la transición política de ese año. Al igual que los esfuerzos de liberalización política del partido comunista a fines de 1986, su aceptación vacilante de las elecciones multipartidistas en 1989 sirvió al propósito último de legitimar la austeridad y permitir al partido eludir la responsabilidad por la ruptura de sus promesas. Independientemente del resultado electoral, sus consecuencias sociales, económicas y financieras se habían determinado mucho antes de que se emitiera un solo voto. El disciplinamiento

712 Para un resumen y análisis sucintos de estos acontecimientos, véase Andreas Oplatka, «Hungary 1989: Reunification of Power and Power-Sharing», en *The Revolutions of 1989: A Handbook*, Wolfgang Mueller *et al.* (eds.), Viena, Verlag der Osterreichischen Akademie der Wissenschaften, 2015, pp. 77-91.

económico, independientemente de quién ganara o perdiera en las elecciones, seguiría siendo una constante.

La historia del 28 de enero de 1989, cuando Imre Pozsgay sacudió el panorama político húngaro con su reevaluación de los sucesos de 1956, es un ejemplo significativo del cambio de perspectiva que implica centrarse en las promesas rotas. Mientras Pozsgay hacía su declaración en la radio húngara, Károly Grósz se encontraba en una reunión con el director gerente del FMI, Michel Camdessus, en el Foro Económico Mundial, en Zúrich, Suiza. Si la declaración de Pozsgay tuvo enormes implicaciones para el pasado de Hungría, la reunión de Grósz con Camdessus fue igualmente crucial para el futuro del país. Grósz había viajado a Zúrich para reunirse con la élite financiera mundial e informar a Camdessus sobre los planes de Hungría. Desde que en 1987 Fekete propuso la posibilidad de un programa trienal con el FMI, los líderes húngaros habían mantenido su interés por tal acuerdo. Sin embargo, un programa de tres años, conocido como Servicio Ampliado del Fondo (SAF) en la jerga del FMI, implicaría medidas más estrictas de ajuste estructural y austeridad[713]. Los funcionarios del FMI dudaban de la capacidad de Budapest para realizar los cambios internos profundos que serían necesarios. Grósz fue a Zúrich con la intención de asegurarle al director gerente que Hungría estaría preparada para ello, anunciando que su Gobierno «esperaba pasar a un SAF para los años 1990-1992»[714]. El FMI aún albergaba dudas, pero si Grósz lograba imponer suficiente disciplinamiento a nivel doméstico para cumplir con el acuerdo de espera actual, quizás se podría elaborar un acuerdo a largo plazo.

Una semana después, Grósz estaba de vuelta en Budapest para asistir a una reunión del politburó, donde los líderes decidieron adoptar la democracia multipartidista. Las actas de esa reunión revelan claramente que las inminentes dificultades económicas del

713 Memorandum for Files, «Hungary», 30 de enero de 1989, caja 34, expediente 1, EURAI CF, Archivos del FMI, Washington D. C.

714 Massimo Russo al director gerente, 18 de enero de 1989, caja 34, expediente 1, EURAI CF, Archivos del FMI, Washington D. C.

país tuvieron un gran peso en sus deliberaciones. Consciente de lo que había hablado con el FMI, Grósz dirigió la discusión con un cálculo político frío. «Puedo imaginar un periodo de transición en dos fases», comenzó. «La primera fase llegaría a su fin (…) a finales de 1990 (…). La segunda fase sería el periodo entre el año 90 y el 95 (…). La primera fase (…) girará en torno a las elecciones de 1990. La verdadera prueba viene después de las elecciones y no antes de ellas». Grósz creía que la población necesitaría tiempo para evaluar los méritos de cada partido político. El periodo de crisis sería del año 92 al 93 cuando todos van a ser evaluados y puestos en sus lugares en la estructura política, y ahí es cuando el MSZMP también será evaluado: si tiene una solución para la crisis, si tiene un programa para poner fin a la crisis, y así sucesivamente» Rezső Nyers interrumpió que la transición «solo cambiará a los jugadores en la crisis». Grósz compartía esa misma opinión: «No será una solución para la crisis en sí misma».

Imre Pozsgay reconoció la necesidad de introducir un sistema multipartidista, debido a la incapacidad del partido de «crear pluralismo dentro del sistema de partido único», como se había planeado en mayo de 1988, cuando Kádár fue apartado del poder. Nyers atribuyó esta incapacidad a la gravedad de la crisis económica, que había sido subestimada. «Creo que en mayo habíamos sido optimistas con respecto al tiempo y la manera de resolver la crisis. Se puede ver que [la crisis] es más profunda. Estoy de acuerdo con el camarada Grósz en que (…) probablemente será para el año 95, o principios de los noventa, cuando esta crisis pueda resolverse, hasta entonces vamos a ser una sociedad gestionando crisis, una crisis económica». Por esta razón, Nyers creía que las elecciones se deberían convocar pronto: «La crisis política no debe durar tanto como la crisis económica, porque eso causaría un colapso». Basándose en la idea de las dos fases de transición de Grósz, Nyers dijo que una vez que la primera fase estuviera completa, «la gestión de la crisis económica continuaría».

En ese momento, la dirección del partido aún no contemplaba una competición electoral completamente libre entre los partidos políticos. Pozsgay sugirió que el partido debería «aspirar a una posición hegemónica (...) que se garantizaría en la primera vuelta mediante algún tipo de (...) compromiso, enfrentándonos a una competición abierta solo en la segunda vuelta»[715]. Todos los demás estuvieron de acuerdo con esta estrategia, y pronto el partido apoyó públicamente las elecciones multipartidistas.

Sin embargo, con la victoria del Foro Democrático Húngaro en las elecciones de 1990, la visión de una posición hegemónica dentro de un sistema multipartidista nunca llegó a materializarse. Los esfuerzos de la oposición, desde febrero de 1989 hasta marzo de 1990, se pueden interpretar como una lucha exitosa para forzar a la dirección comunista a adelantar las elecciones abiertamente competitivas planeadas para el periodo entre 1990 y 1995. Aunque no era una diferencia menor, la batalla de 1989 giró principalmente en torno a cuándo se celebrarían elecciones completamente libres, más que si estas deberían ocurrir. Como Grósz le dijo a Gorbachov en una reunión en Moscú: «Los acontecimientos en Hungría se han acelerado últimamente. Su dirección está de acuerdo con nuestras intenciones, aunque su ritmo es algo desconcertante»[716].

Para los funcionarios del Banco Nacional de Hungría (BNS), del Ministerio de Economía y del FMI, la importancia de las elecciones de 1989 residía en un aspecto totalmente diferente. Para ellos, quién ganara las elecciones o si eran completamente libres era secundario. Como Nyers había indicado al politburó, la votación simplemente «cambiaría a los actores de la crisis». El verdadero valor de las elecciones yacía en la oportunidad única que ofrecían para legitimar la política de ruptura de promesas y para establecer un programa trienal con el FMI.

Sin embargo, antes de llegar a las elecciones, el país tenía que evitar la bancarrota. A principios de 1989, las relaciones entre

715 Todas las citas anteriores de la reunión del 7 de febrero de 1989 proceden del Documento 9, «Reunión del comité político del MSZMP. Acta literal», 7 de febrero de 1989, en *Political Transition in Hungary*, pp. 63-94.

716 Documento 16, «Memorándum de conversación entre M.S. Gorbachov y Károly Grósz», 23-24 de marzo de 1989, en *Political Transition in Hungary*, pp. 133-134.

Budapest y el Fondo estaban en medio de otro ciclo de presión y acomodación, con Hungría sin cumplir una serie de criterios de rendimiento en su acuerdo de espera y los funcionarios del Fondo intentando encontrar maneras de redefinir los criterios para que Hungría no perdiera la confianza del mercado. No es necesario que nos detengamos en los particulares de las medidas reformistas de 1989. En el mes de noviembre, un analista del FMI resumió el año 1989 de manera adecuada para nuestros propósitos: «fue un mal año para Hungría», le escribió al director gerente. «Esto se debe a la preocupación del Gobierno sobre el curso de los acontecimientos políticos en detrimento de la gestión de la economía»[717]. La razón era más que evidente: 1989 se había convertido en un año electoral.

Los funcionarios del Ministerio de Economía explicaron al FMI que los partidos políticos emergentes «estaban, en general, de acuerdo en que era necesario reducir el tamaño de las actividades del Estado», pero señalaron que «aunque, en principio, el Parlamento respalda mayoritariamente esta idea no ha realizado ninguna acción concreta (...). De manera similar, los partidos de la oposición no han formulado ninguna propuesta concreta, ya que podría debilitar su posición en las próximas elecciones». Con esta dinámica electoral en juego, estaba claro para todas las partes involucradas que 1990 sería «un año más importante» que 1989 para la implementación de las políticas de ajuste económico[718].

Sin embargo, el FMI tuvo que recurrir a medidas dramáticas para mantener el beneplácito de los mercados de capital respecto a Hungría a lo largo de 1989. Después de ejercer una inmensa presión sobre Budapest en 1987 y 1988 para que emprendiera reformas, en 1989 el Fondo cambió su tono por uno más transigente para asegurar el éxito de la transición política. Todos sabían que una señal pesimista del Fondo causaría de inmediato una crisis de

717 Massimo Russo al director gerente y al director gerente adjunto, «Brief for President Delors' Visit to Hungary and Poland», 14 de noviembre de 1989, caja 34, expediente 1, EU- RAI CF, Archivos del FMI, Washington D. C.

718 Acta de la reunión n.º 14, «Hungary-1989 Use of Fund Resources», 5 de septiembre de 1989, caja 34, expediente 2, EURAI CF, Archivos del FMI, Washington D. C.

financiación que pronto llevaría al país a la insolvencia. Esta dañaría las esperanzas de reforma política, incluso podría aniquilarlas por completo, así que, alentado por los Gobiernos occidentales, el FMI flexibilizó sus reglas a lo largo del año para prevenir un deterioro de la solvencia crediticia de Hungría[719]. La transgresión húngara más grave salió a la luz en noviembre de 1989, y el Fondo trabajó para minimizar el daño a la solvencia crediticia del país. El 20 de noviembre, los responsables de las finanzas húngaras informaron al FMI que habían subreportado el nivel de su deuda externa en aproximadamente el 10 % desde finales de los años setenta. Bajo circunstancias normales, esto era una ofensa seria, y Hungría podría haber enfrentado una acción punitiva severa por parte del Fondo. Pero al enterarse del subreporte, la preocupación inmediata del Fondo fue asegurarse de que la noticia no alarmara a los inversores en deuda húngara[720].

El esfuerzo del FMI por mantener la cooperación no monetaria con Hungría actuó de hecho como una forma de asistencia financiera occidental. La mera asociación continua del país con el FMI mantuvo el capital mundial en Hungría en un momento crítico. Esta no era una forma directa de asistencia de los Gobiernos occidentales o las instituciones financieras globales, sino el empleo del prestigio financiero occidental, encarnado en el peso institucional del FMI, para prevenir una crisis financiera en Hungría durante los meses inciertos de su transición política.

Sin embargo, fue un alivio temporal. El FMI solo mantendría a raya la presión de los mercados por un ajuste estructural hasta que las elecciones se completaran. Así, para el verano de 1989, la atención tanto del Fondo como de los funcionarios húngaros se volcó en negociar el paquete de reformas que el nuevo Gobierno —cualquiera que fuera su tendencia política— podría implementar

719 Gérard Bélanger al director gerente en funciones, «Hungary-Staff Visit and Request for Follow-Up», 1 de junio de 1989, caja 34, expediente 2, EURAI CF, Archivos del FMI, Washington D. C.

720 «Mr. Camdessus Telephone Conversation with Mr. Bartha on Monday», 20 de noviembre de 1989, caja 34, expediente 1, EURAI CF, Archivos del FMI, Washington D. C.

gracias a su legitimidad. Esto significaba redactar un acuerdo EFF de tres años. Durante una visita del Fondo a Budapest en agosto, Ferenc Bartha, ahora gobernador del NBH, informó al FMI de que el Gobierno ya había debatido un programa a medio plazo que cubría los tres años, hasta 1992. Se había llegado a un consenso sobre «medidas de reforma que abordaban (...). Los problemas de propiedad, reforma presupuestaria, reforma monetaria y descentralización del sistema bancario, desarrollo de un mercado de capitales y la reestructuración del comercio con Occidente y el CMEA [Comecon] destinado a fomentar la integración de Hungría en la economía mundial»; en otras palabras, toda la economía nacional. Según Bartha, «sería deseable alcanzar un entendimiento con el Fondo sobre un acuerdo a medio plazo que cubra estas cuestiones, que podrían ser implementadas por el Gobierno que surgiera de las elecciones pendientes»[721]. En una reunión posterior, los húngaros explicaron al Fondo que «el programa solo podría ser aprobado después de las elecciones pendientes [pero] sea cual sea el Gobierno que se forme tras las elecciones tendría más opción que implementar un programa de reforma orientado al mercado, con un régimen monetario estricto y una reducción en el papel del Gobierno».

Estas noticias fueron un duro golpe para los nuevos movimientos de oposición en Hungría. Hacia finales de los años ochenta, el país enfrentaba una deuda externa de aproximadamente 19.000 millones de dólares y un déficit presupuestario anual que variaba entre los treinta mil y los sesenta mil millones de francos, año tras año. Hasta 1987, estos datos eran considerados alto secreto de Estado, accesibles solo para los líderes del politburó y una pequeña fracción de la burocracia financiera. La sociedad en su conjunto desconocía la precaria situación financiera del país. Un aspecto crucial de la liberalización política iniciada en 1987 fue la divulgación del verdadero estado de las finanzas de la nación. Un periódico describió a la ciudadanía «conmocionada» cuando

721 Minutes of Meeting n.º 6, «Hungary- 1989 Use of Fund Resources», 31 de agosto de 1989, caja 34, expediente 2, EURAI CF, FMI.

se hicieron públicas las cifras[722]. En 1989, en una entrevista en la televisión nacional, Miklós Németh declaró, sin reservas, que «solo por mencionar un aspecto, el año pasado y este, los intereses ascendieron entre 1.200 y 1.300 millones de dólares (...). Es una carga pesada para el país. Debemos asumirla para mantener nuestra solvencia»[723].

Esta perspectiva fue ampliamente aceptada por todos los nuevos partidos políticos húngaros. Dos creencias dominaron el debate sobre la deuda nacional desde que, en 1987, se convirtió en un tema de discusión pública: la deuda era parte de un fenómeno global y había que pagarla. Un artículo, de Istvan Garamvolgi, publicado en 1988 bajo el título «El Estado como deudor», decía: «En esta década, hemos sido testigos del auge de la deuda en la mayoría de los países (...) el incremento de la deuda nacional es un fenómeno mundial»[724]. János Kis, un miembro prominente de los Demócratas Libres de la oposición, creía que la naturaleza global del problema de la deuda facilitaba predecir el futuro desarrollo de Hungría: «No debemos olvidar que la crisis financiera húngara surge de su dependencia financiera de Occidente. En este contexto, los acreedores occidentales ejercerán presión y el Fondo Monetario Internacional propondrá planes para limitar el consumo». Para Hungría, el futuro parecía claro. En palabras de Kis: «En resumen, Occidente para Hungría significará lo que Estados Unidos representa para los países latinoamericanos menos afortunados»[725].

Irónicamente, el partido de Kis, la Alianza de los Demócratas Libres, siendo el más pro mercado, fue el único que consideró solicitar a la comunidad internacional un alivio de la deuda. En un artículo de agosto de 1989, Tamas Bauer y Marton Tardos, los

722 «The Plundering of Resources Did Not Begin with Foreign Indebtedness» *Heti Vilaggazdasag*, 18 de marzo de 1989, en JPRS-EER-89-050, pp. 42-44.

723 Entrevista de Németh con *The Week*, traducida en Foreign Broadcasting Information Service-Eastern Europe (FBIS-EEU), FBIS-EEU-89-072.

724 Istvan Garamvolgyi, «El Estado como deudor», *Magyarorszag*, 3 de diciembre de 1988, traducido en JPRS-EER-89-012, pp. 35-36.

725 János Kis en «La reforma y Hungría, las preguntas de Szazadveg sobre la reforma». *Szazadveg*, n.º 4-5 (1987), traducido en JPRS-EER-88-042, p. 15.

dos economistas principales del partido, opinaban que «Hungría podría manejar su actual carga de deuda por un tiempo. No obstante, ello implicaría agravar el ya alarmante empobrecimiento de parte de la población». Bauer y Tardos asumieron, audazmente, que tanto el «*shock* Volcker» como la acumulación financiera de Reagan habían contribuido a la deuda húngara: «[Era] un hecho indiscutible que los altos y volátiles tipos de interés suponían el resultado de los déficits presupuestarios de ciertos países occidentales». Por lo tanto, «la presión financiera asfixiante sobre la economía húngara no podría aliviarse solo con la concesión de créditos». En su lugar, se necesitaba «una reducción en el servicio de la deuda acumulada [y] una disminución de los intereses»[726].

Ante estas opiniones tan arraigadas en la sociedad, el Banco Nacional de Hungría (BNS) no dejó al azar las perspectivas económicas y financieras de la oposición. Los funcionarios del banco emprendieron una iniciativa coordinada para asegurarse de que todos los partidos políticos percibieran las obligaciones de la deuda internacional y los planes de reforma estructural de Hungría como compromisos irrefutables. En una entrevista en agosto de 1989, el presidente del NBH, Bartha, informó que él y su equipo se habían reunido recientemente con todos los principales partidos de la oposición: «Tratamos de persuadirles para que incluyeran en su plataforma la necesidad de un banco central fuerte (...) y les instamos a considerar beneficiosa para toda la nación una política monetaria restrictiva. Intentamos convencerles de que no debían ver la reestructuración de la deuda y el incremento del endeudamiento como algo trivial». Bartha creía que la deuda representaba las acciones acumuladas del pasado del país y que el nuevo Gobierno no podía simplemente ignorarlas: «Asumimos la responsabilidad del pasado»[727].

En el otoño de 1989, con las opiniones de la oposición bajo control, el único problema restante para los responsables de la

726 Tamas Bauer y otros, «Capitalist Support for Hungary: Target Premium», *Heti Vilaggazdasag*, 5 de agosto de 1989, traducido en JPRS-EER-89-103, pp. 41-42.

727 «El Presidente del Banco Nacional Húngaro y el Foro Democrático Húngaro», *Heti Vilaggazdasag*, 19 de agosto de 1989, traducido en JPRS-EER-89-104, p. 5.

política financiera del BNS y del FMI, era el continuo retraso de las elecciones debido a disputas políticas, mientras el país se quedaba sin fondos. Originalmente programadas para ese otoño, la fecha se había pospuesto varias veces, hasta que se fijó la fecha de marzo de 1990. A finales de septiembre, Bartha pronosticó que el país enfrentaría una crisis financiera a principios de 1990, a menos que se obtuviera un Programa de Financiamiento Extendido (FEP) a tres años. Sin embargo, con todos los ajustes estructurales importantes a la espera de que un nuevo Gobierno asumiera el poder, el FMI no aprobaría el Acuerdo de Servicio Ampliado (SAE) hasta que las elecciones se llevaran a cabo efectivamente. Los funcionarios proyectaron que el país necesitaría pedir prestados mil millones de dólares en el primer trimestre de 1990 y que, sin un programa del FEP, el BNS probablemente no podría encontrar tales fondos.

Este conjunto de circunstancias marcó el fin de la era comunista en Hungría. A finales de 1989, la Comunidad Europea le otorgó un préstamo puente de mil millones de dólares para «ayudar al país» hasta las elecciones de primavera, condicionando este préstamo a que el Gobierno comunista vigente alcanzara un acuerdo con el FMI sobre otro programa *stand-by* antes de las elecciones[728]. Cuando un equipo del FMI llegó a Budapest en diciembre de 1989 para negociar el nuevo *stand-by*, los funcionarios del Fondo decidieron no esperar a las elecciones y exigieron que el Gobierno actual tomara una serie de medidas inmediatas. El Gobierno debía anunciar recortes en las subvenciones a la vivienda, incrementar los tipos de interés y proporcionar «una lista de empresas sujetas a procedimientos de liquidación». Los representantes del FMI advirtieron a sus homólogos húngaros que, a menos que se tomaran estas medidas antes de enero, el Fondo no aprobaría el programa de financiación[729]. Sin alternativas, las autoridades húngaras devaluaron el forinto el 10 %, incrementaron los tipos de interés y aprobaron un programa de

728 Eva Kaluzynska, «Delors Suggest Bridging Loan for Hungary», 17 de noviembre de 1989, Caja 34, Expediente 1, EURAI CF, Archivos del FMI.

729 Acta de la reunión n.º 24, «Hungary-1989 Use of Fund Resources», 6 de diciembre de 1989, caja 34, expediente 2, EURAI CF, Archivos del FMI, Washington D. C.

reforma de vivienda que resultó en un aumento promedio del alquiler del 35 % en diciembre de 1989. En enero de 1990, el Gobierno recortó suficientes subsidios y liberalizó suficientes precios como para provocar un incremento del 10 % en el índice de precios al consumo, acelerando al mismo tiempo el cierre de empresas deficitarias[730]. Estas duras medidas de austeridad llevaron a László Kézdi, el pensionista de Budapest mencionado al principio de este libro, a escribir su crítica carta abierta a las autoridades húngaras.

A cambio de estas promesas rotas, el equipo del FMI accedió a presentar el acuerdo de giro ante su dirección ejecutiva antes de las elecciones de marzo. No obstante, para asegurar que el nuevo Gobierno mantuviera el acuerdo, el Fondo condicionó cada desembolso restante «a una revisión que confirmara el respaldo del nuevo Gobierno al programa»[731]. De esta manera, una semana antes de que József Antall y el Foro Democrático Húngaro ganaran las primeras elecciones libres en Hungría desde el comienzo de la Guerra Fría, la dirección ejecutiva del FMI aprobó un acuerdo que definiría el rumbo de la economía húngara, independientemente de cuál fuera el resultado electoral.

En mayo, el director gerente del Fondo visitó Hungría y se reunió con Antall, el nuevo primer ministro. Antall comunicó a Camdessus que «el Gobierno estaba decidido a llevar a cabo la reforma, y que se realizaría a un ritmo adecuado, pero no de manera precipitada». Camdessus, como era de esperar, respondió que «aunque la velocidad adecuada debía determinarse según las circunstancias de cada país —incluyendo factores políticos e históricos—, se requería un impulso inicial mínimo, y un enfoque demasiado gradual tendría sus costos»[732]. Claramente, la presión

730 G. Bélanger al director gerente y al subdirector gerente, 31 de enero de 1990, caja 159, expediente 2, EURAI CF, Archivos del FMI, Washington D. C.

731 Massimo Russo al director gerente y al subdirector gerente, «Hungary- Follow-up Mission for the Use of Fund Resources», 10 de enero de 1990, caja 159, expediente 2, EURAI CF, Archivos del FMI, Washington D. C.

732 G. Bélanger al Sr. de Fontenay, «Mr. Szapary's Report on the Managing Director's Visit to Budapest», 16 de mayo de 1990, caja 159, expediente 4, EURAI CF, Archivos del FMI, Washington D. C.

para no cumplir con las promesas no había disminuido, solo habían cambiado los protagonistas.

En noviembre de 1990, el Gobierno de Antall presentó su programa de reformas a mediano plazo, denominado Programa Económico de Renovación Nacional. Los funcionarios húngaros comunicaron al FMI que uno de sus principales objetivos era «reforzar la solvencia de Hungría». Para lograrlo, explicaron, «el Gobierno está poniendo un gran énfasis en la privatización, la reducción del papel del Estado en la economía y el fortalecimiento de los mecanismos de mercado»[733]. Después de nuevas rondas de negociaciones, el Fondo y el Gobierno de Antall firmaron un acuerdo para crear el Acuerdo de Servicio Ampliado (SAE) de tres años, en febrero de 1991. Casi cuatro años después de que *PlanEcon* publicara su advertencia sobre la inminente crisis financiera en Hungría, un Gobierno húngaro había aceptado un programa de ajuste estructural a largo plazo destinado a mantener el favor del mercado. Lo que *PlanEcon* y el resto del mundo no pudieron anticipar en 1987 era que el Gobierno húngaro que firmaría el acuerdo sería el primer Gobierno no comunista del país en más de cuatro décadas.

733 Imre Tarafás y Ferenc Rabár a Michel Camdessus, 13 de noviembre de 1990, caja 160, expediente 2, EURAI CF, Archivos del FMI, Washington D. C.

Salida, violencia o austeridad

Las sorpresas públicas a menudo tienen su origen en historias privadas. La inesperada caída del Muro de Berlín, que sorprendió al mundo el 9 de noviembre de 1989, ha sido objeto de debate desde entonces. Comúnmente, se han analizado sus causas a través de sucesos públicos de aquella época: las grandes protestas, la emigración masiva, la crisis ideológica y la retórica de protesta que marcaron los últimos meses de la República Democrática Alemana (RDA). Un claro ejemplo de este enfoque es el amplio uso del modelo «salida/voz/lealtad» de Albert O. Hirschman para explicar el colapso de la RDA. En su obra de 1970, *Exit, Voice, and Loyalty: Responses to Decline in Firms, Organizations, and States* [Salida, voz y lealtad: respuestas al declive en empresas, organizaciones y Estados], Hirschman propone un modelo sociológico que describe cómo las personas reaccionan ante el deterioro en el rendimiento de las organizaciones. Según Hirschman, existen tres posibles respuestas: abandonar la organización (salida), protestar para mejorar la situación (voz) o permanecer leales y sin cambios (lealtad)[734].

En el verano de 1989, la situación en Alemania Oriental pareció confirmar el modelo de Hirschman. A partir de mayo, los ciudadanos, cansados del constante deterioro de su Gobierno, empezaron a manifestar su descontento siguiendo las vías descritas por Hirschman. Miles optaron por la «salida», huyendo hacia Hungría, donde Miklós Németh, bajo presiones económicas, había desmantelado la barrera del telón de acero entre Hungría y

734 Albert Hirschman, *Exit, Voice, and Loyalty: Responses to Decline in Firms, Organizations, and States*, Cambridge, Harvard University Press, 1970.

Austria, abriendo pronto la frontera a los emigrantes de Alemania del Este. Este éxodo fue seguido de inmediato por la «voz». A partir de septiembre, se organizaron manifestaciones cada lunes en iglesias protestantes de Leipzig y Dresde. Inicialmente llamadas «reuniones por la paz», se transformaron en masivas protestas por todo el país, exigiendo reformas políticas y económicas. Con el aumento de las presiones de «salida» y «voz», junto a la apertura del Muro el 9 de noviembre, los analistas asociaron estos eventos con las fuerzas descritas en el modelo de Hirschman, viéndolas como precursores de la rendición final del Gobierno[735].

Este capítulo ofrece una perspectiva inversa al modelo de Hirschman, centrándose en las decisiones privadas del Gobierno de Alemania Oriental en lugar de las opciones públicas de su población. En 1989, el Partido Socialista Unificado de Alemania (SED) enfrentaba tres estrategias de Gobierno: salida, violencia o austeridad. Mientras los ciudadanos escapaban hacia Occidente y protestaban en las calles, el SED podía sancionar oficialmente su emigración (salida) o reprimir las protestas y restringir los viajes (violencia). Ambas estrategias estaban marcadas por el temor a la insolvencia nacional y la incapacidad de pagar la deuda externa. Para evitar la insolvencia y mantener la solvencia en los mercados internacionales, el Gobierno consideró necesario un recorte del nivel de vida de entre el 25 % y el 30 % en 1990 (austeridad). Los líderes de Alemania Oriental optaron por la salida y se resistieron a usar la violencia, al pensar que la austeridad era la peor opción y había que evitarla. Con esta opción, esperaban obtener nuevos préstamos de Alemania Occidental a cambio de abrir sus fronteras. Evitaron la violencia, conscientes de que reprimir manifestantes en las calles significaría perder el acceso al capital occidental, lo que era crucial para el país.

735 El Frankfurter Allgemeine Zeitung, el principal periódico de Alemania Occidental, publicó un artículo seis días después de la caída del Muro titulado «Abwandern, Widersprechen: Zur aktuellen Bedeutung einer Theorie von A.O. Hirschman». Hirschman analiza el uso de su teoría en la RDA en Albert Hirschman, «Exit, Voice, and the Fate of the German Democratic Republic», *World Politics* 45, n.º 2 (enero de 1993), pp. 173-202. Véase también Stephen Pfaff, *Exit-Voice Dynamics and the Collapse of East Germany*, Chapel Hill, Duke University Press, 2006.

Los principales relatos históricos sobre la caída del Muro y el colapso de la RDA a menudo destacan el papel del azar, la contingencia y la influencia de actores locales[736]. Hay cierta cautela en atribuir un papel significativo al poder occidental en la desaparición de la RDA, en parte debido al deseo de no caer en el triunfalismo posterior al fin de la Guerra Fría. Aunque no niega la importancia de la contingencia y los actores locales, este capítulo intenta recuperar una comprensión de las fuentes del poder occidental que influyeron en el colapso de la RDA sin caer en el triunfalismo. Se centra en el instrumento de influencia más importante que tenían las instituciones políticas y financieras occidentales a finales de los años ochenta: el dinero, reconociendo plenamente que este instrumento, por lo general, producía consecuencias que los actores occidentales no preveían ni intentaban. Con este enfoque, queda claro que el Gobierno de Estados Unidos, de hecho, jugó un papel menor en el colapso de Alemania Oriental, pero otros centros de poder político y financiero occidentales, a saber, el Gobierno alemán occidental de Helmut Kohl, el Fondo Monetario Internacional y el sistema financiero global, desempeñaron roles críticos en la destrucción de la soberanía, estabilidad y, en última instancia, la existencia de la RDA.

****

Gracias a los dos préstamos de mil millones de marcos otorgados por Alemania Occidental en 1983 y 1984, Alemania Oriental logró estabilizar su situación financiera a mediados de la década. Con el objetivo de fortalecer la solvencia del país, Alexander Schalck-Golodkowski, jefe de la división Kommerzielle Koordinierung (KoKo), y Günter Mittag, principal responsable económico

736 Véase Hans-Hermann Hertle, *Der Fall der Mauer: Die Unbeabsichtige Selbstauflösung des SED-Staates*, Opladen, Verlag für Sozialwissenschaften, 1996 y *Das Ende der SED: Die Letzten Tage des Zentralkomitees*, Berlín, Links, 2014; Charles S. Maier, *Dissolution: The Crisis of Communism and the End of East Germany*, Princeton, Princeton University Press, 1997; y M. E. Sarotte, *The Collapse: The Accidental Opening of the Berlin Wall*, Nueva York, Basic Books, 2014.

del SED, tomaron la decisión estratégica de depositar estos préstamos en bancos occidentales en lugar de usarlos para nuevas importaciones. Esta acción, respaldada por el canciller Helmut Kohl, demostró que la RDA contaba con un nuevo y acaudalado prestamista de último recurso, que reemplazaba a la Unión Soviética. Los mercados financieros reaccionaron positivamente, y en 1984, con divisas fuertes en sus cuentas y un nuevo respaldo financiero occidental, la RDA volvió a acceder con facilidad a los mercados de capitales occidentales.

Sin embargo, conscientes de que la crisis financiera de principios de los ochenta aún era una amenaza reciente, Mittag y Schalck reconocían que los problemas financieros del país estaban lejos de solucionarse. Era crucial reducir el endeudamiento si se quería mantener la independencia frente a la República Federal. Para impulsar un sentido de urgencia dentro de la burocracia, Schalck y la viceministra de Economía, Herta König, desarrollaron un modelo financiero que exageraba deliberadamente la precariedad de la situación económica del país. Con esta representación alarmista esperaban fomentar un aumento en el rendimiento económico, especialmente en el sector crucial de las exportaciones a Occidente. Aunque el modelo no lograra directamente este objetivo, Schalck y König creían que, al menos, aseguraría la solvencia del país manteniendo en reserva divisas fuertes de manera secreta.

El modelo innovador de Schalck y König se fundamentaba en un truco sencillo: la manipulación de los tipos de interés[737]. Durante los momentos más críticos, cuando el país se encontraba al borde de la quiebra en 1982, la RDA había recurrido a préstamos a corto plazo con altos intereses. Sin embargo, los préstamos de 1983 y 1984 le permitieron acceder nuevamente a créditos a largo plazo con bancos occidentales a intereses más bajos. La estrategia de Schalck y König consistía en hacer creer que estos préstamos no habían ayudado a reducir los costos de endeudamiento.

737 Schalck y König, «Information zur Kostenentwicklung», 14 de mayo de 1986, DL/226/1145, *BArch Lichterfelde*, pp. 4-7.

Así, cuando Gerhard Schürer, director de la Comisión de Planificación del Estado, preparaba el plan económico anual, calculaba la deuda nacional utilizando los elevados tipos de interés proporcionados por Schalck y König. Este ajuste creaba dos percepciones muy distintas de la economía nacional: la versión de Schürer y la de Schalck y König[738].

Si el conocimiento es poder, el modelo de Schalck-König centralizó significativamente el poder en la República Democrática Alemana. Al crear un grupo reducido de individuos con un entendimiento claro de la situación económica real —probablemente solo Honecker, Mittag, Schalck, König y el jefe de la Stasi, Erich Mielke—, cualquier crítica externa a la economía quedaba desacreditada. Durante el resto de la década, Schürer y su comisión seguían elaborando planes anuales excesivamente optimistas para las exportaciones e importaciones, con el objetivo de reducir la deuda solo en teoría. Cada año, cuando no se cumplían estas cifras, Schalck y KoKo utilizaban aproximadamente dos mil millones de marcos valuta (MV) de cuentas secretas para equilibrar el déficit[739]. Sin un conocimiento real de la situación económica, y sin un riesgo inminente de insolvencia si no se alcanzaban los objetivos de rendimiento, la nomenklatura de Alemania Oriental se resistió a cambios fundamentales, y Honecker evitó presionar por reformas.

La falsa seguridad generada por el modelo Schalck-König no solo debilitaba internamente al Estado alemán, sino que también alimentaba la resistencia de Honecker a las políticas de perestroika y glásnost impulsadas por Gorbachov en la Unión Soviética. Las críticas de Honecker a estas reformas se basaban en consideraciones tanto prácticas como ideológicas. Prácticamente, Honecker anticipaba, con acierto, que los esfuerzos de Gorbachov por modernizar la economía soviética llevarían a una escasez significativa en el

738 Sin título, Schalck y König a Mittag, 29 de enero de 1985, DL/226/1145, *BArch Lichterfelde*, pp. 178-185.

739 Schalck y König, «Standpunkt zum vorgelegten Material der Staatlichen Plankomission "Grundlinien der Zahlungsbilanz für den Fünfjahrplanzeitraum 1986-1990"», 19 de marzo de 1985, DL/226/1146, BArch Lichterfelde, pp. 144-147.

suministro nacional de alimentos y bienes de consumo[740]. Desde un punto de vista ideológico, la perestroika, con su política de romper promesas previas, era contraria a todo lo que Honecker había construido a través de su iniciativa de Unidad de Política Económica y Social desde el comienzo de los años setenta.

La crítica de Honecker se fundamentaba en la confianza de que la economía de Alemania Oriental estaba libre de los problemas que afectaban a la Unión Soviética. Creía que la RDA no enfrentaba problemas económicos significativos y que cualquier intento de resolverlos provocaría descontento social y debilitaría la legitimidad del SED. Mientras contara con las garantías de solvencia proporcionadas por el modelo Schalck-König, podía permitirse el lujo de evitar los riesgos políticos asociados con las reformas que se estaban implementando en la Unión Soviética, Polonia y Hungría.

* * * *

A pesar de que las manipulaciones del modelo Schalck-König en cuanto a los tipos de interés ofrecían a la economía de Alemania del Este cierta flexibilidad para alcanzar sus objetivos de rendimiento, la realidad era que su viabilidad económica seguía dependiendo de lograr un superávit significativo en las exportaciones anuales. Para evitar la insolvencia, era esencial que la economía de Alemania Oriental produjera más de lo que consumía, ya que ningún truco contable podría salvarla de un eventual colapso financiero. Después del trienio de crisis de 1980 a 1983, aunque el comercio con Occidente no alcanzó los ambiciosos objetivos establecidos por la Comisión Estatal de Planificación, la RDA logró mantener superávits comerciales consistentes, pasando de 647 millones de marcos alemanes en 1981 a 4.940 millones en 1985[741].

740 Egon Krenz, *Herbst '89*, Berlín, Neues Leben, 1999, p. 214.

741 Cifras citadas de Matthias Judt, *Das Bereich Kommerzielle Koordinierung: Das DDR-Wirtschaftsimperium des Alexander Schalck-Golodkowski-Mythos und Realität*, Berlín, Links Verlag, 2013, p. 232, tabla 45.

Sin embargo, la situación se complicó cuando los precios del petróleo cayeron drásticamente en los mercados mundiales a finales de 1985. Para la RDA, cuya principal exportación a Occidente era el aceite mineral refinado a partir de crudo soviético subvencionado, esta caída en los precios del petróleo fue particularmente dañina. En 1985, las exportaciones de petróleo de la RDA a Occidente generaron ingresos de 2.500 millones de marcos alemanes, pero esta cifra se redujo drásticamente a mil millones en 1986 y a novecientos en 1987[742].

El desplome de los precios del petróleo hizo que Schalck cambiara rápidamente de opinión sobre las garantías de solvencia que había venido presentando en el modelo Schalck-König. Antes de la caída de los precios, en septiembre de 1985, Schalck y König habían informado a Mittag que la RDA seguiría siendo solvente al final de la década[743]. Para marzo de 1986, ya no estaban tan seguros. En lugar de asumir un superávit comercial anual de cuatro mil millones de MV, como habían hecho el año anterior, ahora se veían obligados a asumir un superávit comercial anual de entre 1.200 y 2.000 millones de MV, pues, comparado con las proyecciones presentadas anteriormente, hay un deterioro significativo». En lugar de disminuir en 1990, la deuda nacional crecería en 4.400 millones MV hasta alcanzar los 31.600. Tal desarrollo dejaría al país expuesto a la volatilidad de los mercados de capitales internacionales, y un choque externo debido a un evento imprevisto podría causar que los bancos occidentales dejaran de concederles préstamos. Por lo tanto, creían que ahora era necesario un cambio drástico en el rendimiento económico del país. Si se quería prevenir el aumento de la deuda, era «esencial [que] las exportaciones hacia Occidente recibieran un estatus diferente en la distribución material de la economía»[744].

742 Valores de exportación citados en André Steiner, *The Plans That Failed: An Economic History of the GDR*, Nueva York, Berghahn, 2010, p. 175.

743 Carta sin título, Schalck y König a Mittag, 16 de septiembre de 1985, DL/226/1249, BArch Lichterfelde, pp. 213-214.

744 Carta sin título, Schalck y König a Mittag, 6 de marzo de 1986, DL/226/1249, BArch Lichterfelde, pp. 296-298.

Desde inicios de los años setenta, los países del bloque del Este habían intentado, sin éxito, producir bienes competitivos a nivel mundial mediante la importación de tecnología occidental. Este enfoque no funcionó en ningún país, tampoco en la RDA. Sin embargo, dado que los líderes no estaban dispuestos a considerar como solución recortes en el nivel de vida, la única opción era impulsar la economía para salir del problema de la deuda. En este contexto, durante distintas reuniones del politburó en mayo y junio de 1986, los líderes de la RDA decidieron realizar otro intento de importar tecnología occidental con crédito. La industria microelectrónica e informática de Alemania del Este sería una de las principales beneficiadas. En una época en la que Silicon Valley comenzaba su ascenso en Estados Unidos, los líderes de la RDA, particularmente Mittag, aspiraban a convertir al país en el equivalente socialista de Silicon Valley[745].

A Schalck y Schürer se les encomendó la tarea de hacer realidad esta ambiciosa iniciativa de importación de tecnología. Dado que KoKo mantenía considerables depósitos en divisas y sostenía buenas relaciones con bancos occidentales, Schalck sugirió que obtuviera los préstamos de manera independiente al Estado de Alemania Oriental. Según su plan, las importaciones se facilitarían a las empresas en forma de créditos sin intereses, lo que no afectaría la balanza de pagos de la RDA entre 1986 y 1990[746]. Sin embargo, era evidente que en algún momento futuro, KoKo tendría que devolver estos préstamos, lo que implicaría que, eventualmente, el Estado debería afrontar estos pagos. Según la estrategia de Schalck, el momento del ajuste de cuentas no llegaría hasta 1991, lo que les proporcionaría el tiempo suficiente para que las inversiones en tecnología generasen las divisas necesarias para pagar la deuda. A pesar de que el espectro del fracaso de estrategias similares en los años setenta en países como Polonia, Hungría y la propia RDA sobrevolaba esta propuesta, la falta de alternativas llevó a Mittag

745 Hertle, *Der Fall der Mauer*, p. 63.

746 Schalck a Mittag, 5 de agosto de 1986, DL/226/1249, BArch Lichterfelde, pp. 180-181.

y Honecker a autorizar el plan. La mejora de las exportaciones a Occidente se convirtió en la única estrategia viable para la supervivencia económica de la RDA.

****

La balanza comercial de Alemania Oriental, en lugar de mejorar, empeoró significativamente. El superávit de exportaciones de 4.940 millones de MV en 1985 se redujo hasta 873 millones en 1986, y en 1987 se transformó en un déficit comercial de 1.030 millones de MV[747]. Este deterioro hizo que Schalck y König se dieran cuenta, por primera vez, de que ya no podían garantizar la solvencia futura del país. Su modelo siempre había asumido al menos un modesto superávit de exportaciones, pero la caída en estas dejó en claro que tal supuesto ya no era viable y comenzaron a alertar de la inminente insolvencia. En octubre de 1987, escribieron a Mittag que «el desarrollo inadecuado de la productividad y eficiencia económica interna, unido a una reducción insuficiente de importaciones, ha conducido a un crecimiento constante de la deuda de la RDA». Una deuda mayor significaba pagos de intereses más altos. También le informaron de que eran «necesarios de cinco a seis mil millones de marcos valuta anuales solo para el pago de intereses». «Este es el precio que nuestra república debe pagar cada año por el ingreso nacional anticipado de los años futuros. Al mismo tiempo, esto significa que cualquier superávit comercial por debajo de los cinco mil millones de MV llevará a un aumento adicional de la deuda». Asimismo, podrían «garantizar la solvencia de la república en 1990 [pero solo si] el superávit comercial planeado se realiza de manera efectiva». Y señalaron que «para el periodo posterior a 1990 es cuestión de vida o muerte que el rendimiento mejorado de nuestra economía (...) lleve a un superávit de exportaciones de cinco mil millones de MV». De no ser así, le informaron a Mittag,

747 Matthias Judt, KoKo: *Mythos und Realität*, Berlín, Berolina, 2015, p. 232, cuadro 45.

de que no veían «ninguna posibilidad de asegurar la solvencia de la república en 1991»[748].

Schalck hizo aún más evidente su opinión ante la recién descubierta situación de alarma en la reunión de un grupo de trabajo formado por los principales economistas y gestores económicos del país, que tuvo lugar esa misma semana en octubre. «Si la RDA no logra un superávit en las exportaciones en 1987, la solvencia del país se verá en punto crítico». Schalck informó a sus colegas que los aliados de la RDA en el bloque del Este estaban demostrando, de manera dramática, que los mercados de capital globales ya no toleraban largos periodos de mal rendimiento económico: «El ejemplo de Hungría, que durante los últimos dos años no ha logrado un superávit comercial, muestra que la calificación crediticia del país ha empeorado severamente y solo puede recibir préstamos garantizados por el Gobierno». Dado que tales préstamos venían con condiciones adjuntas, Schalck concluyó que «este camino no es viable políticamente ni financieramente para la RDA»[749]. Si la experiencia húngara mostraba los peligros de los déficits comerciales, la experiencia polaca mostraba las consecuencias catastróficas de la insolvencia. Como Schalck recordaría más tarde, «Jaruzelski (...) me transmitió de forma muy clara que un Estado que es insolvente pierde, y debe perder, su poder político, y por lo tanto su capacidad de maniobra. Solo puede gobernar a través de bayonetas [y] ley marcial; Jaruzelski (...) lo hizo, pero sin éxito»[750].

En el otoño de 1987, la transformación de Schalck, el jefe de KoKo, que pasó de ser una figura que infundía tranquilidad a convertirse en un profeta de la fatalidad, marcó un punto de no

748 Schalck y König, «Standpunkt zur voraussichtlichen Entwicklung der Zahlungsbilanz NSW 1988 -1990 und der NSWVerschuldung», 16 de octubre de 1987, DL/266/1143, BArch Lichterfelde, pp. 47-52.

749 «Information über die Beratung der Ständigen Arbeitsgruppe zur opertiven Leitung und Kontrolle der Durchführung der Zahlungsbilanz der DDR mit dem nichtsozialistischen Writschaftengebiet vom 15.10.1987», 15 de octubre de 1987, DL/266/1143, BArch Lichterfelde, pp. 100-103.

750 Entrevista a Schalck en Theo Pirker *et al.* (eds.), *Plan als Befehl und Fiktion: Wirtschaftsführung der DDR*, Opladen, Westdeutscher Verlag, 1995, p. 148.

retorno. Tanto Schalck como König y Mittag habían sido extremadamente eficientes en ocultar la verdadera situación financiera de la RDA, tanto a su propio pueblo como fuera del país. Ya eran muy pocas las personas, dentro y fuera de la RDA, que tuvieran la credibilidad necesaria para advertir al presidente Erich Honecker sobre la inminente crisis económica. Schalck era una de esas pocas personas y, a partir de octubre de 1987, comenzó a informar sobre la insolvencia que se cerniría sobre el país en los años siguientes. El modelo Schalck-König, que había proporcionado una falsa sensación de seguridad a Mittag y Honecker entre 1983 y 1987, ya no era efectivo. Las ilusiones de estabilidad financiera se habían disipado, y cualquier resistencia a emprender reformas económicas ya no se basaba en la confianza en la solvencia a largo plazo del país, sino en el miedo a la inestabilidad política que dichas reformas podrían desencadenar.

* * * *

Aunque quizás Gerhard Schürer no tuviera una visión completa de la situación financiera de Alemania Oriental, para la primavera de 1988 era evidente para él que se avecinaba una crisis. Esta percepción lo impulsó a romper su silencio. En la preparación de una reunión del politburó a principios de mayo, Schürer redactó una propuesta para cambiar radicalmente la dirección económica del país: «Nuestra conclusión ha de ser [que] cada objeto, no importa cuán importante sea, [debe enfrentarse a] las duras condiciones económicas del mercado mundial». El jefe de la Comisión de Planificación del Estado no veía la manera de que su institución pudiera reembolsar a Schalck por los recientes préstamos en moneda fuerte, ya que no preveía ningún modo de que las industrias de Alemania del Este pudieran producir exportaciones competitivas a nivel global.

Schürer solo veía una opción para asegurar la solvencia del país: la austeridad. Aunque creía en la misión del Estado de proporcionar a la clase trabajadora una alta calidad de vida, reconocía que «los beneficios para la población provenientes del presupuesto estatal para vivienda, apoyo de precios, tarifas, educación, salud, cultura, deportes y recreación» superaban con creces la capacidad del país para pagarlos. En su opinión, el partido ya no podía permitirse aislar a la población de la disciplina del mercado mundial[751]. Schürer recordaría tiempo después que, al enviar la propuesta directamente a Honecker, quería dejar claro que «nuestra república se está yendo a la quiebra»[752].

La propuesta de Schürer desafiaba directamente la Unidad de Política Económica y Social y, por extensión, el liderazgo de Honecker, establecidos desde principios de los años setenta. El presidente de la RDA pasó la propuesta a Mittag, pidiéndole una respuesta para debatirla en el politburó. Para Mittag, la propuesta de Schürer «pondría en duda (...) la Unidad de Política Económica y Social», también «sugerencias para cambios de precios» en bienes de consumo, alquileres y energía estaban conectadas con temas de «significativo atractivo masivo»[753]. Con respecto al reciente intento de obtener préstamos en moneda fuerte para mejorar la industria informática del país, Mittag mantuvo la posición de que la única salida del actual *impasse* era el crecimiento de las exportaciones, lo cual requería invertir en las nuevas tecnologías[754]. La elección entre Schürer y Mittag se reducía a una opinión divergente sobre la capacidad de la economía de Alemania Oriental para competir en el mercado mundial. Schürer pensaba que no era posible, mientras que para Mittag no había otra opción. Después de que el politburó discutiera las dos posiciones, Honecker se puso del lado de Mittag y dirigió a sus camaradas a encontrar una salida de la crisis sin implementar la austeridad.

751 Schürer, «Überlegungen zur weiteren Arbeit am Volkswirtschaftsplan 1989 und darüver hinaus», 26 de abril de 1988, DE/1/58736, BArch Lichterfelde, 318-330. Citas en pp, 320, 325 y 326-327.

752 Citado en Hertle, *Der Fall der Mauer*, p. 69.

753 Günter Mittag, «Zur Prüfung des Materials des Vorsitzenden der Staatlichen Plankommission, Genossen Gerhard Schürer», sin fecha pero mayo de 1988, DE/1/58736, BArch Lichterfelde.

754 Citado en Hertle, *Der Fall der Mauer*, p. 69.

A la reunión del politburó le siguieron seis meses de debates estériles en la cúpula del Gobierno sobre cómo avanzar ante la amenaza inminente de insolvencia. A pesar de la gravedad de la situación, Honecker se mantuvo firme en sus restricciones a la reforma económica. Confiaba en que el generoso sistema social de Alemania Oriental era una ventaja significativa, especialmente en comparación con los países capitalistas, donde veía un alto desempleo, pobreza creciente y deterioro en las condiciones de vida de la clase trabajadora. «Siempre debemos tener en mente la mejora de las condiciones laborales y de vida de los trabajadores», dijo. De ello se deducía que los precios al consumidor no deberían aumentarse. El secretario general creía que los recientes eventos en Polonia, donde los aumentos de precios del Gobierno en 1988 habían desencadenado huelgas generalizadas, confirmaban su punto de vista: «Los países donde se pusieron en marcha espirales de precios se encuentran en una profunda crisis. El camarada Jaruzelski me dijo que su decisión [...] fue equivocada y que ahora están considerando otras opciones»[755].

Para septiembre de 1988, Honecker ya hablaba de que la «cuestión decisiva» era garantizar la solvencia de la RDA, al mismo tiempo que apuntaba a los países vecinos como ejemplos de que los aumentos de precios y las medidas de austeridad no eran soluciones viables[756]: «Todos los países que han iniciado la espiral de precios y salarios han acabado quebrando, véase Polonia [y] Hungría; a Checoslovaquia le espera lo mismo». La RDA tampoco podía «seguir el camino rumano» e imponer una austeridad draconiana, dijo Honecker, porque «la situación frente a la RFA no lo permite». Mientras Alemania Occidental siguiera siendo un coloso económico y consumista, la RDA no podía romper sus promesas a los ciudadanos de Alemania Oriental[757]. El miembro del politburó Harry

755 Heinz Klopfer, «Persönliche Notizen über die Beratung im Politbüro des ZK der SED am 28.6.1988», 28 de junio de 1988, DE/1/58736, BArch Lichterfelde.

756 «Arbeitsniederschrift über eine Beratung beim Generalsektretär des ZK der SED, Genossen Erich Honecker, zu den Materialen des Entwurfs der staatlichen Aufgaben 1989», 6 de septiembre de 1988, DE/1/58738, BArch Lichterfelde.

757 Citado en Hertle, *Der Fall der Mauer*, p. 71.

Tisch resumió la naturaleza de los problemas económicos del país con estas acertadas palabras: «Nuestra gente quiere de nosotros seguridad, estabilidad laboral, educación y los grandes almacenes de la RFA». Hasta finales de 1988, la dirección optó por no disciplinar esos deseos, y la deuda con Occidente continuó creciendo»[758].

Schürer percibió que la situación se estaba volviendo crítica. En febrero de 1989, se acercó a Egon Krenz, el aparente heredero de Honecker, para proponerle derrocar al secretario general bajo el argumento de que había llevado al país a la ruina financiera. «Una reducción de la deuda es imposible» si sigue liderando el país, le dijo Schürer. Pero sin sentir aún un sentido de urgencia crítica, Krenz se negó a incomodar a su jefe[759]. Él tampoco podía contemplar la imposición de la austeridad: «Para mí no es cuestión de si la Unidad de Política Económica y Social continuará —dijo Krenz— ¡Debe continuar, porque la RDA es el socialismo!».

La experiencia de Polonia y Hungría reveló que, aunque las subidas de precios y las medidas de austeridad eran impopulares, los líderes comunistas solo recurrían a ellas cuando no les quedaba otra alternativa. Con su solvencia crediticia aún intacta y sus fronteras aún seguras durante la primavera de 1989, el liderazgo de Alemania Oriental aún tenía opciones, por lo que colectivamente eligió la estabilidad a corto plazo en lugar de la solvencia a largo plazo. Los eventos a lo largo de la frontera húngara pronto cambiarían estas opciones, pero las prioridades de los líderes de Alemania Oriental permanecieron inalteradas hasta el final: elegirían cualquier camino, incluso la apertura del Muro de Berlín, que les permitiera evitar la implementación de la austeridad.

* * * *

Para finales de la década de 1980, las fortificaciones fronterizas que separaban Hungría de Austria y el resto de Occidente se habían

758 «Arbeitsniederschrift über eine Beratung», DE/1/58738, BArch Lichterfelde.

759 Citado en *Hertle, Der Fall der Mauer*, p. 73.

deteriorado. El sistema de señalización electrónica a lo largo de la frontera, destinado a alertar a los guardias sobre cualquier intento de cruce, emitía regularmente falsas alarmas debido a ráfagas de viento o animales salvajes y necesitaba ser modernizado. En el otoño de 1987, el jefe de la guardia fronteriza escribió un informe para el Ministerio del Interior húngaro que detallaba las fallas del sistema y su costo anual, así como estimando los costos de una renovación del sistema. En un país con un déficit presupuestario anual de 30.000 a 60.000 millones de forintos, los números del informe detallaron una perspectiva no deseada: el costo anual del sistema era de entre 42 y 50 millones de forintos, y una renovación costaría de 1,2 a 1,5 millones de forintos por kilómetro a lo largo de una frontera de 366 kilómetros[760].

Como hemos visto, cuando Miklós Németh se convirtió en primer ministro de Hungría en el otoño de 1988, lidiar con las presiones de la austeridad impuesta por el FMI fue su primera orden del día. Mientras Németh revisaba los libros de contabilidad del país línea por línea, buscaba áreas donde poder implementar recortes. Cuando se encontró con la entrada que detallaba el costo anual del sistema de seguridad fronteriza, la tachó «sin ceremonias». Sobre ello ha escrito Andreas Oplatka: «Hoy, mirando hacia atrás al éxito de la apertura de la frontera, sin duda sería fácil y tentador para Németh decir que tomó su decisión [como un político reformista] pensando en dimensiones europeas. [Pero] el exprimer ministro abierta y francamente dice lo contrario. Admite que en ese momento todo se trataba de ahorrar costos». Németh todavía necesitaba la aprobación del resto del liderazgo para esta decisión, así que en febrero de 1989, fue al politburó con un informe que detallaba los costos de modernizar el sistema de seguridad fronteriza. En palabras de Oplatka, «[este] factor financiero fue particularmente convincente». Después de escucharlo, «nadie se opuso al desmantelamiento»[761].

760 Andreas Oplatka, *Der Erste Riß in der Mauer: September 1989-Ungarn öffnet die Grenze*, Viena, Paul Zsolnay Verlag, 2009, p. 25.

761 *Ibid.*, p. 36.

Una vez obtenido el asentimiento del partido, Németh avanzó para buscar el siguiente nivel de autorización en la cadena de mando del bloque del Este: el Kremlin, donde llegó el 3 de marzo de 1989 para reunirse por primera vez con Mijaíl Gorbachov. Los dos líderes trataron muchos temas, desde el estado de las tropas soviéticas en Hungría hasta los méritos de un sistema democrático multipartidista y los desafíos de la reforma económica húngara. Németh comenzó abordando el tema de la seguridad fronteriza: «Hemos decidido deshacernos gradualmente del sistema de señalización electrónica de aquí al 1 de enero de 1991». Gorbachov dudó y luego respondió: «Francamente, no veo ningún problema»[762]. Sorprendido por esta rápida aceptación, Németh regresó a Budapest resuelto en su decisión de avanzar con el desmantelamiento de la valla fronteriza entre Hungría y Austria.

El desmantelamiento inicial no atrajo la atención pública. Sin embargo, esto cambió drásticamente después del 27 de junio, cuando los ministros de Asuntos Exteriores de Hungría y Austria, Gyula Horn y Alois Mock, realizaron una ceremonia simbólica de corte de la alambrada. Esta imagen fue ampliamente difundida en Europa occidental y llegó a la RDA a través de la televisión de Alemania Occidental. El evento simbolizó un momento significativo en la disminución de las tensiones entre el este y el oeste de Europa y generó expectativas de mayor libertad de movimiento. Muchos alemanes orientales, esperanzados por la posibilidad de emigrar a Occidente, buscaron refugio en la embajada de la RFA en Budapest, así como en Praga y Varsovia. Existía un precedente de que el Gobierno de Alemania Occidental pagaba a la RDA por la liberación de alemanes orientales, principalmente prisioneros políticos, y muchos esperaban que se repitiera esta práctica. Para julio, el fenómeno conocido como la «salida» había comenzado.

En agosto, la sociedad civil de la ciudad húngara de Sopron, cercana a la frontera austriaca, comenzó a organizar lo que se conocería como el «Picnic Paneuropeo». Programado para la tarde del 19 de

762 *Ibid.*, p. 67.

agosto, tenía como objetivo celebrar la nueva libertad de movimiento permitiendo a los residentes cruzar libremente la frontera con Austria durante tres horas. Imre Pozsgay, al darse cuenta del potencial político del evento, colaboró con Otto von Hapsburg para darle un mayor perfil internacional, simbolizando la distensión en Europa. El primer ministro húngaro Miklós Németh se mostraba nervioso, pero apoyó el evento como una forma de probar la reacción soviética ante una apertura completa, aunque temporal, de la frontera. Durante el picnic, unas dos mil personas cruzaron la frontera como estaba previsto, y alrededor de seiscientos alemanes orientales aprovecharon la oportunidad para huir a través de la frontera hacia Austria[763]. Los eventos del picnic y el cruce masivo de la frontera se convirtieron rápidamente en noticias mundiales, simbolizando el colapso de las barreras físicas y políticas entre el Este y el Oeste, y marcando un punto de inflexión en el final de la Guerra Fría[764].

En medio de una situación económica cada vez más difícil, el picnic y el subsiguiente flujo de refugiados alemanes orientales aumentaron la presión sobre el primer ministro húngaro Miklós Németh para resolver definitivamente el problema de los refugiados. Años después, Németh comentó que pasó el verano de 1989 consumido por la lucha del país «para mantenerse solvente». En sus palabras, Hungría «no pudo evitar los aumentos de precios y las medidas de austeridad. Tuvimos que cumplir con las duras condiciones del FMI, lo cual no pudimos hacer a pesar de nuestros mejores esfuerzos». Estas presiones le obligaron a ver el problema de los refugiados de Alemania Oriental a través del prisma del futuro económico de su propio país. La creciente ola de refugiados alemanes orientales tras el picnic impulsó a Németh a tomar una decisión definitiva. Se enfrentaba a dos opciones: devolver a los refugiados a Alemania del Este o abrir completamente la frontera con Austria para permitir el libre tránsito de todos los alemanes orientales. Al evaluar esta decisión, consideró las relaciones

763 Sarotte, *Colappse*, p. 815 de 8079, Kindle.

764 Andreas Oplatka, *Németh Miklós: Mert ez az ország érdeke*, Budapest, Helikon, 2014, p. 224.

comerciales de Hungría con ambas Alemanias. Se preguntó a sí mismo y a su equipo si Alemania Oriental podría dañar económicamente a Hungría si decidían actuar en contra de sus intereses y no encontraron ninguna amenaza significativa[765].

Por otro lado, los beneficios económicos de mantener buenas relaciones con Bonn, la capital de Alemania Occidental, eran claros. El Gobierno de Helmut Kohl desempeñaba un papel clave en el destino de Hungría en Europa occidental y, junto con Estados Unidos, también en la relación entre Hungría y el FMI. Estos factores fueron determinantes para Németh. El 22 de agosto de 1989 decidió abrir la frontera con Austria y se lo comunicó a la presidencia del país. Además, solicitó, de forma inmediata, una reunión secreta de emergencia con Kohl para informarle de su decisión.

Tres días después, Miklós Németh y su equipo viajaron en secreto a Bonn. A su llegada, se dirigieron en helicóptero al castillo de Gymnich, cerca de Colonia, para encontrarse con el canciller de Alemania Occidental, Helmut Kohl, y su ministro de Asuntos Exteriores, Hans-Dietrich Genscher. Tras una discusión sobre la precaria situación económica húngara, Németh anunció que su Gobierno había decidido abrir la frontera con Austria para los alemanes orientales. Kohl, con «lágrimas en los ojos», le agradeció su decisión y preguntó qué tipo de compensación financiera deseaba a cambio. Németh respondió, con orgullo: «No vendemos personas», en alusión a la práctica mercenaria de Rumanía y Alemania Oriental de vender la emigración de sus poblaciones disidentes, alemanas y judías a Alemania Occidental a cambio de una cantidad sustancial de divisa fuerte. Németh, al menos de modo oficial, no quería formar parte de tal práctica. En su lugar, solicitó la ayuda de Kohl para acercar a Hungría a la Comunidad Europea. Kohl accedió de inmediato y añadió que la República Federal compensaría a Hungría por cualquier represalia llevada a cabo por sus «países hermanos» socialistas[766]. La reunión concluyó con ambas

765 Oplatka, *Erste Riß*, p. 178.

766 *Ibid.*, pp. 194-197.

partes acordando trabajar juntas para coordinar la logística y el momento de la apertura de la frontera. El 10 de septiembre, el Gobierno húngaro abrió la frontera a los siete mil alemanes orientales que esperaban partir hacia Occidente[767]. Según estimaciones húngaras, aproximadamente 600.000 alemanes orientales siguieron su ejemplo en las semanas siguientes[768].

Si bien no hubo un *quid pro quo* de hecho, sí lo hubo en la percepción. En las semanas posteriores a la reunión, el Gobierno de Kohl concedió a los húngaros un préstamo de quinientos millones de marcos alemanes en apoyo a «un proceso de reforma de importancia paneuropea» y en reconocimiento de la decisión húngara «contra las fronteras cerradas y a favor del libre movimiento de todos los ciudadanos»[769]. Los húngaros retrasaron la firma del préstamo hasta mediados de diciembre para mantener la apariencia de independencia, pero no engañaron a nadie. En una reunión entre Honecker y Gorbachov, celebrada el 7 de octubre, se trató el tema y lamentaron la traición de Hungría al socialismo a cambio de dinero. Gorbachov se refirió a ello al describir la desintegración del bloque socialista: «Occidente promete colmar con grandes regalos [*Gnadengeschenke*] a cambio de renunciar a nuestras posiciones»[770].

¿Por qué el Gobierno húngaro decidió desmantelar el telón de acero y abrir su frontera a los alemanes orientales? Una de las muchas razones es que la cúpula había perdido la convicción

767 Serge Schmemann, «Hungary Allows 7,000 East Germans to Emigrate West», 11 de septiembre de 1989, *The New York Times*, consultado el 27 de junio de 2016, http://www.nytimes.com/1989/09/11./world/hungary-allows-7000-east-germans-to-emigrate-west.html?pagewanted=all.

768 Sarotte, *Collapse*, p. 889 de 8079, Kindle.

769 Documento 57, «Schreiben des Bundeskanzlers Kohl an Ministerpräsident Németh», 4 de octubre de 1989, en Hanns Jürgen Küsters y Daniel Hofmann (eds.), *Deutsche Einheit: Sonderedition aus den Akten des Bundeskanzleramt 1989/90*, Munich, R. Oldenbourg, 1998, p. 442.

770 Documento 46, «Gespräch Gobachev mit dem Staatsvorsitzenden Honecker am 7. Oktober 1989 [Auszug]. Oktober 1989 [Auszug]», en Aleksander Galkin y Anatolij Tschernjajew, *Michail Gorbatschow und die Deutsche Frage: Sowjetische Dokumente, 1986-1991*, Múnich, Oldenbourg Verlag, pp. 187-190, citas en p.189.

ideológica de defender la marca represiva del socialismo de la RDA. Como primer ministro, Németh tuvo que pensar en términos del interés nacional húngaro, y el poder financiero de Occidente y la debilidad económica del Este moldearon significativamente su elección. En el sentido más amplio, Németh y sus asesores más cercanos creían que el futuro del país estaba en Europa occidental. Habían intentado establecer lazos con la Comunidad Europea durante casi una década, y ahora esperaban ganar acceso a la Comunidad Económica Europea y al futuro Mercado Común Europeo. El Gobierno alemán occidental decidiría en última instancia si esto sucedería y cuándo. Kohl ni siquiera tuvo que mencionar el poder de represalia que podría ejercer si los húngaros decidían enviar a los refugiados de vuelta a Alemania Oriental. El destino de la economía húngara, y con ella la fortuna política de Németh y de todos los comunistas reformistas, dependía de la buena voluntad y el poder económico de Bonn. Este contexto financiero más amplio impulsó al Gobierno húngaro a activar de manera permanente la opción de salida.

* * * *

En la cumbre del Pacto de Varsovia celebrada en Bucarest, Rumanía, a principios de julio de 1989, Gorbachov renunció públicamente a la Doctrina Brézhnev. Aunque esto solo hizo público lo que había estado diciendo a sus aliados del bloque del Este en privado desde 1986, para gran consternación de Honecker y Krenz, la consagración era oficial. A esto se sumó que Honecker cayó enfermo durante la cumbre y tuvo que volar de regreso a casa para recibir tratamiento médico. Aunque su condición se estabilizó, el secretario general se vio obligado a someterse a una cirugía a mediados de agosto y estuvo convaleciente hasta finales de septiembre.

La enfermedad de Honecker paralizó la respuesta de la cúpula de Alemania Oriental ante sus deterioradas circunstancias domésticas e internacionales. La semana siguiente a la apertura de la frontera húngara, la RDA trabajó con el Gobierno checoslovaco para poner fin a los viajes de los alemanes orientales a Hungría.

Pero el movimiento de salida estaba ahora en pleno apogeo, y la gente continuó saliendo. En lugar de viajar hasta Hungría, ahora se detenían en la embajada de Alemania Occidental en Praga, donde, a finales de septiembre, acampaban miles de personas en condiciones miserables. Cuando Honecker finalmente regresó al trabajo a finales de ese mes, acordó hacer un trato con el Gobierno de Alemania Occidental: «expulsaría» a los alemanes orientales que se encontraba en la embajada de Praga de la RDA —manteniendo así el control nominal sobre quién podía salir del país—, mientras les permitía viajar al Oeste. Del 30 de septiembre al 1 de octubre, los refugiados viajaron de noche en trenes desde Praga a través de la RDA hacia la República Federal. El 3 de octubre Honecker hizo un último intento desesperado por poner fin a la opción de salida cerrando completamente las fronteras de la RDA.

Esta decisión solo sirvió para enfurecer aún más al movimiento de protesta interior, que estaba ganando impulso. Desde la primavera de 1989, un pequeño grupo de disidentes había utilizado el servicio de oración por la paz celebrado en la iglesia de San Nicolás, en el centro de Leipzig, todos los lunes para organizar protestas contra el régimen. Para el 18 de septiembre, cientos de residentes de Leipzig se habían unido, y la semana siguiente, los manifestantes comenzaron a salir a las calles y exigir la reforma. El 2 de octubre, aproximadamente diez mil personas se dispusieron a marchar alrededor de la carretera de circunvalación de la ciudad, y las fuerzas de seguridad dispersaron a la multitud con porras, perros y escudos. Cuando los trenes que transportaban al último grupo de refugiados desde Praga llegaron a la estación de tren de Dresden el 4 de octubre, se estima que veinte mil manifestantes rodearon la estación y bloquearon las vías hasta que la policía los dispersó por la fuerza. Luego, en los días previos a la celebración del SED del cuadragésimo aniversario de la RDA, el 7 de octubre, innumerables protestas en ciudades de todo el país fueron reprimidas con fuerza.

La creciente osadía de las protestas y la severa reacción del Estado allanaron el camino para la manifestación decisiva, convocada el 9 de octubre en Leipzig. Desde junio, tras la orden de Deng Xiaoping y los líderes chinos de disparar contra los manifestantes en la plaza de Tiananmen, tanto los ciudadanos de Alemania Oriental como los observadores internacionales se cuestionaban si Honecker y los mandatarios del SED responderían de manera similar en la RDA. La decisión de los líderes alemanes orientales de no recurrir a la violencia fue el resultado de una compleja mezcla de factores nacionales e internacionales.

Un elemento crucial fue la delicada situación financiera del país. Antes de 1989, durante años, Schalck mantuvo informado a Krenz sobre la realidad económica de la nación[771]. Honecker, que estaba preparando a Krenz desde los años setenta para sucederlo, y consciente de su avanzada edad, juzgó prudente mantener a Krenz al tanto. Por ello, es muy probable que Krenz, junto a Mittag y Mielke, tuviera acceso a un memorando del 18 de septiembre de 1989 que se ha encontrado entre los documentos de Schalck.

Este informe, junto con incontables conversaciones informales y no documentadas que, probablemente, Schalck mantuvo con destacados funcionarios de la época, revelaba detalladamente la dependencia financiera de la RDA del mundo capitalista occidental y cómo esta influía en la soberanía política del país. En el memorando, Schalck admitía que, a pesar de las urgentes demandas del año anterior de obtener un superávit comercial en 1989, la realidad era que el país enfrentaría un déficit de 2.500 millones de marcos. Aunque la situación económica era alarmante, Schalck y su equipo lograron evitar que los bancos capitalistas pusieran en duda la solvencia de la RDA, ocultando información sobre la verdadera situación financiera del país. Sin embargo, Schalck era consciente de que la continuidad del flujo de capital estaba en riesgo crítico.

La viabilidad financiera de Alemania Oriental ahora dependía de si «podría garantizarse el préstamo anual de entre 8.000 y 10.000 millones de marcos». Según Schalck, «un volumen de crédito de tal magnitud es excepcionalmente alto para un país como la RDA, lo

771 Krenz, *Herbst '89*, p. 120.

que significa una dependencia significativa de los bancos capitalistas para mantener nuestra solvencia». Además, hizo hincapié en que «el riesgo particularmente alto de esta dependencia se encuentra en los créditos financieros indispensables para nosotros. Los vencimientos de capital e intereses solo pueden ser atendidos a través de nuevos créditos financieros». Al igual que en Hungría en 1987, Schalck advertía a los líderes de que la solvencia del país dependía de la continua inyección de capital japonés: «Actualmente, más del 75 % de nuestros créditos financieros provienen de bancos japoneses. Si el Gobierno japonés detuviera la concesión de nuevos créditos, por ejemplo, bajo la presión de un chantaje estadounidense relacionado con su política de boicot de crédito, sería imposible compensar el déficit de créditos a través de bancos de otros países». Además del potencial chantaje de Estados Unidos, Schalck señaló que también podrían afectar la disposición de los bancos capitalistas a continuar prestando dinero a la RDA factores como «el impacto de cuestiones políticas en la disposición de los bancos capitalistas para otorgar créditos, y la postura de Gobiernos de países como Japón y Alemania Occidental, que influyen significativamente en los bancos de otros países»[772].

Es imposible determinar con exactitud cómo afectó este informe a la dirección del país, que en ese momento no contaba con Honecker, pero está claro que el debate sobre la situación financiera continuó mientras las protestas se intensificaban en las calles. Diez días después de recibir el informe de Schalck, el 28 de septiembre, altos funcionarios económicos del Estado —incluyendo a Schalck, Schürer, König, el ministro de Comercio Exterior Gerhard Beil y el presidente del Banco del Estado Werner Polze— redactaron otro detallado memorando sobre la situación financiera del país, en el que apuntaban que «ya dependemos significativamente de los bancos capitalistas para cumplir con nuestras obligaciones de pago de principal e intereses, así como para ejecutar nuestro

772 «Standpunkt zur Sicherung der Zahlungsfähigkeit bis 1995/96», DL/226/1258, BArch Lichterfelde, pp. 153-157.

plan anual de importaciones. [La] suma extraordinariamente grande [de entre ocho mil y diez mil millones de marcos debía] sacarse anualmente de aproximadamente cuatrocientos bancos en cualquier momento». Esta movilización de capital se hacía cada vez más complicada porque «los bancos capitalistas establecen límites nacionales para su orientación crediticia hacia los países socialistas, al igual que con los países en desarrollo». Debido a la ya elevada deuda, los bancos no estaban dispuestos a aumentar significativamente este límite para la RDA. Según los autores del informe, el acceso futuro a los mercados de crédito «dependía en gran medida [del] impacto de los factores políticos en la disposición a conceder créditos de los bancos capitalistas y de las posiciones de Gobiernos de países como Japón y Alemania Occidental, que están entre los acreedores más importantes de la RDA». Incluso si el país lograba mantener el favor de los mercados, necesitaría duplicar sus exportaciones en los siguientes cinco años manteniendo constantes las importaciones, un crecimiento en las exportaciones sin precedentes en la historia de la RDA.

Sin embargo, los autores del informe advertían de que cualquier desviación de estos superávits conduciría inevitablemente a la insolvencia del país, con consecuencias desastrosas: «Mantener la solvencia de la República de manera incondicional es un requisito esencial para la estabilidad política de la RDA y su desarrollo económico futuro», debido a que «el incumplimiento de las obligaciones inminentes de reembolso de los préstamos o el pago tardío de intereses llevaría a la suspensión total de los créditos por parte de los bancos capitalistas. En tal caso, ya no habría más préstamos disponibles para las importaciones de la RDA». Siguiendo el precedente de Hungría, que Schalck había estudiado dos años antes, los economistas ahora instaban a los líderes a observar a Polonia para ver los efectos catastróficos de no mantener la solvencia: «Polonia no ha recibido nuevos préstamos de los bancos capitalistas desde que suspendió pagos en 1981». El caso polaco mostraba que el mundo financiero se había vuelto más riguroso con los deudores. Los acuerdos de reestructuración de deuda con pocas o ninguna condición «ya no existen», afirmaron los autores del informe. «Desde hace años, los acuerdos de reestructuración de deuda con los bancos capitalistas solo se realizan con la participación del FMI».

Los líderes de Alemania Oriental veían al FMI como una entidad dedicada a desmantelar el socialismo. Los economistas creían que la historia de las relaciones de los países socialistas con el Fondo en la década de 1980 solo proporcionaba más pruebas alarmantes para respaldar esta creencia: «La condición previa para una posible reestructuración de la deuda es cumplir con las condiciones impuestas por el FMI». Basándose en la experiencia de otros países socialistas, estaba claro que estas condiciones incluirían «la eliminación de la intervención estatal en la economía (ejemplo de Polonia); la reducción de subvenciones con el objetivo de eliminarlas (ejemplos de Polonia, Yugoslavia y Hungría); [y] la liberalización de las importaciones de países occidentales, es decir, la renuncia del Estado a determinar su política de importación». En resumen, tratar con el FMI suponía la abolición forzada del socialismo, lo que llevó al grupo a una conclusión general: «Por lo tanto, asegurar la solvencia de la República debe tener la máxima prioridad política y económica».

Al igual que en Hungría y Polonia, en el caso de la RDA también se aplicaba la coerción de la solvencia. Los economistas propusieron que el Gobierno adoptara políticas nacionales impopulares que generarían malestar social para mantener la solvencia internacional del país. La situación financiera actual hacía «necesarias» las siguientes políticas: «un cambio sistemático en las proporciones básicas entre acumulación y consumo, una reducción del consumo social —y si eso no es suficiente, también del individual— y el desarrollo de los sectores industriales de exportación, incluida la redistribución de la mano de obra en beneficio de las industrias críticas para la exportación»[773]. En resumen, mantener la solvencia

773 Schürer, Beil, König, Schalck y Polze, sin título, 28 de septiembre de 1989, DE/1/58166, BArch Lichterfelde.

requeriría políticas de ruptura de promesas —como el aumento de precios, la reducción de beneficios sociales y la movilidad laboral—, así como el apoyo continuo de los acreedores occidentales del país.

Schalck enfatizó un punto crucial en un informe que envió a Krenz cuatro días después de la protesta del 9 de octubre en Leipzig. Aunque se redactó tras ese día decisivo, es casi seguro que simplemente plasmara por escrito ideas que ya rondaban en la mente de ambos, más que presentar algo completamente nuevo: «La postura del Gobierno de la RFA y los círculos empresariales de la República Federal influyen significativamente en la actitud de otros Estados y de Japón hacia la RDA». Schalck apuntaba que era crucial tener en cuenta «la influencia política y económica de la RFA, especialmente en la Comunidad Europea y también en relación con los círculos financieros y los mercados de crédito fuera de Europa»[774]. Por lo tanto, aunque no estuviera explícitamente mencionado en un documento de los archivos, Egon Krenz era plenamente consciente de que, si optaba por la violencia contra los manifestantes en Leipzig o en cualquier otro lugar, el país se enfrentaría rápidamente a la insolvencia. Y esto tenía un único significado: repetir la experiencia polaca de los años ochenta, un escenario que ningún miembro de la cúpula, especialmente Krenz, veía con buenos ojos.

Lo que Krenz, y no Honecker, pensaba a principios de octubre es relevante, ya que para el día 9 ya se había iniciado el derrocamiento de Honecker. Honecker permaneció en el poder el tiempo suficiente como para celebrar el cuadragésimo aniversario de su país el 7 de octubre. Pero ya al día siguiente, el complot para derrocarlo empezó a tomar forma[775]. Honecker había ordenado a todos los líderes locales y a las fuerzas de seguridad que preparasen «medidas» para prevenir futuros «disturbios (...) desde el principio»[776]. Sin embargo, cuando llegó el momento crítico de

774 Schalck a Krenz, 13 de octubre de 1989, DL/226/1195, BArch Lichterfelde, pp. 17-20.

775 Krenz, *Herbst '89*, p. 146.

776 Citado en Hertle, *Der Fall der Mauer*, p. 114.

decidir en Leipzig si la protesta debía ser reprimida o permitida, el líder del partido en funciones en la ciudad, Helmut Hackenberg, llamó a Krenz porque ya había escuchado que estaba planeando el derrocamiento de Honecker[777].

Los manifestantes que salieron a la calle ese 9 de octubre desconocían tanto la debilidad financiera del país como los planes de Krenz contra Honecker. Para ellos, el Estado oriental todavía representaba un conjunto de instrumentos represivos listos para ser utilizados contra cualquier ciudadano disidente. Esto no impidió que alrededor de 70.000 personas se reunieran frente a la iglesia Nikolai después de las oraciones por la paz del lunes y rodearan con valentía la carretera de circunvalación que bordeaba el centro de la ciudad. Esta carretera se había convertido en el escenario semanal de enfrentamientos entre manifestantes y fuerzas de seguridad. Cuando los manifestantes comenzaron a marchar, Hackenberg llamó a Krenz para informarle de que la protesta era mucho mayor de lo esperado y le preguntó qué debía hacer. Krenz dijo que devolvería la llamada. Según relatos de algunos de los presentes, tardó entre treinta y cuarenta y cinco minutos en responder. Para cuando lo hizo, Hackenberg ya había decidido por su cuenta no dispersar a los manifestantes sin una orden directa de Berlín Este, y específicamente de Krenz. A la mañana siguiente, las consecuencias de la noche anterior eran evidentes: la protesta se había convertido en un símbolo del creciente poder del pueblo de la RDA, que había perdido el miedo al aparato represivo del Estado[778].

La demora de Krenz en devolver la llamada aquella noche significaba que, en última instancia, no fue él quien determinó el curso de los acontecimientos, aunque un líder más resuelto podría haberlo hecho. Las causas de su vacilación a la hora de responder no están claras, pero sí lo están las múltiples razones por las que dudaba en recurrir a la violencia. Krenz siempre había defendido una profunda

777 Sarotte, *Collapse*, p. 1849 de 8079, Kindle.

778 Sarotte, *Collapse*, p. 2118 de 8079, Kindle.

convicción personal contra el uso de la fuerza, postura que se respalda Gerhard Schürer en sus memorias[779]. Además, en el otoño de 1989, Gorbachov había expresado públicamente su apoyo a la no violencia y había declarado oficialmente que la Unión Soviética no intervendría en países aliados para sostener el socialismo[780].

Otra razón importante para la moderación era la posición financiera internacional de Alemania Oriental. Si los líderes hubiesen optado por una «solución al estilo chino», habrían entendido claramente que ello llevaría a la insolvencia nacional, a una política de ruptura de promesas y a una situación similar a la experimentada por Polonia. Optaron por detenerse ante la violencia, temiendo las consecuencias de la austeridad que seguiría.

* * * *

El movimiento oficial de Krenz para desplazar a Honecker tuvo lugar en la reunión del politburó del 17 de octubre[781]. Al día siguiente, durante una reunión más amplia del Comité central del SED, Honecker anunció su renuncia por «motivos de salud» y recomendó que el comité eligiera a Krenz como nuevo secretario general. Una vez elegido oficialmente, Krenz pronunció un discurso en el que delineó el nuevo rumbo que pretendía para el país. Anunció lo que denominó «el giro» (*die Wende*). Al proponer su *Wende*, estaba limitado por las circunstancias económicas y financieras de la nación. El día que se abrió el Muro de Berlín, le dijo al Comité central: «La balanza de pagos (...) nos impone límites; nos restringe en nuestras decisiones políticas necesarias. Cada día se revelan nuevos hechos que afectan nuestra situación económica. Y sin una economía sólida, nada más puede funcionar»[782].

Para abordar los problemas económicos del país, Krenz se centró en el tema de la emigración. Incluso antes de derrocar

779 Krenz's *Herbst '89 passim.*, y Schürer, *Gewagt und Verloren*, p. 164.

780 Kramer, «The Demise of the Soviet Bloc», p. 842.

781 Mark Kramer, «The Demise of the Soviet Bloc», p. 842.

782 Hertle (ed.), *Das Ende der SED*, p. 269.

oficialmente a Honecker, había preparado un borrador de nuevas normativas de viaje para permitir a los alemanes orientales viajar al Oeste, y solicitó a Schalck que lo revisara por sus implicaciones financieras. El 13 de octubre, Schalck respondió con una propuesta de cambiar la apertura controlada del Muro de Berlín por divisas: «Las decisiones y los principios establecidos en el borrador son cruciales para continuar el desarrollo socialista en la RDA y mejorar el atractivo de nuestra sociedad. Actualmente, no vemos otras soluciones», afirmó Schalck. Además, le advirtió a Krenz sobre una «demanda reprimida significativa en los viajes de Alemania del Este a Occidente, especialmente a la RFA y, sobre todo, a Berlín occidental». Schalck estimó que al menos cinco millones de ciudadanos de Alemania Oriental querrían viajar a Alemania Occidental en el primer año y otros cinco millones a Berlín Occidental. Según sus cálculos, esto costaría al Estado de Alemania Oriental una suma que no podía permitirse: trescientos millones de marcos en el primer año. «Inmediatamente después de la decisión, y antes de anunciar la normativa, sería absolutamente apropiado obtener una contribución financiera considerable del Gobierno de la RFA a través de conversaciones informales para posibilitar esta política, que la RFA ha perseguido durante mucho tiempo», escribió Schalck. Preveía una contribución total de entre trescientos y quinientos millones de marcos de la RFA para financiar los viajes desde la RDA. Creía que esto resolvería el problema inmediato de los viajes; el Gobierno podría entonces revisar esa cuestión a mediados de los noventa, presumiblemente después de haber resuelto sus problemas de deuda inminentes: «En una fecha posterior (posiblemente a mediados de la década de 1990), deberíamos evaluar hasta qué punto hay oportunidades para proporcionar a los ciudadanos de la RDA una cierta cantidad de divisas cada tres años (...) para viajar a Occidente»[783]. El 16 de octubre, Krenz convocó una reunión con otros líderes para discutir la cuestión de los viajes, y el grupo adoptó la estrategia propuesta por Schalck.

783 Schalck a Krenz, 13 de octubre de 1989, DL/226/1195, BArch Lichterfelde, pp. 3-5.

En su búsqueda de este objetivo, Krenz envió a Schalck a Bonn el 24 de octubre para iniciar «conversaciones informales» con la RFA sobre nuevas formas de cooperación. Schalck escribiría más tarde que «durante los últimos dos o tres años, me había dado cuenta de que la RDA se dirigía hacia una confederación económica con la RFA. Solo con el poder financiero de Alemania Occidental se podría preservar la RDA. (...) Yo sabía mejor que la mayoría de mis camaradas que dicho apoyo económico y financiero implicaría cambios políticos significativos». Al partir hacia Bonn, escribió: «Todavía esperaba que el precio no fuera el autosacrificio»[784]. Describió las instrucciones que Krenz le había dado para las negociaciones: «Debería explorar la posibilidad de una cooperación económica más estrecha, mientras se mantenía el sistema socialista [de la RDA]. Al mismo tiempo, resultaba evidente que los viajes se liberalizarían: solo era cuestión de tiempo. Yo pensaba de manera pragmática sobre los costos que esto supondría para la RDA. Los nuevos pasos fronterizos y la ampliación de las rutas de tránsito requerirían más divisas. Sabía que no tenían dinero para ello. Era necesario hacer que la República Federal pagara, incluso si eso significaba un acuerdo empaquetado: dinero a cambio de la ampliación de los viajes»[785].

En su primera reunión, con Rudolf Seiters y Wolfgang Schäuble, altos funcionarios del Gobierno de Kohl, Schalck trató de cumplir su misión de aumentar la cooperación, defendiendo al mismo tiempo el sistema socialista de la RDA. Les comunicó a Seiters y Schäuble que «la firme intención» de la dirección del partido era llevar a cabo «amplias renovaciones y reformas [a través de] un diálogo exhaustivo con todos los estratos de la sociedad». Sin embargo, afirmó que «el sistema socialista de la RDA no estaba en discusión» y también que «el SED seguiría desempeñando un papel principal en el proceso de renovación». Luego les informó de la intención de la RDA de implementar una nueva ley de viajes

784 Alexander Schalck-Golodkowski, *Deutsch-deutsche Erinnerugen*, Reinbek, Rowohlt, 2001, p. 322.

785 Schalck, *Erinnerugen*, p. 323.

que ampliaría drásticamente las posibilidades de viaje al extranjero para los ciudadanos de Alemania Oriental, en particular hacia la RFA. Teniendo en cuenta las «significativas cargas económicas adicionales» que esta ley impondría a la RDA, Schalck sugirió que ambas partes debían encontrar «soluciones conjuntas» al problema. En resumen, la dirección del SED contemplaba la posibilidad de elevar las relaciones interalemanas a «un nuevo nivel», siempre y cuando se basaran en «los principios de igualdad, respeto a la soberanía y no intervención» en los asuntos internos de la otra parte.

Seiters y Schäuble respondieron con sus propias preguntas y preocupaciones. Primero, expresaron que los funcionarios de la República Federal habían estado «observando con gran interés y preocupación el desarrollo económico de la RDA en los últimos años». Estaban especialmente preocupados por «la eficiencia de la economía de la RDA y el crecimiento de su deuda». Dado que cualquier nueva forma de cooperación entre ambos Estados requeriría fondos de Alemania Occidental, solo sería justificable «desde el punto de vista de la República Federal, si la RDA reconsideraba aspectos importantes de su política económica» y tomaba decisiones que aumentaran «la eficiencia en su economía». Para el Gobierno de Kohl, era necesario, por ejemplo, «reducir las subvenciones y tomar medidas que garantizaran la competitividad internacional de las empresas de Alemania Oriental». Por último, anticipando que las nuevas leyes de viaje de Alemania del Este pondrían a prueba las capacidades de Berlín Occidental, ambas partes deberían explorar «cómo se podrían abordar los intereses de Berlín Occidental (…) en otros ámbitos»[786]. Con los primeros signos de condicionalidad en el aire, las partes se separaron para consultar con sus respectivos Gobiernos.

A Krenz le enfureció leer el detallado informe de Schalck. Para él, las intenciones del Gobierno de Kohl eran ahora obvias. Como

786 «Vermerk über ein informelles Gespräch des Genossen Alexander Schalck mit dem Bundesminister und Chef des Bundeskanzleramtes der BRD, Rudolf Seiters, und mit dem Mitglied des Vorstandes der CDU, Wolfgang Schäuble, am 24.10.1989», en Hertle, *Der Fall der Mauer*, pp. 439-443.

escribió en sus memorias, «no se trata en absoluto de la libertad de movimiento de sus "hermanos" y "hermanas". A Bonn no le interesa si los alemanes orientales pueden viajar o no. Bonn lo quiere todo; Bonn quiere la RDA»[787].

Dos días después, el 26 de octubre, Kohl y Krenz mantuvieron una primera conversación telefónica. Tras un intercambio de saludos, Kohl dijo que tenía grandes esperanzas en la *Wende* anunciada por Krenz. En particular, comentó que era «especialmente importante» resolver tres cuestiones: una nueva ley sobre la libertad de viajar, una amnistía para los presos políticos arrestados durante las recientes manifestaciones y «una solución positiva» a la cuestión de los refugiados. «Si se puede asociar su nombre con un paso generoso —dijo Kohl— no solo tendrá un efecto muy considerable aquí [en la RFA], sino también en la RDA». Esto fue una condicionalidad velada y cortés, y Krenz la vio como lo que era. De ahí que respondiera: «Un giro [*Wende*] no significa un trastorno [*Umbruch*]». Krenz informó a Kohl de que la dirección del SED había tomado la decisión, «bajo la completa soberanía de nuestro país», de implementar una nueva ley de viaje. Sin embargo, la ley traería «considerables cargas económicas adicionales» consigo para la RDA, las cuales esperaba que la RFA pudiera cubrir. Presionó a Kohl para llegar al acuerdo lo antes posible sobre la financiación de la ley, pero el canciller se negó entrar a discutir detalles específicos o hacer una declaración clara de apoyo financiero. En lugar de eso, para ganar tiempo, se comprometió a facilitar futuras conversaciones con Seiters y Schäuble[788].

Schalck, que se sentaba junto a Krenz durante su conversación con Kohl, escribió en sus memorias que «algo decisivo ocurrió durante esta llamada telefónica». «Hasta ese momento, la República Federal simplemente había seguido los eventos en la RDA atentamente, [pero] ahora Kohl presentó demandas por primera vez»: nuevas reglas para la libertad de viajar en Alemania Oriental,

787 Krenz, *Herbst '89*, p. 224.

788 «Ton-Aufzeichnung eines Telefonats zwischen Egon Krenz und Helmut Kohl, 26.10.1989», en Hertle, *Der Fall der Mauer*, p. 447.

una amnistía para los presos políticos y una resolución positiva para la crisis de los refugiados en la Embajada[789]. «Eso, y no el 9 de noviembre [día de la caída del Muro], fue para mí la situación clave. Esa fue la *Wende*. Ese mismo día elaboramos un paquete de medidas para implementar los puntos planteados por Kohl. Desde ese momento, la República Federal gobernaba la RDA»[790]. En los días siguientes, el Ministerio del Interior y la Stasi comenzaron a redactar la nueva ley de viajes.

Un componente clave de la *Wende* de Krenz era hacer que la situación económica real del país fuera clara para todo el politburó y el Comité Central. A finales de octubre, encargó a Schürer, Schalck y el resto de altos funcionarios económicos escribir un informe exhaustivo sobre la situación económica para discutirlo en la reunión del politburó el 31 de octubre. El informe, titulado «Un análisis de la situación económica de la RDA con conclusiones», sirvió como una dura acusación contra la Unidad de Política Económica y Social de Honecker y un llamado urgente al cambio: «La deuda con Occidente ha crecido desde el Octavo Congreso del Partido [cuando se anunció la política de Unidad] a tal nivel que pone en duda la solvencia de la RDA». Un consumo interior por encima de la producción había causado que «la deuda con Occidente creciera de dos mil millones de MV en 1970 a 49.000 en 1989»[791]. Los economistas dejaron claro que la deuda situaba al país en una completa dependencia del capital occidental. En sus palabras, «los ingresos en moneda fuerte planeados para 1989 solo pueden cubrir alrededor del 35 % de los pagos en moneda fuerte (...). El 65 % de los pagos deben financiarse a través de créditos bancarios y otras fuentes». Para un país como la RDA, esto era

789 Schalck, *Erinnerugen*, p. 325.

790 El Ministerio del Interior y la Stasi también habían recibido instrucciones del politburó el 24 de octubre para comenzar a redactar la nueva ley de viajes. Véase Sarotte, *Collapse*.

791 Gerhard Schürer, Gerhard Beil, Alexander Schalck, Ernst Höfner y Arno Donda, «Analyse der ökonomischen Lage der DDR mit Schlußfolgerungen, Vorlage für das Politbüro des Zentralkomitees der SED, 30.10.1989», en Hertle, *Der Fall der Mauer*, pp. 448-460.

inusual y precario. El informe también decía que «en el análisis de la solvencia crediticia de un país se asume internacionalmente que la tasa de servicio de la deuda (…) no ha de superar el 25 %. El 75 % de [el dinero recibido de] las exportaciones debería estar disponible para pagar las importaciones y otros gastos. Basándose en sus exportaciones en moneda fuerte, la RDA tiene una tasa de servicio de deuda del 150 %». Asimismo, se esbozaron las implicaciones de esta posición para la economía doméstica: «Si queremos prevenir que la deuda aumente en 1990, (…) [esto] requeriría una reducción en el consumo de entre el 25 y el 30 %». Se tendría que lograr un superávit de exportaciones de dos mil millones de MV en 1990, cifra que debería crecer hasta los 11.300 millones de MV en 1995 solo para mantener el nivel de deuda estable»[792].

Si esto no sucediera, los economistas advirtieron al politburó que las penalizaciones serían severas: «Las consecuencias de una insolvencia inminente serían un moratorio (reestructuración de deuda), en el cual el Fondo Monetario Internacional determinaría lo que debe suceder en la RDA». Según ellos, el FMI «exigiría que el Estado renunciase a su derecho a intervenir en la economía, la reprivatización de empresas, la restricción de subsidios con el objetivo de abolirlos completamente, [y] la renuncia del Estado a determinar la política de importación. Es necesario hacer todo lo posible para evitar ir por este camino».

¿Qué proponían para los años venideros?: «La esencia de la nueva política económica residía en reconciliar la producción con el consumo». El país debería «limitarse a consumir internamente lo que quedase tras descontar los excedentes necesarios para la exportación». Además, era crucial vincular los aumentos salariales al incremento de la productividad, elevar precios, reducir subvenciones y minimizar los mecanismos estatales de planificación y administración en todos los niveles. Se perfilaba un periodo de ruptura de promesas[793].

792 Schürer *et al.*, «Analyse der ökonomischen Lage», p. 454.

793 *Ibid.*, pp. 455, 457.

Para mitigar el impacto del incumplimiento de estas promesas, sugirieron que el Gobierno intentara expandir la cooperación con la mayor cantidad de países y empresas occidentales posible: «Es esencial, para asegurar la solvencia en 1991, negociar con el Gobierno de la RFA, en el momento apropiado, sobre entre dos mil y tres mil millones de MV en créditos financieros por encima de las líneas de crédito actuales». Al tiempo que descartaron «cualquier idea de reunificación con la República Federal o la creación de una confederación», también recomendaron que el SED deje claro a la RFA que «se podrían crear condiciones» en los años venideros que harían «innecesaria la actual forma de fronteras entre ambos Estados alemanes»[794]. Debido a su delicadeza política, esta última sugerencia se eliminó de la versión publicada tras la reunión del politburó. No obstante, su supresión no cambió el hecho de que los altos funcionarios estatales estaban considerando solicitar un rescate por abrir el Muro de Berlín a cambio de préstamos de Alemania Occidental, con el objetivo de prolongar la existencia de la RDA[795].

Krenz, al reflexionar sobre su reacción al documento, escribió que «el mayor problema del análisis para mí es la deuda con los países capitalistas», y reconoció el desafío particular que representaba para la RDA: «¿Estamos hablando de bancarrota estatal? De ninguna manera. Un Estado no quiebra solo por tener deudas. Si fuera así, la mayoría de los países del mundo ya habrían desaparecido. Nuestro verdadero problema es tener deudas con un enemigo político que busca la desaparición de la RDA. Ese es el riesgo real». La posibilidad de una reducción del consumo de entre el 25 y el 30 % lo convenció de la urgencia de adoptar la propuesta: «La advertencia en el documento sobre la "ingobernabilidad de la RDA" subraya la necesidad vital de un cambio radical en nuestra política económica». El SED debía realizar esta transformación, ya que los autores enfatizaban la importancia de «liberar a la RDA de las imposiciones del Fondo Monetario Internacional».

794 Schürer *et al.*, «Analyse der ökonomischen Lage», pp. 459, 460.

795 Hertle, *Der Fall der Mauer*, pp. 148-149.

Además, indicó que el análisis económico estaba vinculado a «conclusiones políticas de gran trascendencia», siendo la más significativa la sugerencia de un desmantelamiento gradual de las fronteras entre los dos Estados alemanes. Tal cambio requeriría, según Krenz, la aprobación de la Unión Soviética, pero aún así, creía que el «Análisis» debía presentarse al politburó sin cambios el 31 de octubre para su discusión[796].

Durante cuarenta años, cuando surgía una crisis, el líder de la RDA cumplía con la tradición de buscar el amparo de Moscú. Krenz no fue la excepción y, por ello, el 1 de noviembre, viajó a la capital soviética para su primera reunión con Gorbachov. Estaba convencido de que el apoyo económico de la Unión Soviética, más que el militar, era crucial para la supervivencia de su país. «Si no logramos intensificar la cooperación económica necesaria con la Unión Soviética, la renovación de nuestra sociedad seguirá siendo un sueño», escribió. Con el «Análisis» de Schalck y Schürer en su maletín, sabía que este sería un tema central en sus conversaciones en Moscú[797].

Gorbachov había insistido durante mucho tiempo en que el SED, especialmente bajo el liderazgo de Honecker, emprendiera reformas políticas y económicas. Sin embargo, con Krenz ahora en el poder, la necesidad de reformas ya no era un tema de debate. En la reunión del 1 de noviembre, el enfoque se centró en los recursos, específicamente en si la Unión Soviética podría incrementar su apoyo económico a su aliado más crucial en un momento crítico. Krenz orientó la conversación hacia su principal preocupación: la economía, a la que consideraba «el problema crucial»[798]. Le explicó a Gorbachov que, para finales de 1989, la deuda de Alemania Oriental ascendería a 26.500 millones de dólares, equivalentes a 49.000 millones de marcos. Además, indicó que el país contaría con ingresos de 5.900 millones de dólares en 1989, que tendrían que cubrir 18.000 millones en pagos de deuda y en importaciones.

796 Krenz, *Herbst '89*, pp. 246, 249.

797 Krenz, *Herbst '89*, pp. 249, 250.

798 Krenz, *Herbst '89*, p. 266.

Esto dejaría a la RDA con un déficit de 12.100 millones de dólares, lo que implicaría la necesidad de solicitar nuevos préstamos a bancos y Gobiernos occidentales[799]. Krenz comentó que su tarea era «mantener la solvencia. Si el Fondo Monetario Internacional interviene en nuestros asuntos, será perjudicial para nosotros»[800]. Gorbachov, aunque bien informado sobre la situación económica de la RDA, se mostró «asombrado» al conocer estas cifras y preguntó si eran correctas, ya que «no había imaginado que la situación fuera tan grave». Krenz se lo confirmó y explicó que si el nivel de vida dependiera «exclusivamente de la producción propia del país», debería reducirse «de inmediato el 30 %», algo que, según admitió, admitió «no era políticamente viable»[801].

Para Gorbachov, esta situación le recordaba a lo que había escuchado de funcionarios húngaros y polacos en años recientes. Aconsejó a Krenz que fuera franco con la población y la informara de la realidad económica del país. También le dijo que la dirección del SED «debía encontrar la manera de comunicar a la población que había vivido por encima de sus posibilidades en los últimos años»[802]. La Unión Soviética se comprometió a cumplir con las entregas de materias primas acordadas en el Plan Quinquenal 1986-1990, pero aclaró que era lo único que podría ofrecer»[803].

Para solucionar la economía de la RDA, Gorbachov aconsejó a Krenz mirar hacia Occidente. Según él, este era el camino seguido por Hungría y Polonia. «Después de todo, no tenían otra opción», apuntó Gorbachov. Reflexionó sobre lo que la URSS haría en una situación similar, concluyendo que poco podía hacer en términos económicos. Era ilusorio pensar que la Unión Soviética pudiera sostener económicamente a cuarenta millones de polacos. En

799 «Documento n.º 1: Memorándum de conversación entre Egon Krenz, Secretario General del Partido Socialista Unificado (SED), y Mijaíl S. Gorbachov, Secretario General del Partido Comunista de la Unión Soviética (PCUS), 1 de noviembre de 1989», en TECW, p. 144.

800 Krenz, *Herbst '89*, p. 267.

801 «Documento 1: Memorándum», TECW, p. 144.

802 *Ibid.*

803 Krenz, *Herbst '89*, p. 267.

Hungría, «el camarada Kádár recibió un ultimátum del FMI en 1987; si no cumplía con las numerosas demandas, se enfrentaría a la suspensión de los préstamos»[804]. Estas palabras debieron de haber dejado una impresión profunda y duradera en Krenz. En sus memorias, las citó textualmente y luego escribió: «Entendí a Gorbachov de la siguiente manera: No esperes más ayuda económica de la Unión Soviética, pero evita a toda costa caer en manos del Fondo Monetario Internacional. ¡Ayúdate a ti mismo de la mejor manera posible!»[805]. Tras cuatro horas de conversación y un almuerzo con brindis con vodka por el futuro del socialismo, Krenz volvió a la RDA llevando consigo el peso de estas reflexiones.

Regresó a un país en crisis. Ante la amenaza de huelgas, el Gobierno revocó el 1 de noviembre su decisión previa de cerrar las fronteras al bloque del Este. Inmediatamente, el problema de los refugiados resurgió: cuatro mil alemanes del Este llenaron de nuevo la embajada de Alemania del Oeste en Praga. Preocupados por una posible desestabilización indirecta, los líderes checoslovacos presionaron a Berlín Oriental para que resolviera rápidamente sus políticas de viajes. Además, el representante de la República Federal en la RDA informó al SED de que la misión de Alemania Occidental en Berlín Oriental pronto reabriría, dos meses después de haber cerrado por «reformas» (en realidad, para evitar ser inundada por refugiados, como ocurrió con las embajadas en Praga y Varsovia). Su reapertura auguraba una crisis masiva de refugiados en el corazón de la RDA. Mientras la presión aumentaba tanto desde el este como del oeste, la tensión también crecía en las calles de la capital. El 4 de noviembre, se estima que medio millón de personas inundaron la Alexanderplatz en Berlín Oriental, demandando reformas[806]. Vitoreando el lema utilizado por primera vez en Leipzig semanas atrás —«*Wir sind das Volk!* [¡Nosotros somos el pueblo!]»—, los manifestantes desafiaron a

804 «Documento 1: Memorándum», TECW, p. 144.

805 Krenz, *Herbst '89*, p. 276.

806 Sarotte, *Collapse*, p. 2340 y 2377 de 8079, Kindle.

sus líderes a que tomaran en serio sus consignas sobre democracia y les dejaran tener voz sobre el futuro de su país.

En un momento de creciente agitación pública, Schalck realizó un viaje discreto a Bonn para otra reunión con Seiters y Schäuble. Esta vez, llevó una propuesta más específica: la RDA estaba dispuesta a implementar «regulaciones generosas para los viajes entre la capital de la RDA y Berlín Occidental a través de los nuevos pasos fronterizos abiertos», siempre y cuando la República Federal asumiera los «significativos costos financieros y materiales» implicados. Además, comunicó que la RDA estaba buscando «préstamos a largo plazo de hasta diez mil millones de unidades contables [probablemente marcos alemanes, DM]» para los siguientes dos años, que serían «devueltos en un periodo mínimo de diez años». Estos fondos apoyarían nuevas formas de cooperación, como «empresas conjuntas e inversiones en el capital social» de compañías de Alemania Occidental. Además de estos 10.000 millones de marcos alemanes, Schalck indicó que su Gobierno necesitaba «negociar líneas de crédito adicionales en divisas fuertes, que podrían comenzar en 1991, en un total de entre 2.000 y 3.000 millones de marcos alemanes anuales». Esto sería esencial «para cumplir con las demandas» de los nuevos niveles de cooperación. En resumen, el jefe del KoKo dejó claro que si el Muro de Berlín iba a ser comprado y vendido, su precio sería extraordinariamente alto.

Sin embargo, las expectativas de la República Federal también habían aumentado. Schäuble le indicó a Schalck que se jugaban mucho en el próximo discurso de Krenz ante el Comité Central de Alemania Oriental, que se celebraría el 8 de noviembre. Krenz tendría que demostrar «la credibilidad del rumbo de *Wende*» y nombrar a «personas creíbles y nuevas» para implementar las reformas anunciadas. Según Schäuble, un «problema fundamental [era] el artículo 1 de la Constitución de la RDA, que garantizaba el papel dirigente del partido marxista-leninista». Schäuble «aconsejó encarecidamente» que el SED hiciera evidente su disposición a permitir una «transición pacífica apoyada por todas las organizaciones políticas, sociales y religiosas» y a cambiar constitucionalmente «el papel dirigente del SED por una cooperación constructiva y de consenso con todas las fuerzas democráticas, en interés del socialismo y de la RDA». También expresó que la «frontera estatal con Berlín Occidental» debía volverse «más permeable» y que el Gobierno de Alemania del Oeste seguía esperando que la RDA «desmantelara decisivamente sus subvenciones» a la economía. Para concluir, Schäuble sugirió «urgentemente, una vez más, que el secretario general Krenz reflejara las ideas expresadas [en esta reunión] en su discurso. De lo contrario, el canciller Kohl no podría justificar ante el Bundestag la ayuda financiera de los contribuyentes de Alemania Occidental»[807].

Schalck fue directamente a encontrarse con Krenz en Berlín Este tras su reunión. En sus memorias, Krenz describió las demandas presentadas como un «chantaje»[808]. Schalck fue aún más explícito, calificando la situación de «ultraje diplomático» y como una intromisión en los asuntos internos de la RDA. Sin embargo, desde su perspectiva, dadas las circunstancias, era una respuesta lógica. Para el Gobierno de Alemania Occidental, los asuntos internos de la RDA se habían convertido en asuntos intraalemanes, especialmente en el contexto de las convulsiones políticas y la crítica situación económica de la RDA, evidenciada por la petición de crédito de 10.000 millones de marcos alemanes[809].

Mientras Schalck se reunía con Seiters y Schäuble, los periódicos de Alemania Oriental publicaban un borrador de la nueva ley de viajes, intentando calmar la demanda popular de abandonar el país. Esta iniciativa fracasó rotundamente. La ley aún requería que los ciudadanos de Alemania Oriental obtuvieran un visado antes de viajar, el cual podía ser negado por el Estado. Además, incluso con

807 Schalck, «Vermerk über ein informelles Gespräch des Genossen Alexander Schalck mit dem Bundesminister und Chef des Bundeskanzleramtes der BRD, Rudolf Seiters, und dem Mitglied des Vorstandes der CDU, Wolfgang Schäuble, am 06.11.1989», en Hertle, *Der Fall der Mauer*, pp. 483-486.

808 Krenz, *Herbst '89*, p. 302.

809 Schalck, *Erinnerugen*, p. 327.

un visado, no había garantía de financiación estatal para los viajes al extranjero. Dado que Schalck no había logrado aún obtener de la RFA los medios para financiar los viajes al extranjero de los ciudadanos de la RDA, el Gobierno no tenía forma de costear los viajes que se avecinaban. Era evidente que esto no suponía ningún progreso, y ese mismo día, más de medio millón de personas se manifestaron en las calles de Leipzig en señal de protesta.

Esa tarde, tras enterarse de las protestas en Leipzig y recibir un informe sobre la conversación con Schalck, los líderes políticos de Alemania Occidental se reunieron para discutir sus próximos pasos. El documento preparado para la discusión indicaba que la conversación con Schalck revelaba que «el nuevo Gobierno [de la RDA] busca una reestructuración económica profunda (...) pero preferiría evitar reformas fundamentales en la estructura política». Específicamente, los líderes de la RDA no parecían «estar dispuestos a limitar el monopolio de poder del SED ni a hacer concesiones hacia un pluralismo político». Por otro lado, «esperaban un apoyo financiero y material masivo de nosotros para sus esfuerzos de reestructuración y, al mismo tiempo, que renunciáramos a presionar por un cambio en el sistema político». La magnitud de la petición financiera de Schalck también dejaba claro que «la RDA —al menos a corto y medio plazo— no espera recibir la ayuda económica necesaria de ninguna otra fuente que no seamos nosotros». La única alternativa sería una política de austeridad[810]. Esto colocaba a la RFA en una posición negociadora poderosa, algo que reconocía plenamente el Gobierno de Kohl. Tras ser informado por Seiters y Schäuble sobre su reunión, el líder de la RFA decidió que había llegado el momento de establecer condiciones firmes para el apoyo financiero de su Gobierno.

Al día siguiente, Seiters contactó a Schalck para entregarle un mensaje directo de Kohl a Krenz. El canciller expresó que Krenz debía «declarar públicamente que la RDA está dispuesta a

810 Documento 74, «Besprechung der beamteten Staatssekretäre», 18 horas, 6 de noviembre, 1989, en *Deutsche Einheit: Sonderedition*, p. 482.

garantizar la existencia de grupos de oposición y afirmar que se celebrarán elecciones libres en un plazo a anunciar, si (...) desea recibir ayuda material y financiera de la RFA. Esto incluye las disposiciones financieras para los viajes». El mensaje hacía hincapié en la idea de que «este camino solo es viable si el SED renuncia a su pretensión de poder absoluto». El partido «debería estar preparado para trabajar en igualdad de condiciones y en consenso con todas las fuerzas sociales, iglesias y comunidades religiosas para discutir una auténtica renovación, con el objetivo de lograr un socialismo democrático». Seiters le indicó a Schalck que si se cumplían estas condiciones, «el canciller cree que se pueden lograr muchas cosas y explorar todas las opciones». Krenz lo interpretó como un «chantaje» y un «grosero intento de interferencia en los asuntos internos de la RDA», pero no veía otra opción. «Una vez más, se hace evidente lo limitada que es mi libertad de maniobra política. Al final, todo depende de la economía», escribió. Al día siguiente, Kohl intensificó la presión anunciando públicamente estas condiciones durante su discurso sobre el estado de la nación[811].

Tras el fracaso inicial de la nueva ley de viajes, el politburó se reunió nuevamente el 7 de noviembre para desarrollar una nueva política. Ante la amenaza de sus homólogos checoslovacos de cerrar su frontera con la RDA si no se tomaban medidas para detener el flujo de emigrantes, los líderes decidieron implementar inmediatamente la parte de la ley de viajes que permitía a los ciudadanos de Alemania Oriental emigrar de forma permanente. Mientras se preparaban para la próxima reunión del Comité central, el politburó delegó la tarea de redactar la ley revisada al Ministerio del Interior y a la Stasi.

Reflexionando sobre el estado de la RDA el 8 de noviembre, un día antes de la apertura accidental y dramática del Muro de Berlín, es evidente que la situación financiera del país y la incapacidad de la Unión Soviética de ofrecer ayuda económica adicional habían orillado a sus líderes de cuatro maneras diferentes. En primer

811 Texto facilitado sin título en *Deutsche Einheit: Sonderedition*, p. 491.

lugar, aunque la dependencia financiera de Occidente no era el único factor que impedía a los dirigentes recurrir a la violencia, sí era uno de los más significativos. En segundo lugar, mientras que Krenz y el politburó no respaldaban una apertura incontrolada del Muro de Berlín, sí consideraban una estrategia de intercambio su apertura cambio de divisas. En tercer lugar, esta elección estratégica, junto con el anticipado déficit financiero de principios de los años noventa, llevó a los líderes a negociar con la República Federal como una forma de evitar la insolvencia y eludiendo negociaciones con el FMI. La decisión de negociar con la RFA fue una estrategia basada en la creencia de que las demandas de la RFA de mayor libertad de circulación eran menos arriesgadas para la RDA que las demandas de austeridad y ajuste estructural del FMI. La salida parecía más segura que la austeridad. En cuarto y último lugar, las protestas en la RDA llevaron al Gobierno de Kohl a ampliar sus condiciones a principios de noviembre, exigiendo no solo la libre circulación de personas sino también una reforma económica completa en Alemania Oriental y la renuncia al Estado de partido único. Aunque Krenz había mostrado cierta disposición a vincular la liberalización política con la reforma económica, la condicionalidad impuesta por la República Federal el 7 de noviembre no dejó otra opción que implementar esta estrategia.

En otras palabras, incluso antes de la caída del Muro de Berlín, las circunstancias de la RDA ya estaban encaminando al país por una ruta similar a la recientemente adoptada por Polonia y Hungría. La apertura del Muro pudo haber sido accidental, pero el colapso de la RDA no lo fue. Para la tarde del 9 de noviembre, era una certeza histórica, impulsada por la potente combinación de emigración, manifestaciones y apalancamiento financiero occidental. Lo que aún estaba por determinar, y lo que la apertura del Muro influiría decisivamente, era *cómo* y *en cuánto tiempo* se desmoronaría la RDA.

* * * *

Durante la mañana del 9 de noviembre, funcionarios del Ministerio del Interior y de la Stasi se reunieron para redactar una ley de viajes revisada, siguiendo las instrucciones del politburó de autorizar inmediatamente la emigración permanente de la RDA a la RFA y, en particular, a Berlín Occidental. Tras ver la reacción al primer borrador de la ley, Gerhard Lauter, el funcionario de mayor rango del Ministerio del Interior presente en la reunión, sintió que permitir la emigración permanente pero no el viaje temporal solo avivaría el resentimiento popular, así que reescribió la ley para autorizar inmediatamente tanto el viaje permanente como el temporal. Todas las evidencias históricas sugieren que no recibió instrucciones de sus superiores para hacer este cambio, y ciertamente no se ajustaba a la estrategia de Krenz y Schalck de aprovechar un viaje más libre para ganar más moneda fuerte. Por lo tanto, se destaca como un momento decisivo de contingencia en el que un actor local alteró la trayectoria de su nación. No obstante, como el propio Lauter diría más tarde, fue un cambio en la rapidez con la que se implementaría la política, no un cambio en la política en sí. Al explicar lo que pensaba aquella mañana, dijo: «Todavía teníamos por delante la tarea de presentar un borrador de la ley de viajes en 1989 que permitiría la libertad de viajar. En principio, el 9 de noviembre también podría haber sido el 21 de diciembre, y entonces habría ocurrido legalmente y no habría sido una sorpresa. Todo esto lo teníamos en mente»[812]. El grupo de Lauter envió la nueva ley a través de la cadena burocrática de mando, y llegó a Krenz al mediodía del 9 de noviembre.

Desde que había derrocado a Honecker a mediados de octubre, Krenz había puesto todas sus esperanzas para la renovación del SED y el lanzamiento de un programa de reforma económica en la Décima Reunión del Comité Central, programada para llevarse a cabo del 8 al 10 de noviembre. El primer día y medio no había transcurrido según lo planeado, ya que la reunión se había enredado en interminables debates sobre la reorganización

812 Entrevista a Gerhard Lauter en *Hertle, Der Fall der Mauer*, p. 330.

del liderazgo del partido. En la tarde del 9 de noviembre, Krenz interrumpió la reunión para obtener la aprobación de la ley de viajes revisada: «¡Camaradas! (...) Todos sabemos que hay un problema que nos afecta a todos: la cuestión de la salida [de la RDA]», anunció[813]. El secretario general leyó el borrador completo de la nueva ley al comité. Los miembros, ansiosos por abordar lo que consideraban cuestiones más importantes, sugirieron solo pequeños ajustes. El proyecto fue rápidamente aprobado y Krenz se lo entregó a Günter Schabowski para que lo anunciara en una conferencia de prensa que se transmitiría en directo por la televisión de Alemania Oriental y sería cubierta por medios de comunicación internacionales esa misma tarde.

Al concluir la rueda de prensa, Schabowski anunció la revisión de la ley de viajes casi como si fuera una ocurrencia tardía, y con cierta vacilación, informó al mundo: «Hoy hemos decidido implementar una regulación que permite a todos los ciudadanos de la República Democrática Alemana salir de la RDA a través de cualquiera de los pasos fronterizos». Tras un torrente de preguntas, decidió que sería buena idea leer la ley con exactitud: «Las solicitudes para viajar al extranjero por parte de particulares pueden hacerse ahora sin los requisitos previos (...). Las autorizaciones de viaje se expedirán en breve plazo (...). La salida permanente es posible por todos los pasos fronterizos de la RDA hacia la RFA». Cuando le preguntaron cuándo entraría en vigor la normativa, Schabowski revisó sus papeles y encontró la palabra «inmediatamente». Y respondió: «Según mis informaciones, inmediatamente, sin demora». Ante la pregunta de si también se aplicaba en Berlín Occidental, revisó de nuevo el documento y leyó: «La salida permanente puede hacerse a través de todos los pasos fronterizos de la RDA hacia la RFA y Berlín Occidental, respectivamente». Entonces surgió la pregunta sobre el Muro: «¿Qué va a pasar ahora con el Muro de Berlín?». Aquí, en el punto culminante pero no resuelto

813 «Documento 7: Transcripción de la Décima Sesión del Comité Central del SED», en TECW, p. 156.

de cuatro semanas de negociaciones sobre el intercambio de libre circulación por divisas, Schabowski se dio cuenta de que no tenía una respuesta y concluyó rápidamente la rueda de prensa[814].

Cuando se difundió la noticia de que la nueva ley gubernamental permitía a *todos* los ciudadanos viajar o emigrar *inmediatamente* a través de cualquier paso fronterizo, los berlineses orientales salieron a las calles para comprobar esa nueva realidad. Comenzaron a llegar en masa a los pasos del Muro, exigiendo que se les permitiera pasar. Dado que la ley de viajes en realidad no entraría en vigor hasta el día siguiente —a pesar de mencionar la palabra «inmediatamente»—, a los guardias fronterizos les pilló totalmente desprevenidos. Durante las cinco horas y media siguientes a la rueda de prensa, prevalecieron la tensión y la confusión mientras los guardias buscaban aclaraciones. A las 11:30 p.m., sin haber recibido ninguna aclaración, Harold Jäger, el oficial al mando en el cruce de la calle Bornholmer, aceleró el curso de la historia de su país y ordenó a sus subordinados que abrieran las barreras a los miles de ciudadanos de Alemania Oriental que presionaban para cruzar. En apenas una hora, el Muro de Berlín había caído[815].

* * * *

Cinco días después de la apertura del Muro, Schalck y König sorprendieron a Schürer al revelarle que la realidad sobre la deuda de la RDA había sido tergiversada durante los últimos ocho años. «La deuda es realmente 12.600 millones de MV menor de lo que ustedes pensaban anteriormente», escribieron. Detallando las cuentas secretas que KoKo y el Ministerio de Economía habían mantenido desde los años setenta para almacenar moneda fuerte adicional, le informaron a Schürer que la deuda real a finales de 1989 sería de aproximadamente 3.000 millones de MV, o de 20.600 millones de dólares estadounidenses. A pesar de la diferencia, mantenían

814 «Documento 8: Conferencia de prensa de Günter Schabowski en el Centro Internacional de Prensa de la RDA», en TECW, pp. 157-158.

815 Sarotte, *Collapse*, cap. 6.

que los miles de millones de marcos alemanes almacenados en sus cuentas aún eran «insuficientes para resolver los problemas de liquidez que surgirían entre 1991y 1992»[816].

Sin embargo, nueve años más tarde, en 1998, el Bundesbank alemán realizó un reexamen de la situación de la balanza de pagos de la RDA en los años setenta y ochenta. Esta revisión reveló que incluso Schalck, conocedor de los secretos financieros del país, no comprendía completamente la situación financiera de la RDA. Al contrario a lo afirmado por Schalck y König, el Bundesbank descubrió que la deuda de la RDA a finales de 1989 era de solo 10.800 millones de dólares, casi la mitad de lo que ellos habían estimado.

Los líderes de Alemania del Este creían en 1989 que enfrentaban una realidad financiera que ponía en peligro la existencia de su régimen, pero en muchos aspectos, esta percepción estaba basada en datos incorrectos. En retrospectiva, todas las cifras mencionadas resultaron ser inexactas. La situación financiera de la RDA en 1989 era percibida como peligrosa únicamente porque sus líderes creían que lo era. El estado real de las finanzas, aunque no exento de desafíos, era mucho menos alarmante de lo que se podía pensar. La dinámica de salida-violencia-austeridad se alimentó de una realidad socialmente construida sobre bases erróneas, pero eso no disminuyó su poder e influencia. Y es que los constructos sociales obtienen su fuerza precisamente de su capacidad para determinar lo que se percibe como real y lo que no.

816 Schalck y König a Schürer, 14 de noviembre de 1989, DL/226/1206, BArch Lichterfelde, pp. 55-59.

Disciplina o retroceso

En los días posteriores a la histórica caída del Muro de Berlín, el canciller de Alemania Occidental, Helmut Kohl, se esforzó por moderar sus aspiraciones de una Alemania unificada. Las impactantes imágenes de alemanes del Este cruzando hacia Berlín Oeste y de ciudadanos del Oeste celebrando sobre el muro simbolizaban la esperanza de una vida mejor y más libre para todos los alemanes. Sin embargo, un político de la envergadura y experiencia de Kohl era plenamente consciente de que el destino de Alemania no estaba exclusivamente en manos alemanas. Desde la derrota de los ejércitos de Hitler en 1945, las potencias victoriosas de la Segunda Guerra Mundial —Estados Unidos, la Unión Soviética, Gran Bretaña y Francia— ejercían jurisdicción legal sobre el territorio alemán. Además, eran las dos superpotencias globales quienes controlaban en última instancia la denominada «cuestión alemana». La Guerra Fría, que se desató a finales de los años cuarenta, se debió a la renuencia de la Unión Soviética y Estados Unidos a permitir que el poderío alemán cayera completamente en manos del otro. Durante cuatro décadas llenas de peligros, ambas superpotencias amenazaron con la aniquilación nuclear para preservar el frágil equilibrio de poder en el corazón de Europa.

A pesar del entusiasmo que generó, la caída del Muro no cambió esta realidad. La Unión Soviética mantenía aún 380.000 soldados en Alemania Oriental. Desde cualquier perspectiva política, narrativa histórica o ideológica, el Kremlin no tenía razones para retirarse de Alemania, al menos no sin recibir significativas concesiones por parte de Occidente. El derecho de Moscú a influir en el destino de Alemania era tanto un trofeo por su triunfo sobre el nazismo como una garantía de seguridad contra futuras agresiones occidentales. Por ello, Kohl procuró mantener una visión realista sobre las posibilidades de cambio. «Podrían necesitarse cinco o diez años para alcanzar la unidad —le comentó a su asistente Horst Teltschik—. Incluso si la unificación no se lograse hasta finales de siglo, seguiría siendo un hito histórico»[817].

Sin embargo, su cautela no fue necesaria. Solo once meses después, el 3 de octubre de 1990, Kohl se encontraba ante la Puerta de Brandeburgo, en Berlín, rodeado de multitudes para celebrar la reunificación de Alemania. El proceso de unificación, lejos de ser prolongado y difícil, resultó sorprendentemente rápido y sencillo. En lugar de ceder para facilitar un acuerdo con el Kremlin, Kohl y sus aliados de la Administración Bush lograron todos sus objetivos: una unificación rápida y pacífica, la prometida retirada de las fuerzas armadas soviéticas del país teutón y la incorporación de Alemania reunificada a la OTAN. Su triunfo fue total, inclinando el equilibrio de poder mundial, de manera pacífica y decisiva, a favor de Occidente.

¿Cómo fue posible que este proceso se desarrollara tan rápidamente y de manera tan pacífica después de décadas de hostilidades y peligros? Históricamente, los cambios en el equilibrio de poder suelen ser eventos marcados por la violencia y la destrucción, lo que hace de la reunificación alemana un caso excepcional. Para entender este sorprendente giro de los acontecimientos, muchos analistas y políticos han enfocado su atención en el papel de las élites diplomáticas y en las circunstancias contingentes de los procesos diplomáticos que llevaron a la unificación de Alemania. Argumentan que, de no ser por figuras como George H. W. Bush y Helmut Kohl, junto con sus asesores James Baker y Horst Teltschik, la unificación alemana podría no haberse producido o haberse desarrollado de manera muy diferente[818].

817 Horst Teltschik, p. 329, *Tage: Innenansichten der Einigung*, Berlín, Siedler Verlag, 1991, p. 52.

818 Para argumentos relevantes de este punto de vista, véase Kristina Spohr, *Post Wall, Post Square: How Bush, Gorbachev, Kohl and Deng Shaped the World after 1989*, New Haven, Yale University Press, 2020; Jeffrey Engel, *When the World Seemed New: George H. W. Bush and the End of the Cold War*, Boston, Houghton Miffiin

Este capítulo, sin embargo, propone una perspectiva distinta. Aunque las acciones de las élites diplomáticas occidentales y los procesos de la diplomacia internacional fueron factores clave en la unificación alemana, especialmente en cuanto a la consolidación del apoyo occidental hacia los objetivos de mantener la OTAN y a una Alemania unida dentro de la alianza, las verdaderas causas del cambio pacífico en el equilibrio de poder se encuentran fuera de Occidente. En realidad, estas radican en dos aspectos clave de la economía política del Este: el colapso del Estado y la economía de la RDA después de la caída del Muro de Berlín, y la falta de voluntad de Mijaíl Gorbachov para implementar una política de ruptura de promesas en la Unión Soviética[819]. Estos fueron los factores que impulsaron la unificación a un ritmo asombrosamente rápido y los que llevaron al Kremlin a adoptar una postura más flexible en la cuestión alemana después de décadas de rigidez.

Para entender mejor la perspectiva de Gorbachov en el Kremlin, es importante considerar que, dado su rechazo al uso de la violencia en Europa Central, habría tenido que adoptar dos políticas con graves consecuencias económicas para resistir a la

---

Harcourt, 2017; Mary Elise Sarotte, *1989: The Struggle to Create Post-Cold War Europe*, Princeton, Princeton University Press, 2009, y Philip Zelikow y Condoleezza Rice, *To Build a Better World: Choices to End the Cold War and Create a Global Commonwealth*, Nueva York, Twelve, 2019 y su *Germany Unified and Europe Transformed: A Study in Statecraft*, Cambridge, Harvard University Press, 1995. Entre las obras más destacadas en lengua alemana figuran las de Andreas Rödder, *Deutschland einig Vaterland: Die Geschichte der Wiedervereinigung*, Bonn, Bpb, 2010; Bernd Florath, «Die SED im Untergang», en *Das Revolutionsjahr 1989: Die demokratische Revolution in Osteuropa als transnationale Zäsur*, ed. Bernd Florath, Gotinga, Vandenhoeck & Ruprecht, 2011; y Klaus-Dietmar Henke (ed.), *Revolution und Vereinigung 1989/90: Als in Deutschland die Realität die Phantasie überholte*, Múnich, Deutscher Taschenbuch Verlag, 2009. Para más información sobre el proceso desde distintos puntos de vista, véase Frédéric Bozo, Andreas Rödder y Mary Elise Sarotte (eds.), *A Multinational History*, Londres, Routledge, 2017. Estas obras se basan en las conclusiones originales de la primera ola de historiografía alemana recogida en la monumental *Geschichte der Deutschen Einheit*, en cuatro volúmenes, publicados a finales de la década de 1990.

819 Vladislav Zubok ha trazado un camino muy en línea con los argumentos de este capítulo en «With His Back Against the Wall: Gorbachov, Soviet Demise, and German Reunification», *Cold War History*, vol. 14, n.º 4, 2014, pp. 619-645, y su capítulo en Bozo, Rödder y Sarotte (eds.), *German Reunification*.

unificación alemana[820]. En primer lugar, habría tenido que desviar recursos significativos de la economía soviética para evitar el colapso de la RDA. La caída del Muro de Berlín hizo que la unificación alemana pasara de ser un punto muerto geopolítico a un reto económico inmediato. La emigración continua de cientos de miles de ciudadanos de la RDA hacia el oeste desangraba la economía y la sociedad de la RDA. Solo los Gobiernos capaces de frenar este éxodo y de detener el colapso económico podrían influir decisivamente en el ritmo y la dirección de los acontecimientos. Mientras que el Gobierno de Alemania Occidental tenía esta capacidad, si los soviéticos hubieran querido oponerse a la aceleración hacia la unificación alemana, también habrían tenido que ejercerla.

En segundo lugar, Gorbachov habría necesitado implementar una política de ruptura de promesas dentro de la Unión Soviética. A raíz del colapso de los precios mundiales de la energía y del fracaso del propio Gorbachov a la hora de establecer una disciplina económica durante los primeros cinco años de la perestroika, a principios de 1990 los bancos occidentales solo otorgaban préstamos a Moscú con respaldo gubernamental. Esto implicaba que el acceso del Kremlin a divisas fuertes dependía directamente de la percepción política en las capitales occidentales. Si Gorbachov se hubiese resistido a la unificación alemana en términos occidentales, la buena voluntad de Occidente habría desaparecido rápidamente, y Moscú habría perdido su acceso a los mercados mundiales de capital. Por una necesidad financiera, la ruptura de promesas se habría convertido en una realidad inevitable.

Así, Gorbachov se vio obligado a elegir entre mantener el contrato social en la Unión Soviética y preservar su imperio en el exterior. Para conservar su influencia externa, necesitaba imponer disciplina económica en su país; y para evitar esta disciplina en el ámbito interno, tendría que renunciar al imperio en el exterior. La decisión era entre la autodisciplina o la retirada. Durante el proceso de unificación alemana, Gorbachov optó consistentemente

820 Zubok, «De espaldas», p. 625.

por la retirada en el exterior para minimizar la necesidad de disciplina económica en casa. Mientras esto sucedía, los políticos occidentales empujaban una puerta abierta en Europa Central a finales de 1989 y 1990. A menos que el líder soviético estuviese dispuesto a romper sus promesas internas, no había alternativa *realista* a los deseos de Washington y Bonn: una retirada soviética pacífica del continente europeo y una Alemania unida dentro de la OTAN. Sin una disciplina económica firme en la Unión Soviética, la reunificación alemana bajo términos occidentales era inevitable.

La historia proporcionó a los políticos de Alemania Occidental y Estados Unidos una oportunidad dorada que supieron aprovechar con destreza. George H. W. Bush, el único líder occidental que apoyó sin reservas la campaña de Kohl por la unidad alemana, lo hizo con la condición de que Alemania permaneciera en la OTAN y las tropas estadounidenses en suelo alemán. Kohl aceptó gustoso este trato, y el apoyo estadounidense fortaleció su determinación al emplear de manera agresiva las herramientas de una Guerra Fría privatizada para lograr la unificación alemana. Kohl entendió a la perfección el poder que le conferían las divisas fuertes y el acceso al crédito tanto en Alemania Oriental como en la Unión Soviética, y lo utilizó de manera eficaz. Para ganarse el apoyo del pueblo de la RDA, les ofreció acceso ilimitado al recurso más escaso que habían conocido: el marco alemán. Y para garantizar la aquiescencia soviética, ofreció a Gorbachov más de veinte mil millones de marcos en ayudas y préstamos, facilitando así la retirada del ejército soviético de territorio teutón y la aceptación por parte del Kremlin de una Alemania unida en la OTAN. El 3 de octubre de 1990, Alemania se reunificó y la Guerra Fría concluyó, no con una explosión, sino con un cheque.

* * * *

«La historia nos ha favorecido», le dijo Kohl a Bush tras el desmoronamiento del Muro de Berlín. «Espero que, con la cooperación de nuestros amigos estadounidenses, podamos aprovechar esta oportunidad»[821]. Kohl y Bush tenían varios motivos para estar satisfechos con la situación. La perestroika capitalista en Occidente, que había comenzado con el «*shock* Volcker» a finales de los ochenta, había colocado al mundo occidental en una posición de resurgimiento económico. Los Gobiernos occidentales gozaban de estabilidad y autoconfianza, fruto de una renovada prosperidad material. La República Federal de Alemania fue quizás el mayor beneficiario de este renacimiento económico. La situación económica de Bonn podría resumirse en las palabras de Bush a Kohl: «Tienes los bolsillos llenos»[822].

Por el contrario, en el otoño de 1989, la Unión Soviética de Mijaíl Gorbachov se encontraba en una espiral de declive económico. Después de cuatro años de Gorbachov en el Kremlin, su reticencia a imponer una disciplina económica y financiera a la sociedad soviética había llevado al país a una crisis socioeconómica profunda. La escasez de productos básicos se agravaba y la paciencia de la ciudadanía con las reformas se agotaba. Lo más crítico, como ocurre en todos los casos de incumplimiento de promesas, era que la solución a los problemas económicos del país parecía políticamente inviable. «¿Cuál es la solución?, se preguntaba retóricamente Nikolái Ryzhkov, primer ministro soviético, en una reunión del politburó en febrero de 1989. «¿Subir los precios? Pero eso generaría una tensión social que amenazaría la perestroika»[823].

Incluso sin el aumento de precios, la tensión social era inevitable en una economía marcada por una escasez profunda. En julio de 1989, una ola de huelgas a nivel nacional involucró a más de 170.000 mineros. Estos trabajadores dejaron sus puestos en protesta por el deterioro de las condiciones de vida y laborales, y solo regresaron después de que el Kremlin hiciera nuevas promesas

821 Memorándum de conversación telefónica, Bush-Kohl, 29 de noviembre de 1989, George H. W. Bush Presidential Library (GHWBL), College Station, Texas.

822 Memorándum de conversación, Bush y Kohl, 24 de febrero de 1990, GHWBL, accedido el 20 de enero de 2020, https://bush41library.tamu.edu/files/memconstelcons/1990-02.-24--Kohl.pdf.

823 Anatolii Cherniaev (ed.), V Politbiuro TsK KPSS: Po zapisiam Anatoliia Cherniaeva, Vadima Medvedeva, Georgiia Shakhnazarova, Moscú, Gorbachev-Fond, 2006, p. 383.

para mejorar la vivienda, el entorno laboral y el abastecimiento de alimentos. Nadie sabía cómo se podrían cumplir estas promesas dada la crisis económica existente, pero las huelgas sirvieron como un claro aviso de la resistencia que enfrentaría cualquier intento de imponer disciplina económica[824]. Gorbachov, al igual que Ryzhkov, se sentía perdido sobre qué hacer, pero era consciente de la necesidad de actuar con urgencia. «Tenemos un año, como máximo dos, para arreglar la economía —declaró en una reunión del politburó a finales de junio—. De lo contrario, tendremos que dimitir»[825].

Si no se ajustaban los precios, solo el mercado mundial podría subsanar el enorme desfase entre la oferta y la demanda en la economía soviética. No obstante, a principios de 1989, esta opción también empezó a presentar problemas. Una creciente crisis de divisas exacerbó la lista de debilidades de la economía nacional, un fenómeno relativamente nuevo para el Kremlin. A pesar de que sus aliados habían enfrentado serios problemas de deuda soberana durante las décadas de 1970 y 1980, los vastos recursos naturales de la Unión Soviética le habían permitido eludir una dependencia significativa del capital occidental. Sin embargo, la caída de los precios del petróleo entre 1985 y 1986, junto con las reformas económicas de los primeros años de la perestroika, habían impactado negativamente en la balanza de pagos de Moscú (como se muestra en la Figura 10.1, el descenso en los ingresos soviéticos por exportaciones de energía en divisas fuertes). A inicios de 1989, surgieron dudas serias en los mercados de capitales mundiales sobre la solvencia de la Unión Soviética. En marzo, Yuri Moskovskii, presidente del Vnesheconombank (banco soviético de comercio exterior), escribió a Ryzhkov informando de que «la creciente deuda de la Unión Soviética está generando cada vez más atención y especulación en la prensa occidental». Como resultado, los bancos habían «adoptado recientemente una actitud más cautelosa al otorgar préstamos no vinculados [es decir, préstamos no

824 William Taubman, *Gorbachev: His Life and Times*, Nueva York, W. W. Norton, 2017, p. 450.

825 Cherniaev (ed.), *V Politbiuro TsK KPSS*, p. 425.

relacionados con proyectos específicos de comercio o inversión] a la Unión Soviética»[826].

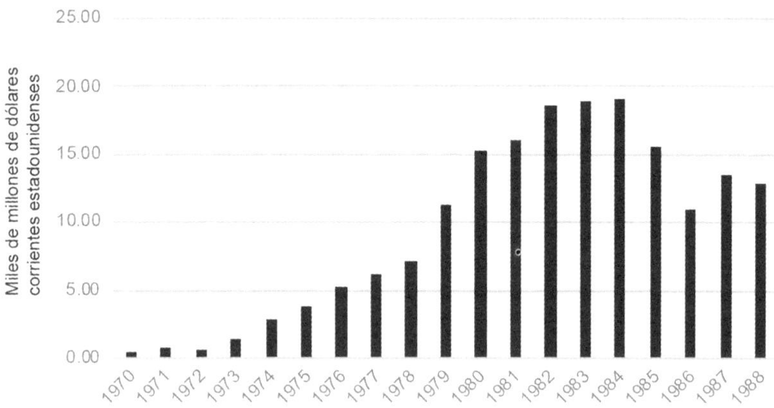

Figura 10.1. **Ingresos soviéticos por exportación de energía en divisas fuertes. Fuente:** Agencia Central de Inteligencia, Soviet Energy Data Resource Book, mayo de 1990, CIA Online Reading Room, consultado el 20 de febrero de 2020, https://www.cia.gov/library/readingroom/docs/DOC_0000292332.pdf, 7.

El problema no residía en el nivel absoluto de la deuda soviética, sino en su rápido incremento. Entre 1985 y 1989, la deuda neta soviética en divisas fuertes se disparó el 150 %, pasando de 16.000 a 40.000 millones de dólares[827]. Para los custodios del capital mundial, esto indicaba que el Kremlin había perdido completamente el control de su balanza de pagos. Un banquero occidental describió la frenética demanda de importaciones por parte de las empresas soviéticas como el comportamiento de «niños en una confitería»[828].

En el verano de 1989, las preocupaciones de Moskovskii se intensificaron. El 12 de agosto, escribió nuevamente a Ryzhkov,

826 Iu. S. Moskovskii a N. I. Ryzhkov, 22 de marzo de 1989, Archivo Estatal Ruso de Economía (GARF), f. 5446, o. 150, d. 72, Archivo en línea Yegor Gaidar (GOA).

827 *A Study of the Soviet Economy*, vol. 1, Washington D. C., Fondo Monetario Internacional, 1991, p. 59, cuadro II.2.7.

828 L. A. Whittome, «Memorandum for Files: Meeting with Dr. Storf and Colleagues of the Deutsche Bank», 16 de agosto de 1990, caja 2, expediente 7, Office of the Managing Director-Alan Whittome Papers, Archivos del FMI, Washington D. C.

esta vez con una advertencia mucho más urgente. Los gestores del capital mundial habían comenzado a adoptar una «política de esperar y ver» respecto a sus préstamos a la Unión Soviética, porque «el riesgo crediticio de la URSS ahora se percibía como mayor». Moskovskii aseguró a Ryzhkov que el banco estaba haciendo todo lo posible para obtener más fondos en los mercados mundiales de capital, pero los problemas se acumulaban. La incertidumbre de los inversores globales «ya estaba afectando negativamente a los resultados concretos»[829].

En este contexto, Gorbachov viajó a Bonn en junio de 1989 para realizar su primera visita a la RFA. Desde el comienzo de su mandato, Gorbachov había buscado establecer una relación sólida con la República Federal, con la economía como pilar. En un discurso ante el politburó en julio de 1986, afirmó que las relaciones económicas eran «la parte más importante» de los lazos entre la Unión Soviética y Alemania Occidental, instando a sus colegas a explorar empresas conjuntas, cooperación económica y préstamos con compañías de la República Federal. Durante los siguientes tres años, ambas partes profundizaron en su relación económica, incluyendo un préstamo de tres mil millones de marcos del Deutsche Bank al Estado soviético en 1988. A medida que las crisis internas en la Unión Soviética se intensificaban, el interés de Gorbachov por aprovechar el poder económico de Alemania Occidental aumentaba de forma proporcional. «Kohl y la comunidad empresarial de la RFA estaban dispuestos a satisfacer esta demanda. En su primer encuentro bilateral, Kohl le dijo a Gorbachov: La República Federal es consciente de su papel como principal socio económico occidental de su país. Estamos listos para expandir nuestra cooperación»[830].

Gorbachov regresó a un país donde la cooperación se hacía cada vez más complicada. Las reformas políticas de la glásnost

829 Iu. S. Moskovskii a N. I. Ryzhkov, 12 de agosto de 1989, GARF, f. 5446, o. 150, d. 73 [números difíciles de leer], GOA.

830 «Obmen rechami vo vremia torzhestvennogo obeda», 12 de junio de 1989, en Galkin y Cherniaev (eds.), *Mikhail Gorbachev i germanskii vopros*, p. 167.

y la perestroika habían allanado el camino para que los diversos pueblos de la Unión Soviética reavivaran su identidad nacional. En 1989, movimientos nacionalistas desde el Báltico hasta el Cáucaso presionaban por independencia. Gorbachov intentó formular una respuesta al desafío nacionalista en una sesión especial del Comité central sobre nacionalidades en septiembre. A pesar de sus esfuerzos por forjar una nueva base política para la unidad soviética, seguía convencido de que la economía sería el factor determinante en el destino de la perestroika. «Si pudiéramos aliviar la tensión en el mercado de consumo, muchas cosas se aclararían —expresó a Willy Brandt, excanciller alemán, en octubre—. Si la tensión social sigue aumentando y las condiciones de vida empeoran, cualquier chispa podría ser suficiente. Por eso, el destino de la perestroika depende de cómo logremos desenredar estos nudos: el mercado y las finanzas»[831].

Cuando la crisis en Alemania Oriental alcanzó su punto álgido a principios de noviembre, las dificultades del imperio exterior y las tribulaciones del contrato social interno se cruzaron en la apretada agenda del politburó soviético. El 1 de noviembre, Egon Krenz informó a Gorbachov sobre una deuda de 26.000 millones de dólares de la RDA con Occidente (aunque esta cifra no era exacta). Dos días después, el politburó supo que necesitaría importar 36 millones de toneladas adicionales de grano del extranjero solo para sobrevivir el resto de 1989. Ryzhkov expresó la frustración general: «¿Por qué no podemos alimentarnos? Cada año compramos más en el extranjero, ¡y la situación empeora!». En esa misma reunión, se trató el deterioro de la situación en la Alemania Oriental. Gorbachov admitió que la limitada capacidad de recursos de la Unión Soviética no dejaba más opción que cooperar con la República Federal en asuntos alemanes. La crisis interna de la Unión Soviética era demasiado grave como para siquiera considerar la posibilidad de rescatar a la RDA.

831 «Beseda M.S. Gorbacheva s Villi Brandtom», 17 de octubre de 1989, en Galkin y Cherniaev (eds.), *Mikhail Gorbachev i germanskii vopros*, pp. 227-228.

Una semana más tarde, el mismo día en que cayó el Muro de Berlín, las crisis económica y nacionalista que se entrelazaban dentro de la Unión Soviética dominaron la agenda del politburó. Todos coincidían en que mejorar la economía era la única manera de salvar la perestroika y la Unión, pero evitaban abordar los temas más críticos para lograrlo: la reforma de precios y la introducción del libre mercado. «No podemos ignorar los precios», insistió Gorbachov. En cuanto al mercado, sería necesario eventualmente, pero «si lo "introducimos" de inmediato, hoy, el pueblo se levantará y derribará al Gobierno». Ryzhkov estuvo de acuerdo, señalando que la introducción de un mercado libre entre las repúblicas de la unión «significaría un caos» que amenazaría el núcleo mismo de la unión. En otras palabras, romper las promesas era el camino más directo hacia el fracaso de la perestroika y el colapso de la unión, y por lo tanto, no era una opción viable. En su lugar, Gorbachov declaró que debían tomarse «medidas de emergencia [para] aliviar la gravedad de la situación financiera y reducir la tensión social»[832].

Aliviar la tensión social en la Unión Soviética, sin duda, requería acceso a los mercados mundiales de capital, algo que en ese momento estaba en peligro. En noviembre de 1989, el sistema bancario soviético no disponía de suficientes divisas para cubrir todas las facturas de importación del país, y pronto los banqueros soviéticos informaron a los líderes que la nación había acumulado atrasos de dos mil millones de rublos con empresas extranjeras[833].

El contrato social interno del país y su solvencia internacional estaban ensamblados. Si la credibilidad del Kremlin en los mercados de capitales mundiales se deterioraba aún más, rápidamente su prestigio ante el pueblo soviético también se vería afectado, poniendo en grave riesgo la estabilidad de la propia Unión Soviética. Con la caída del Muro de Berlín y la eliminación de todas las restricciones para la libre circulación de los ciudadanos de Alemania Oriental, la frágil pero significativa relación entre el

832 Cherniaev (ed.), V Politbiuro TsK KPSS, pp. 525-529.

833 K. F. Katushev al Consejo de Ministros, 12 de diciembre de 1989, GARF, f. 5446, o. 162, d. 1457, GOA.

capital mundial y el pueblo soviético impuso nuevas limitaciones a cada movimiento de Gorbachov.

****

La caída del Muro de Berlín liberó plenamente el poder de los pueblos del bloque del Este para forjar su propio destino. En las semanas siguientes al 9 de noviembre, los regímenes comunistas en Checoslovaquia, Bulgaria y Rumanía cayeron uno tras otro en una rápida secuencia. La misma noche en que cayó el Muro, líderes clave del partido comunista búlgaro derrocaron a Tódor Zhívkov, su líder durante más de tres décadas, a través de un golpe de Estado palaciego. Su reemplazo, Petar Mladenov, albergaba la esperanza de estabilizar el régimen comunista mediante reformas dentro del sistema de partido único, pero el pueblo búlgaro tenía otros planes. A mediados de noviembre, empezaron las protestas masivas en Sofía, y para mediados de diciembre Mladenov anunció que el partido comunista abandonaría el sistema de partido único.

En Checoslovaquia, los acontecimientos se aceleraron aún más. Después de que la policía antidisturbios reprimiera violentamente una manifestación estudiantil en Praga el 17 de noviembre, cientos de miles de checoslovacos se lanzaron a las calles durante los días siguientes, exigiendo el fin del dominio del partido comunista. Solo una semana después, el secretario general Miloš Jakeš renunció, y sus sucesores fracasaron al intentar trazar un camino hacia un comunismo reformado. Aquí también, el pueblo demostró tener poca paciencia con los planes de las autoridades y continuó exigiendo cambios políticos radicales. Sin la intervención violenta de la Unión Soviética, estos esfuerzos no pudieron ser detenidos y el régimen se derrumbó rápidamente. A mediados de diciembre, el primer Gobierno no comunista desde la década de 1940 asumió el poder en Praga, y el 29 de diciembre, el destacado dramaturgo y disidente checo Václav Havel fue elegido presidente del país.

El rumbo de la historia en Rumanía tomó un giro más violento, aunque igualmente rápido. El 16 de diciembre, la minoría húngara en la ciudad de Timişoara inició una protesta contra el desalojo de un pastor disidente, Tőkés. En los días siguientes, la respuesta fue una serie de disturbios callejeros. El 21 de diciembre, Nicolae Ceaușescu intentó reafirmar su control sobre la nación con un discurso ante sus supuestos partidarios en Bucarest, pero pocos rumanos le seguían apoyando. Inesperadamente, la multitud interrumpió al dictador con abucheos, y las protestas se esparcieron rápidamente por la capital. Elementos del ejército pronto comenzaron a apoyar a los manifestantes, lo que llevó a violentos enfrentamientos con los leales al régimen. Ceaușescu y su esposa huyeron de la capital la mañana del 22 de diciembre, pero fueron rápidamente capturados y detenidos. El día de Navidad de 1989, ambos enfrentaron un trágico final: un tribunal improvisado los juzgó y condenó por múltiples delitos, y fueron ejecutados sumariamente por fusilamiento.

Mientras las piezas del dominó del imperio soviético caían a su alrededor, los alemanes orientales no se quedaron esperando a que la historia llegara a ellos. También se dieron cuenta del poder que ahora tenían en sus manos y se dispusieron a usar sus voces y sus pies para cambiar la trayectoria de su nación. La apertura del Muro transformó el anterior goteo de alemanes orientales hacia el oeste en una verdadera avalancha. Solo en noviembre, 130.000 ciudadanos de la RDA optaron por emigrar definitivamente a la República Federal. Los que permanecieron en el Este fueron igualmente decisivos en su inmovilidad. Los manifestantes seguían congregándose por cientos de miles y, apenas cuatro días después de la caída del Muro, añadieron rápidamente el llamamiento a la unificación —«*Wir sind ein Volk*» [Somos un pueblo]— a su persistente demanda de reconocimiento democrático: «*Wir sind das Volk*» [Somos el pueblo][834]. Colectivamente, los que se fueron y los que se quedaron aceleraron el colapso de la economía y el aparato estatal de Alemania Oriental, que a su vez se convirtió en

834 Andreas Rödder, «Transferring a Civil Revolution into High Politics», en Bozo, Rödder y Sarotte, *German Reunification*, p. 44.

el catalizador de la carrera hacia la unificación. Así, ellos —más que cualquier diplomático o líder mundial— fueron la fuerza más influyente en el final de la Guerra Fría a finales de 1989 y principios de 1990. Si algún Gobierno, del Este o del Oeste, quería jugar un papel en el futuro de la RDA, ahora tendría que conquistar los corazones del pueblo de la República Democrática, capturar sus mentes y guiar sus pasos.

Esta incómoda verdad afectaba especialmente al propio Gobierno comunista de Alemania del Este. El líder del partido, Egon Krenz, no duró mucho tiempo en un país con fronteras abiertas y libertad de reunión. Sus intentos de distanciarse de las crueldades y corrupciones de la era de Erich Honecker no convencieron a nadie y, a principios de diciembre, el partido lo forzó a renunciar como parte de un esfuerzo apresurado por recuperar la legitimidad ante la población.

El timón del tambaleante Estado pasó entonces a manos de Hans Modrow, líder del partido en Dresde. A diferencia de Krenz, Modrow simpatizaba genuinamente con las ideas reformistas y era plenamente consciente de la magnitud y naturaleza del desafío que enfrentaba: la implementación de políticas de ruptura de promesas en un sistema que estaba perdiendo rápidamente su legitimidad y su fuerza laboral. Como relató en sus memorias, desde su posición en Dresde había abogado durante mucho tiempo por una revisión de los insostenibles subsidios de precios de la RDA y por la construcción de una economía socialista que priorizara la «rentabilidad de las empresas [y la] responsabilidad personal»[835]. Una vez en el poder en Berlín, creía que el «verdadero destino de la RDA» residía en la revisión de su «sistema de precios y subsidios»[836]. Sin embargo, como muchos políticos del Este y del Oeste que habían intentado romper promesas, se dio cuenta de que «cuanto más

835 Hans Modrow, *AuAruch und Ende*, Hamburgo, Konkret Literatur Verlag, 1991, p. 41.

836 «Gespräch des Bundesministers Seiters mit dem Staatsratsvorsitzenden Krenz und Ministerpräsident Modrow», 20 de noviembre de 1989, en Hanns Jürgen Küsters y Daniel Hofmann (eds.), *Deutsche Einheit: Sonderedition aus den Akten des Bundeskanzleramt 1989/90*, Múnich, R. Oldenbourg, 1998, p. 558.

abordábamos [se refiere al tema de los subsidios] en el Gobierno, más evidente se hacía el desafío»[837]. Para superarlo con éxito, el nuevo líder de la Alemania del Este concluyó que necesitaría tiempo, apoyo popular y financiación externa, tres recursos que escaseaban enormemente después de la caída del Muro.

Modrow sabía que no debía comenzar su búsqueda de apoyo externo en Moscú. Desde los recortes de petróleo de 1981, los funcionarios de Alemania Oriental habían enfrentado más de una década de decepciones en sus relaciones económicas con el Kremlin. Por lo tanto, al igual que los emigrantes que intentaba retener, Modrow se volcó hacia el Oeste. El 17 de noviembre, propuso un «tratado comunitario entre dos Estados soberanos» para formalizar el apoyo de la RFA a la RDA. Su visión era muy similar a la que había intentado proyectar Krenz en sus negociaciones secretas con Bonn antes de la caída del Muro: dispuesto a aceptar dinero de la República Federal, pero reacio a aceptar cualquier condición que pudiera comprometer la soberanía de Alemania Oriental. Incluso en los días posteriores a la caída del Muro, la soberanía de la RDA era ya una base frágil sobre la cual resistir al poder financiero de la República Federal. Pero, hasta que los alemanes occidentales cuestionaran abiertamente el estatus de Estado de Alemania Oriental y trazaran públicamente un camino hacia la reunificación, podía mantenerse la ficción de una soberanía hermética de Alemania del Este.

El famoso «Plan de Diez Puntos» de Helmut Kohl se propuso trazar ese camino hacia la unidad. En un discurso ante el Bundestag el 28 de noviembre, el canciller alemán declaró que su Gobierno trabajaría por «desarrollar estructuras confederativas» entre las dos Alemanias, con el objetivo final de «crear una federación». Kohl no estableció un cronograma específico para la creación de estas estructuras, subrayando que estarían condicionadas a la presencia de un «Gobierno democráticamente legitimado en la RDA». Además, señaló que la futura ayuda económica a la RDA estaría

837 Modrow, *AuAruch und Ende*, p. 52.

sujeta a que el país se «abriera a la inversión occidental, creara condiciones favorables para una economía de mercado y permitiera la actividad económica privada». Consciente de la fuerza implícita en sus palabras, Kohl aclaró que estas estipulaciones «no eran condiciones previas, [sino] simplemente requisitos objetivos para que la ayuda sea efectiva». Además, consciente de la provocación que su propuesta representaba para el orden bipolar de la Guerra Fría, hizo hincapiés en que cualquier avance hacia una Alemania unida se llevaría a cabo en paralelo con esfuerzos para profundizar la integración europea, superar la división del continente y construir, según las palabras de Gorbachov, una «casa común europea»[838].

La reacción global fue de cautela. Para prevenir filtraciones o suavizaciones por parte de sus ministros o aliados, Kohl no compartió sus planes con nadie excepto con la Administración Bush, lo que hizo que su discurso en el Bundestag fuera una sorpresa para muchos líderes europeos, evocando recuerdos inquietantes de poderosos líderes alemanes que en el pasado habían emprendido iniciativas unilaterales para unir al pueblo alemán[839]. Para líderes como Margaret Thatcher en Londres y François Mitterrand en París, las acciones de Kohl suscitaban inquietudes sobre una Alemania unificada que pudiera habituarse a actuar sin consultar a sus aliados y vecinos. Dada la historia expansionista de Alemania, había incertidumbre sobre hacia dónde podrían conducir estas iniciativas. Surgieron preguntas clave: ¿apoyaría una Alemania unida el proyecto de integración europea más allá de las palabras? ¿Mantendría su compromiso con la OTAN? ¿Respetaría las fronteras de posguerra que habían transferido aproximadamente el 20 % de su territorio en el este a Polonia? Thatcher y Mitterrand buscaban respuestas a estas preguntas, y hasta que no las tuvieran, se mostraron decididos a resistir la marcha unilateral de Kohl hacia la reunificación.

838 «Helmut Kohl's Ten `Point Plan for German Unitiy», 28 de noviembre de 1989, *Historia de Alemania en documentos e imágenes*, consultado el 20 de febrero de 2020, http://germanhistorydocs..ghidc.org/pdf/eng/Chapter1_Doc10English.pdf.

839 Véase Sarotte, *1989*, p. 75.

Solo los estadounidenses parecían estar exentos de las cicatrices de la historia. George H. W. Bush, el único líder mundial que recibió con beneplácito la idea de una Alemania unificada, estaba firmemente convencido de que la fuente de seguridad europea durante la Guerra Fría había sido la presencia de fuerzas estadounidenses en Alemania bajo el marco institucional de la OTAN. Mientras Kohl estuviera dispuesto a apoyar la continuidad de estas estructuras de seguridad fundamentales en el nuevo escenario de la posguerra fría, contaría con el respaldo total del presidente estadounidense. Kohl proporcionó estas garantías en una llamada telefónica con Bush el día siguiente a su anuncio del Plan de Diez Puntos, y ambos líderes se comprometieron a colaborar[840].

Con el respaldo diplomático de Estados Unidos y la autodestrucción del propio Estado de Alemania Oriental a través de protestas y emigración, Kohl logró contrarrestar los incipientes intentos de Francia y Gran Bretaña de frenar o resistirse a la unificación alemana. Londres y París no podían igualar el poder financiero de Bonn para controlar el colapso de la RDA y, por lo tanto, se mostraban impotentes para cambiar el curso del impulso hacia la unificación. Además, sin el apoyo estadounidense, no podían presentar un desafío diplomático significativo a los planes de Kohl. Mitterrand comprendió esta dura realidad más rápido que Thatcher, pero finalmente ambos llegaron a la misma conclusión[841].

Por lo tanto, la responsabilidad de oponerse a la unificación alemana recaía nuevamente en el Kremlin. Al igual que otros líderes mundiales fuera de Washington, Gorbachov tuvo que enterarse por las noticias de las «exigencias objetivas» de ayuda de Kohl y de sus «estabilizadores» planes de estructuras confederativas. Para él, estas no eran simples declaraciones de hechos evidentes, sino «ultimátums impuestos a un Estado independiente y soberano», como le expresó al ministro de Asuntos Exteriores de Alemania

840 Telcon de Bush y Kohl, 29 de noviembre de 1989, GHWBL, consultado el 20 de enero de 2020, https://bush41library.tamu.edu/files/memcons-telcons/1989-11-29-Kohl.pdf.

841 Carta del sr. Powell (n.º 10) al sr. Wall, 20 de enero de 1990, en DBPO, pp. 215-219.

Occidental, Hans-Dietrich Genscher. Gorbachov lanzó una serie de preguntas críticas, destacando las cuestiones fundamentales en juego: «Una confederación presupone una política exterior y de defensa unificada. ¿Dónde estará entonces la RFA? ¿En la OTAN? ¿En el Pacto de Varsovia? ¿O será neutral? ¿Y qué significa la OTAN sin la RFA? ¿Has pensado en todo esto?»[842].

No, los alemanes occidentales no habían considerado todas las implicaciones de sus planes. Sin embargo, dada la precaria situación de la Unión Soviética, Kohl y su Gobierno asumieron que no necesitaban hacerlo. La preponderancia de poder para determinar el rumbo de la unificación estaba inclinándose claramente hacia ellos. Eran conscientes, por ejemplo, de que la situación de suministros en la Unión Soviética era «muy crítica», también de que Gorbachov «dependía de manera crítica del apoyo exterior». Además, sabían que la popularidad del secretario general estaba «disminuyendo entre la población soviética debido a la ausencia de resultados materiales». Por lo tanto, la cuestión relevante no era qué podría hacer la Unión Soviética para detener la unificación, sino qué deberían hacer las naciones occidentales para ayudar económicamente a Gorbachov a mantenerse en el poder[843]. En este contexto, se esperaba que el líder soviético protestara enérgicamente contra el ritmo de los cambios en Alemania Oriental, pero era poco probable que tomara medidas drásticas para detenerlos. «Recurrir a las fuerzas armadas sería impensable», afirmaba un informe del representante permanente de la RFA en Berlín Este a principios de diciembre, ya que «la RDA no podía esperar ayuda exterior»[844].

La única ayuda exterior que los alemanes orientales podían esperar —y, de hecho, necesitaban urgentemente— provenía de los mercados mundiales de capital. A medida que se hacía evidente

842 «Iz besedy M.S. Gorbachevas G.D. Gensherom», 5 de diciembre de 1989, en Mikhail Gorbachev i germanskii vopros, pp. 276-277.

843 Document 98, «Vorlage des Ministerialdirektors Teltschik an Bundeskanzler Kohl», 21 de noviembre 1989, en *Sonderedition*, p. 563.

844 Documento 105, «Fernschreiben der Ständigen Vertretung bei der DDR an den Chef des Bundeskanzleramtes», 1 de diciembre de 1989, en *Sonderedition*, p. 591.

la envergadura de la reforma económica necesaria en Alemania Oriental, los responsables políticos de Bonn se dieron cuenta de que incluso los profundos recursos financieros de la República Federal solo podrían cubrir una fracción de lo necesario para reformar la RDA. Para tener alguna posibilidad de éxito, Alemania Oriental requeriría una considerable inversión de capital privado. «La cooperación económica con la RDA (...) tiene que ver esencialmente con la cuestión de cómo pueden fluir capitales por valor de miles de millones de marcos alemanes de la República Federal a la RDA», señalaba un documento interno de estrategia de Alemania Occidental a principios de diciembre. Depender del capital privado implicaba que era imprescindible romper promesas dentro de la RDA. El informe indicaba que cualquier reforma económica en Alemania del Este tendría que incluir una serie de «requisitos para el capital privado»: un anuncio creíble de reformas basadas en el mercado y disciplina monetaria, condiciones legales para la participación de capital privado en empresas de Alemania Oriental y un acuerdo de protección de inversiones que garantizara el derecho a transferir beneficios fuera del país. Todo ello era necesario porque «la mayor parte, con diferencia, de las necesidades de capital de la RDA tendría que ser aportada por inversores privados occidentales»[845].

Romper promesas resulta más sencillo en un contexto de legitimidad política, y los sucesos en la RDA continuaban evidenciando que el gobierno de Modrow carecía de ella. Tras el anuncio del Plan de Diez Puntos de Kohl, los ciudadanos de Alemania Oriental en las calles seguían marcando el ritmo del cambio. Cada día, aproximadamente dos mil personas emigraban hacia Occidente, y cada semana, las protestas en ciudades como Leipzig, Dresde y Berlín Este congregaban a más de cien mil personas exigiendo la unificación alemana. En un intento de salvarse, los comunistas recurrieron a drásticas medidas de canibalismo político. A principios de diciembre, todo el Politburó y el Comité Central renunciaron, el partido

845 Documento 116, «Vorlage des Ministerialrats Ludewig an den Chef des Bundeskanzleramtes Seiters», *Sonderedition*, pp. 625-626.

cambió su nombre de Sozialistiche Einheitspartei Deutschland (SED) a «Partido del Socialismo Democrático», y el Gobierno de Modrow detuvo a varios líderes de la vieja guardia[846]. El tumulto alcanzó un nivel tan estruendoso que los observadores externos comenzaron a dudar de que algún gobierno pudiera tener una influencia significativa sobre el curso de los eventos. «El ritmo y la dirección de la revolución en la RDA serán dictados por el pueblo de la RDA», escribió el embajador británico el 6 de diciembre, señalando que cualquier «influencia vendría, en todo caso, de la RFA»[847].

Cuando Kohl llegó a Dresde el 19 de diciembre para reunirse con Modrow, oficialmente su propósito era hablar de dinero. Modrow necesitaba una cantidad significativa: 15.000 millones de marcos solo para 1990, para cubrir los gastos gubernamentales y sostener la frágil economía. Kohl, como siempre, llegó con condiciones previas para cualquier ayuda de esa magnitud. Específicamente, la implementación de fundamentos de la gobernanza democrática y la economía neoliberal —una ley que garantizase elecciones libres y un marco legal que permitiese y protegiese la inversión extranjera en la RDA— eran requisitos indispensables para la ayuda. Dado que estas condiciones aún no se habían materializado en la política tumultuosa de la RDA, Kohl mantuvo que no podría proporcionar la ayuda sustancial que Modrow deseaba hasta que las circunstancias cambiaran para reflejar sus demandas[848]. Ambas partes acordaron continuar las negociaciones, y Kohl se dirigió a una multitud de 100.000 alemanes orientales en el centro de Dresde para hablarles sobre la promesa de la unificación alemana[849].

846 En diciembre de 1989 y enero de 1990, el partido fue en realidad el SED-PDS, antes de eliminar por completo el nombre SED en febrero de 1990. Un dirigente al que Modrow no pudo detener fue a Alexander Schlack-Golodkowski, que huyó a Occidente a principios de diciembre. Schalck-Golodkowski, *Deutsche-Deutsche Errinerungen*, Reinbek bei Hamburg, Rowohlt, 2001.

847 Sr. Bloomfield (Berlín Este) al sr. Hurd, 6 de diciembre de 1989, en DBPO, pp. 151-156.

848 Documento 129, «Gespräch des Bundeskanzlers Kohl mit Ministerpräsident Modrow im erweiterten Kreis», 19 de diciembre de 1989, en *Sonderedition*, p. 670.

849 Helmut Kohl, *Erinnerungen, 1982-1990*, Múnich, Knauer eBook, 2014, p. 13338 de 14521, Kindle.

Una vez más, la capacidad de Occidente para omitir intervenciones se hizo evidente. Para que los acontecimientos prosiguieran su curso, el canciller de Alemania Occidental no necesitaba brindar ayuda inmediata. Después de todo, quienes cruzaban la frontera interalemana iban en *su* dirección, y los miles reunidos en el centro de Dresde clamaban por unirse a *su* país. Al igual que los acreedores occidentales antes que él, Kohl podía esperar a que las condiciones sobre el terreno se ajustasen a sus requisitos antes de liberar los fondos.

* * * *

Gorbachov se encontraba en una posición en la que no podía permitirse el lujo de la espera y la observación, a diferencia de los líderes occidentales. Si deseaba influir significativamente en el curso de los acontecimientos en Alemania, necesitaba intervenir de manera rápida y contundente para prevenir el colapso de la RDA. Tras su reacción agitada al Plan de Diez Puntos de Kohl, los líderes soviéticos continuaron emitiendo señales amenazantes sobre su capacidad de actuar en Alemania. En diciembre, el ministro de Asuntos Exteriores soviético, Eduard Shevardnadze, recordó a la comunidad internacional que las Cuatro Potencias aún mantenían «un contingente considerable de fuerzas armadas equipadas con armas nucleares en el territorio de la RDA y la RFA». Esta amenaza implícita fue claramente percibida por todos. Sin embargo, como los líderes soviéticos ya habían concluido en Polonia en 1981 y habían experimentado en Afganistán durante la década, la intervención militar acarreaba enormes costes materiales que la Unión Soviética no estaba dispuesta a asumir desde hacía años. La caída del Muro de Berlín no había cambiado esta renuencia fundamental[850].

Por tanto, si los líderes soviéticos hubiesen querido constituir una amenaza real para los planes de unificación de Kohl, habrían

850 Sobre la comisión soviética sobre la «cuestión germano-alemana», creada en otoño de 1989 bajo la dirección de Shevardnadze, véase Zubok, «With His Back», p. 625.

tenido que intervenir mediante estrategias económicas. Necesitarían reforzar la razón de ser original de su imperio en Europa del Este desde la crisis petrolera de 1973: aislar a los Estados socialistas de la presión de incumplir sus promesas. Esta táctica habría representado un cambio radical respecto a más de una década de política exterior soviética, que se había enfocado en reducir la carga material del imperio. Sin embargo, en tiempos desesperados se requieren medidas desesperadas. A finales de 1989 y principios de 1990, aislar a la RDA para evitar el incumplimiento de promesas habría implicado la implementación de tres políticas económicas específicas: establecer una disciplina económica en la Unión Soviética para disminuir su dependencia de las importaciones y redirigir recursos hacia la RDA; rechazar toda asistencia económica occidental para maximizar la influencia y flexibilidad diplomáticas soviéticas en el asunto alemán; y suministrar a la RDA mayores cantidades subvencionadas de energía, divisas fuertes y otros bienes esenciales. En resumen, para proteger a la RDA de la política de romper promesas, la Unión Soviética habría tenido que adoptar esa misma política internamente.

Gorbachov no quería participar en tal estrategia. En vez de implementar estas tres políticas, optó por hacer lo opuesto para preservar su principal objetivo: la perestroika. Desde sus inicios en el cargo, Gorbachov había visto su política exterior como un medio para alcanzar el objetivo interno de transformar y fortalecer la Unión Soviética. Aunque sus circunstancias se habían deteriorado considerablemente para finales de 1989, su enfoque no cambió. «Ser o no ser: 1990 será decisivo para la perestroika —afirmó ante el politburó el 2 de enero de 1990—. Nuestra primera tarea es estabilizar la economía»[851].

La economía, como era habitual, requería disciplina. Los economistas del Gobierno informaron a los líderes que los ingresos nacionales habían crecido el 40 % más rápido que el consumo en 1989, un claro indicador de una espiral inflacionaria, con

851 Cherniaev (ed.), *V Politbiuro TsK KPSS*, p. 541.

los ciudadanos soviéticos atrapados en precios fijos demasiado bajos[852]. En 1989, el sector militar se había opuesto tenazmente a los recortes presupuestarios, el total de subvenciones a los precios había alcanzado un récord de 93.000 millones de rublos, y el déficit presupuestario se mantenía peligrosamente alto, en un 8,5 % del PIB[853]. Para sanear la economía, los asesores recomendaron equilibrar el presupuesto y, en términos generales, implementar «medidas para reforzar la disciplina económica»[854].

Gorbachov, enfrentándose al desafío constante de imponer disciplina y con su instinto político innato de evitarla, reconoció la necesidad de reforma pero no encontró una ruta política viable para implementarla. Las crisis separatistas en Lituania y Azerbaiyán, las masivas protestas en las calles de Moscú y las intensas disputas entre reformistas y conservadores dentro del liderazgo soviético marcaron la política en los primeros meses de 1990. En este ambiente caótico, Gorbachov no logró reunir la voluntad personal ni el consenso político necesario para adoptar medidas económicas inmediatas. En cambio, delegó en Ryzhkov la responsabilidad de desarrollar un plan exhaustivo de reforma económica, mientras él se centraba en los cambiantes dilemas de la política soviética[855]. Esto dejó la economía del país en su trayectoria descendente y sin recursos para sus tareas imperiales. «No tenemos ni grano ni divisas —concluyó Ryzhkov en febrero— La situación es desesperada»[856].

852 «Material k dokladu o sotsial›no-ekonomicheskom polozhenii strany», 2 de enero de 1990, RGAE, f. 2324, o. 33, d. 741, GOA.

853 Cifra de subvención de la tabla 1 en Byung-Yeon Kim, «Causes of Repressed Inflation on the Soviet Consumer Market, 1965-1989: Retail Price Subsidies, the Siphoning Effect, and the Budget Deficit», *Economic History Review*, vol. 55, n.º 1, febrero de 2002, p. 109. Cifra de déficit presupuestario de la tabla J.3 del Fondo Monetario Internacional, *A Study of the Soviet Economy*, Washington, Fondo Monetario Internacional, 1991, p. 123.

854 «Material k dokladu o sotsial›no-ekonomicheskom polozhenii strany», 2 de enero de 1990, RGAE, f. 2324, o. 33, d. 741, GOA.

855 Chris Miller, *The Struggle to Save the Soviet Economy: Mikhail Gorbachev and the Collapse of the USSR*, Chapel Hill, University of North Carolina Press, 2016, p. 152.

856 Citado en Taubman, *Gorbachev*, p. 503.

La esperanza, si la había, residía en Occidente. En lugar de optar por la austeridad para abordar la crisis económica soviética, Gorbachov se volcó hacia Occidente. Incluso mientras trataba de resistir la rápida marcha hacia la unificación de Alemania Occidental, reveló la debilidad interna de la Unión Soviética al solicitar ayuda alimentaria de emergencia a Occidente. Kohl y su equipo vieron esto como una oportunidad para mejorar el «clima de relaciones» con Moscú. Se esforzaron por proporcionar toda la ayuda alimentaria posible a Gorbachov. Esa misma noche, Kohl, en una conversación con sus asesores más cercanos, dedujo que gestos como la ayuda alimentaria contribuían «más a la seguridad en Europa que los nuevos sistemas de armamento». Reconociendo el impacto significativo de este gesto, prometió «ayudar a Gorbachov de manera integral»[857].

Las mismas circunstancias soviéticas que impulsaron a Kohl a brindar esta amplia ayuda a Gorbachov también evitaron que Gorbachov pudiera ofrecer incluso un modesto apoyo a Modrow. La continuación del suministro de petróleo subvencionado a la RDA habría sido esencial para cualquier defensa seria de Alemania del Este por parte de los soviéticos. Sin embargo, en la reunión final del Comecon, celebrada el 9 y 10 de enero de 1990, el Kremlin no solo dejó de apoyar a la RDA, sino que también desmanteló la estructura económica de su imperio. Ryzhkov, al frente de la delegación soviética, resolvió finalmente la tensión entre la estabilidad de los aliados y los intereses nacionales soviéticos exigiendo el pago completo de las materias primas soviéticas en divisas fuertes. Tras casi dos décadas de debate interno sobre los pros y los contras de subvencionar a su imperio, el gobierno soviético había decidido, de manera definitiva, cortar por lo sano. Para Modrow, líder de la delegación de Alemania Oriental, las implicaciones eran claras. «Lo que antes parecía una alianza ya no podía mantenerse», escribió más tarde. «Mi conclusión fue (...) que solo una orientación hacia la República Federal era una alternativa real para nosotros»[858].

857 Teltschik, *329 Tage*, pp. 101-102.

858 Modrow, *AuAruch und Ende*, pp. 49, 119.

Pagar por el petróleo soviético en divisas fuertes ya representaba un desafío considerable para la supervivencia de Berlín Este, pero la ausencia total de petróleo soviético la convertía en algo prácticamente imposible. Esta situación se hizo realidad para la RDA. A finales de 1989, la producción de petróleo soviética había disminuido a tal punto que el Kremlin luchaba por cumplir sus compromisos de suministro incluso con los pocos aliados que le quedaban. Solo en enero de 1990, la RDA recibió 508.000 toneladas menos de petróleo de lo pactado con los soviéticos. Durante 1990, las entregas de petróleo soviético se redujeron aproximadamente el 30 %, lo que, según Modrow, tendría «enormes consecuencias negativas» en todas las áreas de la vida económica y política de la RDA. «¿Podemos esperar ayuda [con el petróleo]?», le preguntó Modrow directamente a Gorbachov y Ryzhkov en una reunión en el Kremlin a finales de mes. «Es un problema muy grave para nosotros —admitió Ryzhkov—. La producción de petróleo ha caído en 17 millones de toneladas. Estamos en una situación difícil». Modrow regresó a Berlín Este sin haber conseguido nada, acompañado únicamente por sus reflexiones sobre la necesidad de orientarse hacia Occidente[859].

Por tanto, la disyuntiva soviética entre mantener su imperio en el exterior y preservar el contrato social en el interior era tanto desesperada como real. Salvar el imperio —o incluso ralentizar su desintegración— habría requerido un riguroso disciplinamiento económico interna, mientras que eludir ese disciplinamiento interno implicaba abandonar el imperio en el exterior. Para Gorbachov y los demás líderes soviéticos, la elección era evidente. En lugar de imponer disciplina interna, rechazar la ayuda occidental en el exterior y aumentar el apoyo material a la RDA en su momento de necesidad, optaron por hacer exactamente lo contrario con la esperanza de preservar la perestroika. Esta decisión de dar prioridad a la economía nacional soviética y al bienestar de su pueblo

859 «Iz besedy M.S. Gorbacheva s Kh. Modrovym», 30 de enero de 1990, en *Mikhail Gorbachev i germanskii vopros*, pp. 312-324. El descenso del 30 % se calculó utilizando la cifra de Modrow para el déficit del primer trimestre, 1,2 millones, multiplicada por cuatro y restada del total anual previsto de 17 millones de toneladas.

sobre el mantenimiento del imperio no representó una desviación radical de las prioridades soviéticas recientes, sino más bien una continuación de estas. En 1990, las circunstancias habían cambiado, pero el principio subyacente seguía siendo el mismo.

No sorprende, entonces, que cuando Gorbachov finalmente reunió a un grupo importante de líderes soviéticos el 26 de enero para discutir la política respecto a la unificación alemana, nadie propusiera siquiera la idea de salvar a la RDA. Vladimir Kriuchkov, presidente del KGB, afirmó: «El SED está acabado. Debemos empezar a preparar a nuestra gente para la reunificación de Alemania». Para Ryzhkov, el proceso era «inevitable. No podemos sostener a la RDA. Todas las barreras han caído. Su economía los está arruinando (...). Mantener la RDA no es realista». En este punto, todos estaban de acuerdo.

Las opiniones divergían, sin embargo, en cómo lograr lo que Gorbachov consideró «lo más importante»: evitar que una Alemania unificada permaneciera en la OTAN. El debate se prolongó durante cuatro horas, surgiendo varias prioridades. Primero, era crucial «prolongar el proceso» tanto como fuera posible, sugirió Gorbachov, para permitir el ajuste nacional e internacional a la nueva realidad. En segundo lugar, era esencial que los militares soviéticos empezaran a planificar su retirada del territorio alemán. Con más de 300.000 soldados en la RDA, 100.000 de ellos oficiales con familias, la inminente retirada representaba un desafío tanto para la economía soviética como para su prestigio internacional. «¡Tenemos que encontrarles un lugar!», exclamó Anatolii Cherniaev, asistente de Gorbachov, en su diario. Por su parte, Gorbachov hizo hincapié en que «nadie debe esperar que una Alemania unida se adhiera a la OTAN. La presencia de nuestras fuerzas armadas lo impedirá. Y podemos retirarlas si los estadounidenses también retiran las suyas»[860].

La mentalidad de Gorbachov había sido fundamental en el equilibrio de poder durante la Guerra Fría: tanto los soviéticos

860 «Obsuzhdenie germanskogo voprosa na uzkom soveshchanii v kabinete General'nogo sekretaria TsK KPSS», 26 de enero de 1990, en *Mikhail Gorbachev i germanskii vopros*, pp. 307-311.

como los estadounidenses mantenían tropas en las dos Alemanias, y ninguno estaba dispuesto a retirarse a menos que el otro hiciera lo mismo. Durante más de cuatro décadas, este enfoque había mantenido la paz entre las superpotencias, pero también había limitado el progreso. Incluso en esta etapa avanzada de la Guerra Fría, esta mentalidad seguía predominando en los pensamientos de los líderes del Kremlin y representaba un desafío que los líderes occidentales todavía no habían logrado resolver. ¿Cómo podrían conseguir que los soviéticos se retiraran, mientras permitían que los estadounidenses permanecieran en su lugar? El final definitivo de la Guerra Fría no podría alcanzarse sin una solución a este dilema, por lo que los políticos occidentales se enfocaron intensamente en esta cuestión en febrero de 1990. Su respuesta, una estrategia doble que implicaba reformar la OTAN para darle un carácter menos militar y compensar económicamente a los soviéticos para que se retiraran de Europa y aceptaran la inclusión de Alemania en la OTAN, resultó ser un movimiento sorprendentemente exitoso y el acto final de una Guerra Fría que se había vuelto, en cierto modo, privatizada. El éxito de esta estrategia dependía de una situación sin precedentes en la Unión Soviética: su bancarrota.

* * * *

El primer paso de compensar a los soviéticos para que se retiraran no estaba en realidad dirigido a los soviéticos, sino a los ciudadanos de Alemania Oriental que seguían marcando el ritmo del cambio. La llegada del nuevo año no había logrado sofocar la doble amenaza de la emigración y las manifestaciones, que estaban erosionando a la RDA desde dentro. De hecho, el ritmo del cambio se había acelerado aún más. La emigración, que parecía haberse estancado a finales de 1989, se reactivó a principios de 1990, con 1.500 personas abandonando el país hacia Occidente cada día[861].

861 Documento 106, «Minute from Mr. Hurd to Mrs. Thatcher», 25 de enero de 1990, en DBPO, 224.

Las demandas de reforma política crecieron en fuerza y urgencia, y la economía socialista comenzó a perder toda influencia en la mente de los alemanes orientales. Los manifestantes, pasando de demandar reconocimiento democrático a exigir la unificación alemana, se centraron en reclamar una moneda de valor real. «Si el marco alemán no viene a nosotros —advirtieron—, nosotros iremos a él»[862].

Consciente de su incapacidad para gobernar sin el apoyo del pueblo, Modrow adelantó las primeras elecciones libres del país de mayo a marzo y solicitó a la recién creada mesa redonda de la oposición formar un «Gobierno de Responsabilidad Nacional» en el interín. Mientras la autoridad estatal se desmoronaba a su alrededor, el líder de Alemania Oriental comenzó a esperar que la RDA pudiera llegar a las elecciones de marzo sin sumirse en el caos total. En conversaciones con oficiales de Alemania Occidental, a principios de febrero, Modrow empezó a advertir sombríamente que «no podía descartar el colapso y el caos en dos semanas»[863].

La responsabilidad de evitar lo peor recaía en Bonn. Modrow continuó solicitando 15.000 millones de marcos para estabilizar el país hasta las elecciones, pero Kohl era escéptico respecto a que más marcos alemanes en manos de los comunistas solucionaran los problemas de la RDA[864]. En cambio, él y sus ministros comenzaron a considerar las demandas del pueblo de Alemania del Este y a contemplar la posibilidad de poner directamente el marco alemán en sus manos[865]. Desde la caída del Muro de Berlín, los políticos habían contemplado una unión económica y monetaria entre las dos Alemanias, donde el marco alemán se convertiría en la moneda oficial de ambos países, como un paso eventual hacia la unificación. Pero, al igual que todo lo demás, esta idea adquirió una nueva urgencia a medida que se aceleraba la desintegración

862 Sarotte, *1989*, p. 134.

863 Sir C. Mallaby (Bonn) a Mr. Hurd, 5 de febrero de 1990, en DBPO, p. 252.

864 Documento 138, «Gespräch des Bundeskanzlers Kohl mit Ministerpräsident Modrow», 3 de febrero de 1990, en *Sonderedition*, pp. 753-756.

865 Documento 157B, «Schritte zur deutschen Wirtschaftseinheit», en *Sonderedition*, pp. 752-753.

de la RDA y se aproximaban las elecciones en Alemania Oriental. A principios de febrero, como recordaría en sus memorias, Kohl estaba preparado «para dar una respuesta inusual, incluso revolucionaria, a los inusuales, incluso revolucionarios acontecimientos de la RDA». El 6 de febrero, anunció su intención de iniciar de inmediato negociaciones sobre una unión monetaria[866].

La decisión de Kohl de proponer una unión monetaria fue de una importancia trascendental. Cambió radicalmente el curso de la política en ambas Alemanias, además de la delicada política internacional de la Guerra Fría. En primer lugar, al igual que su anuncio del plan de diez puntos en noviembre, la propuesta de la unión monetaria reforzó la imagen de Kohl como el principal político de Alemania Occidental comprometido con la unificación. Este fortalecimiento de su perfil como el canciller de la unificación le proporcionó enormes beneficios políticos en la competencia con sus rivales en Bonn de cara a las elecciones nacionales que se aproximaban a finales de 1990[867].

Sin embargo, el aumento en la fortuna política de Kohl palidecía en comparación con los logros de sus aliados en la RDA. El día antes del anuncio de la unión monetaria, Kohl había formado una coalición de partidos de Alemania Oriental —la Alianza por Alemania— para competir en las elecciones del 18 de marzo. La creencia general era que los rivales de izquierda de Kohl, los socialdemócratas del SPD, tendrían una ventaja natural en la socialista RDA. Pero el compromiso con la unión monetaria ofreció de inmediato a la Alianza de Kohl una propuesta electoral sin precedentes: una nueva política de promesas para las inminentes elecciones. El programa de la Alianza proponía un cambio de marcos alemanes por marcos de Alemania Oriental en una proporción de uno a uno para al menos una parte de los ahorros de cada ciudadano de Alemania del Este. Aunque el acuerdo exacto no se determinaría hasta después de las

866 Kohl, *Erinnerungen, 1982-1990*, p. 13792 de 14521, Kindle.

867 Para este cálculo político, véase el Documento 157, «Vorlage des Regierungsdirektors Mertes an Bundeskanzler Kohl», 2 de febrero de 1990, en *Sonderedition*, pp. 749-750.

elecciones, la oferta de uno a uno comenzó a pintar un panorama prometedor para la vida económica en una Alemania unificada.

Durante un mes de campaña por toda la RDA, Kohl embelleció la visión con las promesas del estado de bienestar de la República Federal. En una Alemania recién unificada, aseguró a multitudes entusiastas en todo el país, las pensiones estarían protegidas, la red de seguridad social mitigaría los impactos del ajuste al mercado y el nivel de vida pronto igualaría al de la RFA. Para hacer realidad esta visión lo antes posible, el canciller y sus aliados de Alemania Oriental se comprometieron a unificar los dos países mediante el artículo 23 de la Constitución de la República Federal[868]. En lugar de dedicar un tiempo prolongado a crear un Estado y una constitución alemanes completamente nuevos, el artículo 23 permitiría a la RFA asumir el control de la RDA. Aunque muchos observadores lo vieron como un nuevo Anschluss al estilo de Hitler, la propuesta resonó positivamente entre los alemanes orientales, y el 18 de marzo dieron a Kohl una victoria sorprendente y abrumadora. La Alianza obtuvo el 48 % de los votos, y Lothar de Maizière, líder de los democristianos de la CDU, se convirtió en el nuevo Primer Ministro de la RDA. El mandato para el cambio en ambos Estados alemanes era ya innegable.

La decisión de Kohl de extender el marco alemán a la RDA tuvo también enormes implicaciones en el complejo tema de los 380.000 soldados soviéticos estacionados en Alemania Oriental y en la relación de Alemania con la OTAN. La razón de este impacto era más sutil que las tácticas públicas de las campañas políticas, pero igualmente fundamental. Como Gorbachov había señalado a los líderes soviéticos en enero, las tropas debían ser el as en la manga del Kremlin en las negociaciones sobre el estatus militar de una Alemania unificada. Sin embargo, para mantener estas tropas en una RDA operando con el marco alemán, la Unión Soviética necesitaría una gran cantidad de divisas fuertes, algo que cada vez le resultaba más difícil obtener. A menos que Kohl estuviera dispuesto a cubrir los costos soviéticos —lo que estaba, pero solo a cambio

868 Véanse las notas de Teltschik sobre la campaña, 329 Tage, pp. 153-175.

de su retirada—, la presencia militar soviética se convertiría en una carga insostenible para el presupuesto soviético tan pronto como se implementara la unión monetaria. De esta manera, Kohl había logrado con el marco alemán lo que décadas de política militar occidental no habían conseguido: hacer insostenible la posición militar soviética en Europa Central[869].

Los Estados Unidos no querían dejar pasar esta oportunidad. A medida que el proceso de unificación se aceleraba a principios de 1990, también se intensificaban los esfuerzos estadounidenses por asegurar su posición en Europa a través de la OTAN. «Este es un periodo poco común en el que podemos intentar lograr un cambio fundamental en el equilibrio estratégico, especialmente en Europa», escribió el Consejero de Seguridad Nacional Brent Scowcroft al Presidente Bush a principios de año[870]. Sin embargo, este cambio sería inútil si la Administración no encontraba la manera de perpetuar su influencia en el continente. «Estamos entrando en la fase final de la Guerra Fría», continuó Scowcroft un mes más tarde, y «cuando esta finalice, la Alianza del Atlántico Norte y la posición de Estados Unidos en Europa [deben] seguir siendo instrumentos vitales de paz y estabilidad, como los heredamos de nuestros predecesores». Alemania era el eje de la presencia estadounidense en Europa, por lo que era crucial incorporar a un Estado alemán unificado en la alianza. Pero eso no sería suficiente. Los tiempos estaban cambiando y, para sobrevivir, la Alianza Atlántica también tendría que adaptarse, o al menos dar la apariencia de hacerlo. Y eso significaba dar a su estructura militar una nueva fachada de propósito político. «La seguridad europea se percibe cada vez más como un problema político que militar», concluyeron los funcionarios estadounidenses. «Por lo tanto, la OTAN debe responder ampliando su rol político»[871].

869 Para una perspectiva de este cambio, véanse los comentarios del antiguo jefe de la misión soviética en Berlín, Valentin Koptelsev, en Grachev, *Gorbachev's Gamble*, p. 156.

870 Brent Scowcroft al Presidente, 13 de enero de 1990, OA/ID 91117-009, U.S.-Soviet Relations Chronological Files, USSR Collapse Files, Scowcroft Files, GHWBL.

871 «Enhancing the Political Role of NATO», 14 de marzo de 1990, Archivos Temáticos de 1989-1990, Archivos de Condoleezza Rice, GHWBL.

El mensaje que el secretario de Estado estadounidense James Baker llevó a Moscú a principios de febrero fue crucial. Aunque todavía había detalles importantes por definir sobre la incorporación de Alemania a la OTAN, Baker ofreció algunas garantías a Gorbachov. Inicialmente, aseguró que la jurisdicción de la Alianza no se extendería al territorio de Alemania Oriental, aunque luego retrocedió en este compromiso[872]. Argumentó que la presencia de fuerzas estadounidenses en Europa era una «fuerza de estabilidad», que una Alemania unida debería unirse a la Alianza Atlántica porque sería menos peligrosa como aliada de Washington que como potencia independiente en Europa, y que la OTAN se transformaría en «una organización mucho menos militar [y] mucho más política». Esto era, en esencia, una petición a los soviéticos para que dejaran atrás la mentalidad de la Guerra Fría y confiaran en los estadounidenses. «Ni el presidente ni yo buscamos obtener ventajas unilaterales de este proceso», aseguró Baker a sus anfitriones[873].

Gorbachov, sin embargo, seguía sin estar completamente convencido. Las garantías, que parecían huecas y en contradicción con las propuestas que se le pedía aceptar, no le hicieron cambiar de opinión. Aunque pensó que tendría un largo camino de maniobras diplomáticas por delante, decidió no confrontar a Baker en los detalles, algo por lo que más tarde sería criticado. Durante la visita de Baker, ambas partes acordaron establecer un foro «dos más cuatro», compuesto por los dos Estados alemanes y las Cuatro

872 Esta promesa, y otras similares de febrero de 1990, se han convertido posteriormente en objeto de enorme controversia y debate. Entre muchos otros, véase Joshua R. Itzkowitz Shifrinson, «Deal or No Deal? The End of the Cold War and the U.S. Offer to Limit NATO Expansion», *International Security* 40, n.º 4, primavera de 2016, pp. 7-44; Mary Elise Sarotte, «Bush, Baker, Kohl, Genscher, Gorbachov, and the Origin of Russian Resentment toward NATO Enlargement in February 1990», *Diplomatic History*, vol. 34, n.º 1, enero de 2010, pp. 119-140, y «What the West Really Told Moscow about NATO Expansion», *Foreign Affairs*, vol. 93, n.º 5, septiembre/octubre de 2014, pp. 90-97; y Mark Kramer, «The Myth of a No-NATO-Ennlargement Pledge to Russia», Washington Quarterly 32, n.º 2, abril de 2009, pp. 39-61.

873 Memorandum of Conversation, Baker, Gorbachev, and Shevardnadze, 9 de febrero de 1990, en Thomas Blanton, Svetlana Savranskaya, and Vladislav Zubok (eds.), *Masterpieces of History: The Peaceful End of the Cold War in Europe, 1989*, Nueva York, Central European University Press, 2010, pp. 675-684.

Potencias, para trabajar en los aspectos diplomáticos y de seguridad de la unificación alemana. Gorbachov pensó que este sería el foro donde el Kremlin podría expresar sus opiniones e influir. Por el momento, se limitó a afirmar lo que parecía obvio: «Huelga decir que una expansión de la zona de la OTAN no es aceptable»[874].

La unión monetaria alemana era una preocupación más inmediata. Gorbachov tuvo la oportunidad de discutir la nueva propuesta de Kohl cuando el canciller alemán llegó a Moscú poco después de Baker. Gorbachov quería saber cuándo se realizaría la unión monetaria. Kohl respondió: «No puedo responder a esa pregunta. Si me hubieran preguntado a finales de diciembre, habría dicho que una transición así llevaría varios años (...). Pero ahora no me preguntan. La gente lo decide todo con los pies». Por lo tanto, Kohl indicó que la unión podría comenzar «en unas semanas, quizá en unos meses».

Aunque ninguno lo admitió abiertamente, la importancia de la unión monetaria alemana no pasó desapercibida para Gorbachov, quien hizo una alusión indirecta al respecto. Al final de la conversación, señaló que la unificación traía consigo un «catálogo de cuestiones». «Ustedes quieren introducir el marco alemán en la RDA —dijo Gorbachov— pero allí tenemos nuestras fuerzas armadas, y su sueldo está vinculado al otro marco. Aquí tenemos algo en lo que pensar». Kohl respondió con la misma ambigüedad: «No vamos a rehuir ninguna pregunta»[875].

Para el canciller alemán, esta no era una declaración vacía. Él y su equipo habían considerado seriamente cómo utilizar su influencia económica para impactar en las decisiones del Kremlin. Antes de su viaje a Moscú, Kohl recibió un memorando de su asesor de política exterior, Teltschik, explicando las razones geopolíticas para apoyar económicamente a Moscú. «Fundamentalmente, es importante dejar claro a la URSS que (...) una Alemania unida

874 Memorándum de conversación, Baker, Gorbachov y Shevardnadze, en *Masterpieces of History*.

875 «Iz besedy M.S. Gorbacheva s G. Kolem odin na odin», 10 de febrero de 1990, en *Mikhail Gorbachev i germanskii vopros*, pp. 345, 333.

y económicamente fuerte (...) es un socio más interesante que la RDA en declive». Solo a través de la integración económica con Occidente, proyectó Teltschik, el Kremlin «apoyaría estructuras de seguridad integrales». En un entorno más privado, Kohl expresó la cuestión de manera más directa. Durante una reunión con el presidente Bush y el secretario de Estado Baker en Camp David a finales de febrero, sugirió que la adhesión de Alemania a la OTAN «podría acabar siendo una cuestión de dinero. Ellos [los soviéticos] necesitan dinero», afirmó[876].

Y así era. Pero esta necesidad de dinero no había sido una constante en la política exterior soviética a lo largo de la Guerra Fría. El Kremlin no había practicado una política exterior mercenaria, y sus dos décadas de generosas subvenciones energéticas a Europa del Este eran un claro indicio de que los líderes soviéticos no consideraban sus intereses de seguridad nacional meramente como «cuestiones de dinero». La urgencia soviética por obtener dinero era una condición específica de la primavera de 1990, resultado de la pérdida de solvencia del Kremlin en los mercados mundiales de capital. Los inversores privados le habían cerrado sus puertas, otorgando a los Gobiernos occidentales un poder sin precedentes para influir en las decisiones soviéticas de maneras antes imposibles. La adhesión de Alemania a la OTAN se convirtió en una «cuestión de dinero» porque, sencillamente, el Kremlin se encontraba en una grave escasez de fondos.

Los banqueros soviéticos habían hecho esfuerzos extraordinarios para mantener abiertas las líneas de crédito de Moscú el mayor tiempo posible. Mientras el Muro de Berlín caía y el orden de la Guerra Fría se desmoronaba en Europa del Este, estos financistas del Kremlin recorrieron el mundo en busca de nuevas fuentes de capital. Entre noviembre de 1989 y abril de 1990, realizaron cincuenta y cuatro viajes a los principales centros financieros del mundo. En las salas de juntas de Goldman Sachas

876 Documento 166, «Vorlage des Ministerialdirektors Teltschik an Bundeskanzler Kohl», sin fecha pero incluido en el volumen a principios de febrero, antes de la visita de Kohl a Moscú, en *Sonderedition*, pp. 772-773.

y Chase Manhattan en Nueva York, Morgan Grenfell y National Westminster Bank en Londres, Deutsche Bank y Commerzbank en Fráncfort, Dai-Ichi Kangyo Bank y Fuji Bank Tokio y en el fondo soberano de Kuwait, intentaron mejorar la percepción del renacimiento comunista bajo la perestroika. Sin embargo, una y otra vez, se encontraron con rechazos. Moskovskii, presidente del banco de comercio exterior, informó en abril de 1990 que la Unión Soviética ya no podía emitir bonos ni obtener préstamos sindicados debido a la «creciente reticencia de los acreedores extranjeros a financiar al país»[877]. Los funcionarios soviéticos intentaron compensar esta falta de confianza aumentando los préstamos a corto plazo, con el 50 % de los nuevos fondos provenientes de depósitos interbancarios a corto plazo. Sin embargo, estos eran extremadamente volátiles y podían ser retirados en cualquier momento, dejando a la Unión Soviética en una situación de «peligrosa dependencia».

Los líderes soviéticos eran plenamente conscientes de que esta dependencia significaba que cualquier ayuda financiera estaría probablemente condicionada por exigencias políticas occidentales. A finales de febrero de 1990, pidieron a los funcionarios del Gosbank evaluar las opciones del gobierno ante la disminución de la confianza del capital mundial. En abril, informaron que las perspectivas eran desalentadoras. La reprogramación de la deuda no era una opción viable, ya que implicaría depender del FMI. Los funcionarios escribieron: «Como muestra la experiencia de países que se vieron obligados a tomar este camino en los ochenta (México, Brasil, varios países latinoamericanos, así como Polonia y Yugoslavia)». El aplazamiento del pago de la deuda externa tiene consecuencias económicas y políticas adversas. Por lo tanto, en opinión del banco, la reprogramación de la deuda del país era «una medida inaceptable que podría infligir daño económico y político en una escala impredecible». Recibir préstamos directos

877 Iu. S. Moskovskii a S. A. Sitarian, 25 de abril de 1990, GARF, f. 54456, o. 162, d. 1463, GOA.

de Gobiernos occidentales tampoco era mucho mejor. «El endeudamiento externo a nivel intergubernamental [está] lleno de gran daño material y político para nuestro país», escribieron. Como regla general, continuaron, recibir préstamos de otros Gobiernos «limita significativamente la soberanía del país prestatario». El endeudamiento soviético de países occidentales sería aún peor porque la adhesión de una «condicionalidad política dura» a los préstamos sería «inevitable». Tal endeudamiento debería «usarse solo como último recurso cuando no haya disponibles otras fuentes de moneda extranjera»[878].

En abril, cuando la Unión Soviética se enfrentaba a una crisis financiera aguda, la cuestión de la incorporación de Alemania a la OTAN estaba llegando a un punto crítico. Internamente, los funcionarios soviéticos informaron que el país estaba retrasándose en los pagos de importaciones esenciales, desde alimentos hasta medicamentos[879]. Las compañías extranjeras estaban reteniendo entregas hasta que llegaran los pagos, por lo que los cimientos del contrato social soviético se encontraban bajo una grave amenaza. Los bancos extranjeros eran claros en sus condiciones para otorgar más crédito. Como dijo un representante del Deutsche Bank a Alexander Yakovlev, miembro del politburó, «el capital privado no se arriesgará a venir aquí de ninguna forma, sin garantías y apoyo de los Gobiernos»[880]. Por tanto, los bancos aconsejaron al Kremlin que apelara directamente a los Gobiernos europeos. En una reunión con el Deutsche Bank el 27 de abril, se les informó a los banqueros soviéticos que si presentaban una solicitud de alto nivel como de Ryzhkov, Shevardnadze o el propio Gorbachov, los Gobiernos occidentales probablemente la respaldarían. Ante la

878 V. V. Rerashenko a S. A. Sitarian, 4 de abril de 1990, GARF, f. 5446, o. 162, d. 1464, GOA.

879 K. F. Katuchev a S. A. Sitarian, 13 de abril de 1990, GARF, f. 5446, o. 162, d. 1515, GOA.

880 Documento 90, «Zapis' Besedy A.N. Iakovleva s Chlenom Nabliudatel'nogo Soveta "Doiche Bank AG" F. Kristiansom (FRG)», 4 de abril de 1990, en *Perestroika, 1985-1991: Neiz- dannoe, Maloizvestnoe, Zabytoe*, Alexander Yakovlev (ed.), Moscú, Mezhdunarodnyi fond «Demokratiia», 2008, pp. 443-446.

desesperada necesidad de fondos, los banqueros soviéticos transmitieron esta sugerencia a los niveles más altos del Gobierno[881].

Al mismo tiempo, los miembros más conservadores de la élite del partido y la política exterior instaban a Gorbachov a mantener una postura firme en lo referente a Alemania. A principios de abril, la opinión dominante en el Politburó era resistirse a cualquier inclusión de Alemania en la OTAN. «Es ilusorio [para Estados Unidos] creer que, bajo presión, la URSS toleraría un *Anschluss* efectivo de la RDA, con la ruptura del equilibrio político militar en el centro de Europa», declaró el grupo en sus directrices para las negociaciones en curso de Shevardnadze con los estadounidenses. «Hay que decirle claramente al presidente [Bush] que no podemos aceptar ver a la Alemania unida en la OTAN»[882]. El 18 de abril, Valentin Falin, el principal experto soviético en asuntos alemanes, escribió a Gorbachov instándole a no ceder ante los alemanes occidentales. Washington y Bonn sabían que la «libertad de maniobra» de Moscú se encontraba «actualmente limitada en extremo» y, por lo tanto, creían que podían presionar al máximo sus «reclamos de larga data sin el riesgo de una confrontación seria». Estaban intentando presentar a la Unión Soviética un «hecho consumado» sobre el estatus militar de Alemania al que no sería capaz de resistirse o rechazar. Falin alentó a Gorbachov a desengañarlos de estas nociones peligrosas. «Tienes que usar todos los esfuerzos para mostrar a los europeos y especialmente a los alemanes que sus esperanzas pueden ser traicionadas una vez más», escribió. «El prerrequisito para el éxito —le dijo a Gorbachov—, era la firmeza»[883].

Una de las condiciones que Moscú defendía con más firmeza era su relación económica con la RDA. Los funcionarios soviéticos

881 S. A. Sitarian a N. I. Ryzhkov, 3 de mayo de 1990, GARF, f. 5446, o. 162, d. 1464, GOA.

882 Citado en Vladislav Zubok, «Gorbachev, German Reunification, and Soviet Demise», en Bozo, Rödder y Sarotte, *German Reunification*, p. 95.

883 «Zapiska V.M. Falina M.S. Gorbachevu», 18 de abril de 1990, en *Mikhail Gorbachevi germanskii vopros*, pp. 398-408.

temían el impacto negativo en su economía si una Alemania unificada optaba por no mantener el mismo nivel de comercio que mantenía la RDA con la Unión Soviética. Justo después del memorándum de Falin a Gorbachov, el Kremlin presentó una demanda en un memorándum a Bonn, exigiendo que la República Federal asumiera las obligaciones económicas de la RDA con la Unión Soviética[884]. Esto encajaba perfectamente en la estrategia de Kohl para influir en la toma de decisiones soviética a través de la economía. En una reunión con el embajador soviético en Bonn el 23 de abril, el canciller no solo acordó cubrir las obligaciones económicas de la RDA con Moscú, sino que también expresó interés en firmar un nuevo tratado con el Kremlin que situaría la cooperación económica entre los dos países en una base «completa y a largo plazo» después de que la unificación se completara. El embajador informó diligentemente la visión de Kohl de vuelta a Moscú[885].

A finales de abril, Gorbachov encaraba la difícil elección de mantener la disciplina interna o retirarse del escenario internacional, representada por dos grupos de informes que planteaban políticas muy distintas. Por un lado, los banqueros soviéticos le advertían de que el país estaba en riesgo de perder completamente el acceso a divisas extranjeras si no solicitaba préstamos estatales directamente a los Gobiernos occidentales. Los diplomáticos soviéticos en Bonn informaron que Kohl estaba casi listo para apoyar dichos préstamos. Aunque los funcionarios financieros soviéticos eran conscientes de que este llamamiento podría llevar a Kohl y a la coalición occidental a imponer condiciones políticas a los préstamos, consideraban que era un riesgo necesario. Sin moneda fuerte, el Gobierno no podría importar los alimentos y medicamentos esenciales, elementos clave del contrato social soviético, y la crisis económica sería inminente.

884 Documento 250, «Non-paper der Regierung der UdSSR», 19 de abril de 1990, en *Sonderedición*, pp. 1023-1024.

885 Documento 253, «Gespräch des Bundeskanzlers Kohl mit Botschafter Kwizinskij», 23 de abril de 1990, en *Sonderedition*, pp. 1026-1030.

En el otro grupo de informe, los partidarios de la línea dura del partido y los funcionarios de política exterior instaban a Gorbachov a resistir la inclusión de Alemania en la OTAN. Le advertían que la seguridad y el prestigio del país estaban en riesgo. Si no contrarrestaba las maniobras de los Gobiernos occidentales respecto a Alemania, la Unión Soviética se enfrentaría a un hecho consumado y tendría que aceptar una Alemania unificada en la Alianza Atlántica. Esto inclinaría el equilibrio de poder irremediablemente a favor de Occidente, y los 380.000 soldados soviéticos se retirarían en una humillante derrota geopolítica. Sin embargo, si Gorbachov se mantenía firme, perdería el apoyo de los Gobiernos occidentales y tendría que imponer austeridad a nivel nacional, pero al menos preservaría el orgullo y la seguridad de la nación en el ámbito internacional. Ahora era el turno de Gorbachov de elegir entre estas dos difíciles opciones.

A principios de mayo, Gorbachov optó por la retirada en lugar de la disciplina interna. En la reunión del politburó del 3 de mayo, para tranquilizar a los partidarios de la línea dura. «¡Hay que impedir la entrada de Alemania en la OTAN a toda costa!», continuó insistiendo. Sin embargo, al día siguiente, envió a Shevardnadze a Bonn para participar en la primera reunión de ministros de exteriores de los «dos más cuatro», portando una solicitud secreta de nuevos y masivos préstamos a Alemania Occidental. Durante un encuentro con Kohl, Shevardnadze reiteró la oposición de su Gobierno a la incorporación de Alemania en la alianza, pero «dejó abierta la posibilidad de un compromiso». Como indicio de la creciente flexibilidad del Kremlin, Shevardnadze sugirió que Kohl se reuniera con Gorbachov en Moscú en julio, después del próximo congreso del partido comunista. El tema de los préstamos se abordó al final de la reunión y fue tan delicado que no se incluyó en las actas oficiales. Shevardnadze enfatizó que la petición venía directamente de Gorbachov y trató de revestir su solicitud de un aire de dignidad. «Como la Unión Soviética es un país rico, no hay riesgo en tales préstamos», afirmó. Sin embargo, subrayó que la disposición de la República Federal para concederlos era «importante». Reconociendo la sensibilidad de la solicitud, Kohl acordó ocuparse personalmente del asunto tan pronto como le fuera posible[886].

La petición de Shevardnadze, conocida por pocos funcionarios tanto en Bonn como en Moscú, fue entendida por aquellos informados como un evento de gran importancia política. El embajador soviético en Bonn, Yuli Kvitsinskii, recordó haberse sentido «muy descontento». Enviar al ministro de Asuntos Exteriores a Bonn «y hacer que suplicara por dinero», escribió Kvitsinskii más tarde, «significaba que, quisiéramos o no, indicábamos una conexión entre la solución de la cuestión alemana y la concesión de crédito»[887]. Precisamente por esta razón, el asistente de Kohl, Teltschik, estaba eufórico. «Una ayuda rápida para la Unión Soviética», escribió, «la segunda vez este año después de la ayuda alimentaria en enero, podría mejorar el clima y también ser útil para resolver problemas políticos mayores»[888].

Tras la reunión de Shevardnadze, los soviéticos presentaron una solicitud formal de veinte mil millones de marcos en garantías de préstamo. Kohl se reunió con los principales banqueros de Alemania Occidental el 8 de mayo para discutir la solicitud. Concluyeron que no podían proporcionar veinte mil millones en garantías, pero sí cinco mil millones, e intentarían que otros países contribuyeran también. Para evitar avergonzar a Gorbachov, Kohl decidió que era necesario discutirlo en privado con los líderes soviéticos, enviando a Teltschik y a los banqueros en una misión secreta a Moscú.

El 14 de mayo, la cúpula soviética estaba lista para abordar la crítica situación económica de la Unión Soviética con sus invitados de Alemania Occidental. Durante las reuniones matutinas con Ryzhkov, Shevardnadze, Moskovskii y Kvitsinskii, Teltschik y los banqueros alemanes se informaron «detalladamente» sobre

886 Teltschik, p. 329, y Tage, pp. 220-221.

887 Yuli Kvitsinskii, *Vor dem Sturm: Erinnerungen eines Diplomaten*, Berlín: Siedler, 1993, p. 25.

888 Teltschik, p. 329, y Tage, pp. 220-221.

los problemas económicos y financieros que enfrentaba el Kremlin[889]. Ryzhkov expresó que su principal preocupación no eran los numerosos problemas económicos pasados y actuales de la Unión, sino los desafíos futuros. En los meses anteriores, había estado evaluando intensamente los planes para la transición del país a una economía de mercado, y en cualquier escenario de reforma, las dificultades económicas para la población soviética eran inevitables. Estas adversidades se agravarían si Moscú no lograba acceder a los mercados de capital globales, por lo que las garantías de préstamo de los Gobiernos occidentales podrían jugar un rol crucial en atenuar el impacto de la transición al mercado. El país debía atravesar «una etapa muy complicada», les explicó a los alemanes occidentales. «Fue durante este tiempo cuando la URSS necesitaba ayuda para mantener la estabilidad». La transición al mercado podía realizarse sin «ayuda exterior», pero entonces el Gobierno tendría que «reducir el nivel de vida de la población y limitar las importaciones», algo que no querían hacer «bajo ninguna circunstancia, [ya que] podría destruir toda la esperanza que la gente tiene en la perestroika»[890]. Cuanto mayor fuera el acceso a divisas extranjeras del Gobierno, menos promesas tendría que incumplir, y Ryzhkov estaba decidido a romper las menos posibles.

Teltschik se mostró comprensivo, pero había llegado a Moscú con un objetivo específico: vincular los préstamos de Alemania Occidental a una resolución satisfactoria de la cuestión alemana. En sus memorias, Teltschik recuerda haber dejado claro a Ryzhkov y Shevardnadze que el Gobierno de la RFA consideraba su apoyo financiero como «parte de un paquete integral que debería contribuir a resolver la cuestión alemana»[891]. Los soviéticos entendieron el mensaje. Kvitsinskii recordó que el intento de los alemanes

889 No disponemos de una transcripción de esta reunión inaugural, por lo que las mejores fuentes son Teltschik y Kvitsinskii. «Gran detalle», Teltschik, p. 329 Tage, p. 230.

890 Citas extraídas del recuerdo que Kvitsinskii tiene de la reunión, *Kvitsinskii, Vor dem Sturm*, p. s27.

891 Teltschik, p. 329, y Tage, p. 232.

occidentales de condicionar su apoyo financiero a la resolución de la cuestión alemana «no debía ser subestimado»[892].

Después del almuerzo, Gorbachov intentó, sin éxito, mantener separadas las cuestiones económicas y políticas. Posiblemente anticipando la influencia que tendría la reunión, comenzó su conversación estableciendo una distinción que esperaba se mantuviera a pesar de la presión. «No sería aceptable que la Unión Soviética se convirtiera en dependiente, especialmente en lo político —declaró—. Sin embargo, todos en este mundo somos interdependientes». Aseguró a sus invitados que la Unión Soviética tenía recursos suficientes para pagar sus deudas. Lo único que necesitaba era «oxígeno para sobrevivir dos o tres años». Le preocupaba especialmente que la situación financiera impidiera al Gobierno «desarrollar plenamente sus programas sociales». Si podía usar los préstamos respaldados por el Gobierno occidental para mejorar la situación social, esto «abriría grandes posibilidades para evitar que los precios de mercado se dispararan». No entró en una crítica detallada sobre la posible membresía de Alemania en la OTAN, pero sostuvo que se debía encontrar una solución a los numerosos problemas de seguridad de Europa en la que «los intereses de seguridad de nadie se vieran comprometidos». Especuló que quizá la mejor solución sería la disolución de ambas alianzas[893].

Kohl, sin embargo, tenía una perspectiva diferente. Tras el regreso de Teltschik a Bonn, Kohl comunicó a sus asesores que «el mensaje a Gorbachov debe ser que el Gobierno federal ayudaría si se deja claro de antemano que las conversaciones "dos más cuatro" concluirían con éxito». «Él no podía avalar préstamos a tal escala, si no se vinculaba ninguna contraprestación a eso»[894]. El 22 de mayo, Kohl hizo explícito este mensaje en una carta a Gorbachov, anunciando su disposición a conceder cinco mil millones de marcos en garantías de préstamo. Esta cantidad

892 Kvitsinskii, «Vor dem Sturm», p. 27.

893 Documento 277, «Gespräch des Ministerialdirektors Teltschik mit Präsident Gorbatschow», 14 de mayo de 1990 en *Sonderedition*, pp. 1114-1118.

894 Teltschik, p. 329, y Tage, p. 243.

representaba «un considerable esfuerzo político por parte del Gobierno Federal», escribió. Por lo tanto, lo condicionó a «la expectativa de que el Gobierno soviético, en el marco del proceso "dos más cuatro", hiciera todo lo posible para tomar las decisiones necesarias que permitieran resolver constructivamente las cuestiones pendientes». Solicitó a Gorbachov que confirmara si este acuerdo le resultaría aceptable y se comprometió a abogar ante otros Gobiernos occidentales para que proporcionaran garantías de préstamo adicionales[895].

La noticia de que Gorbachov estaba buscando préstamos patrocinados por gobiernos occidentales llegó rápidamente a Washington. Cuando Baker visitó Moscú a mediados de mayo, Gorbachov le habló sobre la necesidad de «oxígeno», que ya había expresado a Teltschik y a los banqueros alemanes[896]. El secretario de Estado informó a Bush que Gorbachov «solicitaría créditos» durante su encuentro en Washington a finales de mes[897]. Así, la Administración estadounidense pasó la última semana de mayo debatiendo lo que el Consejo de Seguridad Nacional denominó «la cuestión de los veinte mil millones de dólares»: ¿debería Estados Unidos pagar por un cambio pacífico en el equilibrio de poder mundial? ¿Deberían pagar a Gorbachov para que se retirara de Europa Central?[898] Scowcroft fue muy claro sobre lo que estaba en juego en un memorándum dirigido al presidente el 29 de mayo:

> Se trata —y usted debe considerarlo como tal— de una elección estratégica sobre si la ayuda económica es un medio directo para

895 Documento 284, «Schreiben des Bundeskanzlers Kohl an Präsident Gorbatschow», 22 de mayo de 1990, en *Sonderedition*, p. 1136.

896 Memorandum of Conversation, Secretary Baker and Mikhail Gorbachev, 18 de mayo de 1990, OA/ID 91126-004, Expediente: Gorbachev (Dobrynin) Sensitive 1989-June 1990 [4], Scowcroft Files, GHWBL.

897 Memorandum for the Record, «Aid to the Soviet Union», 29 de mayo de 1990, OA/ID 91118- 003, Expediente USSR Collapse: US-Soviet Relations Thru 1991 (abril-mayo de 1990) [2], Scowcroft Files, GHWBL.

898 «Economic Aid for the USSR-the $20 Billion Question», 25 de mayo de 1990, OA/ID CF01309-003, «Chron File: May 1990-June 1990», Nicholas Burns Files, GHWBL

> asegurar la victoria de Occidente en la Guerra Fría obteniendo la unificación de Alemania en la OTAN y la retirada del ejército soviético de Europa Central y Oriental. (...) Cuando uno piensa en la extraordinaria cantidad de dinero que hemos gastado en cuarenta y cinco años para contener al comunismo soviético —20.000 millones de dólares para asegurar su desaparición definitiva en Europa— resulta menos desalentador. Si —¡y es un gran «si»!— Gorbachov estuviera dispuesto a aceptar estas condiciones, la ayuda financiera podría, bajo nuestras condiciones, sellar el armisticio en la Guerra Fría[899].

El resto de la Administración estadounidense, sorprendentemente, no compartía el interés en ofrecer ayuda financiera. Incluso la posibilidad de una victoria en la Guerra Fría, que había sido el eje central de la política exterior de Estados Unidos desde la década de 1940, no parecía justificar la apertura de su chequera. Durante la década de 1980, Estados Unidos se había acostumbrado a imponer condiciones estrictas a los países deudores, y consideraba que el Kremlin todavía debía cumplir con muchas más condiciones políticas. Había cuestiones pendientes con Lituania. Sus líderes habían declarado la independencia de la Unión Soviética en marzo, a lo que Gorbachov respondió con un embargo de petróleo y gas. Además, el continuo apoyo soviético a la Cuba de Fidel Castro, un problema persistente en la política estadounidense durante la Guerra Fría, hacía que la Administración no viera razones geopolíticas para ayudar al líder soviético[900].

Más allá de los problemas políticos, preocupaba el lamentable estado de la economía soviética. Gorbachov no había logrado, o no había querido, imponer el tipo de disciplinamiento necesario para la reforma del mercado, y Estados Unidos no tenía la costumbre de

899 Brent Scowcroft al Presidente, «A Strategic Choice: Do We Give Aid to the Soviet Union?», 29 de mayo de 1990, Expediente: «U.S.-USSR Soviet Relations [2]», Condoleezza Rice Files, GHWBL. Véase también Zelikow y Rice, *To Build a Better World*, p. 272.

900 Memorandum for the Record, «Aid to the Soviet Union», GHWBL.

apoyar un socialismo incompleto. «Parece que los soviéticos no son conscientes de la verdadera magnitud de las reformas necesarias», escribió el secretario del Tesoro, Nicolas Brady, a Bush. Estados Unidos esperaría algo «en la línea de un programa de austeridad del FMI» a cambio de cualquier ayuda, y Gorbachov no había dado señales de que esto fuera algo que pudiera cumplir. Solo una vez que la perestroika socialista realmente comenzara a parecerse a una perestroika capitalista, se cumplirían las condiciones económicas de Estados Unidos. Así que, por razones tanto políticas como económicas, la Administración Bush tenía poco más que ofrecer a Gorbachov que un acuerdo comercial «puramente simbólico» cuando llegó a Washington[901].

Sin embargo, para fortuna de los estadounidenses, Gorbachov no condicionaba la retirada de las tropas soviéticas ni su aceptación de Alemania en la OTAN a una cantidad específica de préstamos occidentales; las circunstancias no se lo permitían[902]. En su reunión secreta con Teltschik y los banqueros, Gorbachov expresó su determinación de llevar adelante una reforma económica interna: «Si preguntan si [seguiremos] el camino que hemos elegido sin el apoyo de Occidente, solo hay una respuesta: lo haremos, y nadie nos detendrá». Pero también reconoció que, sin el apoyo de Occidente, sus oponentes políticos internos podrían «sabotear» la perestroika «aumentando las tensiones en la sociedad y el descontento entre los trabajadores»[903]. Así, ya fueran cinco mil millones de marcos o veinte mil millones de dólares, el apoyo financiero occidental sería de gran ayuda en su campaña para contrarrestar a los numerosos saboteadores de la perestroika.

901 Anatoly Chernyaev, *My Six Years with Gorbachev*, University Park, Pennsylvania State University Press, 2000, p. 266. En la cumbre de Washington, Gorbachov aceptó momentáneamente el derecho de Alemania a entrar en la OTAN basándose en el «principio de Helsinki», por el cual cada Estado tenía derecho a elegir sus propias alianzas. Sin embargo, él y su equipo se retractaron de la admisión, por lo que la cuestión del ingreso de Alemania en la OTAN permaneció abierta hasta la cumbre de Kohl en la Unión Soviética en julio.

902 Citado en Grachev, *Gorbachev's Gamble*, p. 158.

903 Documento 277, «Gespräch des Ministerialdirektors Teltschik mit Präsident Gorbatschow», 14 de mayo de 1990, en *Sonderedition*, pp. 1114-1118.

Los recortes en Alemania del Este también habían pasado a ser una preocupación crucial. Con la unión monetaria alemana programada para el 1 de julio, el costo de mantener las fuerzas soviéticas en la RDA estaba a punto de aumentar significativamente. En junio, el Gobierno oriental presentó a los funcionarios soviéticos una factura de 1.250 millones de marcos para cubrir estos costos solo por lo que quedaba de 1990. El Kremlin, consciente de que no disponía de fondos suficientes para cubrir tal suma, instruyó a finales de mes a todos los órganos del gobierno soviético para prepararse para negociar con ambos Estados alemanes sobre cuestiones financieras y económicas. El objetivo era minimizar los gastos en divisas para el mantenimiento de las fuerzas soviéticas en Alemania Oriental en 1991[904]. Era un momento de reducción de pérdidas y preparación para la retirada.

Los líderes occidentales no estaban muy al tanto de esta situación, y Alemania Occidental no quería tomar riesgos innecesarios. El 9 de junio, Gorbachov respondió a la carta de Kohl, que vinculaba los cinco mil millones de marcos en préstamos a la cooperación en la cuestión alemana, con una declaración vaga. Sin embargo, reafirmó su interés en reunirse con Kohl en julio, lo que proporcionó a los funcionarios de la RFA cierta confianza en que podrían «esperar algo a cambio [de los préstamos]»[905]. En junio, firmaron un acuerdo con Moscú para cubrir el costo de 1.250 millones de marcos por el estacionamiento de tropas soviéticas en la RDA hasta finales de 1990, y permitieron que estas tropas cambiaran sus ahorros de marcos de Alemania Oriental a marcos de Alemania Occidental a un tipo de cambio favorable de dos a uno. Al final del mes, finalizaron garantías de préstamo por valor de cinco mil millones de marcos alemanes para mantener a Moscú a flote en el plano financiero. La retirada de las tropas soviéticas

904 Memorándum de Ryzhkov al CC PCUS, 29 de junio de 1990, citado en Zubok, «De espaldas», pp. 640-641.

905 De hecho, Kohl expresó esta confianza incluso antes de recibir la carta. Cita del Memorándum de conversación, Bush y Kohl, 8 de junio de 1990, GHWBL. Para la reacción a la carta, véase Teltschik, p. 329, y Tage, p. 265.

sería un golpe para su orgullo, pero al menos estaría facilitada por el acceso a divisas[906].

Por su parte, Estados Unidos no participó en esta financiación, pero estuvo encantado de liderar la segunda parte de la estrategia occidental para mantener su presencia en Europa: la reforma de la OTAN. Desde el intento inicial de Baker en febrero de convencer a Gorbachov de que no tenía nada que temer de una alianza que se transformaría en una organización «política», los funcionarios estadounidenses habían elaborado una serie de propuestas políticas destinadas a hacer que la creciente superioridad militar de Occidente pareciera menos amenazadora. Durante su visita a Gorbachov en mayo, Baker presentó una lista de nueve reformas en este sentido. Además de transformar la Alianza Atlántica en una organización más política, estas reformas incluían desde limitar el tamaño de las fuerzas armadas alemanas hasta establecer un periodo de transición formal después de la unificación, permitiendo que las fuerzas soviéticas se retiraran de Alemania Oriental antes de que la OTAN entrara en acción[907]. En junio, Shevardnadze insinuó vehementemente que una OTAN reformada sería más fácil de vender al pueblo soviético, así que todas las miradas se volvieron hacia una cumbre de la alianza en Londres programada para principios de julio.

Washington y Bonn realizaron un trabajo concienzudo para asegurar que su mensaje fuera bien recibido, particularmente por la opinión pública soviética. Durante una reunión de aliados en Londres, presentaron un comunicado cuidadosamente redactado por ambos Gobiernos, con el objetivo de suavizar la percepción de la OTAN en los ojos soviéticos, que declaraba que la OTAN y el Pacto de Varsovia ya no eran adversarios y prometía que la Alianza Atlántica nunca sería «la primera en utilizar la fuerza». Además, se comprometía a abandonar la doctrina militar de la Guerra Fría de «respuesta flexible», cuyo fin era disuadir un ataque convencional soviético con la posibilidad de una escalada nuclear, en favor de una

906 Documento 329, «Vorlage des Ministerialdirektors Teltschik an Bundeskanzler Kohl», 27 de junio de 1990, en *Sonderedition*, pp. 1275-1276.

907 Zelikow y Rice, pp. 476-477 n50.

política que relegaría las armas nucleares a un papel de «verdadero último recurso». El comunicado también señalaba que las fuerzas convencionales de ambos el Este y el Oeste se reducirían significativamente a través del proceso en curso del Tratado de Fuerzas Convencionales en Europa (FCE). Las tropas de la OTAN que permanecían en el continente se reorganizarían en unidades multinacionales. Además, a medida que el Pacto de Varsovia evolucionara (y eventualmente se disolviera), las naciones que lo componían, incluyendo la Unión Soviética, serían bienvenidas a enviar representación diplomática al cuartel general de la Alianza Atlántica en Bruselas. Aunque esta no cedería en sus objetivos fundamentales de mantener las fuerzas militares de Estados Unidos en Europa e incorporar a una Alemania unida a la OTAN, el comunicado buscaba presentar estos objetivos de una manera que pareciera menos amenazante[908].

* * * *

Para Gorbachov, los cambios propuestos y la reforma de la OTAN eran suficientes, o al menos eran lo mejor que podía esperar, en su búsqueda de transformar la Unión Soviética. Durante la inauguración del congreso del partido en Moscú, él y Shevardnadze defendieron su política exterior apoyándose en la imagen de una Alianza Atlántica reformada. Argumentaron que la nueva configuración de la Alianza Atlántica allanaba el camino para «un futuro seguro para todo el continente europeo», una postura que comunicaron a la prensa soviética[909]. A pesar de la discordia interna y la disconformidad de muchos de sus camaradas, la emergencia de Boris Yeltsin en Rusia como un líder nacionalista amenazaba la cohesión de la unión. Esto llevó a los miembros del partido a ver en Gorbachov la mejor esperanza para mantener al país unido, y fue reelegido como secretario general[910].

908 Zelikow y Rice, p. 176.

909 Citado en Zelikow y Rice, *To Build a Better World*, p. 286.

910 Taubman, *Gorbachov*, pp. 519-521.

Ahora, Gorbachov estaba en posición de abordar las dos tareas más políticamente desafiantes de su agenda: la disciplina y la retirada. Mientras la cuestión alemana se acercaba a su clímax en el verano de 1990, el debate interno en la Unión Soviética sobre la transición a una economía de mercado también alcanzaba un punto crítico. Tanto los responsables políticos como la opinión pública comprendían que el paso a una economía de mercado requeriría una disciplina económica en varios frentes, lo que la convertía en un asunto políticamente espinoso para los líderes soviéticos. La mera mención de Ryzhkov, en mayo de 1990, sobre un aumento en el precio del pan había provocado compras de pánico entre los consumidores y críticas entre los políticos. El primer ministro se vio obligado a retractarse de sus propuestas para un análisis más profundo, y él y Gorbachov se comprometieron a presentar un nuevo plan para la transición al mercado en septiembre. Por lo tanto, cuando Helmut Kohl llegó a Moscú el 14 de julio con la intención de resolver de forma definitiva la cuestión alemana, el Kremlin estaba buscando la manera más viable políticamente de lograr la ardua tarea de la transición al mercado. Tanto los responsables políticos soviéticos como los de la RFA eran conscientes de que el apoyo financiero alemán podría ser crucial para superar este desafío. Al partir de Bonn el 14 de julio, el ministro de Economía alemán Theo Waigel informó a Kohl de que los soviéticos ya habían utilizado los cinco mil millones de marcos de préstamos garantizados, lo que generaba esperanzas de que la asistencia financiera continua de Alemania podría ser decisiva para finalizar un acuerdo sobre la propia Alemania[911].

Gorbachov no tardó en responder a las propuestas de Kohl. En su primera reunión, celebrada el 15 de julio, Kohl estableció los términos de su negociación: necesitaba un plan para la retirada de las tropas soviéticas de Alemania y el consentimiento de Gorbachov para la entrada del país en la OTAN. A cambio, se

911 Helmut Kohl, *Erinnerugen, 1990-1994*, Múnich, Knaur, 2014, p. 2156 de 10167, Kindle.

comprometió a limitar el tamaño de las fuerzas armadas alemanas y ofrecer más apoyo económico a Moscú. Gorbachov, por su parte, buscaba garantías de que Alemania respetaría su frontera con Polonia y renunciaría al desarrollo de armas biológicas, químicas y nucleares. Kohl, que ya había expresado estas posiciones, no tuvo inconveniente en reiterarlas.

La negociación entró entonces en una fase de delicado equilibrio diplomático y jurídico. Gorbachov aceptó la posibilidad de que una Alemania unida se uniera a la Alianza Atlántica, pero con la condición de que las «estructuras de la OTAN» no se extendieran a la RDA mientras las tropas soviéticas permanecieran allí. Estas tropas, según Gorbachov, permanecerían durante tres o cuatro años bajo el amparo legal de los derechos de ocupación existentes. Kohl interpretó esto como un progreso significativo al obtener el reconocimiento soviético del derecho de Alemania a unirse a la OTAN, pero también vio un problema: Alemania no sería completamente soberana mientras las tropas soviéticas ocuparan parte de su territorio. Además, era impensable pedir a los alemanes que financiaran la ocupación de su propio país por una potencia extranjera. Kohl consideró que sería mejor que Moscú renunciara a sus derechos derivados del Pacto de las Cuatro Potencias en el momento de la unificación, al igual que los demás países occidentales, y que ambas partes negociaran un acuerdo independiente sobre la presencia de las tropas soviéticas. De hecho, le sugirió a Gorbachov que, si se concedía la plena soberanía a Alemania, él esperaba proporcionar financiación para la retirada y reasentamiento del ejército soviético y firmar un amplio tratado de cooperación. Consciente de su limitada influencia, Gorbachov terminó aceptando la propuesta del canciller alemán[912].

Como muestra de creciente buena voluntad, Gorbachov invitó a Kohl a viajar con él a su ciudad natal de Stavropol, en el Cáucaso ruso. En la tarde del 15 de julio, ambos líderes y sus principales

912 Documento 350, «Gespräch des Bundeskanzlers Kohl mit Präsident Gorbatschow», 15 de julio de 1990, en *Sonderedition*, pp. 1340-1348.

asesores se dirigieron hacia el sur, al pueblo montañoso de Archys, cerca de la ciudad. Allí continuó el delicado baile diplomático, con Gorbachov y Shevardnadze intentando sin éxito que los alemanes occidentales aceptaran que las estructuras militares de la OTAN nunca se extendieran a la RDA. Kohl accedió a prohibir el estacionamiento de armas nucleares de la Alianza Atlántica y tropas extranjeras en Alemania Oriental y propuso limitar el ejército alemán a 370.000 soldados, pero insistió en que todas las estructuras de la OTAN deberían extenderse a la antigua RDA, una vez que las tropas soviéticas se retiraran. Finalmente, Gorbachov cedió[913].

Si el acuerdo diplomático era lo mejor que los soviéticos podían lograr, Gorbachov decidió que era el momento de abordar el tema del dinero. Stepan Sitarian, su adjunto, expuso cómo la unión monetaria alemana había debilitado la posición soviética en Alemania del Este, haciendo uso de la única mercancía soviética tan valiosa a nivel mundial como el marco alemán: el petróleo: «El mantenimiento de las fuerzas armadas soviéticas en la RDA ahora cuesta el equivalente a seis millones de toneladas de petróleo. Si no se realizan cambios, el estacionamiento de las tropas soviéticas en el futuro costará el equivalente a diecisiete millones de toneladas en marcos alemanes». Esto era tanto como el Kremlin había suministrado anualmente a toda la RDA, dijo, por lo que claramente se requeriría alguna forma significativa de compensación.

Kohl se mostró dispuesto a firmar un «acuerdo de transferencia» para cubrir los costos adicionales de los soviéticos relacionados con la introducción del marco alemán y la reubicación de las tropas en la Unión Soviética, confiando en que los detalles financieros podrían resolverse entre los expertos financieros. Los dos líderes se centraron en esbozar un panorama más amplio: un tratado global que elevaría las relaciones soviético-alemanas a un nuevo nivel y haría que la unificación fuera beneficiosa para

913 Documento 353, «Gespräch des Bundeskanzlers Kohl mit Präsident Gorbatschow im erweiterten Kreis», 16 de julio de 1990, en *Sonderedition*, pp. 1355-1367.

ambas partes. Gorbachov aceptó, con la promesa de una futura compensación financiera, y ambos líderes anunciaron su acuerdo al mundo[914].

Los líderes soviéticos intentaron minimizar la percepción de que estaban vendiendo su imperio a cambio de divisas, pero la realidad era difícil de ocultar. Desde el mes de junio, Cherniaev había estado advirtiendo a Gorbachov de que evitara dar a entender que «los alemanes lo convencieron rápidamente con préstamos», y después de la cumbre de julio, mantenía que «no es el cebo (préstamos), sino el hecho de que es inútil resistir» lo que causó que Gorbachov cediera. Otros miembros de la cúpula soviética reconocieron que la futilidad de la oposición y el atractivo de los préstamos no eran fuerzas opuestas, sino más bien, fuerzas que se refuerzan mutuamente. «No podemos detener la unificación», le dijo Shevardnadze a su asistente cuando le preguntaron, en el vuelo de regreso de Stavropol, por qué Gorbachov había cedido rápidamente ante Kohl. «Además, nuestra situación económica y la situación de las nacionalidades son catastróficas (...). Se trata de o: volver a la guerra fría, o: la paz en Europa». Si el Kremlin daba paz a Europa concediendo la unidad a los alemanes, entonces quizás los alemanes continuarían manteniendo a flote la economía soviética. «Cinco mil millones de marcos de [los] alemanes nos están salvando de la quiebra», continuó Shevardnadze. «Ryzhkov advirtió que en medio año entraríamos en quiebra»[915].

La asistencia financiera de Alemania Occidental había sido un salvavidas crucial para la Unión Soviética, evitando una catástrofe financiera y brindando esperanzas de facilitar la transición del país hacia una economía de mercado. Mientras la RFA celebraba los logros diplomáticos de Kohl y se preparaba para concluir la unificación en otoño, la dirección soviética debatía intensamente

914 Documento 353, «Gespräch des Bundeskanzlers Kohl», en *Sonderedition*, pp. 1361-1363. «Rentable para ambas partes» era una declaración del ministro de Asuntos Exteriores de Alemania Occidental, HansDietrich Genscher.

915 T. Diario y notas de G. Stepanov-Mamaladze del 16 de julio de 1990, citado en Zubok, «With His Back», pp. 642-643.

sobre la velocidad y el alcance de su propia transición al mercado. A finales de julio, Gorbachov convocó a un equipo de economistas y políticos para consensuar la reforma del mercado. Era evidente que ese paso implicaría romper promesas e imponer disciplina, pero el grado de estas medidas seguía siendo una cuestión abierta, dependiendo en gran medida del acceso de la Unión Soviética a los mercados de capital global.

Las proyecciones sobre los efectos de la reforma del mercado eran alarmantes: aumentos en los precios al consumidor de entre el 50 % y el 150 %, tasas de desempleo entre veinticinco y setenta millones de personas, reducciones en los salarios reales del 10 % en cinco años, y una caída en la producción del 12 % al 15 % en 1991. Se esperaba que el crecimiento económico no se recuperara hasta 1994 o 1995[916]. La pérdida de acceso a la moneda fuerte solo agudizaría la gravedad de los golpes a la economía y sociedad soviéticas. «Una restricción externa vinculante —concluyeron los funcionarios de Gosplan— reduciría la disponibilidad de insumos importados y, por lo tanto, reduciría aún más la producción». Como Gorbachov y Ryzhkov habían reconocido desde la primavera, el acceso a moneda fuerte no era necesario para llevar a cabo reformas de mercado, pero sí lo era si querían suavizar la peligrosa política de reforma al disminuir el golpe a los estándares de vida soviéticos.

En este contexto, los fondos obtenidos de la retirada de Alemania se convirtieron en un salvavidas esencial. Mientras se debatía sobre la reforma del mercado, los políticos soviéticos comenzaron a calcular cuántos marcos alemanes debería incluir el acuerdo de transferencia con Bonn. En las negociaciones de finales de agosto, los soviéticos solicitaron cerca de veinte mil millones de marcos para cubrir los costos del estacionamiento, transporte y reasentamiento de sus tropas. Los alemanes occidentales, por su parte, llegaron a la mesa de negociaciones con una oferta de entre cinco mil y seis mil millones de marcos, dejando un enorme déficit

916 Minutes of Real Sector Meeting R-15, 17 de agosto de 1990, caja 3, expediente 1, Office of Managing Director - Alan Whittome Papers, Archivos del FMI, Washington D. C.

entre las expectativas de ambas partes que solo Kohl y Gorbachov podrían solventar[917].

Para ambos líderes, hablar de dinero resultó ser mucho más conflictivo que hablar sobre la OTAN. El 7 de septiembre, Kohl llamó a Gorbachov para aumentar la oferta alemana occidental a ocho mil millones de marcos alemanes. Para Gorbachov tal oferta era un «callejón sin salida». Como un disparo de advertencia a la cúpula alemana, mencionó la próxima ronda final de las negociaciones «dos más cuatro», donde Bonn todavía necesitaría la aprobación formal de Moscú antes de que los sueños de unidad de Kohl pudieran hacerse realidad. Dada la exigua oferta de Alemania Occidental, se preguntó en voz alta si debería decirle a Shevardnadze que retuviera la aprobación soviética. Kohl captó el mensaje y le dijo a Gorbachov que lo llamaría de vuelta después de repensar las cosas»[918].

Después de una búsqueda desesperada en cada rincón de las arcas del Estado, volvió a llamar el 10 de septiembre con una oferta de doce mil millones de marcos alemanes. La tensión de las expectativas no cumplidas se mantuvo durante la conversación telefónica. Gorbachov dejó de pretender que el dinero se usaría para pagar la transición de las tropas y apeló a los desafíos venideros de la transición al mercado. «Usted sabe que la situación en nuestro país es muy difícil», le dijo a Kohl. «Necesitamos corregir de manera decisiva la situación económica (...). Estoy en una posición muy difícil y no puedo regatear (...). Creo que aún podrán encontrar quince o dieciséis mil millones [de] marcos alemanes». Kohl también estaba al límite de su paciencia: «No quiero regatear. Mi propuesta es razonable y realista», respondió. «La nueva etapa» en las relaciones soviético-alemanas que vendría una vez completada la unidad alemana, le aseguró a Gorbachov, estaría llena de beneficios materiales para la Unión Soviética. Sin embargo, por ahora, todo lo que podía ofrecer eran doce mil millones de marcos alemanes.

917 Documento 399, «Vorlage des Vortragenden Legationsrats I Kaestner an Ministerial-direktor Teltschik», 27 de agosto de 1990, en *Sonderedition*, pp. 1500-1502.

918 Documento 415, «Telefongespräch des Bundeskanzlers Kohl mit Präsident Gorbatschow», 7 de septiembre de 1990, en *Sonderedition*, pp. 1527-1530.

Gorbachov había construido toda su política exterior de la perestroika sobre una base de confianza entre el Este y Occidente, pero ahora, en la brecha, no podía mostrar ninguna confianza en la visión optimista del futuro de Kohl. «No sé qué decirte», le dijo al canciller apesadumbrado. «Quizás tengamos que pensar en volver al principio o en extender los plazos». No podía ceder; el desafío de romper promesas lo esperaba en casa. «Ahora estamos compilando una lista de medidas de estabilización» para la economía, dijo. «Entre otras cosas, se contemplan medidas duras con respecto a los procesos internos. Estoy en una posición difícil y tienes que verlo». Después de cinco años de concesiones a los intereses occidentales, Gorbachov estaba mostrando una última resistencia, con la esperanza de suavizar el golpe que supondría aplicar la disciplina en casa.

Kohl se dio cuenta de que estaba a punto de perder el pulso de voluntades, y buscó un préstamo para salvar la brecha entre sus medios y los fines de Gorbachov. ¿Y si añadía un préstamo sin intereses de tres mil millones de marcos alemanes? le preguntó al líder soviético. Eso daría acceso total al Kremlin a divisa fuerte al acuerdo de quince mil millones de marcos. Gorbachov, finalmente, había conseguido lo que necesitaba. «Le estrecho la mano, señor canciller», dijo, y el trato quedó cerrado[919].

Los acontecimientos que siguieron marcaron el final de la Guerra Fría y un hito en la historia europea. El 12 de septiembre, los ministros de Asuntos Exteriores de los seis países implicados en las negociaciones «dos más cuatro» firmaron un acuerdo definitivo en Moscú. En este acto, las cuatro potencias vencedoras de la Segunda Guerra Mundial renunciaron a sus derechos sobre Alemania, allanando el camino para la reunificación. El 3 de octubre, Kohl celebró con multitudes de ciudadanos alemanes frente a la Puerta de Brandeburgo mientras la República Federal

919 Todas las citas anteriores proceden del memorándum soviético de la conversación. La transcripción alemana no ha sido publicada. «Iz telefonnogo razgovora M.S. Gorbacheva s G. Kolem», 10 de septiembre de 1990, en *Mikhail Gorbachev i germanskii vopros*, pp. 563-566.

absorbía la RDA y una Alemania unida ocupaba el lugar que le correspondía entre las naciones del mundo. Un mes después, en el primer aniversario de la caída del Muro de Berlín, Gorbachov y Kohl firmaron tratados bilaterales que regulaban la retirada de las tropas soviéticas de Alemania para 1994 e inauguraban una nueva era esperanzadora de cooperación bilateral. Una semana después, el 17 de noviembre, la firma del Tratado sobre Fuerzas Armadas Convencionales en Europa, en París consagró la retirada militar soviética del continente europeo y el fin de la carrera armamentista convencional de la Guerra Fría[920]. El problema que había inaugurado la Guerra Fría como un conflicto geopolítico —el desacuerdo militarizado entre Estados Unidos y la Unión Soviética sobre el destino posterior a la guerra del poder alemán— había sido resuelto definitivamente.

Todo este tiempo, el desafío de romper promesas en la Unión Soviética quedó sin cumplirse. Después de meses de deliberaciones, Gorbachov pospuso la transición al mercado una vez más en el otoño de 1990, hasta que se pudiera construir un consenso político eternamente pospuesto alrededor de la necesidad de reformas. A mediados de septiembre de 1990, Cherniaev escribió en su diario que Gorbachov continuaba «pidiendo a todos dinero y préstamos» para poder aplazar el desafío del disciplinamiento económico[921].

La Guerra Fría podría terminar en derrota. El equilibrio de poder podría desplazarse hacia el Este y el ejército soviético podría retroceder hasta Moscú. Pero para el inquilino del Kremlin, los costos políticos de esos acontecimientos sin precedentes no eran nada comparados con la tarea hercúlea de romper promesas ante el pueblo soviético.

920 Philip D. Zelikow y Condoleezza Rice, *Germany Unified and Europe Transformed: A Study in Statecraft*, Cambridge, MA, Harvard University Press, 1995, pp. 363-365.

921 «Diario de Anatoly Chernyaev», 15 de septiembre de 1990, p. 53.

Conclusión. El triunfo de las promesas rotas

«Es la política la que prima sobre la economía, no al revés», afirmó Gorbachov al partido comunista de Lituania en enero de 1990, durante un intento fallido de disuadir al país de que abandonara la Unión Soviética[922]. Aunque había desechado muchos aspectos del marxismo-leninismo, Gorbachov aún sostenía un principio fundamental del marxismo sobre la causalidad entre economía y política. Creía que la secesión de Lituania era económicamente inviable, dada la dependencia del Estado báltico de la energía soviética y sus vínculos económicos con Moscú. Según su visión, el nacionalismo lituano podría aflorar temporalmente, pero acabaría cediendo ante las realidades económicas[923].

No obstante, Lituania pronto demostró que Gorbachov se equivocaba. Cuando Lituania declaró su independencia tres meses después, lo hizo basándose en razones históricas, étnicas y nacionalistas, contradiciendo la lógica estrictamente económica que inundaba el razonamiento del dirigente soviético. La determinación de Lituania solo flaqueó cuando Gorbachov impuso un embargo de petróleo y gas en abril de 1990. A pesar de esta presión económica y la intimidación violenta en 1991, perseveraron para alcanzar la independencia que les había sido negada por la fuerza desde la ocupación de los Estados bálticos por el Ejército Rojo en 1944, tras repeler la marcha de Hitler hacia el este.

922 Citado en Charles S. Maier, «The Collapse of Communism: Enfoques para una historia futura», *History Workshop*, n. 31, primavera de 1991, pp. 34-59, cita en 39.

923 Sobre su argumento económico, expuesto a los lituanos en la calle, véase William Taubman, *Gorbachev: His Life and Times*, Nueva York, Simon & Schuster, 2017, pp. 503-504. Sobre su confianza en que permanecerían en la unión, véase Robert Service, *The End of the Cold War: 1985-1991*, Londres, Macmillan, 2015, p. 8753 de 14516, Kindle.

El camino de Lituania hacia la independencia es solo un ejemplo de muchos en la historia que desafían la simplicidad de la afirmación de Gorbachov. Evidentemente, no hay una relación universal y rígida entre causas económicas y efectos políticos. Por lo tanto, aquellos que proponen una relación específica entre un conjunto de causas económicas y efectos políticos deben justificar su razonamiento y especificar la naturaleza exacta de la relación causal.

Este libro ha querido justificar y especificar cómo las dinámicas económicas, iniciadas por la crisis del petróleo de 1973, contribuyeron pacíficamente al final de la Guerra Fría y dieron forma a la economía mundial neoliberal de finales del siglo XX. Dichas fuerzas económicas, incluyendo el petróleo, las finanzas y las políticas de ajuste, tuvieron un impacto profundo al cambiar la naturaleza de la competencia entre el capitalismo democrático y el socialismo de Estado. La Guerra Fría comenzó como una carrera entre los Gobiernos capitalistas democráticos y los socialistas de Estado para aprovechar los avances de la modernidad industrial, mejorando así la seguridad económica y el bienestar de sus ciudadanos. Ambos bandos se esforzaron en hacer promesas a sus poblaciones y expandir los contratos sociales vigentes en sus sociedades.

Las crisis económicas de la década de los setenta hicieron que esta política de promesas se volviera insostenible. La crisis del petróleo de 1973 generó la presión para romperlas, pero también proporcionó los medios para resistir esa presión. A largo plazo, las economías industrializadas, tanto del Este como del Oeste, debieron aprender a producir más con menos recursos, un proceso doloroso de ruptura de promesas, sutilmente descrito por los economistas como «crecimiento intensivo». Sin embargo, a corto plazo, estos países podían evitar este desafío buscando refugio en las dos nuevas y amplias reservas de riqueza de la economía global: los mercados mundiales de capitales y los recursos energéticos, también frutos de la crisis del petróleo. Mientras los Estados mantuvieran el acceso a estos mercados de capitales o recursos energéticos, podían continuar haciendo promesas internas y sosteniendo la Guerra Fría a nivel internacional. Pero si perdían acceso a uno o a ambos, se verían forzados a adoptar una política de ruptura de promesas, implementando políticas de ajuste económico en sus territorios.

Como hemos observado, los episodios de disciplinamiento económico fueron frecuentes en las dos últimas décadas de la Guerra Fría y resultaron cruciales en la determinación de su desenlace. La Guerra Fría, que comenzó como una competencia en hacer promesas, culminó como una contienda por romperlas. El capitalismo democrático prevaleció sobre el socialismo de Estado al demostrar una mayor capacidad para romper promesas e imponer ajustes económicos. El neoliberalismo emergió como la ideología dominante al final de la Guerra Fría porque proporcionó una justificación ideológica para estos actos de ruptura de promesas, convirtiendo el disciplinamiento económico en una suerte de alternativa virtuosa. En combinación con la democracia electoral, el neoliberalismo ofreció a los Estados capitalistas democráticos un arsenal de herramientas políticas e ideológicas para enfrentar el desafío de romper promesas. A falta de estas herramientas, los Estados del bloque del Este democratizaron sus sistemas políticos y reformaron sus ideologías en la década de los ochenta como un medio para imponer disciplinamiento económico. Este proceso de cambio político y reforma ideológica es lo que ahora conocemos como el colapso del comunismo y el fin de la Guerra Fría.

Los historiadores han identificado tradicionalmente a varias personas y fuerzas como causas principales del final de la Guerra Fría: las políticas de glásnost y perestroika de Gorbachov, su audaz diplomacia con Ronald Reagan y George H. W. Bush, el «poder popular» en las calles de Europa del Este y una serie de eventos contingentes como la apertura del Muro de Berlín. Este libro no niega la importancia de estos factores tradicionales, sino que los coloca bajo una nueva luz. No se trata de una luz que se enciende en el presente para iluminar el pasado, sino más bien de una que una vez brilló intensamente en el pasado y que con el tiempo se ha atenuado.

Este estudio no ha sido el primero en establecer la conexión entre la crisis del petróleo, la deuda soberana en el bloque del Este y las políticas de disciplinamiento económico. De hecho, fue el Comité central de Alemania Oriental quien resaltó esta conexión el 9 de noviembre de 1989, apenas horas antes de la apertura del Muro de Berlín. «En 1973, hubo un enorme aumento en los precios a nivel mundial», explicó el experto financiero Günter Ehrensperger a sus camaradas ese día crucial. Según él, el encarecimiento del petróleo y otras materias primas había incrementado significativamente los costos para la RDA. En lugar de ajustar su economía a esta nueva realidad, el país había pospuesto lo inevitable mediante préstamos del mundo capitalista. «Si se quiere resumir en una frase por qué estamos hoy en esta situación», dijo Ehrensperger refiriéndose a la deuda, «es porque desde al menos 1973 nos engañamos a nosotros mismos y hemos vivido por encima de nuestras posibilidades año tras año, pagando deudas con más deudas». El disciplinamiento económico era, por tanto, la única respuesta viable. «Si queremos salir de esta situación, tenemos que trabajar duro y consumir menos de lo que producimos durante al menos quince años»[924]. Este libro no inventó conexiones que los contemporáneos de la Guerra Fría no hubieran visto; simplemente, ha profundizado en la dinámica que ya preocupaba a los líderes de Alemania Oriental en el día en que se desmoronaron los cimientos de su régimen.

También fue Mijaíl Gorbachov, al hablar sobre el destino de Polonia y Hungría en las décadas de 1970 y 1980, quien destacó la importancia de la economía en la gobernanza y el colapso imperial soviéticos. En marzo de 1988, lanzó una retórica al politburó: «¿En qué se basaba todo? En los créditos de Occidente y en nuestro combustible barato. Lo mismo ocurre con Hungría (...). No podemos seguir siendo proveedores de recursos baratos para siempre»[925]. Asimismo, Yuli Kvitsinskii, el experto soviético en Alemania, expresó en noviembre de 1990 que «el marco alemán

924 Hans-Hermann Hertle y Gerd-Rüdiger Stephan (eds.), *Das Ende der SED: Die letzten Tage des Zentralkomitees*, Berlín, Links, 2014, p. 363.

925 «Document No. 19: Notes of CC CPSU Politburo Session», 10 de marzo de 1988, en *Masterpieces of History: The Peaceful End of the Cold War in Europe, 1989*, Thomas Blanton, Svetlana Savranskaya y Vladislav Zubok (eds)., Nueva York, Central European University Press, 2010, pp. 265-267.

lo decidió todo» en lo referente al proceso de unificación alemana y la rápida retirada soviética que lo acompañó[926].

Este libro, aunque no ha podido igualar la capacidad de figuras como Gorbachov y Kvitsinskii de tratar este tema de forma eficiente y sin rodeos innecesarios, se ha inspirado en sus descripciones de las causas del colapso imperial soviético, en lugar de imponer motivaciones retrospectivas. Incluso las dos proposiciones más audaces de este estudio —que la democracia electoral en Occidente facilitó la ruptura de promesas más eficientemente que los regímenes autoritarios en su contraparte oriental, y que los problemas económicos y sus soluciones eran en esencia similares en ambos bloques— no son interpretaciones impuestas desde el presente, sino observaciones extraídas del pasado.

Fue Mieczysław Rakowski, un líder político polaco fatigado y derrotado, quien en otoño de 1989 reconoció por primera vez el papel crucial de la legitimidad democrática en la imposición de políticas de ajuste económico en Polonia. Observando los primeros pasos hacia la terapia de choque del primer ministro de Solidaridad, Tadeusz Mazowiecki, Rakowski escribió en su diario que «en esencia (...) él dice lo mismo que yo». Sin embargo, lamentó que si «cualquier gobierno del PZPR hubiera implementado las políticas de Mazowiecki, ya estaríamos en guerra civil. Nuestra sociedad tolera pacientemente los constantes aumentos de precios e hiperinflación porque este es *nuestro Gobierno*»[927].

Este estudio ha ampliado la observación de Rakowski a lo largo del tiempo y más allá de Polonia, pero se ha mantenido fiel a su enfoque en la importancia de la legitimidad democrática en los procesos de ruptura de promesas. De manera similar, retrospectivamente, puede parecer audaz equiparar el proyecto emblemático de la reforma neoliberal, el thatcherismo, con el proyecto seminal de renovación socialista, la perestroika. Sin embargo, hemos visto que

926 Kvitsinskii, citado en «With His Back Against the Wall: Gorbachov, Soviet Demise, and German Reunification», *Cold War History*, vol. 14, n.º 4, 2014, p. 643.

927 Mieczysław Rakowski, *Dzienniki polityczne 1987-1990*, Varsovia, Wydawn, «Iskry», 2005, pp. 517, 562.

tal comparación era común en aquel entonces. Tanto Rakowski en Polonia, como Károly Grósz en Hungría o Gorbachov en la Unión Soviética, experimentaron una sensación compartida de que tenían muchos objetivos en común con la Dama de Hierro y envidiaban la eficacia de sus métodos, lo cual representaba un principio incómodo en su pensamiento reformista.

Los lectores pueden estar seguros de que este libro, al acercarse a su conclusión, no es tanto una revisión como una recuperación histórica. Las personas que más intuitivamente habrían comprendido esta historia son, de hecho, los propios líderes comunistas, que eran plenamente conscientes de la importancia del petróleo soviético subvencionado y de las finanzas occidentales para la viabilidad de sus Estados. Entendían la necesidad económica y la imposibilidad política de modificar sus contratos sociales y creían firmemente que sus desafíos gubernamentales tenían más similitudes que diferencias con los de los Estados industriales de Occidente. Sin embargo, al ser los perdedores de la Guerra Fría, no sorprende que su perspectiva haya recibido poca atención cuando esta acabó. Este libro dirige su mirada hacia ellos, hacia los comunistas que perdieron, para fundamentar su enfoque en la conexión entre causas económicas específicas —el petróleo, las finanzas y la disciplina económica— y efectos políticos particulares —el colapso del comunismo, el fin de la Guerra Fría y el ascenso del neoliberalismo—. Por lo tanto, describir este proceso causal como «el triunfo de las promesas incumplidas» es narrar su historia desde la perspectiva de los perdedores.

En cuanto a las conclusiones específicas del libro, ¿cómo se explica el final de la Guerra Fría al conceptualizarlo como una competencia por romper promesas? ¿Cómo se relaciona la carrera por incumplir promesas con el amplio cambio global en las ideologías gobernantes que caracteriza el auge del neoliberalismo a finales del siglo XX? Para responder a estas preguntas, no necesitamos inventar explicaciones en el presente y proyectarlas al pasado; este ya contiene las respuestas, solo necesitamos rescatarlas. Recordemos a John Hoskyns, el estratega jefe de Margaret Thatcher, quien, como se puede confirmar ahora, fue quizás la persona en ambos lados del telón de acero que comprendió más claramente la política de romper promesas. El 12 de junio de 1979, un mes después de que Thatcher se convirtiera en primera ministra, Hoskyns delineó en un informe interno el inminente desafío de transformar la economía británica. Este documento revela los orígenes, los retos y las consecuencias de la política de romper promesas: «Podemos representar todo el proceso de la siguiente manera», escribió, antes de adjuntar un gráfico al informe (Figura c.1).

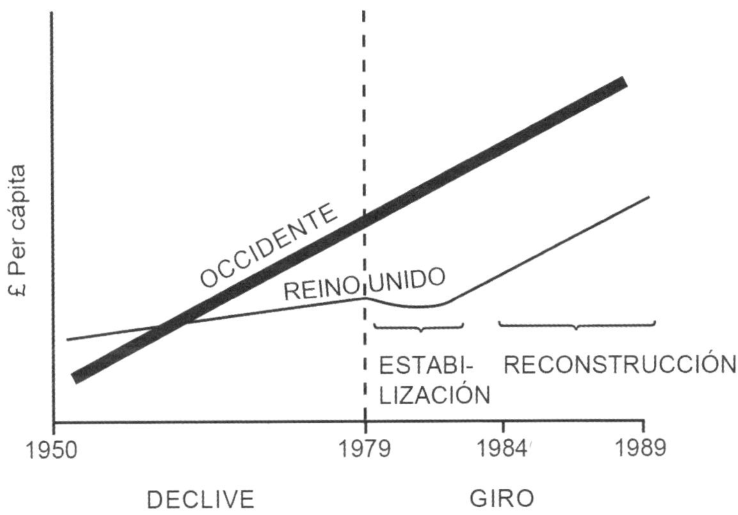

Figura c.1. **Visión de John Hoskyns sobre la política de las promesas rotas.** Reelaborado a partir de John Hoskyns, «Government Strategy», 12 de junio de 1979, PREM 19/24, Margaret Thatcher Foundation, Thatcher MMS (colección digital), consultado el 14 de diciembre de 2017, https://www.margaretthatcher.org/document/115016.

¿Qué es lo que tenemos aquí exactamente? Nos encontramos con un país en declive, rezagado respecto a Occidente, definido por este último como una tendencia constante de crecimiento y bienestar individual ascendente, que avanza sin cesar hacia un futuro infinito. Para revertir su retraso en comparación con el bloque occidental, el Gobierno de este país se enfrenta a una paradoja aparente que debe explicar a su gente: como medio para revertir su declive, el Gobierno primero ha de implementar un periodo de «estabilización», durante el cual los niveles de vida disminuirán y el país se quedará aún más atrás de Occidente durante años. «La estabilización es la parte difícil», escribió Hoskyns, capturando inadvertidamente la esencia de este libro en una sola frase. «Probablemente habrá un notable efecto de curva en J durante los primeros dos o tres años, cuando el deterioro económico, medido por indicadores tradicionales —crecimiento, desempleo, inflación—, parecerá peor que en 1978-1979». Aunque la política de implementar la estabilización sería peligrosa, si el país quería seguir siendo una fuerza significativa en el mundo, era imprescindible. «La alternativa —concluyó— es seguir descendiendo lentamente fuera del mundo occidental en términos políticos, sociales y militares»[928].

Esta política de ruptura de promesas queda ilustrada en un solo gráfico, y ahora que hemos llegado al final de este libro, vemos que su dinámica no se limitaba solo a la Gran Bretaña de la era Thatcher. Simplemente cambiando los años en el eje x del gráfico de Hoskyns, la moneda en el eje y, y el país en cuestión, podemos describir los dilemas centrales que enfrentaron muchos Gobiernos al final de la Guerra Fría. Esta fue la situación que enfrentó Paul Volcker cuando dejó a millones de estadounidenses sin empleo y provocó miles de quiebras, en un esfuerzo por revitalizar la economía estadounidense y renovar su posición preeminente en el mundo. Fue la misma situación que enfrentó Edward Gierek en 1980, cuando su intento de aumentar los precios incitó la formación de Solidaridad. Y esta era la situación de los líderes polacos y húngaros en 1987 y 1988, cuando decidieron liberalizar sus sistemas políticos como un medio para que sus sociedades aceptaran la austeridad.

En esencia, esta era la situación a la que se enfrentaba Mijaíl Gorbachov al asumir el cargo de secretario general del PCUS el 11 de marzo de 1985. La perestroika, ¿no era acaso un programa

928 John Hoskyns, «Government Strategy», 12 de junio de 1979, PREM 19/24 f11, Margaret Thatcher Foundation, Thatcher MSS (colección digital), consultado el 14 de diciembre de 2017, https://www.margaretthatcher.org/document/115016.

de reforma económica diseñado para revertir el declive relativo de la Unión Soviética respecto a Occidente y evitar caer «lentamente fuera [o, en el caso de Gorbachov, detrás] del mundo occidental en términos políticos, sociales y militares»? El fracaso definitivo de Gorbachov, y por ende el colapso económico y geopolítico de la Unión Soviética, radicó en su renuencia a aceptar una curva J en la fortuna soviética. Inicialmente, por razones ideológicas y políticas internas, negó la necesidad de una caída prolongada en el nivel de vida y la seguridad económica del pueblo soviético. Luego, en 1990, cuando reconoció que una significativa curva J era inevitable, redujo la presencia militar soviética en Alemania para ahorrar divisas, acceder a capital occidental y mitigar el impacto interno del inminente descenso económico.

En la historia de Gorbachov, vemos que la presión para romper promesas impulsó el cambio político e ideológico a finales de la Guerra Fría de dos maneras distintas. En primer lugar, varios eventos políticos y diplomáticos clave para su fin fueron consecuencia del deseo de los líderes comunistas de suavizar o evitar por completo la ruptura de promesas domésticas. Los cambios en la política exterior soviética que facilitaron el fin de la Guerra Fría deben interpretarse en este contexto. Tanto la intención del Kremlin de reducir la carga material de su imperio tras la crisis del petróleo como su creciente deseo de aliviar la presión de la carrera armamentística surgieron de esta tendencia y alcanzaron su apogeo con Gorbachov. Sus audaces movimientos en la diplomacia nuclear, el abandono de la Doctrina Brézhnev en 1986, la aceptación del desigual Tratado INF en 1987, el anuncio de la retirada unilateral de las fuerzas soviéticas de Europa del Este en 1988, la aceptación de Gobiernos no comunistas en Europa del Este en 1989, y su acuerdo con la unificación alemana en términos occidentales en 1990, fueron todos ellos intentos de reducir el arsenal soviético (y los suministros de energía subvencionados) para aumentar el bienestar de su pueblo. Gorbachov creía que si podía liberar a la Unión Soviética de la carga de las armas y los aliados, tal vez podría evitar romper promesas a su pueblo. Su éxito en liberarse de estas cargas fue solo parcial, como era de esperar, dada la oposición de poderosos intereses arraigados, pero fue este deseo de aligerar la carga material de las armas y los aliados lo que impulsó los desarrollos clave en la política exterior soviética en el camino hacia el fin de la Guerra Fría.

Los efectos políticos secundarios de los esfuerzos por evitar la ruptura de promesas no se limitaron al Kremlin, sino que también desempeñaron un papel fundamental en la configuración de los acontecimientos en Europa oriental. El empeño firme de los líderes de Europa del Este por no romper promesas fue, en efecto, lo que originó la dependencia financiera del bloque de los Gobiernos occidentales y los mercados mundiales de capital después de la crisis del petróleo de 1973. Esta dependencia condujo a cambios políticos específicos y cruciales durante el final de la Guerra Fría. Fue el anhelo de Wojciech Jaruzelski de recuperar el acceso a divisas fuertes lo que lo llevó a declarar una amnistía general y liberar a los líderes de Solidaridad en septiembre de 1986. La búsqueda de Miklós Németh de recortes presupuestarios en Hungría que no afectaran el nivel de vida llevó a la eliminación de la barrera del telón de acero entre Hungría y Austria en 1988. La reluctancia de Egon Krenz a imponer austeridad interna en Alemania Oriental y su intento de intercambiar la apertura del Muro de Berlín por moneda fuerte de Alemania Occidental son otros ejemplos. Y fue el deseo de Gorbachov de suavizar las dificultades de la inminente transición de la Unión Soviética a una economía de mercado lo que lo impulsó a aceptar la unificación alemana en términos occidentales a cambio de miles de millones de dólares y marcos alemanes. Por lo tanto, ya sea por el temor a enfrentar la curva J de Hoskyns o por el deseo de mitigar su inmersión, los líderes comunistas del bloque del Este renunciaron gradualmente a su control coercitivo sobre las poblaciones de Europa del Este y, poco a poco, prepararon el escenario para los asombrosos acontecimientos de 1989 y 1990.

En segundo lugar, mientras que los intentos de evitar la ruptura de promesas impulsaron cambios políticos y diplomáticos significativos a finales de la Guerra Fría, los esfuerzos por enfrentar la política de ruptura de promesas llevaron a transformaciones políticas e ideológicas de mayor envergadura. Afrontar el desafío de romper las promesas significaba, en realidad, revisar el contrato social de posguerra, lo cual requería justificación ideológica ante las circunscripciones políticas nacionales. Como Hoskyns le escribió a Thatcher, «estamos tratando con sistemas sociales, no mecánicos (...). Por lo tanto, el Gobierno tiene que persuadir a la gente para que piense y sienta de forma diferente, antes de que pueda cambiar el comportamiento del sistema»[929]. Gorbachov, Paul Volcker, Ronald Reagan y Wojciech Jaruzelski, cada uno a su manera, estuvieron de acuerdo en que cambiar el comportamiento del sistema era esencial para sus respectivos objetivos, ya fuera en el contexto de la perestroika, el monetarismo, la economía de la oferta o las negociaciones de la mesa redonda polaca. Todos estos esfuerzos fueron intentos de transformar un sistema político o ideológico predominante para justificar las promesas incumplidas. Por lo tanto, si bien los cambios políticos importantes surgieron de los intentos de eludir la política de ruptura de promesas, los cambios más profundos y duraderos en las corrientes políticas e ideológicas, tanto del capitalismo democrático como del socialismo de Estado, surgieron de los intentos de abordar directamente esa política.

La curva J de Hoskyns nos ayuda a especificar cómo tres grupos cruciales —los gobiernos occidentales y las instituciones internacionales, los tenedores de capital mundial, y los pueblos del bloque oriental— ejercieron su influencia en el desenlace de la Guerra Fría. Este libro ha establecido desde sus primeras páginas que las dos últimas décadas de la Guerra Fría funcionaron efectivamente como una Guerra Fría privatizada, en la que tanto actores estatales como no estatales controlaban el acceso de los Estados a los recursos energéticos y financieros. Observamos que los Gobiernos occidentales y las instituciones internacionales como el FMI tenían una influencia limitada sobre los países comunistas mientras los poseedores de capital mundial mantuvieran su confianza en estos

929 Hoskyns, «Government Strategy».

países. La influencia occidental solo se manifestaba cuando los Gobiernos comunistas enfrentaban la amenaza inminente de perder el acceso al capital privado o ya lo habían perdido completamente.

La importancia de la perestroika capitalista se hizo evidente en este contexto. Durante la década de los setenta, los tenedores de capital mundial estaban dispuestos, incluso deseosos, de proporcionar cantidades casi ilimitadas de capital al bloque comunista, lo que dejó a los Gobiernos occidentales y a las instituciones internacionales con escaso poder en la región. Sin embargo, fue la potente combinación del «*shock* de Volcker», la acumulación financiera de Reagan y la crisis polaca lo que llevó a los poseedores de capital mundial a cuestionar sus préstamos a los prestatarios soberanos en general y al mundo comunista en particular. Tras deshacer la interdependencia Este-Oeste de la década de los setenta, los Gobiernos occidentales y las instituciones internacionales obtuvieron un potencial de influencia sobre el bloque del Este. Aunque el mundo comunista no perdió de manera permanente el acceso a los mercados mundiales de capital después de principios de la década de los ochenta, nunca recuperó la lealtad incondicional de los poseedores de capital mundial. Esto marcó el inicio de futuras pérdidas de confianza en los mercados y, por consiguiente, de futuros momentos ventajosos para los Gobiernos occidentales y las instituciones internacionales.

Las mismas dinámicas que debilitaron la posición del bloque comunista en los mercados mundiales de capital también sirvieron para reforzar la posición dominante de Estados Unidos en el ámbito internacional. La exitosa implementación de la curva J de Hoskyns, por parte de Paul Volcker, en la sociedad estadounidense se convirtió en un acto fundamental para renovar el poder estructural de Estados Unidos en el sistema internacional en el periodo de posguerra. La disposición de Volcker para imponer rigurosas políticas de ajuste económico a los ciudadanos estadounidenses envió un mensaje claro a los tenedores de capital mundial: los líderes políticos de Estados Unidos protegerían los intereses del capital por encima de los del trabajo. Como resultado, Estados Unidos fue recompensado con un flujo masivo de capital, eliminando la dicotomía entre mantener un fuerte aparato militar y un estado de bienestar robusto. Esto revitalizó la prosperidad estadounidense y fortaleció su influencia en el extranjero. Los dos pilares que han permitido a Estados Unidos mantener su hegemonía en el sistema internacional desde 1980 —el estatus inalterado del dólar como moneda de reserva mundial y la capacidad de Estados Unidos para mantener déficits presupuestarios y por cuenta corriente casi continuos durante cuatro décadas— son consecuencia directa de la confianza que Volcker restauró en los inversionistas mundiales respecto a la seguridad de su capital en Estados Unidos.

Ronald Reagan fue el primer beneficiario de esta nueva configuración del poder global estadounidense. Su Gobierno dio inicio a una era de acumulación financiera que financió tanto reducciones fiscales sin precedentes como la mayor expansión militar en tiempos de paz en la historia de la nación. Aunque sería simplista y erróneo afirmar, como lo hace cierta narrativa popular, que la acumulación militar de Reagan por sí sola puso fin a la Guerra Fría al llevar a la Unión Soviética a la bancarrota, es evidente que la renovación del poderío militar estadounidense en la década de los ochenta logró su objetivo previsto. Dejó claro a los líderes soviéticos que no podían competir con los vastos recursos materiales de Washington y que, por lo tanto, sería más prudente buscar un fin negociado para la Guerra Fría.

Contrario a lo que Ronald Reagan solía creer, los vastos recursos a su disposición no emanaban de un renovado capitalismo estadounidense revitalizado por incentivos de oferta, sino más bien del resultado de un capitalismo cada vez más globalizado, impulsado por el libre flujo de capitales alrededor del mundo. Esta realidad no le restó potencia a los recursos; de hecho, al lograr que inversores de Japón, Alemania Occidental y países árabes financiaran indirectamente el desarrollo de la próxima generación de poder militar estadounidense a través de los mercados de deuda, Volcker y Reagan lograron, quizá sin darse cuenta, una proeza que los líderes soviéticos nunca pudieron: hacer que su imperio se autofinanciara.

Después de 1980, el imperio estadounidense se convirtió en un activo material significativo para Washington, mientras que el imperio soviético continuó siendo una carga material pesada para Moscú. Esta disparidad creó un inmenso desequilibrio de poder entre Washington y Moscú, no solo en términos de escala, sino también de estructura. Washington no solo poseía más poder económico y militar que Moscú, sino que también contaba con aliados cuya participación era integral para sostener la proyección de ese poder. La subsiguiente desintegración del imperio soviético y la persistencia del imperio estadounidense pueden atribuirse a esta diferencia fundamental en su estructura imperial.

Los países comunistas, durante un tiempo, también se beneficiaron del libre flujo de capital excedente en el mundo en la década de los ochenta. La sorprendente conexión entre el comunismo de János Kádár en Hungría y el capital japonés ilustra este fenómeno. Sin embargo, cuando estos Estados perdieron el acceso a los mercados mundiales de capital, los Gobiernos occidentales y las instituciones internacionales obtuvieron una considerable influencia sobre su destino. Esta influencia se manifestó de dos maneras. Primero, a través de lo que he denominado «el poder de la omisión», donde los Gobiernos occidentales y las instituciones como el FMI restringieron el flujo de fondos a los Gobiernos comunistas, forzándolos a emprender reformas económicas o políticas internas. Este fue el mecanismo de influencia del Gobierno estadounidense y del FMI en Polonia y Hungría a partir de 1986 y 1987, la forma en que el Gobierno de Alemania Occidental ejerció poder sobre la RDA desde octubre de 1989, y la razón detrás de la negativa estadounidense a proporcionar ayuda financiera significativa a la Unión Soviética en la primavera y verano de 1990. Al negar a los Estados comunistas acceso al capital público y privado, los Gobiernos occidentales y el FMI los obligaron a enfrentarse a la dura realidad de la curva J de Hoskyns y a las complicadas cuestiones políticas e ideológicas que conllevaba.

En una segunda forma de influencia, más cercana a recompensar el buen comportamiento, los Gobiernos occidentales otorgaron fondos a los Gobiernos comunistas para que pudieran evitar o mitigar el impacto de incumplir sus promesas, a cambio de concesiones políticas y diplomáticas significativas. Esta táctica fue empleada de manera destacada por Alemania Occidental en dos ocasiones cruciales. Primero, en agosto de 1989, otorgaron a Miklós Németh un préstamo de quinientos millones de marcos y prometieron un apoyo económico más amplio a cambio de permitir la salida de refugiados de Alemania Oriental a través de Hungría hacia Occidente, lo que supuso un duro golpe para la viabilidad de la RDA. Luego, en 1990, ofrecieron a Gorbachov un préstamo de cinco mil millones de marcos y garantías económicas adicionales a cambio de su cooperación en la unificación alemana y la adhesión a la OTAN, sellando así el destino de la unificación alemana en términos occidentales. Aunque las pruebas sugieren que tanto Németh como Gorbachov habían tomado sus decisiones antes de solicitar ayuda a Alemania Occidental, también hay evidencias de que ambos Gobiernos estaban al borde de perder el acceso a los mercados mundiales de capital. Su principal preocupación era suavizar el impacto de la curva J de Hoskyns en sus poblaciones, y comprendían que el apoyo financiero de la RFA podría ser crucial en este sentido. Bonn, reconociendo el valor estratégico de su apoyo financiero, estuvo dispuesto a facilitar la solución de sus problemas internos a cambio de concesiones políticas sustanciales.

En resumen, un amplio espectro de actores occidentales, incluidos Gobiernos, instituciones internacionales y tenedores de capital mundial, jugaron un papel crucial en el desenlace de la Guerra Fría. Durante mucho tiempo, los académicos han sido reacios a atribuir un papel significativo a Occidente en el colapso del comunismo y el fin de la Guerra Fría, a menudo porque aquellos que sí lo hacían utilizaban esta narrativa para propósitos cuestionables en el mundo posterior a la Guerra Fría. Sin embargo, reconocer la influencia decisiva de Occidente no implica necesariamente aprobar el uso de dicho poder. De hecho, muchas de las críticas más severas al poder de Estados Unidos, de Occidente y del capitalismo se basan en la capacidad de estos actores para influir significativamente en otros países, no en su impotencia. Más allá de mejorar nuestro entendimiento empírico de cómo terminó realmente la Guerra Fría, este libro ofrece un avance analítico importante. Podemos reconocer la amplitud, el alcance y la naturaleza del poder estadounidense, occidental y capitalista en el sistema internacional de este periodo sin que ello implique un respaldo acrítico o automático.

Este libro enfatiza que no hubo líneas rectas, causales e inequívocas de influencia desde los centros de poder occidentales hacia los sucesos que sacudieron al bloque oriental. No es, de ninguna manera, una narrativa que sugiera que una cábala secreta de financieros de Wall Street, instituciones internacionales ocultas y ministerios de Economía occidentales derribaron deliberadamente al comunismo. Tampoco es una defensa de que la coerción financiera sea siempre efectiva. Al igual que la idea de que la escalada militar de Reagan acabó sola con la Guerra Fría, la realidad es mucho más compleja y está marcada por la interacción de factores económicos, políticos e ideológicos tanto en Oriente como en Occidente. Este libro relata cómo diversas presiones, a veces intencionadas, otras accidentales, y no siempre coordinadas, emanaron de Gobiernos occidentales, instituciones internacionales y tenedores de capital mundial, restringiendo de forma gradual las opciones de los líderes del bloque comunista. A través de este entrelazado de intenciones y acciones, los actores occidentales jugaron un rol importante en el desenlace de la Guerra Fría.

Pero esta es solo una parte de la historia. Los actores occidentales podían forzar a los líderes comunistas a enfrentar la política de ruptura de promesas, pero fueron los ciudadanos del bloque del Este quienes transformaron esta confrontación en un proceso político tumultuoso y finalmente destructivo para sus propios regímenes. Si las poblaciones de la Unión Soviética, Polonia, Hungría y Alemania Oriental hubieran aceptado el disciplinamiento económico tan pasivamente como lo hicieron, en comparación, los ciudadanos de Estados Unidos o Gran Bretaña, no estaríamos hablando del colapso del comunismo ni del fin de la Guerra Fría. La clave reside en la «confianza en el futuro» que John Hoskyns identificaba como esencial para que la población estuviera dispuesta a «hacer sacrificios presentes por beneficios futuros»[930]. Esta confianza, tanto en el futuro como en sus Gobiernos, era precisamente lo que faltaba en las poblaciones del bloque oriental. Por eso, los momentos de activismo masivo surgieron justo cuando sus Gobiernos les pedían hacer esos sacrificios. La clase obrera polaca lideró el camino para todo el bloque, y sus revueltas contra la austeridad, en 1970, 1976, 1980 y 1988, fueron una razón clave por la que los Gobiernos comunistas nunca pudieron implementar con éxito la política de ruptura de promesas. La aparición y la perseverancia de Solidaridad enviaron un mensaje poderoso más allá de Polonia sobre las consecuencias políticas del ajuste económico. Aunque la resistencia obrera no fue tan marcada en otros países del bloque, no necesitaba serlo. Los líderes comunistas en otros lugares temían que su propia versión de la crisis polaca fuera el resultado inmediato de cualquier intento de imponer la austeridad en sus respectivos países.

Al final, los ciudadanos del bloque del Este no estaban dispuestos a aceptar el disciplinamiento económico a menos que viniera de un Gobierno que consideraran propio. Esto fue lo que Rakowski observó en Polonia en 1989: el pueblo polaco sentía que finalmente tenía «su» Gobierno. Sin embargo, tanto el pueblo como los líderes comunistas sabían que cualquier lazo que hubieran compartido en el pasado se había desvanecido hacía tiempo. Fue esta necesidad de reconectar con el pueblo lo que impulsó a los Gobiernos comunistas a democratizarse a finales de los años ochenta. Por tanto, podemos afirmar que los pueblos del bloque oriental desempeñaron un papel crucial y, dadas las formidables fuerzas de represión que enfrentaron, también heroico en la forja de su propio futuro.

Sin embargo, esta conclusión convive con otra observación. En la euforia de 1989 y en el resplandor de los años posteriores, era común pensar que la caída del comunismo y el surgimiento de la

930 Hoskyns, «Government Strategy».

democracia electoral en el antiguo bloque del Este marcaban el comienzo de una nueva era de soberanía popular y autodeterminación para los pueblos de la región. El diario de Rakowski y su reflexión sobre el sentimiento de los polacos de tener finalmente «su» gobierno en Varsovia definen esta sensación. Pero este libro ha demostrado detalladamente que el Gobierno que los polacos consideraban suyo no era exclusivamente de ellos. Era, en realidad, un Gobierno que debía servir a dos señores: el pueblo y el mercado, o alternativamente, el capital y el trabajo. De lo expuesto anteriormente, emerge una de las contradicciones centrales, quizá la contradicción más significativa, del colapso del comunismo: que la soberanía fue devuelta al pueblo solo para que el poder de resistencia ante el Gobierno fuera superado. Así, el final de la Guerra Fría marca, de forma simultánea, tanto el apogeo del poder popular como su momento de desborde y superación.

Esta contradicción no fue exclusiva de los Estados de un bloque del Este en desintegración. Todos los Gobiernos que dependieron del crédito tras la crisis del petróleo de 1973 —la mayoría— se encontraron en una encrucijada, ya que debían lealtad tanto al capital mundial como a sus propios ciudadanos. Esto impuso límites claros a las políticas internas que podían aplicar. Ejemplos de ello son la crisis del FMI en Gran Bretaña en 1976, los esfuerzos de la Reserva Federal para salvar el dólar estadounidense a partir de 1978, el cambio radical de Mitterrand en Francia en 1982, y los numerosos programas de ajuste estructural impuestos a los países deudores del Sur Global durante la década de los ochenta.

Así, en resumen, este libro ofrece una explicación estructural para la creciente dependencia de los Gobiernos estatales de las finanzas globales tras la crisis del petróleo de 1973. Aunque el crecimiento económico mundial se ralentizó alrededor de 1970, las expectativas de progreso social y material de la población no lo hicieron. La política de hacer promesas seguía siendo más popular y sencilla que la de incumplirlas, y los Gobiernos hallaron en el capital financiero un medio para mantener esas promesas. Este impulso de continuar haciendo promesas era natural e incluso noble, pero introdujo inevitablemente una nueva variable en el contrato social: los poseedores de capital global.

Con el tiempo, la relación entre la ciudadanía y el Estado, cada vez más mediada por el capital prestado, se transformó en una dinámica de deudores y acreedores con el aparato estatal, democrático o no, facilitando esa relación. No es sorprendente que el Estado empezara a desplazar de forma gradual su compromiso de proteger los intereses del trabajo por el de salvaguardar los intereses del capital. El auge del neoliberalismo, como ideología predominante del capital, hacia finales del siglo XX, refleja este cambio, ya que los Estados incrementaron su dependencia del capital financiero para cumplir sus contratos sociales.

Sería un error, sin embargo, limitar nuestra comprensión del ascenso del neoliberalismo a una narrativa en la que los capitalistas acumulan mayor capital debido a la crisis del petróleo y utilizan esta riqueza para imponer sus intereses al mundo. Este libro ha demostrado también que el neoliberalismo cobró fuerza al ofrecer una visión ideológica atractiva, prometiendo una solución al desafío gubernamental planteado por la crisis del petróleo tanto en Oriente como en Occidente. Se trataba de cómo lograr, tanto en lo político como en lo económico, la transición del estancamiento industrial a una modernidad postindustrial.

¿En qué consistía esta visión? Hoskyns, una vez más, la articuló de forma clara y cristalina en sus escritos, con palabras que hoy podrían resultarnos sorprendentes. «Es de conocimiento común que el problema económico del Reino Unido es una fatiga estructural», escribió. «Lo que se necesita son diez años de políticas descaradamente favorables a las empresas y la industria». Estas políticas abarcarían una inflación casi nula, reducciones en el porcentaje del PIB correspondiente al gasto gubernamental, la revitalización de los incentivos personales, la liberalización del mercado laboral y, quizá lo más crucial, un profundo cambio cultural en la percepción de la riqueza. «La moda sigue al dinero», declaró ante el Gabinete británico. «Como dijo el académico estadounidense al final de su charla, "No aplaudan. Lanzad dólares"». Según

Hoskyns, los Gobiernos anteriores se habían visto constreñidos por el poder sindical y una mentalidad igualitaria predominante. Solo rompiendo el control sindical y mostrando al sector privado como la mejor manera de acumular capital personal, se podría revertir la fortuna económica del país. Esperaba que este cambio en la cultura fuera rápido, aunque reconoció que «probablemente no sucederá hasta que los directivos del sector privado sean tan prósperos y estén tan poco gravados que comiencen a captar la atención de otros sectores de la sociedad». Cambiar la percepción pública negativa sobre la inmensa riqueza y la gran desigualdad era esencial. Una vez que el país superara su «tradicional temor británico» —el miedo latente a que unos pocos individuos acumulen grandes fortunas—, Hoskyns aseguró al gabinete, «empezarán a suceder muchas cosas positivas»[931].

Sabemos que la difusión global de esta visión, tan inequívocamente neoliberal como cualquier otra plasmada en un documento de política práctica, no fue meramente el resultado de la influencia capitalista sobre las sociedades. Esto se evidencia en que ideales similares se manifestaron incluso al otro lado del telón de acero. A finales de los años ochenta, la Unión Soviética, pese a su independencia del capital occidental y su posición como bastión del marxismo-leninismo contra la explotación capitalista, reflejaba preocupaciones parecidas. Como este libro ha revelado, los funcionarios soviéticos a menudo expresaban su frustración por la «fatiga estructural» de su economía industrial y el «talante igualitario» de su sociedad. Ellos también debatían cómo reactivar los incentivos personales para trabajar, disminuir la intervención estatal en la economía, liberalizar el mercado laboral y cerrar empresas deficitarias. Adoptaron una filosofía similar a la de «No aplaudan, lancen rublos», y consideraron el aumento de la desigualdad como una estrategia viable. No estaban solos en este pensamiento; Károly Grósz, líder comunista húngaro y admirador de Thatcher,

931 Algunas de estas citas se han reordenado a partir de su orden original para presentar un resumen coherente del argumento de Hoskyns, «Government Strategy».

encapsuló esta visión dominante de manera contundente en 1986: «El marxismo nunca ha sostenido el igualitarismo, sino el principio de igualdad de oportunidades», afirmó, «un principio que admite, en todos los aspectos, la posibilidad de una desigualdad considerable (...). La igualdad nunca ha sido, ni puede ser, una característica del socialismo»[932].

Este enfoque marcó un cambio radical en la dinámica de la Guerra Fría. En lugar de debatir sobre cómo la igualdad económica y la seguridad podrían generar el mayor progreso social, los países tanto del Este como del Oeste empezaron a discutir sobre cuánta desigualdad económica e inseguridad podrían propiciar una nueva era dorada. Similar a la carrera de promesas de la Guerra Fría, sus diferencias eran más de grado que de tipo. En vez de competir en hacer promesas, ahora parecían empeñados en romperlas.

Sin embargo, el comunismo carecía de sentido en una era definida por la ruptura de promesas. El partido comunista no podía reivindicar un derecho especial para gobernar si su papel se reducía a ser un mero conducto para distribuir las penas y premios del mercado. En contraste, el neoliberalismo no se enfrentó a tal contradicción. No se limitó a intentar convertir al Estado en un simple intermediario para la distribución de las ventajas y desventajas del mercado, sino que fue más allá. Como ilustra Hoskyns, los neoliberales buscaron utilizar el Estado para fomentar activamente los intereses de una minoría acaudalada, justificando esta estrategia en un lenguaje de libertad política y económica. Así, el derrumbe del comunismo y el ascenso del neoliberalismo representaron dos aspectos de la misma moneda ideológica: la moneda que los Gobiernos emplean para legitimar su rol en la mediación entre sus ciudadanos y la economía.

Este libro concluye con una reflexión final sobre el impacto de la ruptura de promesas en el mundo contemporáneo, ilustrada

932 «Nuestros problemas y posibilidades: An Interview with Karoly Grósz», traducido y añadido a Memorandum for Files, «Hungary-Interview with Mr. Karoly Grósz», 4 de diciembre de 1986, caja 159, expediente 1, European Department Immediate Files, Country Files (EURAI CF), Archivos del FMI, Washington D. C.

por una observación adicional sobre el gráfico de Hoskyns. Un análisis detenido revela que los países que siguieron la curva J de promesas rotas no lograron retomar la impresionante trayectoria de crecimiento que el bloque occidental experimentó en la posguerra. Aunque su riqueza y bienestar han aumentado gradualmente, estos países aún se sitúan bajo la sombra de aquella tendencia ascendente occidental, que se proyectaba hacia un futuro de progreso material y social continuo. Esta discrepancia refleja tanto la excepcionalidad del periodo de posguerra hasta principios de los setenta como las deficiencias persistentes de la vida política y económica actual. Al final, «Occidente» no es un lugar tangible, sino más bien un término que empleamos para describir nuestras expectativas colectivas de un progreso incesante. La magia del periodo de posguerra hasta 1973 y, de hecho, la de la competencia entre el capitalismo democrático y el socialismo de Estado en la primera mitad de la Guerra Fría, radicaba en que, por un breve periodo, no existía una brecha entre la línea del gráfico de Hoskyns y la occidental, ni entre las expectativas de muchos ciudadanos y su realidad. A pesar del alto precio de la jerarquía racial y de género en Occidente y del autoritarismo en Oriente, los Gobiernos pudieron prometer a sus hombres blancos una vida mejor y cumplir esa promesa casi tan rápido como lo imaginaron.

Las convulsiones económicas de los años setenta desmantelaron esta alineación entre promesas y expectativas, dejándonos en un mundo permanentemente marcado por su legado. Hoy, a costa de una desigualdad de riqueza desmesurada y la explotación del medio ambiente, nuestro mundo avanza lentamente, pero siempre a la zaga de la trayectoria histórica de la posguerra como de nuestras expectativas colectivas imaginadas. La pregunta esencial que surge tras el triunfo de las promesas rotas es cómo podríamos entrar en una era donde las promesas de los Estados y las expectativas de sus ciudadanos se alineen más estrechamente. Esta interrogante define nuestra época.

Este libro está impreso con tipografía
Sabon tamaño 10,7 pt.
Se terminó de imprimir en los talleres
de Kadmos en julio de 2024.